LUZ y SOMBRAS en el LABERINTO

¿POR QUÉ LAS SOMBRAS ESPIRITUALES PERSISTEN DONDE ESTÁN?

George Otis, Jr.

EDITORIAL
UNILIT

Publicado por
Editorial Unilit
Miami, Fl. 33172
Derechos reservados

Primera edición 2001

© 1997 por George Otis Jr.

Originalmente publicado en inglés con el título: *The Twilight Labyrinth*
por Chosen Books, una división de
Baker Book House Company,
Grand Rapids, Michigan, 49516, U.S.A.

Traducido al español por: Pablo Barreto, M.D.

Citas bíblicas tomadas de la Santa Biblia, revisión 1960,
© Sociedades Bíblicas Unidas.
Otras citas marcadas B.d.l.A. "Biblia de las Américas",
© 1986 The Lockman Foundation.
Usadas con permiso.

Producto 495092
ISBN 0-7899-0652-X
Impreso en Colombia
Printed in Colombia

Este libro se dedica a la memoria
de Tom Dologhan, antiguo director de
la Misión del Evangelio a los Navajos
y uno de los más escogidos héroes de Dios.
Deseo que hubiéramos tenido más tiempo,
Tom. Te veré pronto.

෩

"¿Por dónde va el camino a la habitación de la luz, y dónde está el lugar de las tinieblas, para que las lleves a sus límites, y entiendas las sendas de su casa?"

Job 38:19-20, RV

൧

CONTENIDO

PREFACIO

REFLEXIONES SOBRE UN VIAJE

En estos días una queja común entre los votantes estadounidenses consiste en que las campañas políticas se han vuelto sosas y desprovistas de información. Mientras los candidatos tienen mucha culpa de esto,[1] los medios noticiosos son también en parte responsables. Esto es cierto sobre todo para la televisión, un medio cuyos costos altos y paso rápido inhibe e impide una revisión cuidadosa de los temas. En espacios reducidos de treinta segundos, simplemente no se pueden exponer las soluciones a los problemas sociales tan complejos.

Con el fin de resolver este aparente intratable problema, Joe King, candidato del área de Seattle (Estado de Washington) produjo hace poco un novedoso aviso de televisión. En lugar de dispensar las típicas vagas plataformas, King usó su espacio de medio minuto para enfatizar la complejidad de los temas actuales y para pedir a los televidentes que le escribieran con el objeto de saber más detalles. A quienes lo hicieron se les envió una copia del *Plan Joe King*, donde se preparó con todo cuidado un resumen de los análisis y propuestas del candidato.

Aunque la votación por la candidatura del señor King al final resultó corta, su rechazo a la superficialidad no lo fue. En las semanas que siguieron a las elecciones, muchos votantes vitorearon su iniciativa como un refrescante aparte de las tácticas comunes en las campañas modernas.

Se ha visto surgir la misma actitud entre los cristianos de los últimos tiempos. Como desafío a la idea popular que sólo pueden soportar sermones de veinte minutos y libros con la longitud de una simple carta de noticias, muchos creyentes en estos días muestran un apetito formidable por recibir sustancia verdadera. Desafortunadamente una proporción muy alta de pastores, autores y publicistas, aún se hallan casados con los viejos paradigmas.

Al enfrentar este problema *Luz y Sombras en el Laberinto* descarta las presentaciones intelectuales en favor de cortejos conceptuales. En vez de apresurarse a conclusiones dudosas, permite a los lectores demorarse sobre matices ricos y sobre intrincadas relaciones. Como la destilación de muchos años de trabajo duro y difícil, es mi versión del *Plan Joe King* —un libro que pretende ser para creyentes nutridos tanto con el racionalismo estrecho de ciertos evangélicos, como con la cultura pop simplista que se ha desarrollado alrededor de varios carismáticos.

El propósito primario de *Luz y Sombras en el Laberinto*, reside en ayudar a los cristianos a que lleguen a un entendimiento más completo del campo de batalla espiritual moderno. Para alcanzar esta meta, a los lectores se les lleva en un viaje que se desarrolla a través de las civilizaciones antiguas, las obras interiores de la mente humana, y la eterna Palabra de Dios. Es una encuesta cuyo punto de partida es una pregunta simple: ¿Por qué las sombras espirituales persisten?

Mi propia investigación de siete años en esta materia me ha llevado a casi cincuenta naciones del mundo. A lo largo del camino he ascendido a las cimas de montañas sagradas, he examinado críticamente las profundidades de las bibliotecas universitarias, y he remado aguas abajo por el santo río Ganges al amanecer. Me he aventurado dentro de festivales multitudinarios, así como en templos y monasterios desagradablemente húmedos. He tenido que escuchar los relatos de los lamas budistas del Tibet, de los curanderos indígenas (hombres de medicina) nativos de los Estados Unidos de América y de los teorizantes del movimiento "Nueva Era". He comparado mis notas con misioneros y pastores nacionales, he entrevistado a prehistoriadores y antropólogos y he escudriñado las mentes de expertos en todo, desde chamanismo y adoración de antepasados hasta folclor islámico e iniciaciones religiosas. El libro que usted tiene ahora en sus manos es la culminación de este fascinante e instructivo viaje.[2] La diligencia en guardar los registros fue de extrema importancia. Es sorprendente con cuánta rapidez una encuesta épica como esta puede reducirse apenas a un puñado de recuerdos, a unos pocos relatos para contar. La experiencia visceral de permanecer de pie en lo más alto del monte Ontake de Japón, u observar cómo los peregrinos tibetanos circundaban el templo Jokhang, comienza a desaparecer. Mientras casi todos los turistas evitan esta disipación con la compra de memorias previamente empacadas y enlatadas en las tiendas para turistas, procuré mantener vivo el despliegue completo de la aventura en microcasetes y en libretas de notas.[3]

La perseverancia es otra virtud en la investigación. Reunir todo lo de este libro me ha recordado los pequeños rompecabezas de piezas deslizantes con que acostumbraba jugar de muchacho en el banco de la iglesia. A veces pensaba que ya había armado el rompecabezas, sólo para descubrir que faltaba una piececita aislada, oculta bajo mi pulgar. Aunque estos errores pueden ser comunes al hombre, no los hace menos frustrantes. El único antídoto para su efecto paralizador es la tenacidad. Como Garth Henrichs aconseja: "El hombre que espera que algo se doble hacia arriba, debería comenzar con las mangas de su camisa".[4]

Algunos retos, desde luego, no se pueden enfrentar con perseverancia sola. Un buen ejemplo es un encuentro repugnante y sucio que tuve antes con el adversario el 15 de julio de 1993. Alrededor de las cuatro de la madrugada me despertó súbitamente la más intensa presencia del mal que jamás había experimentado. Más oscura que la noche misma, se movía sobre mi cama en un silencio helado. El temor era sofocante. Mi corazón comenzó a correr como un galgo y se me erizaron los vellos de los brazos y la nuca. Sin duda de ninguna clase este intruso incorpóreo era una fuerza perceptible —una fuerza cuyas intenciones y poder eran claramente malévolos.

Esta visita era un equivalente espiritual a una advertencia de la mafia. Al emprender una investigación de varios años en el lado oscuro de la dimensión espiritual, había metido las narices donde no debía. Aun peor, temprano en la víspera había enviado bosquejos detallados del proyecto a mi editor. Con cosas que se salían claramente de las manos, los poderes de las tinieblas aparentemente sintieron que era ya tiempo de mover las estacas. Aunque no hubo intercambio audible con el visitante nocturno, toda su amenaza fue demasiado clara: *Si sigues con este proyecto, tocaré a tus hijos*.

El desarrollo y seguimiento de la amenaza (que se detalla en el capítulo 9) no es sino uno de varios hechos semejantes que tuvieron lugar en el curso del proyecto. Es aparente, al mirar hacia atrás, que con estos episodios, Dios me aseguró que mis teorías sobre lucha espiritual se sazonaban con la experiencia de los campos de batalla personales.

Luz y Sombras en el Laberinto trata con cosas que son reales, pero no visibles; con cosas que apenas se sugieren, pero que no se amplían. En tanto que los lectores orientales asentirán con su conocimiento a los relatos y conceptos que siguen, los de las culturas dirigidas hacia el racionalismo ocasionalmente tropezarán. Enseñados a reconocer y declarar con valor sin nada de vergüenza una clara brecha entre lo espiritual y lo material, casi todos los occidentales se sienten incómodos con lo sobrenatural como compañero de todos los días. Y, según Anaïs Nin dijo una vez: "No miramos las cosas como son, las miramos como somos".

Nuestras propias experiencias (o la falta de ellas) tienen un efecto profundo sobre la forma como vemos el mundo exterior. A medida que el torrente de la vida diaria a toda prisa nos aleja del pasado, usamos estas experiencias para filtrar un volumen asombroso de despojos ideológicos flotantes. La realidad es todo cuanto nos queda.

Como las páginas que siguen contienen información extraña a la experiencia occidental, ciertas porciones del libro inevitablemente han de terminar en la papelera de lo que descartan los lectores con perspectivas del mundo. Hay muy poco que un autor pueda hacer al respecto, aparte de escuchar y seguir el sabio consejo de Roger Andersen: "Aceptar que en algunos días se es paloma y que en otros días se es estatua".[5]

Sin embargo, guardo la esperanza que *Luz y Sombras en el Laberinto* provocará en muchos lectores el deseo de aumentar su catálogo sobre experiencias de la vida.

George Otis Jr.

Seattle, Washington

Marzo, 1997

RECONOCIMIENTOS

Durante sus siete años de desarrollo, literalmente centenares de manos tocaron *Luz y Sombras en el Laberinto*. Muchos entregaron, en crudo, temas esenciales sin trabajar como artículos y entrevistas. Otros excavaron en la arcilla húmeda del proyecto y ayudaron a esculpir relatos e ideas. Aun otros pulieron palabras y puntuación extrañas. Ahora, con el libro completo, algunas de esas manos llenas de gracia merecen especial gratitud.

Entrevistas principales: Pete Gray Eyes, Stephen Hishey, Robert Kayanja, Randy y Marci MacMillan, Thomas Muthee, Dawa Sandrup, Herman y Fern Williams, y varios otros cuyos nombres, aunque se quiera, no se pueden mencionar.

Compañeros de viaje e intérpretes: Robert Dayzie, Thomas Hemingway, Mike Hendriks, K. M. John, Dr. Billy Ogata, Dr. Rana Singh, Dick Speer.

Apoyo en la investigación: Mark Albrecht, Brooks Alexander, Margy Brink, Harold Caballeros, Dr. Barry Chant, Kunzang Delek, Ed Delph, Tom y Betty Dologhan, Susan Drake, Matthew Hand, Hallett Hullinger, John Hutchinson, Douglas Layton, Sheryl McLaughlin, Chris Van den Hassem, Hassanain Hirji-Walji, Dr. Eisuke Kanda, Filiberto Lemus, John Robb, Héctor Torres, Derrick Trimble, Tashi Tsering, Wendell y Francis Tsoodle, Asbjorn Voreland, Dr. C. Peter Wagner, Steve Watters.

Apoyo especial: Ken y Roberta Eldred, George y Virginia Otis.

Editorial y publicación: Jane Campbell, Bill Petersen.

Debo también ofrecer una palabra especial de gratitud a mi maravillosa esposa, Lisa, y a nuestros cuatro hijos —Brendan, Brook, Daron y Jenna— por su paciencia, compañerismo y consejos sobre el curso de este largo proyecto. ¡Que Dios le recompense a cada uno de ustedes de acuerdo con su fidelidad!

Capítulo Uno

Encuentros con el mundo de la puerta siguiente

En la Calle Villares, en lo que se conoce como mercado mágico de La Paz, Bolivia, hay centenares de remedios para la venta que, según la necesidad de uno, mantienen a los espíritus del mal incapaces de moverse, ayudan a curar las enfermedades que causan aflicciones, o facilitan los viajes al Otro mundo. Mientras las yerbas nativas como *ayawasqua* y *estingo* son especialmente populares, los clientes más serios, que incluyen chamanes y hechiceros, tienden a favorecer elementos rituales potentes como plumas de flamenco o fetos momificados de llamas.[1]

Más lejos, a medio mundo de distancia, en los mercados de fetiches Voudon, en Ouidah, Benin, patrones igualmente seleccionadores recorren a través de un exótico emporio de cráneos de tortugas, camaleones secos, manos de monos negros, desplegadas en fila como si pidieran, con las palmas hacia arriba. Aquí las listas de compras incluyen encantos mágicos (gris-gris) reunidos para promover el éxito personal, y varias otras cosas que se emplean en la adoración de los espíritus ancestrales conocidos como *orisha*.[2]

Escenas así parecen recortadas de un diario de viaje del siglo dieciocho. Pero en verdad son tales como si se hubieran filmado con la videograbadora de alto poder de un turista alemán. En cualquier día o noche dados, se comercian los negocios espirituales literalmente en centenares de localidades internacionales. Desde las sombras en los laberintos de la Avenida de la Serpiente en Taiwán, hasta los círculos mágicos de Djemaa el—Fna en Marrakech, los desesperados, los temerosos y los curiosos de la tierra buscan las llaves para lo sobrenatural. Y esos bazares esotéricos, tan coloridos como pueden ser, sólo son parte del extraño paisaje de hoy.

En otra clase de área espiritual, por cortesía de una compañía rumana de viajes, los turistas se disponen a dormir en el Castillo de Drácula, una tenebrosa fortaleza en el Paso Borgo de Transilvania. Este esquema de empresa se separa de los mercados mágicos, en la noción que las visitas al otro mundo (o dimensión espiritual), se pueden arreglar simplemente con elegir las fechas de vacaciones y pagar la respectiva tarifa. Luego, de nuevo, es posible que los intrépidos viajeros hayan descubierto que, con las disposiciones y expectativas correctas, sea suficiente el más ligero toque para abrir puertas encantadas.

Para quienes piensan que tales entradas son tonterías, recomiendo los relatos siguientes. Tomados de los cinco continentes, esta diversa colección de lugares extraños, rituales místicos, poderes malignos y liberaciones milagrosas, ofrecen una ojeada auténtica dentro del mundo de la puerta siguiente.

Una visita a Dharamsala

No era el mejor de los tiempos para volar. La infame estación cálida de la India estaba en pleno apogeo, y el aire supercaliente que se levantaba de las llanuras abajo, decididamente producía cielos poco amistosos. Casi desde el momento en que el atestado avión de Air India despegó de la pista en Nueva Delhi, una combinación de ascensos poderosos y bolsas de aire ocultas transformó nuestro anticuado Boeing 737 en un turbulento tobogán aéreo. Así, en medio de calmas repentinas y caídas libres espeluznantes, me encontré comprometido en una seria conversación con Dios.

El inestable firmamento no era el único punto en mi mente. Estaba también mi misión. Había ido a los Himalayas en abril de 1992 en búsqueda de una explicación de las potentes tinieblas espirituales que cobijan esta región, y había programado tres semanas de reuniones con una lista selecta de gurúes, lamas, (monjes budistas de alto rango), eruditos y misioneros. La complicada logística que comprendía citas en bibliotecas nacionales, casas privadas y monasterios remotos, se convirtió en una distracción bendita para apartar mi atención de las turbulencias.

Mi compañero de viaje era Dick Speer. Era muy agradable contar con él. Antiguo adjunto militar que estudió en el seminario, Dick era un hombre sazonado no sólo por años de viajes mundiales y disciplinas estructuradas, sino también por la escuela de duros golpes de la vida. Hacia la mitad de la década de 1980 sus padres habían sido asesinados en la casa por un familiar que repentinamente perdió el control de sus sentidos.

Luego de aterrizar en Jammu, norte de la India, sin miedo a lo peor, Dick y yo encontramos al fin un taxi cuyo chofer convino en hacer el viaje de 215 kilómetros, cinco horas, hasta Dharamsala, el hogar en la montaña del dios-rey del Tibet budista, el Dalai Lama. Teníamos reservada una habitación para la noche en la vecina Cabaña Cachemira.

Sin embargo, nos sobresaltamos cuando Raina, nuestro chofer, preguntó si íbamos a Dharamsala de arriba o a la de abajo. No sabíamos. Minimizando mi ignorancia, Raina dijo con la característica cortesía hindú: "No hay problema, señor". Después de la prueba de llegar hasta aquí, sinceramente esperaba que tuviese razón.

Si la necesidad es la madre de la inventiva, la India es su mejor muestra. En cada recodo de esta tierra de ensayos, el ingenio humano básico prevalece en la forma de protección para defenderse del sol inmisericorde con aparatos improvisados y métodos asombrosos, cuyo fin es soportar las incomodidades de la vida. Como si pulsase bajo el aparente caos de las calle —con frecuencia una masa compacta de peatones, taxis de tres ruedas, vacas sagradas y carretas de caballos que cargan de todo, desde telas hasta estufas— está el propósito rítmico de la supervivencia.

En algún sitio más allá de la Granja Avícola Swastika, nos aventuramos en el verdadero campo. Oscurecía y en las cocinas de las aldeas se prendían los fogones a fin de preparar la comida. Apenas había luz suficiente como para ver los rostros resignados y endurecidos de viejos que apresuraban sus camellos con varas, mientras otros, con pequeños recipientes de alquitrán y asfalto, se dedicaban a una tarea digna de Sísifo: reparar los innumerables y ubicuos huecos de la carretera. En la distancia se podían ver mujeres con trajes de colores, el pelo estirado hacia atrás y peinado en cola de caballo, que remolcaban niños de los campos. Otros aldeanos apostados bajo las enormes ramas de antiguos árboles, esperaban en silencio, quizá la iluminación del fin de los días.

Dejamos el puesto fronterizo provincial en Lakhanpur y nos adentramos en las colinas. La carretera estaba muy deteriorada y en varios puntos la cruzaban torrentes profundos que, en la estación de las lluvias, llevan abajo agua preciosa a las llanuras resecas por el sol. Al pie de las lomas, las casas de piedra y ladrillo cocido se disponían entre los trigales y las terrazas de arroz. Ahora hacía más frío, y pude ver una luna llena que se levantaba sobre la silueta de la cadena Shivali.

Por primera vez sentí la punzada de un cuerpo extraño. Era casi como si hubiésemos cruzado una frontera invisible.

A medida que subíamos, el ambiente se llenaba con la fragancia de jazmineros y de árboles de tali. Dick le preguntó a Raina acerca de su vida. No había sido ni feliz ni justa. Tímido a pesar de tener treinta años, Raina ya había sufrido los golpes del sistema de castas de la India. Lamentaba la pérdida reciente de su único amor verdadero —una muchacha cuya compañía le era prohibida por ser de casta superior a la suya—. Pero los esfuerzos por mejorar su destino, mediante la educación, habían fracasado. Aunque obtuvo un grado en leyes en la Universidad de Jammu, permanecía condenado a la vida de chofer. "¡Es una vergüenza para la India!" —exclamó.[3]

Momentos más tarde Raina llamó nuestra atención a un manojo de luces parpadeantes que parecían moverse misteriosamente por encima de nosotros, sobre la sombra de las alturas. Al fin nos acercábamos a Dharamsala. En el curso de pocos kilómetros la carretera se angostó y comenzamos un ascenso empinado que se facilitaba por una serie de zigzags. Como no soy amante de las alturas, me alegré de hacer esto durante la noche.

Pude oír el sonido de tambores y el cántico bajo profundo que reverberaba desde algún monasterio invisible. Era una prueba segura de haber entrado en el ámbito del budismo tibetano, y me sentí ansioso por saber qué secretos iba a revelar la luz de la mañana. Nuestro mayor problema por el momento consistía en hallar hospitalidad y alojamiento. El recepcionista en la Cabaña Cachemira nos informó que no había registro de nuestra reservación, e infortunadamente, tampoco habitaciones libres. Las averiguaciones en el Hotel Tibet y en el Bhagsu del gobierno fueron también infructuosas. A medianoche, después de dos días agotadores de viaje, Dick y yo estábamos acabados. Ahora bien, parecía que Dharamsala se preparaba para la noche sin nosotros.

Justo, cuando comenzábamos a preguntarnos si habría algún lugar en el proverbial mesón, Raina se metió por una calle lateral para preguntar a un pequeño grupo de tibetanos. Sugirieron averiguar en una residencia en la carretera de Bhagsu Nath que ocasionalmente alquilaba habitaciones. Una verificación rápida reveló que tampoco había cuartos para esa noche, pero como devotos budistas, por su hospitalidad, no nos iban a dejar afuera. En vez de eso el patriarca de la familia hizo que entráramos nuestro equipaje.

En la puerta nos encontró una jovencita que nos guió a través de una serie de cubículos que servían como viviendas por lo menos a tres generaciones de miembros de la familia. Casi todos estaban dormidos. Levantó una cortina de cuentas adherida al umbral de otra pieza y nos hizo entrar. Era un cuarto a media luz, saturado de incienso picante y de insectos que volaban por todas partes. Había algo extraño allí.

En un momento un desfile de los miembros de la familia nos suministró frazadas, jugo y el consabido té tibetano con mantequilla. A la una de la mañana se retiraron y pudimos entonces acomodarnos en la habitación. Sólo en ese instante descubrimos que nos habían puesto en el cuarto de los ídolos de la familia. ¡Con razón parecía extraño! Pero después de tomar tiempo para agradecer a Dios por su provisión y su protección, Dick y yo nos dedicamos a dormir.

Muy temprano en la mañana sentí algo en el rostro. Mientras salía de un sueño plácido, escasamente pude discernir el contorno vago de un hombre que se movía sobre mí. ¿Quién era? ¿Qué hacía aquí? En tanto que buscaba los anteojos, mis sentidos entraron en alerta roja.

La clave inicial fue una poderosa tufarada de incienso. Como no había quedado nada de la noche anterior, este incienso recién encendido era parte de las ofrendas budistas tibetanas. Ya con los anteojos firmemente en su lugar, me di cuenta que la ambigua forma móvil de un momento, correspondía al patriarca de la familia, Tsering Dorje. Luego de mover nuestro equipaje del altar, se ocupaba en preparar el "desayuno" para sus honorables dioses. La comida consistía en agua que Tsering vertió con todo cuidado en copas de plata puestas delante de cada imagen, y granos de arroz seco ritualmente mecidos ante el altar. Observé el arroz que rebotaba de los ídolos en todas direcciones, ¡y me di cuenta que mi despertador estaba entre el alimento no digerido de los dioses![4]

Tsering Dorje, con oscilantes aretes de turquesa y cabello de ébano atado atrás en una coleta que llegaba a la cintura, podía pasar fácilmente por un curandero navajo. De hecho, fuertes evidencias sugieren que tanto los tibetanos como los navajos emergieron del mismo semillero genético y espiritual.[5]

A medida que las oraciones cantadas comenzaron a llenar la pieza, mi actitud apresuró a Tsering, que después de cumplir con el deber de alimentar a sus dioses, se movió hacia la rutina de adoración de la mañana. Luego de agitar una elaborada campanilla de plata y de tocar un tambor de dos cabezas durante algunos minutos en dirección del altar, se inclinó para encender una varilla de incienso.[6] Mientras la corriente de humo se elevaba perezosamente al techo, juntó las manos como una copa hacia los ídolos y con toda reverencia se postró y se levantó una y otra ve —todo mientras entonaba mantras que esperaba lo pondrían en armonía con el universo.[7]

Tsering continuaba con su obediencia ritual y comencé a sentirme incómodo. Nuestra presencia nos hacía parecer como voyeristas. Aunque nuestro huésped no había mostrado vergüenza, me preguntaba si podríamos deslizarnos en silencio, afuera.

Entonces Tashi, hijo de Tsering, como si hubiese leído mi pensamiento, metió la cabeza en el cuarto y nos convidó a Dick y a mí a desayunar. Nos dijo que su padre estaría en sus plegarias por otras tres hora —rito diario que había mantenido sin falta desde cuando se vio obligado a huir del Tibet en 1959. En vista de la vida de oración anémica de casi todos los cristianos occidentales, Dick y yo, nos sentimos como castigados por lo que habíamos visto y oído.

En nuestra primera parada en Dharamsala hubo un encuentro con Tenzing Atisha, alto funcionario de escritorio, joven y políticamente sabio ambientalista, del gobierno en el exilio del Dalai Lama. Después de revisar un resumen de nuestras prioridades de investigación, Atisha graciosamente se ofreció a escoltarnos en una "excursión" privada a la habitación del oráculo nacional tibetano en el monasterio de Nechung. —Cuando terminemos —agregó—, les dirigiré a una cabaña por encima de Dharamsala donde puede tener una audiencia con el Ling Rinpoche.

El Ling Rinpoche, del que yo conozco, era el niño recientemente identificado y que muchos tibetanos creen que es la reencarnación del fallecido mentor religioso del Dalai Lama, Kyabje Ling Dorje Chang.

—Hay un poquito de subida —continuó Atisha—, pero el esfuerzo bien vale la pena. Y mientras usted se ocupa en eso, procuraré contactar a otra persona que definitivamente debería ver antes de irse.

No hubo rito alguno cuando entramos al cuarto del oráculo, pero la opresión espiritual dentro de las paredes fue palpable. Después de todo, era el sitio donde el contacto del budismo tibetano con el mundo de los espíritus alcanza alturas oficiales. El médium actual, o *kuden*, es el decimotercero que sirve como Oráculo del Estado Tibetano —un espíritu territorial que el autor John Avedon indica, "ha sido consultado por los líderes de la nación, sobre virtualmente toda decisión clave del estado durante los últimos 1300 años".[8]

El servicio oracular, de acuerdo con nuestro guía, comienza con veinte monjes de Nechung sentados en círculo. Algunos hacen sonar largos cuernos cilíndricos, mientras otros tocan gongs de bronce y tambores lacados. El kuden, con el sonido de la música, entra en trance e invoca los espíritus. A medida que la posesión tiene lugar, un estremecimiento corre a través de su cuerpo. Su respiración se hace laboriosa y los ojos toman una apariencia salvaje, extraña y sorprendida. Luego viene una mirada penetrante, lejana, y comienza la visualización de sí mismo como una deidad tutelar de pie en el centro de una mansión celestial. Su propia conciencia se hace a un lado, pues se ha convertido en Dorje Drakden, el ministro principal del espíritu y portador del consejo para el Oráculo del Estado del Tibet.[9]

—Cuando Su Santidad visita Nechung —nos dijo Atisha—, se sienta aquí. —Señaló una silla sagrada desde donde el Dalai Lama susurra preguntas secretas al oído del poseído *kuden*—. Los lamas y los diputados del pueblo consideran infalible el servicio oracular. Todo cuanto dice lo reciben por fe.

🔲 🔲 🔲

Acompañados por Atisha regresamos para emprender el ascenso de la colina en búsqueda del niño divino. Era, como Atisha había advertido, "un poquito de subida". El sendero hasta la residencia del Ling Rinpoche, conocida también como la Cabaña Chopra, nos hizo pasar por puestos de banderas de oración movidas por el viento donde había monos charlatanes de cara roja que llevaban sus pequeños adheridos al tórax y al vientre.

Ya en la cima nos salió al encuentro el atento cuidador del Rinpoche, quien nos explicó que la búsqueda del niño implicó adivinaciones hechas por el Dalai Lama a fin de determinar la localización del reencarnado. Con base en estas pruebas, en 1987 se despacharon funcionarios budistas principales a la aldea de Bir, donde a cuatro niños que habían nacido en ese año específico y que mostraban signos positivos, se les presentaron varios rosarios, uno de los cuales había pertenecido al fallecido tutor del Dalai Lama. Un niño solitario de diecinueve meses, Tenzin Chöpak, no sólo escogió el rosario correcto sino que inmediatamente repasó sus 21 cuentas. Luego, cuando se le ofreció una bandeja de dulces, el pequeño de modo espontáneo distribuyó el contenido entre los presentes y dio con la mano una bendición.

Ahora el joven Rinpoche, de siete años, estaba solo dentro de la Cabaña Chopra, sentado, recto como una varilla. Con la cabeza afeitada y su túnica de color borgoña, parecía como una versión infantil de los monjes iniciados que pululan en todos los monasterios tibetanos. Sin embargo, Dick y yo pudimos discernir una clave para el estado único de este niño en una diseminada colección de juguetes —obsequiados enteramente por los peregrinos— que casi harían avergonzar a F. A. O. Schwarz.

Era un jovencito precoz que parecía tener voluntad de representar el papel que se esperaba de él. Cuando pregunté dónde se encontraba su padre, otro visitante señaló al cuidador y dijo:

—Él es el padre del niño.

Sin vacilar un instante, el Ling Rinpoche replicó—: No es mi padre, ¡es mi siervo![10]

⌘   ⌘   ⌘

De regreso a Dharamsala supimos que Atisha había conseguido nuestra próxima cita: Tashi Tsering, un brillante especialista en documentos de la Biblioteca para Obras y Archivos del Tibet, esperaba encontrarnos en el Hotel Tibet.

Con su larga cabellera y su barba puntiaguda, Tashi me hizo pensar en un venerable maestro del Templo Shaolín. Pero, como supe con rapidez, esta apariencia ocultaba un entendido cuidadoso de las técnicas modernas de investigación. Tashi Tsering era un erudito genuino y su excelente manejo del inglés me permitió profundizar en la historia tibetana antigua y, en particular, explorar la influencia de una religión prebudista conocida como *Bön*. A sus seguidores se les llama los *bön-po*; son profundamente supersticiosos y se inclinan hacia las prácticas de la magia.

Así, pues, era fantástico, por decir lo menos, encontrarnos sumergidos en la oscuridad, vía las fallas del poder, cada vez que intentábamos una investigación relacionada. —Quizá —sugirió Tashi—, podemos hablar de esto en la mañana. Si usted pasa por la biblioteca, le puedo dar material adicional sobre Bön, así como sobre un rito budista derivado que se llama *chöd*. Conocido como un banquete místico, chöd es un rito de visualización horripilante donde quienes lo practican invitan a los demonios a alimentarse de las partes desmembradas de sus cuerpos.

Era —estuve de acuerdo—, un tema que se podría discutir mejor en la mañana. Afuera, en las calles, luces fluorescentes y lámparas de querosén parpadeaban a la vida, como heraldos de la puesta del sol. Era una hora mágica donde de las líneas agudas de los Himalayas disueltas en las sombras de las llanuras oscuras, brotaban repentinamente incontables alfileres de luz que se transformaban en una alfombra de estrellas. A medida que las órbitas celestiales ocupaban sus lugares, Dharamsala se suspendía en una especie de tierra del medio.

Los elementos de este paisaje surrealista —embellecido con los cánticos de los monjes, el punzante aroma del incienso y la interminable rotación de las ruedas de oraciones— me recordaron cuán lejos estaba del hogar.

Suspensión de la fe

El 19 de octubre de 1993 era un día para recordar. Además de señalar mi cuadragésimo cumpleaños, era mi primer día completo en la colina donde se encontraba la estación de Mussoorie que había sido construida por Inglaterra 150 años antes. Estaba de regreso en el norte de la India y aunque sólo habían transcurrido dieciocho meses desde mi viaje a Dharamsala, los recuerdos que inundaban mi mente se referían a otra visita, mucho más antigua a esta región.

Había sido en esta polvorienta tierra de ídolos en 1962, cuando viajaba con mis padres, donde Dios primero sembró en mi pecho una pasión irresistible por los perdidos —suceso que me llevaría a un servicio de toda la vida en favor de los pueblos no alcanzados con el mensaje de Cristo. Este llamamiento, aunque no tan dramático como el que experimentó el apóstol Pablo o Saulo de Tarso, vino en una carretera— una cinta de asfalto sembrada de huecos, entre Delhi y Agra. El calor de aquel día particular era opresivo. De hecho, lo único que me sostenía era saber que nuestro chofer había empacado una caja de Coca-Cola en el camión. Cuando finalmente salió de la carretera para abrir este refresco, me encontraba listo.

Pero no lo estuve para ver las hordas de niños hindúes que aparecieron de repente, como si hubieran brotado del aire, y comenzaron a formar un semicírculo alrededor de nuestro abierto camión. Formaban una cantidad de desarrapados, obviamente desnutridos y, como yo, sedientos. Sus ojos, sin embargo, hicieron presa de mí, profundos pozos castaños de anhelos que reflejaban la imagen de un muchacho estadounidense bien alimentado en frescos pantalones cortos de color azul claro, sostenidos por tirantes cruzados. Un muchacho tan abrumado por la necesidad delante de él, que nunca volvió a dejar caer ni una gota de gaseosa.

Este recuerdo de 32 años, más que cualquiera otra cosa, me había traído de regreso para pedirle a Dios una visitación de su gracia sobre esta tierra. Mis compañeros de viaje eran diecisiete intercesores cristianos de diversas partes de los Estados Unidos y Canadá. Todos, incluso mi hijo mayor, Brendan Otis, estaban aquí como participantes activos en una campaña de un mes de la Ventana 10/40, llamada "Oración a través de la Ventana".[11]

Puse a Mussoorie en el itinerario por dos razones. Primera, la Sierra Matsuri, (en la cual se edificó la comunidad) ofrece un sobresaliente punto de ventaja para interceder sobre el alfombrado Garwhal —una serie de valles infestados de santuarios que a veces reciben el nombre de "Tierra de los Demonios". Para alguien con interés por orar sobre las fortalezas del norte de la India, la plataforma de esta cima es difícil de vencer. Al mismo tiempo, Mussoorie nos ofrecía la posibilidad de un anhelado encuentro con Stephen Hishey, un firme cristiano del Tibet cuya base es la vecina Dehra Dun.[12] Tuve por más de dos años el deseo de entrevistar a Stephen acerca de un encuentro que él informó haber sostenido con un oráculo tibetano que gozaba del poder de la levitación.

Nuestro grupo encontró a Stephen en el Hotel Savoy, establecimiento pasado de moda, construido por los británicos en 1902 y que en alguna oportunidad rivalizó con el famoso Hotel Raffles de Singapur. En los registros del Savoy aparecían firmas de personalidades como Indira Gandhi, Haile Selassie, la Reina María, Rudyard Kipling, Pearl S. Buck y Lowell Thomas.

Luego del resumen informativo de Stephen, en el salón social del hotel, él y yo dejamos al equipo para charlar en privado. Nos sentamos en la hierba bajo dos enormes deodares —árboles tan viejos como para haber sido testigos de toda la historia de Mussoorie— Stephen comenzó a relatar una historia fascinante.[13]

—En nuestro vecindario —explicó—, un jovencito enfermó recientemente. Los padres lo llevaron a varios médicos, pero ninguno de ellos pudo dar un diagnóstico que permitiera un tratamiento definido. De hecho, en lo único en que estaban de acuerdo era en la gravedad del caso y, como consecuencia, en la muerte. Los medicamentos prescritos no surtían efecto y cada día la fuerza de la vida parecía desaparecer del cuerpo del muchacho. Después de ocho meses, los padres se desesperaron.

"Un día, por esta época, mi esposa y yo notamos una gran multitud que se reunía alrededor de la casa de nuestros vecinos. Nos preguntamos si quizá habría acontecido algo con el enfermo. Llevados por la preocupación y la curiosidad, decidimos ir a ver. Nos abrimos camino entre las personas y al llegar a la puerta observamos dos monjes budistas. Uno golpeaba una lámina de bronce, mientras el otro se sentó con las piernas cruzadas frente a un brasero que tenía carbones encendidos. Este último era un médium de treinta años a quien habían traído para descubrir el origen de los males que aquejaban al joven. Lo reconocimos inmediatamente como un monje de voluntad débil cuya vida era una puerta abierta para los espíritus demoniacos.

"Momentos después de nuestra llegada, el médium fue objeto de la posesión por varios espíritus, inclusive por los dioses de la casa a quienes invocaba el lama. A medida que los demonios se apoderaban de su cuerpo, contemplamos con admiración que tomó uno de los carbones encendidos y lo puso dentro de la boca. Hubo un silbido enfermante cuando la brasa al rojo ardiente entró en contacto con el tejido húmedo.

"Mientras masticaba los carbones vivos, repentinamente el monje entró en levitación y se elevó seis pies (1.8 m) por el aire. Aún sentado, con las piernas cruzadas, comenzó a volar en círculos por encima de la muchedumbre. Cuando se movía por el cuarto, todos se inclinaban en admiración y exclamaban: 'Dios, dios, dios'. Esto duró alrededor de dos minutos antes que mi esposa y yo, incapaces de tolerar esta perversión por más tiempo, comenzáramos a invocar el nombre de Jesús".

Stephen hizo un gesto sugestivo.

—¿Sabe lo que sucedió entonces? —preguntó—. ¡El oráculo cayó al piso! Después de unos pocos momentos el lama pidió al médium que explicara su súbita reintroducción a la ley de la gravedad. Cuando recorrió el cuarto, la mirada del monje descansó sobre mi esposa y sobre mí, que estábamos de pie cerca de la puerta. Con el dedo nos señaló y exclamó: 'Estas son las personas'. Para mí fue claro que este conocimiento le había sido dado por un poder sobrenatural.

"En este punto el lama vino y se detuvo directamente frente a nosotros. Con sus manos juntas, se inclinó con toda cortesía. No era una muestra de reverencia, de que le importa, sino un gesto con el que se nos pedía que nos fuésemos. Y así lo hicimos. Pues aunque nuestras oraciones habían interrumpido una vez el espectáculo del diablo, era obvio que la muchedumbre aún estaba bajo su dominio. He aprendido que cuando el enemigo pierde control en un área, con frecuencia usa otras vías.

"Como estábamos en el proceso de irnos, el médium habló de nuevo. Esta vez oí decir al espíritu: 'Voy a quitar la vida en esta familia'. De forma inmediata los asistentes comenzaron a clamar a la deidad. Muchos pedían misericordia y perdón. Mientras esto sucedía, el lama preguntó al tembloroso oráculo las razones para que viniera la enfermedad a la familia. Con una voz gutural, desprovista de naturalidad, el espíritu que estaba al frente de la posesión, replicó: 'Porque no han mantenido mi lugar santo'. Esta respuesta fue para nosotros, terriblemente reveladora".

Como nuestra charla se acercaba a su final, le pedí a Stephen que me dijera si sabía el resultado de todo este extraño episodio. ¿Mejoró la condición del muchacho, o aún los lamas averiguaban el diagnóstico de la enfermedad?

—Según lo que entiendo —dijo Stephen—, a la familia se le pidió que hiciera un sacrificio de cierta clase. Una vez que se cumplió ese requisito, el joven salió de su coma y se recuperó por completo. Con el médium, sin embargo, fue otra cosa. Lo vi más o menos a los tres días de ese encuentro y parecía como un esqueleto. Era como si le hubieran sacado toda la sangre. Estaba muy, muy enfermo, completamente incapaz de andar. Pero así hacen los espíritus, te drenan.

La joven que se casó con la serpiente

Otro encuentro notable con el mundo espiritual lo registró hace unos pocos años el investigador de documentales Douchan Gersi. Nacido en Checoslovaquia al finalizar la década de 1940, Gersi se movió con su familia a África del Sur, donde obtuvo experiencias de primera mano sobre los misterios del Otro mundo. Animado por ellas, Gersi pasó las tres décadas siguientes en una búsqueda por todo el globo para encontrar respuestas a sus interrogantes. Los resultados de estos viajes quedaron apretadamente plasmados en un fascinante documental PBS que tituló "Faces in the Smoke". ("Caras en el Humo".)

Una de las investigaciones de Gersi lo llevó al mundo sudoroso y oculto del vudú de Haití, un mundo donde los tambores dirigentes, los sacrificios sangrientos y las sociedades secretas tienen sus raíces en el fértil suelo religioso de África Occidental. Desde allí, los espíritus que animan a Voudon, llamados *loas o guédés*, llegaron al Nuevo Mundo originalmente en los corazones y los pensamientos de los esclavos. Con el tiempo los mitos se contextualizaron y se embellecieron en la topografía local y en las adaptaciones del catolicismo romano.

En la cima del panteón haitiano se halla Djamballah-Wedo, espíritu compuesto por Ayida Wedo el Arco Iris y Djamballah la Serpiente. Los haitianos miran a este último como el padre de las aguas que caen y como el cúmulo de toda la sabiduría espiritual; su fusión con Ayida Wedo da nacimiento al espíritu que anima la sangre. Todos los años miles de peregrinos Voudon son poseídos por el espíritu de Djamballah la Serpiente, mientras permanecen de pie bajo el rocío y las salpicaduras que caen de las cataratas localizadas en el interior montañoso de Haití.

Wade Davis, etnobotánico de Harvard, en su libro que ha sobresalido en ventas *The Serpent and the Rainbow*, admite que la posesión es un fenómeno que la ciencia puede observar muy bien, sin que lo pueda explicar. "Para el no creyente", escribe "hay algo que perturba en lo más íntimo, acerca de la posesión espiritual. Su poder es burdo, inmediato e innegablemente real, devastador en cierto modo para aquellos de nosotros que no conocemos nuestros dioses".[14]

Douchan Gersi se encontró con esta clase de crudo poder cuando se le dio permiso para filmar un "matrimonio" entre una joven haitiana de 20 años, de nombre Marie y el gran Djamballah-Wedo. Gersi anota que "en lo que se refiere al fenómeno de la posesión, la ceremonia de boda ha sido quizá la más impresionante y perturbadora de todas las ceremonias de vudú a las que he asistido". Estos matrimonios, que se basan en los mismos principios de dedicación que podrían llevar a una mujer católica o budista a convertirse en monja, son raros, por la simple razón que casarse con un "loa" requiere obligaciones onerosas y difíciles que muy pocas muchachas están preparadas para enfrentar. Marie, sin embargo, no tenía temor. Como iniciada de diecinueve años, había comenzado a ver en sus sueños una serpiente que la obsesionaba. Cuando cumplió los veinte, soñaba que la serpiente quería casarse con ella.[15]

Mientras Gersi alistaba su equipo fotográfico antes de la ceremonia, se le unieron en el santuario de Voudon, o peristilo, dos amigos estadounidenses supremamente escépticos, Steven Ball y su primera esposa, Virginia Ball. Todos juntos observaron cómo pusieron dos sillas cerca del altar para el supuesto novio y su prometida. La audiencia se inició y pronto el peristilo se llenó con el embriagante resonar de los tambores de vudú y con los cánticos terrenales en creole.

A medida que la ceremonia progresaba, Marie, cubierta con un vestido de colores y un gran sombrero de paja, desfiló alrededor del peristilo con el *houngan* y dos asistentes *mambo* (sacerdote y sacerdotisas de la fe Voudon.) Cuando el prometido divino no apareció después de tres horas, el houngan envió a las mambos a traer un potente cebo. Cuando volvieron al peristilo una de las sacerdotisas apareció con un tazón de leche, mientras la otra tenía una copa de jarabe de centeno y tres huevos de gallina —festín al que ninguna serpiente se podría negar por mucho tiempo.

Pasaron dos horas más. Luego una anciana, la mambo que había traído la leche, se arqueó con un tremendo espasmo en el aire, como si la hubiera golpeado un rayo. Tan pronto como se colapsó y fue al piso, siseó lo mismo que una serpiente y se deslizó por todo el suelo mientras la lengua que parecía un dardo entraba y salía de la bóca. Su notable velocidad hacía difícil para el houngan y otro mambo retirarla de la aterrada multitud. Como se retorcía en todas direcciones, la fuerza serpentina les impedía a ellos sostenerle el cuerpo.

—Sólo cinco minutos antes —se maravillaba Gersi—, esta decrépita anciana apenas tenía fuerza suficiente como para mover su propio exhausto cuerpo. Ahora ni aun era un ser humano, sino una serpiente que se arrastraba con el cuerpo de una mujer.

Por último, al someterla, el houngan y su asistente pusieron a la vieja —la manifestación de Djamballah-Wedo-al pie de la prometida. La poseída mambo se calmó considerablemente pero continuó con el siseo y el movimiento de la lengua. Ambos novios ahora quedaron frente al altar, donde un representante civil les esperaba para presidir el intercambio de votos. (Aunque parezca asombroso, el sistema legal de la localidad reconoce estos matrimonios místicos.) Mientras sostenía la mano de Djamballah-Wedo, la encarnación, Marie miraba a cada momento al poseído "novio".

El contrato oficial de bodas además de obligar a la esposa a prometer obediencia y fidelidad, requería que se entregase a su marido cada jueves durante 24 horas. Este ceder en cuerpo y alma se debería efectuar en una pieza específica y especialmente acondicionada dentro de la casa de Marie. La contraprestación por parte de Djamballah-Wedo: asegurar la protección de Marie y suministrarle provisiones prácticas para suplir las necesidades de su vida diaria.

Muchos occidentales se burlan ante tales ideas, pero un hombre de negocios francés adoptó un punto de vista más sobrio. Su historia, que Gersi registró en París, vino como resultado de una búsqueda minuciosa a través de la documentación de Gersi sobre vudú.

El hombre, frecuente viajero a Haití, había persuadido a una joven camarera de su hotel, mediante gran persistencia y el cebo de una suma considerable de dinero, a compartir su cama. Al regresar a Francia, sin embargo, comenzó a sufrir pesadillas donde lo atacaba un hombre con cabeza de serpiente. Las pesadillas no sólo eran constantes, sino que se acompañaron con una serie de infortunios en la vida real. En el curso de pocos días perdió los negocios, vio cómo su esposa lo abandonaba por otro, y tuvo diversos problemas de salud que incluyeron un quebrantamiento nervioso. En ningún momento el francés conectó esas dificultades con su infidelidad previa en Haití.

Un mes más tarde, sin embargo, tuvo una nueva pesadilla en que la camarera aparecía detrás de la presencia protectora de la figura con cabeza de serpiente. Sin nada que perder, el hombre de negocios decidió regresar a Haití en procura de aclarar el asunto. El hotel dejó de emplear a la camarera por motivos de salud. Después de varios días de búsqueda, localizó a la muchacha y supo que había contraído matrimonio con el gran espíritu Djamballah-Wedo. Como ella resolvió sus dificultades mediante una serie de ritos de purificación, estuvo de acuerdo en recomendar a su anterior amante ante un poderoso houngan que, mediante el exorcismo, le podría liberar de los espíritus causantes de los problemas. Al someterse a estas influencias espirituales y cumplir lo que se le ordenó, el francés vio cómo se le restauraban la esposa, los negocios y la salud, con tanta rapidez como antes los había perdido.[16]

Pete Gray Eyes y las lechuzas

Oí por primera vez la historia de Pete Gray Eyes durante una visita en abril de 1992 a la preciosa casa, semejante a una cabaña, de Tom y Betty Dologhan en Flagstaff, Arizona. Desde el otro lado de la mesa, Tom nos mantuvo pendientes, a mí y a mi esposa Lisa, de una notable narración que comprendía "transformistas"[17] humanos, lechuzas parlantes, maldiciones de parálisis y liberaciones sobrenaturales. Nunca había oído algo como eso antes. Y si no hubiera sido por la bien merecida fama de Tom como hombre íntegro, y por sus treinta años en la Misión del Evangelio Navajo (MEN), habría sido fácil desechar todo el relato.

Algo así como cinco meses más tarde Tom hizo arreglos para que me encontrara con Pete Gray Eyes personalmente. En las oficinas centrales de MEN me presentó a Mike Hendricks, experimentado obrero de la misión, que me llevaría a la cabaña de Pete en el área escarpada de la montaña Navajo.

Nuestro primer objetivo en la reserva, aunque la tarde estaba para terminarse, era una cita con el tercer miembro del equipo, Robert Dayzie, pastor de la Alianza Navajo. Por mucho tiempo amigo tanto de Mike como de MEN, estuvo de acuerdo en servirnos como guía local e intérprete.

La iglesia de Robert se situaba en un pequeño cañón encajonado, esculpido por riscos de parda roca arenisca de cien pies (30 m) Aunque era difícil verlos de noche, pude sentir su presencia.

Después de haber sido guiados a una habitación que servía a los Dayzies como cocina, dormitorio y sala, me interrogaron cinco indios navajos cristianos que se habían reunido para enterarse de nuestra misión. Cuando expliqué que la investigación suministraría a los creyentes de otras lenguas un mejor entendimiento de la dimensión espiritual, asintieron con movimientos aprobatorios de la cabeza. Sostenidos por una mezcla de refrescos con muchas calorías, pasamos las siguientes tres horas en la exploración del tema tan delicado de la hechicería entre los navajos. Se trataba de una discusión perturbadora, especialmente acerca de las revelaciones sobre los miembros de una secta transformista conocidos como "caminapieles".

En la mañana siguiente Mike, Robert y yo salimos para encontrar a Pete Grey Eyes. El escenario era magnífico. Grandes espacios repletos con lomas multicolores y mesetas abiertas en toda curva. El aroma de la salvia y del junípero llenaba el vehículo a través de la ventana abierta. En lo alto varios halcones desafiaban la gravedad y describían majestuosos círculos en el aire.

A eso de las 8:30 A.M. llegamos a la cabaña de Pete Gray Eyes. Era un sitio lleno de recursos para la casa. Casi todas las ramas con protuberancias de los pinos vecinos estaban convertidas en algo así como estantes para acomodar una colección de lazos y cuerdas, latas de estaño, mangueras de caucho y cajas de madera. Una caja, suspendida precisamente fuera del alcance de los animales silvestres tenía trozos de carne y de grasa de oveja recién sacrificada. Durante el invierno, Robert explicó, la caja servía como refrigerador supereconómico. Una piel de oveja se secaba sobre el techo de la cabaña octogonal, junto con algunas mazorcas y albaricoques.

Después de cambiar expresiones de saludo en navajo, Pete, pequeño y simpático, en el comienzo de su séptima década, nos invitó a descansar en su cha ha óoh, casa sombreada. En buen estado, a no ser por la falta de algunos dientes delanteros, y con una gorra de béisbol sobre su larga trenza canosa, tenía un rostro que contaba historias y unos vivaces ojos azul-grisáceos. Sus gestos frecuentes revelaban manos oscuras, añosas, y una pulsera de plata embellecida con dos herraduras de turquesa.

Durante los siguientes 45 minutos, o quizá más, en tanto que Robert, Mike y yo escuchábamos, Pete desplegó su historia en frases navajo característicamente recortadas. Al oírlo hablar, pude comprender por qué este conjunto peculiar de sonidos despistó tanto a los descifradores enemigos de claves durante la Segunda Guerra Mundial. Pero Robert, con su sombrero de intérprete, no tenía ninguna dificultad. Mientras absorbía la historia con toda tranquilidad, sólo interrumpía por rareza con lo que supuse que serían preguntas aclaratorias. Por último, después de una aparente eternidad, se inclinó hacia adelante para traducir.[18]

—En los primeros años de la década de 1970 —dijo—, Pete hacía su trabajo tradicional de curandero en la reserva. Su ministerio de sanidad era tan efectivo que comenzó a hacer negocio sin contar con ninguno de los otros curanderos. Éstos, sin duda alguna, decidieron echar un ensalmo maligno sobre Pete y su familia. Como parte de la hechicería, consiguieron algunos efectos personales de Pete, hicieron con ellos un pequeño muñeco al que ataron con alambre y lo enterraron como un fetiche de brujería.[19]

"Por ese tiempo, Pete y su esposa enfermaron gravemente. Entre los síntomas de ella había coagulación de la sangre, lesiones pulmonares y parálisis parcial, mientras Pete presentó úlceras dolorosas en la garganta. Además de los problemas físicos, los Grey Eyes perdieron también setenta cabras que mataron los coyotes y vieron cómo el corral de sus ovejas se incendió en forma espontánea. Todo esto mientras a Pete y a su esposa los atormentaban varias lechuzas que permanecían por la noche fuera de la ventana del hospital y alrededor de su cabaña".

Yo sabía que la lechuza es un notable mensajero de muerte y de tinieblas. Hay informes que se oyeron lechuzas antes de las muertes de Julio César y del emperador Augusto. Inclusive, desde aquellas épocas las lechuzas ya se asociaban con hechicería. Hace mucho tiempo que en Escocia las llaman "demonios de la noche" y "aves de los cadáveres".[20] Muy buena parte de esta incomodidad histórica se debe indudablemente a sus hábitos nocturnos, a su voz que es como un lamento y a su rostro semihumano. Pero los navajos tienen una preocupación más. Creen que la lechuza es una forma muy favorable que adoptan los miembros de la secta de los caminapieles, dinamizada por los demonios.

—Cuando Pete no pudo curar a su esposa —continuó Robert—, se dirigió a los otros curanderos. Casi todos operaban fuera del área de la Mesa Paiute. Hicieron muchas ceremonias pero ninguna produjo resultados.[21] Con preocupación creciente, Pete extendió su búsqueda de ayuda a la reserva de los indios hopi y, por último, hasta el área de Kayenta. Algunos de estos curanderos fueron, inclusive, capaces de encontrar el muñeco de hechicería que estaba enterrado, pero los síntomas de la esposa se empeoraron. Como otro recurso, Pete la llevó al hospital de Ciudad Tuba. Infortunadamente, esto también fue infructuoso.

"Por ahora Pete comenzaba a desesperarse. Llegó al punto en que sólo se quería embriagar para arrojarse por un desfiladero, cosa que consideraba preferible a la agonía de esos ensalmos. Las lechuzas que se agrupaban por la noche alrededor de su cabaña comenzaron a hablar a la familia. Chillaban obscenidades, se burlaban con insultos y decían: 'Esta gente va a morir. Esta gente va a morir'.

"De hecho, la muerte llegó a la casa. Una de las hijas, Lina, de treinta años, falleció aquí".

Pregunté: —¿Eso tuvo que ver con la maldición?

Robert asintió. —Se enfermó y murió con rapidez. Hasta hoy Pete no sabe qué enfermedad tuvo.

"Una noche de invierno, las cosas empeoraron realmente. Los perros ladraban como si alguien estuviera fuera, pero cuando Pete fue a ver, no había nadie. Luego los coyotes empezaron a aullar y las lechuzas a chillar sus amenazas de muerte. La condición de la señora Grey Eyes se hizo tan desesperada que Pete llamó al Hospital

Adventista cercano al Valle del Monumento para que la recogieran en un helicóptero-ambulancia. De allí la llevaron a Fort Defiance y por último, a que la vieran varios de los especialistas de Albuquerque.

"Afortunadamente, la esposa de Pete entró en contacto con algunos cristianos que principiaron a interceder por ella. Como consecuencia de este apoyo en oración, su condición mejoró tanto que se le permitió regresar a Mesa Paiute. Las malas nuevas: las fuerzas de las tinieblas aún embrujaban el sitio de su hogar.

"Por esta época los Gray Eyes conocieron a un evangelista itinerante navajo, de nombre Herman Williams. Después de unos pocos meses de visitas, asistieron a una de sus reuniones. Allí todos los miembros de la familia experimentaron el poder del Espíritu Santo, recibieron salvación y entregaron sus vidas a Cristo. Cuando terminó el servicio, Pete preguntó qué debería hacer con las dificultades y problemas que todavía afectaban su casa. El hermano Williams le respondió que simplemente debería predicarle a las lechuzas". Un consejo muy interesante. Pero ¿qué significaba?

Unos cuantos meses después de mi encuentro con Pete Gray Eyes, decidí entrar en contacto con Herman Williams, el evangelista navajo, para obtener su punto de vista de esta fascinante historia. Después de no encontrarlo en su casa de Ciudad Tuba, finalmente le hablé por teléfono en junio de 1994. Herman pudo, como esperé, agregar riqueza de detalles al relato.

—Visitamos primero la casa de Pete en 1974 —comenzó—. Su esposa estaba aún bastante enferma, pero como eran tradicionalistas, nunca nos dijeron exactamente lo que estaba mal. Ella se levantó y nos hizo café, en tanto que Pete apenas permanecía sentado allí sin hablar mucho. Así, pues, volvimos más o menos cada mes para ver cómo seguían. Sobre todo orábamos y leíamos la Biblia. También les hablábamos del Gran Médico que tiene grandes poderes —mayores que los de todos los curanderos de la reserva.

Para expresarme en términos indios, les dije: 'Jesús puede ser el Gran Jefe y también el Gran Médico de ustedes'. Así les hablé.

"Unas cuantas semanas más tarde, en la noche de un domingo, tuvimos un servicio bastante largo en la Iglesia Alianza de la Montaña Navajo. Eran casi las 11:30 P.M., cuando de pronto apareció en la reunión Pete con toda su familia. Como no había otros asientos libres, los ujieres los llevaron a la fila delantera. Casi ya había completado el sermón y por un momento me quedé sin saber qué hacer. Por último, decidí repetir de nuevo el mensaje que había terminado antes, y luego dar la invitación. Para mi sorpresa, Pete y los demás miembros de su familia se pusieron de pie. El grupo de nuestras damas tomó a la esposa de Pete y a sus hijas, mientras los ancianos se encargaron de Pete.

"Cuando regresaron al salón, le pedí a Pete: '¿Puede decirnos qué ha sucedido esta noche?' Tomó el micrófono y dijo: 'Todos ustedes saben quién soy y me conocen bien. He sido un curandero por años. He visitado muchos de sus hogares donde he atendido a sus familias. Pero últimamente, la mía propia ha sufrido varias enfermedades. Me doy cuenta que necesito al Gran Médico, al Gran Jefe. Por esto, mi familia y yo hemos venido esta noche, por salvación y dedicar nuestras vidas al Señor'.

"Al oír esto, le digo, Hermano, ¡la gente comenzó a aclamar y a alabar al Señor! Después que todos se fueron, Pete preguntó si podría pasar a la casa pastoral por unos minutos. Cuando nos sentamos me compartió que desde hacía muchos meses lo visitaban las lechuzas que le hablaban en navajo y le decían: 'Te vamos a matar'. Esto ocurrió no sólo con las lechuzas sino también con los coyotes. Es muy posible que los caminapieles atormentaran a la familia.

"Pete me dijo: 'Sé que cuando llegue a casa esta noche, las lechuzas van a estar allí. ¿Qué puedo hacer?' Pensé por un momento. Por último respondí: 'Vaya derecho a ellas y hábleles. Deles su testimonio. Cuénteles lo que ha pasado esta noche'. Pete y yo, nos miramos por unos instantes; asintió con la cabeza y luego se fue.

"Cuando regresaron a la cabaña, había varias lechuzas en los árboles. Entonces Pete salió de su camioneta y exclamó: 'Oigan ustedes, pueblo de las lechuzas, tenemos buenas nuevas para contarles. Esta noche fuimos a la iglesia y oímos del Gran Jefe. Y quiero que ustedes sepan que todos le entregamos nuestras vidas a este Gran Jefe. Ahora le pertenecemos a Él. Hasta le di mi bolsa de medicinas. Y no voy a volver a hacer eso nunca más'.

"Luego Pete procedió a señalar en forma específica las fronteras de su propiedad que dedicaba al Señor. En la manera que eso sonó, debe haber hablado una hora o quizá más a las lechuzas, para decirles que su tierra, sus pastizales, su cabaña, su familia, sus ganados, sus gatos y sus perros, todo lo daba al Señor. Cuando completó su lista, Pete dijo a las lechuzas directamente: 'Ustedes ya no tienen nada que hacer aquí. Todas ustedes se deben ir y no volver nunca, en el nombre del Gran Jefe, Jesucristo'.

"Después de haber dicho esto, Pete me contó, que no podía oír nada. Todo estaba en completo silencio. Entonces, de repente, arriba en un árbol, oyó a una lechuza que levantaba el vuelo. Y luego otra, y otra, hasta cuando todas se fueron. Y hasta el día de hoy, jamás han vuelto.

"Poco después, pasaron dos cosas. Primero, las úlceras y la parálisis que martirizaban a Pete y a la esposa se desvanecieron en forma total. Por esto nuestros ancianos habían orado con todo fervor y fue muy dramático ver cómo desaparecían los síntomas.[22]

"El segundo pie en esta asombrosa historia resultó en que los curanderos que usaron los fetiches de hechicería contra Pete y su familia, ¡todos murieron! Entonces, después —concluyó Herman Williams—, el temor de Dios se manifestó en toda el área. Hubo como un río de personas que se presentaban para conseguir la salvación. Creo, con toda firmeza, que el desarrollo de estos hechos, marcó claramente el comienzo del avivamiento que hay en la actualidad entre los navajos".

Los palos y las piedras te herirán

Al comienzo de la tarde del 11 de enero de 1982, cuatro indios hopis entraron al Museo Smithsoniano de Historia Natural en

Washington, D.C. Poco tiempo después, según el informe de Jake Page en la revista *Science*:

> A estos indios los recibió el Curador Asociado de Etnología Norteamericana, William Merrill quien los escoltó hasta el cuarto piso donde estaba abierta una puerta sin identificación. Cuando funcionó un interruptor eléctrico, las luces fluorescentes revelaron vitrinas casi interminables de alfarería y una fila de gabinetes... que llevaban nombres de las diversas tribus indias de todos los rincones de América del Norte. Las vitrinas y los gabinetes albergaban los artefactos y objetos rituales indios del Smithsonian, colectados sobre todo alrededor del comienzo del siglo.

Durante casi mil años los hopis han vivido en lo alto de las mesetas tostadas por el sol, en lo que ahora es el noroeste de Arizona. En este árido ámbito que Page llama "una cruel colcha de retazos formada por trampas de arena", los granjeros hopis han desarrollado técnicas elaboradas y productivas de cultivos casi en seco. Sin embargo, en el núcleo de su filosofía intervencionista yace una creencia ardiente en que el medio que los rodea se puede controlar por medio de ritos y ceremonias.

Para los hopis, pocas cosas se toman con más seriedad que el problema de convocar la lluvia. Las ceremonias suministran intenso dramatismo y, cada año, durante el mes de agosto, visitantes de todo el mundo se reúnen para observar a los pintados miembros de la tribu que pertenecen a los clanes de los Antílopes y de las Serpientes, entregarse a la actividad que la Oficina de Asuntos Indígenas de los Estados Unidos, calificó cierta vez como "una práctica repugnante".

Formados en filas en las polvorientas plazas de Oraibi, Hotevilla o Walpi, dos docenas de danzantes rompen el previo silencio con un resonante e hipnotizador zapateo. Una vez que han logrado entrar en trance absoluto, se acuclillan frente a un abrigo siempre verde de coníferas, o *kisi,* para recoger su carga sagrada. Mientras la audiencia respira con los nervios de punta, los miembros del clan regresan al círculo ritual con serpientes de cascabel y otros tipos de serpientes sostenidas con toda firmeza entre los dientes.

Los hopis también acostumbran invocar una buena cantidad de espíritus, bajo el nombre *kachinas*, para atraer la lluvia. Los kachinas, con una creciente popularidad entre los turistas como muñecos de artesanía tallados a mano, son en realidad parte de un elaborado y complejo ritualismo religioso, donde aparecen en forma alternativa como intermediarios divinos, o los espíritus antepasados de los hopis, o el vapor que emite el agua en una mañana fría. Aunque los kachinas viven seis meses del año en los Picos San Francisco que se levantan como torres sobre la vecina ciudad de Flagstaff, pasan el resto del tiempo en las mesas hopis, donde se encarnan en danzantes enmascarados, que descienden como enjambres de abejas a las plazas sagradas y a las kivas (cámaras ceremoniales subterráneas.)

Pero los hopis, para sobrevivir, como todas las demás tribus indias, dependen también en grado considerable de decisiones que se toman en Washington.

Los cuatro hopis que visitaban el Museo de Historia Natural —incluía un sacerdote joven de uno de los clanes y un director de la tribu recién elegido, Iván Sidney— iban a la capital para ver a varios funcionarios. Sin embargo, a eso de las 4:00 P.M. la delegación abandonó el Museo y salió a los helados vientos de enero —"que los sacudía sin misericordia", según Page. Precisamente un poco antes de su abrupta salida del depósito en el cuarto piso del Smithsonian, los hopis habían visto un estante lleno de alargados fetiches de brujería.

—Éstos —explicó Sidney a Merrill, el curador asociado—, se usan para los maleficios —Retrocedió, unos cuantos pasos, y agregó—: Nunca se deberían haber hecho, [y] jamás deberían estar en esta ciudad.

Para añadir una preocupación más a los hopis, había un kachina negro, de ojos saltones, en una máscara envuelta en una bolsa plástica transparente. Sacudieron las cabezas y pidieron que se abriera la bolsa para que la máscara pudiera "respirar". Como Merrill se sintió obligado a hacerlo, el director de la tribu, un antiguo jefe de policía en su territorio, con sofisticada tecnología contra el crimen, hizo una advertencia. "Con la máscara del kachina y sus energías, por tanto, tiempo encerradas —dijo—, habrá ahora una tremenda lluvia o una tormenta de nieve en Washington. No es algo con lo que sea posible jugar."

Luego los hopis, extremadamente incómodos, decidieron acortar su viaje en dos días. "Algo muy malo —dijeron—, va a suceder en esta ciudad".

De hecho, Page relata en su artículo de la revista Science:

> La delegación partió en medio de una tremenda tormenta de nieve para tomar el tren subterráneo (metro) de la ciudad, pues el tráfico virtualmente se paralizó. Casi a los veinte minutos de haber salido del metro cerca del Museo de Historia Natural, otro tren del metro se descarriló allí. Cuando llegaron al Aeropuerto Nacional, en ese preciso momento lo acababan de cerrar: un avión de alta propulsión de Air Florida al despegar de la pista se estrelló contra el puente de la calle 14 sumergiéndose en el río Potomac, cubierto de hielo.[23]

Mi propio encuentro con el poder de los objetos rituales de los hopis ocurrió en la primavera de 1992. Después de leer bastante sobre la tribu y sus kachinas, apunté algunas observaciones. El destino inicial de este trabajo de campo fue la antigua aldea de Walpi colgada en el filo occidental de la First Mesa (Primera Mesa) en Arizona. La subida era pendiente y como hacía tanto calor, me alegré de llegar a la acogedora sombra del centro comunitario.

Como los ritos religiosos han atraído tantos turistas, los hopis se han visto obligados a poner avisos en los que piden a los visitantes no llevarse los artículos religiosos. Los indios no sólo objetan que su espacio lo hayan vuelto un exótico "mercado de pulgas", sino que están muy conscientes de las fuerzas sobrenaturales que se asocian con tales cosas. Sin embargo, y para su mala fortuna, muchos visitantes de "dedos pegajosos" no tienen esa luz. Al respecto vi una carta expuesta en el tablero de comunicaciones del centro comunitario. La nota, muy corta, garrapateada a mano, fue enviado a la tribu junto con un bastón de oraciones que se habían robado.[24] El autor explicaba que a su vida le acontecieron diversas desventuras casi desde el mismo momento en que se apoderó ilícitamente del bastón y terminaba con una desesperada solicitud de perdón.[25]

Un indio Taos-Kiowa, Wendell Tsoodle, me había advertido sobre otro objeto que se debe evitar —los "bastones de viaje". Wendell, antiguo curandero, estaba bien familiarizado con esos potentes manojos de medicina que se meten en los postes de las viviendas de los hopis como protección contra intrusos extraños.

—Asegúrese de invocar la sangre de Jesús —me recomendó cuando salí de su casa en Albuquerque para ir a las mesas de los hopis.

Ya fuese por una grieta en mi armadura espiritual o simplemente una coincidencia con algún virus, dos días después de visitar el pueblo de Walpi, me encontré en la sala de urgencias del Hospital San José, en Phoenix. En medio de una noche miserable, los médicos me engancharon a una serie de líquidos endovenosos a fin de reemplazar los que perdí durante un violento ataque de vómito.

᠎   ▨   ▨   ▨

Otro incidente que ilustra esta clase de objetos relacionados con poderes espirituales tuvo lugar en Apache, Oklahoma, en la primavera de 1983. Los tres hijos de James y Judy Goombi, que buscaban algo para divertirse, comenzaron a revolver una caja de recuerdos que descubrieron en una caseta de depósitos en la parte de atrás de la casa. Fascinados con una colección de fotos antiguas que mostraban a los abuelos con objetos y atuendos tradicionales de curanderos indios, los niños entraron a la casa toda la caja que Judy había heredado de su difunto padre. Poco después la guardaron en el armario de un dormitorio y pronto se olvidaron de ella.

Unas cuantas noches después, Jason Goombi, de tres años, apareció en el cuarto de los padres. —Había un hombre en mi puerta—dijo—, pero acaba de irse.

Los Goombis consideraron esto como fruto de la imaginación infantil y volvieron al pequeño a la cama. Pero cuando más tarde en la noche regresó a la alcoba del matrimonio con el mismo informe, le permitieron acostarse con ellos.

La hija mayor, Melissa, de quince años, también tuvo dificultades para dormir. En un intento de aliviar su incomodidad mediante un cambio de dormitorio, se fue tranquilamente al cuarto vacío del hermanito. Pero de nuevo volvieron las pesadillas y, al despertar de una de ellas, vio admirada a un anciano indio de larga cabellera gris que se inclinaba sobre ella. Demasiado asustada como para gritar, se metió debajo de las cobijas y se puso a orar. Cuando lo hizo, el viejo se desvaneció.

A la mañana siguiente contó a sus padres lo que le había pasado y los Goombis comenzaron a sospechar algo fuera de lo común. James se vio forzado a dejar el misterio para después del trabajo, pero Judy Goombi no enfrentaba esa dificultad. Algo había violado la santidad de su hogar y quería desesperadamente saber quién o qué era. Al repasar en la mente los acontecimientos de la noche anterior, de pronto cayó en la cuenta de la caja de recuerdos. Al sacarla del armario, empezó examinar sus tesoros sentimentales —hasta cuando vio algo que hizo saltar su corazón. No era mayor que un dólar de plata, pero reconoció inmediatamente que se trataba del manojo de medicina de su padre. También recordó que eso significaba que se lo debía pasar a su hijo varón, Jason.

Al darse cuenta que los espíritus del mal trataban de extender su influencia a la generación siguiente, Judy entró en acción. Pidió a su hermano Essie y a su cuñada Phyllis, reunirse con ella en un lote vacío donde hicieron una hoguera para destruir el manojo de curandero. Pero a medida que el humo se levantaba en espiral hacia el espacio, se dejó sentir un espasmo final de odio. En una escena digna del suspenso que manejaba Alfred Hitchcock, repentinamente descendieron del cielo un gran número de tijeretas y empezaron a atacar al grupo hasta cuando el último resto del manojo se consumió por completo.

Resultó que esas aves, las tijeretas, eran el ave que el padre invocaba en la administración de sus medicinas como curandero.[26]

Una evidencia muy fuerte sugiere que el poder de ciertos objetos rituales está ligado a los ritos dinamizantes donde los diseñadores y los propietarios invocan la presencia de espíritus relacionados.[27]

Por ejemplo, los indios zuni cada año llevan acabo un "Concilio de Fetiches" donde reúnen a los fetiches de la tribu para adorarlos y energizarlos con cantos especiales nocturnos y con ofrendas de una comida de oración.[28] En Nueva Irlanda, isla en forma de zucchini en la costa nororiental de Nueva Guinea, los artesanos espirituales que atienden los elaborados festivales funerarios en esa cultura, tallan ciertos objetos de madera que tienen el nombre de *malaganes*. Cuando los terminan, los colocan y los disponen en una casa especial para demostración, detrás de una pantalla hecha con hojas de cocotero. Allí los talladores inician un canto que atraerá una presencia sobrenatural dentro de las figuras. Una vez que esto se cumple —y hasta la hora en que se les destruye— se considera a los malaganes como peligrosos.[29]

Un proceso semejante se sigue en la elaboración del *kris*— daga embellecida, de hoja ondulada, que se encuentra en toda Asia suroriental. De acuerdo con Sutikno Timur, practicante de la magia tradicional en Java Oriental, el poder de la daga depende del *empu*, el obrero. Un reconocido y apreciado artesano, K. R. T. Hardjonagoro dice: "No se puede hacer un kris con los ojos. Se debe crear un vínculo con la persona que lo ordena". Usted necesita fortaleza espiritual para llenar el kris con fuerzas equilibradas. El propósito es pasar este poder a la persona que lo poseerá. Se dice que los verdaderos artesanos sacan de la forja, la hoja al rojo vivo con los dedos. La presión ayuda a formar el diseño y se agrega al aura del talismán.[30]

En ciertas ocasiones, el poder de los objetos rituales parece que se acumula con el paso del tiempo. Un experto que así lo cree es el

Dr. Yoshihiro Tanaka, fundador y presidente de la Sociedad Matsuri, con base en Nagoya, organización que facilita el estudio de los festivales religiosos en Japón. "En muchos casos —me dijo Tanaka—, los objetos folclóricos tienen poderes especiales que no existen en los mismos objetos en sus formas más nuevas".[31]

Otro erudito asiático ve una correlación directa entre los objetos sagrados y las deidades protectoras. Mina Tulku, curador del Museo Nacional de Bután, que es como una fortaleza, expuso sus pensamientos sobre el tema cuando visité su oficina pobremente iluminada en Paro.

Sabía que su título de *tulku* lo designaba como la reencarnación de un alto lama, pero su contextura redonda y su jovial continente me recordaron más un Fray Tuck budista. En el curso de nuestra charla, mencionó que aunque las leyes religiosas le permitían casarse, había elegido permanecer soltero, a fin de no exponer a otros a los riesgos de su trabajo. Al mirarle interrogantemente, me explicó que como curador era su responsabilidad determinar la historia de los artefactos ofrecidos al museo. Como muchos objetos se originan de sitios como templos y monasterios que están bajo el dominio de divinidades guardianas, el proceso de evaluación requiere cuidados especiales. Asumir la custodia de objetos robados o adquiridos ilegalmente, me explicó, podría ser fatal.[32]

Una fehaciente confirmación del pensamiento de Mina Tulku, se encuentra en *Drumming at the Edge of Magic*, libro novedoso de Mickey Hart. Por mucho tiempo percusionista en el famoso conjunto de rock The Grateful Dead, Hart también es coleccionista de tambores a quien recuerdan sus amigos de la mal llamada "Nueva Era" cuando recorren mercados y tiendas de curiosidades por todo el mundo.

Hace pocos años uno de tales amigos puso frente a Mickey un tamborcito hecho de un cráneo. "Lo llaman *damaru* —dijo—. Es un tambor de poderes. Sólo lo tienen los lamas más iluminados del Tibet. Lo acabo de comprar para ti".

—Puse el tambor-cráneo sobre la mesa —recuerda Hart—, y sentí una especie de fascinación nerviosa.

Después de tocar su macabro instrumento por quince minutos o algo así, lo volvió a poner en el armario y luego se levantó rápidamente.

> No tenía ninguna razón para asociar mi náusea con el *damaru*. Pero pronto comencé a chocar contra las cosas, o a caerme cuando no había razón, o a herirme en cosas menores pero molestas y desagradables. Gradualmente sentía como si toda mi vida comenzara a desenredarse. Sólo después de varias semanas de padecer tales infortunios sin ninguna característica definida, de manera repentina recordé el extraño tamborcito tibetano que [de mi amigo] había recibido. *¡Un tambor de poderes!*

Cuando Hart trató de tocar de nuevo el tamborcito, se sintió tan mal que telefoneó al psicólogo Stanley Krippner y le pidió que lo examinara. Krippner reconoció una potencia obvia, pero declinó continuar con estudios posteriores.[33] Luego Hart llamó a Phil Lesh, su compañero en el conjunto de rock, quien accedió a retirar el tambor de sus manos. Pero, poco después, también Lesh experimentó el efecto malévolo del objeto. Antes de dos semanas hizo una llamada frenética: "¡Mickey!, por favor, te pido que vengas y quites este tambor ahora mismo. No lo quiero aquí ni un minuto más".

Por último los dos músicos para resolver el dilema, manejaron hasta Berkeley para encontrarse con Tarthang Tulku, un lama principal que allí iba a dedicar un nuevo centro budista tibetano. Cuando Hart y su colega entregaron el tambor-cráneo lleno de poderes al diminuto lama, miró al damaru y murmuró: "Así que al final has regresado a casa". Luego se volvió a los amigos y dijo: "Espero que haya sido cuidadoso al máximo, señor Hart. Este es un tambor de grandes, grandes poderes. Despierta a los muertos, usted lo sabe".

"No mucho tiempo después de esto —escribió Mickey en su libro—, mi carro se precipitó por un risco. En mitad de la caída al abismo lo detuvo un árbol, que me salvó la vida, pero no todos mis huesos".[34]

Hay algo allí afuera

Hay algo que nos inquieta y perturba profundamente acerca de la perspectiva de un mundo lleno de tambores malévolos, monjes que levitan, lechuzas que maldicen, matrimonios con serpientes y espíritus de las montañas. Casi todos nosotros preferiríamos desechar todo eso, y nos gustaría hacerlo, si no fuera por aquellas dudas medio suprimidas que llevamos dentro de nosotros. *Después de todo*, susurra nuestra voz interior, *¿qué pasaría si todo aquello es cierto?*

Muchas veces esas sospechas salen a la superficie a pesar de nuestros sensibles pensamientos alineados en sistemas de creencias. Esto le sucedió a Dan Greenburg, comentarista de *Newsweek*. En un artículo de junio de 1976, Greenburg describió una serie de encuentros con fuerzas que no podía explicar —encuentros que atemperaron su abierta burla de lo oculto. En su comunicación Greenburg insistió en que "había ido demasiado lejos y que había visto muchas cosas" como para regresar a sus cómodas creencias antiguas.[35]

El escritor británico Harold Owen también habla sobre recorridos extraños en lo sobrenatural en los tres volúmenes de su autobiografía, *Journey from Obscurity*. Durante la niñez, su hermano mayor, el afamado poeta de la época de la Primera Guerra Mundial, Wilfred Owen, les pedía a los menores esperar en cuartos tenebrosos, mientras se disfrazaba con una sábana y con una vela se les aparecía en las sombras. Esto era suficientemente aterrador, pero una bagatela en comparación con un incidente que tuvo lugar durante uno de esos juegos, en una escalera oscura que desembocaba arriba, en uno de los pisos superiores:

Entonces, cuando iba en la mitad del camino, a lo largo del angosto pasaje, quedé petrificado, con un pie por encima del piso. Una cosa invisible estaba allí; algo tan manifiestamente desprovisto de un cuerpo físico y tan completamente inaudible, pero me daba plena y absoluta cuenta de lo tan terrible, tan terriblemente peligroso que era, que sentí con un conocimiento claro y absoluto que allí había algo mucho más allá de cualesquiera de las tonterías de Wilfred... Era como si me hubiese salido por entero de este mundo.[36]

Para quienes no los esperan —y aun para algunos que sí los esperan— los encuentros con el mundo de la puerta siguiente, pueden poner los nervios de punta. Al describir un sueño en el que tuvo la visita de un espíritu, unos de los amigos de Job que había ido a consolarlo, declaró:

El asunto también me era a mí oculto; mas mi oído ha percibido algo de ello. En imaginaciones de visiones nocturnas, cuando el sueño cae sobre los hombres, me sobrevino un espanto y un temblor, que estremeció todos mis huesos; y al pasar un espíritu por delante de mí, hizo que se erizara el pelo de mi cuerpo"

Job 4:12-15, RV

El poder alrededor de las vías espirituales —sean templos, cuevas, o mercados mágicos— es especialmente palpable. Durante una visita en mayo de 1993 al santuario de Bahadur Saeed en Varanasi, India, me atrajo la cruda intensidad que rodeaba a decenas de mujeres suplicantes, cuya mayoría invitaba a la posesión colectiva de espíritus, pues se mecían hacia delante y hacia atrás, con su cabello trenzado suelto para formar círculos en el aire. A medida que la etapa de trance se desarrollaba completamente, los rostros que eran antes atractivos se deformaban, los ojos rodaban hacia atrás dentro de las órbitas, y los cuerpos comenzaron a retorcerse y deslizarse a través de las losas del patio, como serpientes hambrientas.

Los misioneros y los antropólogos han visto escenas semejantes literalmente en todo rincón de las sociedades humanas.[37]

En ocasiones se ha visto que la energía espiritual afecta los equipos electrónicos. Después de hacer una película en Indonesia el director Eros Djarot relató a *Keith Loveard, corresponsal de Asiaweek los detalles de un suceso semejante:*

Mientras el equipo filmaba una escena en un cementerio, ninguna de las cámaras trabajó. Ensayaron una, después otra, y luego trataron con otra. De regreso al hotel no hallaron nada en las cámaras. Por último, un viejo aldeano nos explicó que los espíritus del cementerio se deberían aplacar con una ofrenda de alimentos y licor (arroz, un pollo y whiskey). Después de haber seguido ese consejo, la filmación se pudo continuar sin ningún obstáculo.[38]

Este problema, de acuerdo con Douchan Gersi, productor de documentales, es común a los sitios sagrados y a los hechos sobrenaturales. "[El fenómeno] es extraño, misterioso y lleno de poder —concluye—. Algo que desafía toda lógica científica".[39]

La búsqueda investigativa de este libro procura definir este perturbador "algo" que nos hace volver sobre la luz del umbral de nuestras almas. ¿Tratamos simplemente con charlatanes y con alucinaciones a gran escala? O, como C. S. Lewis parece sugerir en sus *Crónicas de Narnia*, ¿verdaderamente existen las rutas de paso a otras dimensiones en los guardarropas? Y, si esto último se demuestra que es real, ¿qué papel, si alguno, jugamos en el mundo de la puerta siguiente?

Desde luego, tales preguntas no son nuevas. Las variaciones de este tema, conforme descubriremos dentro de muy poco, han dominado el pensamiento y el discurso humanos desde el amanecer del tiempo. Esto es así porque en cada uno de nosotros hay un sentido innato que nos dice que no somos por entero de este mundo; que nuestro origen y nuestro destino están ligados a un ámbito que se percibe sólo a media luz. Anhelamos ir a nuestro hogar pero no estamos completamente seguros de cómo llegar allí.

El otro punto es la seguridad. Si damos con el camino hacia el mundo de la puerta siguiente, ¿qué obstáculos o adversarios podríamos encontrar allí? ¿Cómo los podremos reconocer? ¿Los evitaremos? ¿Los combatiremos? ¿Existen mapas que nos ayuden a navegar en el misterioso laberinto que los hombres y las mujeres llaman la dimensión espiritual?

Parte uno

Bajo el sobremundo

Iluminaciones desde el sótano de la realidad

Capítulo dos

Navegando en el laberinto

Háblese de vías estrechas y difíciles que apenas permiten el paso, así como de encuestas e investigaciones, y el pensamiento inevitablemente evoca figuras de aventureros intrépidos que sondean su camino a través de una red intrincada de pasos que perturban y causan aflicción. Por siglos esos misteriosos ámbitos y planos retorcidos han llamado la atención de reyes, peregrinos y hasta de los modernos recreacionistas. Los monarcas encontraron la naturaleza inherentemente confusa del laberinto, muy útil para ocultar concilios y proteger tumbas. Muchas veces los penitentes debían hacer viajes rituales por los laberintos de los solares o de otras propiedades eclesiásticas, en lugar de ir como peregrinos hasta santuarios distantes. Los recreacionistas han visto esos pasajes como un rompecabezas que se debe resolver, ya sea cuando se completa el camino hasta el centro y se regresa, o por localizar la ruta más corta entre la entrada y la meta.[1]

Mientras el laberinto moderno casi siempre es un jardín admirable de vías limitadas por cercas de arbustos, en los tiempos clásicos era una estructura por lo menos parcialmente subterránea, de arquitectura y diseño intencionalmente complejos y difíciles. El laberinto egipcio de Cocodrilópolis, por ejemplo, tenía tres mil cámaras, la mitad subterráneas. Aquí, según el historiador griego Heródoto, los cocodrilos sagrados guardaban las tumbas de los reyes. Aun más famoso fue el laberinto de Cnosos en la isla de Creta. Aunque se creía que lo frecuentaba el legendario Minotauro —criatura

mitad hombre y mitad toro que consumía sacrificios humanos—
el laberinto era más probablemente una gruta o un palacio extendido en forma muy irregular donde oficiaban sacerdotes cretenses
enmascarados.[2] Se han descubierto otros laberintos en asentamientos romanos, celtas y asiáticos.

El laberinto expresado simbólicamente por medio de pinturas,
grabados, y danzas, presenta inclusive más opciones interpretati-
vas. Las espirales, por ejemplo, se ven ampliamente como el cuerpo de la Madre Tierra. Los indios hopi vinculan el símbolo a sus
kivas, los santuarios semejantes a vientres, de donde creen que
emergió su nación.

Los constructores del antiguo y complejo templo maltés de
Tarxien, evidentemente vieron las cosas en una forma muy parecida. Y según Elinor Gadon, feminista historiadora de arte, un
santuario subterráneo al que se le conocía con el nombre de hipogeo, era como "el vientre y el cementerio donde los muertos volvían a la Madre".[3] Interpretaciones semejantes se han encontrado
en diversos sitios, desde América Central hasta Siberia.

Sin embargo, la definición más universal que recibe el laberinto,
corresponde a un viaje simbólico al otro mundo. Es un paso que
millones ya dieron y en el que un número incontable trabaja para
tener el valor de darlo. La meta, desde luego, es el paraíso. Desafortunadamente, el paraíso se sitúa en medio de un plano que no
nos es familiar y donde perderse es una posibilidad muy grande.
Puede ser una peregrinación difícil y peligrosa sin que, al final,
haya garantía de ninguna clase. El punto focal de esta elaborada y
confundidora red, puede de acuerdo con tradiciones muy antiguas, no albergar un paraíso sino una voraz araña.

Una conversación en Marrakech

Durante casi toda mi vida la pregunta de cómo podría navegar
en el plano bizantino del otro mundo estaba escondida bajo una
gran cantidad de lo que consideré como interrogantes mucho más
notorios. ¿Por qué, por ejemplo, querría molestarme en ser el

primero en investigar sus secretos? Exactamente, ¿qué procuraría encontrar? Y, ¿qué destino trataba de alcanzar?

Pero sólo hasta el verano de 1990 llegué a entender por qué necesitaba sondear el corazón del laberinto. Cuando me llegó la inesperada revelación, tomaba té en el patio del Hotel Tichka en Marrakech, capital del reino de Marruecos.

Marrakech, situada en la llanura de Haouz, bajo las Montañas del Alto Atlas, es una ciudad cuya arquitectura morisca, sus encantadores de serpientes, así como sus elaboradas fantasías[4] recuerdan a quienes la visitan por primera vez que han ido bastante más allá de Palm Springs o de la Riviera italiana. Como el indiscutido corazón de lo más hondo del sur de Marruecos, Marrakech se ha vuelto el sitio de reunión de los tiempos, las razas y las culturas más dispares, una ciudadela de arcilla roja donde su vivacidad y misterio combinados permanecen sin paralelo en toda África del Norte.

Pero no estaba solo mientras tomaba el té. La silla enfrente de mí la tenía un joven misionero, fabricante de tiendas como el apóstol Pablo, a quien conocí antes en los Estados Unidos. Greg (este no es su nombre verdadero) desde varios años atrás se estableció en Marruecos para servir.

Durante nuestro tiempo juntos, Greg me confió los pesares de su alma. Después de casi siete años de ministerio, la mayoría en las tierras altas de Marruecos dominadas por los bereberes, escasamente había visto algún fruto ocasional muy pequeño. Como suponía que su llamamiento le obligaba a algo más que los simples intentos de hacer discípulos, se vio profundamente frustrado y confuso por su aparente fracaso evangelístico. En lo referente a dedicación, entrenamiento e integridad, Greg era de primera clase. A más de tener una hermosa personalidad en distintos aspectos, era muy entendido en las diversas facetas del cruce de culturas, y mostraba mucha eficiencia lingüística-características que por lo general aseguran éxito a los misioneros. Sin embargo, pude darme cuenta que le faltaba algo, pero ¿qué era?

Me sorprendí al oírme que le daba a Greg la línea estándar de Efesios 6, acerca de la futilidad de la lucha con carne y sangre.

Todo parecía estar bien sobre el plano natural en términos de su enseñanza y su compromiso, pero le recordé que se libra una feroz y terrible guerra espiritual. Le hacía frente a personalidades sin cuerpos, a fuerzas invisibles que han excavado en lo más profundo dentro de la cultura, que prevalecen y se oponen a su misión con amargura y tenacidad.

Cuando hice una pausa para dejar que esas palabras calaran, sucedió algo supremamente extraño: De pronto el mensaje cambió su dirección y retrocedió para penetrar en mi propio espíritu. En ese momento particular y apenas sobrenatural, recibí mi primera mirada dentro y hacia el sorpresivo significado y las implicaciones del laberinto.

Aquella noche, y durante las muchas noches que siguieron, reflexioné acerca de mis propias experiencias acumuladas a lo largo de décadas de viaje por todo el mundo. Como un patrón pobremente definido para los ojos en una película de maratón, hube de sentarme hipnotizado por innumerables escenas olvidadas desde mucho tiempo atrás, que se proyectaban sobre la pantalla de mi memoria. Los detalles —que en ocasiones incluyeron sensaciones, texturas y olores vívidos— fueron fenomenales. Sólo en la exquisita ingeniería de la mente es posible oír el ladrido de un perro que murió varios años antes, o revivir la aterradora sensación de ser un niño perdido en un parque de diversiones. Ningún otro artificio puede recobrar tanto los sucesos mismos, como nuestras íntimas respuestas a ellos.

Mi estación de trotamundos imaginativo dejó una cosa tan clara como el cristal. La experiencia de Greg no era completamente única. En la práctica, en todo rincón del mundo hay ciertos vecindarios, ciudades, culturas y naciones que abrazan más idolatría, manifiestan una mayor opresión en el espíritu y exhiben más resistencia a la luz del Evangelio. La pregunta verdadera es, ¿por qué?

Ciertos viajeros describen ocasiones donde la atmósfera espiritual predominante, cambió de un momento a otro en el mismo segundo en que cruzaron el límite de un territorio particular.[5] Para referirse al lado oscuro de este fenómeno, Richard Cavendish habla de una "atmósfera de abrumadora amenaza que con frecuencia se fija a un sitio y se manifiesta a extraños, que nada saben de su historia".[6]

El doctor Gary Kinnaman documentó tal experiencia después de visitar con su esposa, varios otoños atrás, una mansión de trescientos años en Massachusetts, donde ofrecen cama y desayuno. A pesar de haber sido muy bien recibidos en una vivienda decorada esplendorosamente con antigüedades de la época, Kinnaman informó que "la sensación interior era casi más opresiva de lo que podíamos soportar". Aunque en verdad no se manifestaron demonios ni fantasmas durante su breve permanencia allí, los Kinnaman se fueron con la segura convicción de "una inequívoca presencia espiritual en aquella casa".[7]

Mientras esta clase de evidencia anecdótica da peso a la proposición que la oscuridad espiritual es palpable y se concentra geográficamente, no es útil para ofrecer razones que expliquen el fenómeno. Una vez más nos vemos obligados a preguntar: ¿Por qué las cosas son como son?

Las variaciones sobre este interrogante básico son virtualmente interminables. Por ejemplo, ¿por qué la nación isleña de Haití es el país más bajo, tanto en lo social como en lo económico, dentro del hemisferio occidental? ¿Por qué motivos las naciones de los Andes consistentemente ocupan en el mundo el primer lugar en las tasas de homicidios per capita? ¿Por qué Japón ha permanecido como una espina desafiante en el costado de los evangelistas cristianos? ¿Por qué hay tanta abierta actividad demoníaca en y alrededor de los Himalayas? ¿Por qué en Mesopotamia se manifiesta una línea tan larga de gobernantes tiránicos?

Mientras es necesario considerar los obvios factores sociopolíticos, toda investigación que se limite a este campo, tiene la certeza de dejar siempre algunos molestos e irritantes cabos sueltos.[8]

En los meses que siguieron a mi conversación con Greg en Marrakech, decidí remodelar y afirmar mi pregunta núcleo. La versión actualizada interrogó *¿Por qué la oscuridad espiritual permanece donde lo hace?* Me convencí que este interrogante profundamente simple, poseía relevancia universal. Y mientras reconocí que eso consumiría mi atención, no me fue posible caer en la cuenta que esa sencilla pregunta, que una vez hecha pide respuestas, cuán radicalmente iría a alterar mi propia visión y mi carrera.

Estaba cómodo con la expectativa de viaje internacional pero mucho menos seguro de navegar en el laberinto. Este era un ámbito que probó a veteranos y yo era un aficionado. Dentro de la red de pasajes, pocas cosas son como aparecen; y como tenía muy pocos deseos de atravesar los retorcidos vericuetos del lado oscuro, supe que necesitaba alguna clase de mapa, y de preferencia un guía, para mantenerme en la pista.

La escalera descendente

Unas pocas semanas después de mi visita a Marruecos, mi esposa Lisa y yo nos registramos en una idílica casa galesa que ofrece cama y desayuno, en búsqueda de un muy necesario descanso. Pero recibimos una dosis de la Ley de Murphy. Muy temprano, en la mañana, nos sacó abruptamente del sueño la voz de un periodista de la BBC que brotó del radio-despertador cuya alarma habían dejado instalada con anterioridad en nuestra mesa de noche. Cuando casi a ciegas busqué apagar el despertador y restaurar la paz, mis sentidos se volvieron a encender con la noticia: Los militares iraquíes habían hecho una invasión a toda escala de Kuwait. Precisamente Saddam Hussein jugó la primera mano de lo que se volvió un póquer extraordinario de apuestas altas —uno que apenas ilustraría cuántas entradas falsas puede presentar un laberinto.

A medida que los meses pasaban, un flujo constante de tropas y materiales aliados en la región sugería que las Naciones Unidas, y George Bush en particular, estaban preparados para responder al bluff o "cañazo" de Saddam. Hacia el fin de 1990, los transportes militares cargados eran como un enjambre sobre la Península de Arabia y como una peste de langostas apocalípticas. Y con cada uno de los toques sucesivos, el mundo por pulgadas se aproximaba a la "Madre de todas las batallas".

Las redes de la televisión occidental cubrieron el escenario con una intensidad que normalmente se reserva para la Super Copa de Fútbol o para los Premios de la Academia. Todo el asunto tomó una calidad surrealista. Por primera vez en la historia, los televidentes pudieron preparar "palomitas de maíz" en el microondas, alistar sus sillas preferidas y disponerse a ver en la pantalla una guerra. Pero era más que un voyerismo macabro. Casi todos los televidentes, sobre todo en los Estados Unidos de América del Norte, tenían un interés personal. Después de todo no eran escenas generadas por actores de televisión o por participantes extranjeros anónimos. Los amigos íntimos y los familiares se hallaban en caminos peligrosos, y toda comunidad estaba ansiosa de novedades.

Al reconocer el nivel excepcional de intereses personales, las principales redes procuraban alimentar el hambre pública de detalles en las noticias. Además de conseguir expertos comentaristas, varias estaciones de televisión convirtieron sus estudios en elaborados mapas móviles del golfo Pérsico. Al permanecer dentro de esos campos de batalla hechos a escala, expertos militares como Tony Cordesman de la ABC, ayudaban a los televidentes a visualizar el conflicto mediante la maniobra electrónica de figuras de guerra sobrepuestas.

Eventualmente las redes decidieron complementar estas lecciones de estrategias y tácticas militares con comentarios sobre la política del Oriente Medio. El mensaje, provisto sobre todo por académicos y políticos retirados, era simple. Los alojamientos de las tropas y las incursiones fronterizas, vistos fuera del contexto más grande de la política regional, permanecían tan enigmáticos como desconcertantes. Si quisiéramos comprender el campo de batalla árabe, deberíamos mirar bajo el polvo y el ruido inmediatos.

Una tercera ola de eruditos se unió pronto a la disputa para argumentar que como la política se nutre gracias a raíces históricas, la única manera de entender las tensiones del Golfo, consistía en descender a los anales del pasado. Fue un aspecto persuasivo que pasó virtualmente sin retos durante una semana —o algo así. Pero luego apareció un juego fresco de expertos de la red que insistieron en que la historia y la política locales sólo eran resultado de los valores culturales más notorios.

Puesto de nuevo en movimiento, el público buscador de la verdad, por último encontró un grupo final de sabios que sostenían que la comprensión auténtica estaba aún más honda. Desde su punto de vista, la auténtica línea del fondo se incrustaba profundamente en la religión que invadía todos los aspectos regionales. El Islam y sólo el Islam era la piedra Rosetta para descifrar el misterio del conflicto iraquí.

Al oír esas voces urgentes y contradictorias en los meses previos a la Guerra del Golfo —que nos llevaban de la estrategia militar y la política del Oriente Medio a la historia, cultura y religión— comencé a preguntarme si alguien en realidad sabía hasta dónde llevaba esta escalera descendente. ¿Habría de hecho, un sótano final de la realidad?

Una vez más, para mi sorpresa, encontré que mis pensamientos me hacían retroceder hacia el laberinto. Pero en lugar de preguntarme acerca de algún centro misterioso, ahora me interrogaba adónde necesitaba ir para llegar al fondo de las cosas. En una forma u otra, me daba cuenta que era cuestión de localizar el origen o fuente, de lo que es —el término donde uno descubre por qué las cosas son como son.

Casi todos los cristianos han visto desde tiempo atrás este fundamento de la realidad como sinónimo de la dimensión espiritual o mundo sobrenatural. Y a juzgar por la cantidad de tiempo que gastamos en hablar, cantar y leer sobre este plano en que decimos que se enraiza la realidad, uno esperaría que los pasajes del laberinto fuesen tan familiares para el creyente promedio como el mar lo es para los marinos. Para nuestra mala fortuna, las observaciones confiables sobre la localización y características del otro mundo son sorprendentemente difíciles de visitar.

El cristianismo occidental y lo sobrenatural

El fallecido doctor Francis Schaeffer presentó una agradable excepción a esta tendencia en su libro de 1972 *Genesis in Space and Time*. Según lo vio, el mundo sobrenatural es la intrigante mitad del universo, uno que se levanta "no en alguna parte apartada y lejana, sino inmediatamente delante de nosotros, casi como una cuarta dimensión". Para Schaeffer este hecho tiene implicaciones muy significativas. Creía que la humanidad no sólo vive en el margen del ámbito sobrenatural, sino que hay "una relación causa y efecto sobre el otro mundo y nuestro propio mundo visible en todo momento de la existencia".[9]

C. S. Lewis vio las cosas casi de la misma manera. Para él lo sobrenatural, lejos de ser "remoto y abstruso", era cuestión de la experiencia diaria y de todas las horas, un plano presente "tan íntimo como el respirar".[10]

Si estos pensadores no están equivocados, esto significa que el peligro y la belleza de la dimensión espiritual son siempre inmanentes, pues quedan justo por encima, por debajo, más allá o dentro del centro inmediato del momento actual. No podemos escapar más a este hecho de lo que podemos volver nuestro interior hacia afuera, y nuestra única respuesta racional es comprometer más tiempo para aprender la naturaleza del laberinto. Si somos diligentes en este propósito, el conocimiento resultante puede proporcionar un paradigma o patrón poderoso para interpretar los sucesos y las prioridades en el mundo material.

Pero no todos están preparados para aceptar la premisa de Schaeffer que existe una conexión causa y efecto entre la dimensión espiritual y nuestras vidas diarias. Y muchos que tienen voluntad de admitir tanto como ven la relación como abstracta y lejana, aquella donde un Soberano determinista y primitivo hace escasamente un poco más que sostener el apoyo a la vida.

De hecho, a pesar de las protestas de lo contrario, la perspectiva de la mayoría de los cristianos occidentales es mucho más racionalista que espiritual. Sospechamos que no podemos ver y verificar empíricamente, y este es el motivo para que muchos asistentes a las iglesias prefieran tratar con sus deidades (si es que acaso creen en una) mediante el texto y la forma. Casi todos consideran el diálogo íntimo y otros modos de contacto sensitivo con lo sobrenatural, como una especie de comportamiento supersticioso o que expresa un deseo.[11]

Las perspectivas mundiales preválete de una persona —que el profesor Charles Kraft del Seminario Fuller define como "las suposiciones, valores y compromisos culturalmente estructurados en la percepción que un ser humano tiene de la Realidad" —influye mucho más que la teología para determinar su percepción de la realidad definitiva. ¿Por qué? Porque, de acuerdo con Kraft, no sólo se nos enseña a ver la realidad en las formas prescritas socialmente, sino que estamos de manera constante "bajo la presión de los demás miembros de nuestra sociedad para mantener esas perspectivas".[12]

El efecto de esa presión se demostró en experimentos que Eric Kandel, científico de la Universidad de Columbia, comenzó en la década de 1960. Al tocar con un golpecito suave y repetido el sifón de un Aplysia, un caracol marino, sus agallas se retraen de forma inmediata. Pero si sigue el toque, el reflejo se debilita de modo automático hasta que el molusco ignora el estímulo y no responde más. Este fenómeno, que se conoce con el nombre de habituación, recuerda la capacidad del ser humano para adaptarse al tráfico ruidoso[13] o, en los términos del punto de vista del mundo de la iglesia occidental, para acomodarse al racionalismo.

Ha habido desensibilización al otro mundo en nuestras respuestas intuitivas a los estímulos sobrenaturales, mediante los toques de tambor de la ciencia socialmente correcta. Como Walter Wink lo menciona en *Review & Expositor*: "Entre con mayores capacidades se eduque a los clérigos, es más probable que sean aculturados en las actitudes científicas reduccionistas y que ignoren sus tradiciones propias".[14] Los Hechos de los Apóstoles han cedido el paso a la Iluminación.

Entonces, con una medida muy grande de consternación, estos mismos clérigos occidentales se han encontrado posteriormente sumidos en informes (cuya mayoría se origina del mundo en desarrollo) que sugieren que las fuerzas sobrenaturales pueden estar en búsqueda de algo específico, después de todo. En lugar de procesar estos eslabones como confirmación de enseñanzas bíblicas, muchos los ven como una amenaza directa a sus suposiciones racionalistas. Algunos líderes han ido tan lejos como para poner un bozal a misioneros veteranos, hasta cuando sus proclamas de hechos sobrenaturales se puedan sustanciar con evidencias *prima facie*.

Tales respuestas no son cautelosas tan sólo, sino franca incredulidad —y la incredulidad habla. Como C. S. Lewis anotó: "La mente que pide un cristianismo sin milagros, es una mente que se halla en el proceso de recurrir y volverse del cristianismo a la simple 'religión'".[15]

Uno de los más notables e "incrédulos Tomases" del día de hoy es el lanzallamas anticarismático John MacArthur Jr. Aunque insiste en que "no es escéptico por naturaleza" ni "mucho menos uno de aquellos a quienes C. S. Lewis llama 'naturalistas'" (personas que suponen que los milagros no pueden suceder), el libro de MacArthur *Charismatic Chaos* se lee como el último número de *Skeptical Inquirer*. En un esfuerzo por validar su tesis que los informes sobre los milagros de los días modernos no son confiables y que son efímeros, MacArthur se refiere a la insensatez carnal promovida por algunos carismáticos, y a aquello que considera como sin documentación. "La verdad es", proclama con un aire de finalidad decisiva, "que quienes anuncian milagros hoy, no son capaces de demostrar con pruebas sus proclamas".[16]

Después de citar varias señales y maravillas informadas por John Wimber y por el doctor C. Peter Wagner, MacArthur declara:

> Francamente, encuentro todos esos relatos ridículos. Es difícil resistir la conclusión que son completas patrañas fabricadas o embustes que han crecido con la repetición... Los que son crédulos acerca de la proclamación de milagros modernos —

especialmente quienes son defensores celosos al máximo de señales y maravillas contemporáneas— con frecuencia parecen
remisos a tratar con la posibilidad, o más bien con la probabilidad, de que tales maravillas pueden en realidad autenticar una
variedad diabólica de "revelación".[17]

Para responder a esta forma de cinismo, el autor y teólogo Paul
Thigpen anota que las personas a menudo tienen más seguridad
sobre lo que afirman que sobre lo que niegan. Esto se debe a que
con frecuencia las afirmaciones se basan en lo que experimenta-
mos nosotros mismos, mientras que la negación típicamente
acompaña lo que no hemos experimentado. "En resumen", explica Thigpen, "tendemos a medir las posibilidades de la vida por
nuestra propia limitada experiencia... [algo que] en ninguna parte
es más obvio que en el aspecto de los dones espirituales y los milagros que producen".[18]

Implícitas en todas las perspectivas, incluso en las de MacArthur,
se halla la suposición que nuestro punto de vista del mundo sea correcto. Pero actuamos no de acuerdo con la manera como son las
cosas, sino de conformidad con lo que esperamos que sean, o según creemos que sean, o como imaginemos que van a ser. El azar,
Winkie Pratney señala en *Healing the Land* consiste en que "con
los hechos correctos y un falso razonamiento, usted puede, pese a
todas las razones correctas, llegar a una conclusión errada. Y quizá
nunca sepa ni siquiera por qué se equivocó".[19]

Hace algunos años mi editora, Jane Campbell, compartió una
anécdota sobre las perspectivas falsas. Asistía a *las Bodas de Fígaro*
en la Ópera Metropolitana de Nueva York y se encontró ubicada
en la sección alpina "Círculo de Familia" donde los binóculos son
más una necesidad que un símbolo de "status". Cuando las luces
disminuyeron, sacó los minibinóculos del estuche y los enfocó al
apartado escenario. Durante varios frustrantes momentos, los
actores eran como fantasmas indefinidos en un borroso claroscuro. Por último, al darse cuenta que el espectáculo seguía sin que
ella pudiera apreciarlo, decidió verificar con rapidez su equipo.

Entonces pudo notar, con mucho pesar y bastante sorpresa, que había mirado por el lado contrario de los lentes.

¿Acaso podría ser que el cristianismo occidental haya visto la realidad por el extremo contrario de los lentes de la interpretación? Algunos líderes creen que la respuesta es un rotundo y enérgico sí. Sostienen que, como en el cuento de los ciegos y el elefante, quizá hayamos tratado los hechos correctos desde la premisa incorrecta.

Una de las voces que urgen recobrar la perspectiva bíblica de la dimensión espiritual, es la del teólogo anglicano Michael Green. Antiguo profesor de evangelización y de Nuevo Testamento en Regent College, Vancouver, British Columbia (Canadá), Green ve a la iglesia occidental como:

> Preocupada con su propia supervivencia, sus diminutos cuidados, su tradición, sus cánones y las revisiones de sus libros de adoración —o de otras cosas que salen con lo dicho sobre muchos de los problemas contemporáneos de nuestra sociedad sin que toque el centro del asunto. Roza las manchitas del sarampión, sin profundizar la enfermedad misma.[20]

La de Green no es la única voz sobre el tema, ni mucho menos tampoco la primera. "Volviendo atrás en 1951", anota, "el profesor James Stewart hizo una petición en el *Scottish Journal of Theology* a fin de recuperar la dimensión de la batalla cósmica en nuestra teología". Según Green:

> Él [Stewart] concluye este corto pero importante artículo para destacar que nuestra verdadera batalla no es "con el comunismo ni con el cesarismo, sino con el ámbito invisible donde fuerzas siniestras se levantan flameantes y fanáticas contra el gobierno de Cristo".[21]

Sorprendentemente, uno de los más fuertes apoyos de Green viene de las filas de los evangélicos liberales. En *The New Face of Evangelicalism*, por ejemplo, René Padilla escribe sobre la necesidad de "entender la situación del hombre en el mundo, en términos de esclavitud a un plano espiritual del que es imperativo liberarlo".[22]

Para Walter Wink es cuestión de "formular un paradigma nuevo de la realidad... capaz de integrar la ciencia norreduccionista con las presentes experiencias espirituales de las personas".[23]

Este paradigma que falta es también el punto focal de un perspicaz artículo titulado "The Flaw of the Excluded Middle" por Paul Hiebert, profesor en Trinity Evangelical Divinity School. Allí Hiebert observa que las perspectivas mundiales de casi todos los no occidentales tiene tres niveles: el mundo cósmico, trascendental en la parte superior; una capa media donde se presentan las fuerzas sobrenaturales sobre la tierra; y el mundo empírico de nuestros sentidos que descansa cómodamente en el fondo. Finaliza el artículo al explorar la tendencia única en la sociedad occidental de ignorar la realidad de la zona media, un plano de encrucijadas de suprema importancia que alberga fenómenos como magia, hechicería, deidades territoriales y maravillas y señales divinas.[24]

Encuentro esta miopía con frecuencia. En julio de 1994, durante una entrevista con la red holandesa de TV Evangelische Omroep, me preguntaron si podría ofrecer justificación escritural para el compromiso cristiano en lo que se ha venido a conocer como guerra espiritual. Aunque no hubo malicia ni hostilidad, esto me golpeó como algo extraño —quizá una revelación de cuán lejos se ha apartado el cristianismo occidental de la perspectiva que tenían nuestros antepasados bíblicos. El compromiso humano en la batalla cósmica es una presunción profunda de la Escritura. Desde Génesis hasta Apocalipsis, ni siquiera se sugiere otra alternativa.

Es útil en este aspecto considerar el contexto en que muchos de los autores bíblicos aportaron sus inspirados pensamientos. Por ejemplo, se nos dice de Moisés que "fue enseñado en toda la sabiduría de los egipcios" (Hechos 7:22, RV),[25] escuela que presumiblemente incluyó familiaridad en los misterios solares y en los ritos de adoración asociados con Osiris y con Seth, prototipo de la divinidad satánica. En el caso de Daniel, cuando era jovencito, el rey de Babilonia ordenó al jefe de sus eunucos, Aspenaz, que le ...enseñase las letras y la lengua de los caldeos" (Daniel 1:4, RV), educación preparada para el servicio de uno de los regímenes más notoriamente idólatras en la historia. Al apóstol Pablo, en sus viajes misioneros por Europa y Asia Menor, lo estorbaron filósofos supersticiosos en Atenas, hechiceros practicantes en Chipre y Filipos, así como furiosos adoradores de diosas en Éfeso.[26]

Sin embargo, en estas ocasiones sobrenaturalmente cargadas de opresión, la mano soberana de las bendiciones de Dios reposó sobre estos hombres. A Daniel se le reconoció la capacidad para entender visiones y sueños de todas clases hasta el punto que el mismo rey Nabucodonosor lo encontró diez veces mejor que todos los magos y encantadores que había en todo su imperio (Daniel 1:17,20). El propio Dios dinamizó a Moisés para llevar a cabo maravillas, señales y milagros, algunos de los cuales los magos locales fueron incapaces de repetir a pesar de intentarlo con todas sus artes ocultas (Éxodo 7:11; 8:18). En el caso de Pablo, nuestro Señor realizó a través de él, prodigios maravillosos y extraordinarios que van desde volver a Eutico de la muerte a la vida, hasta privar de la vista temporalmente al hechicero Elimas.[27]

Vemos también más evidencias de la interacción humana con la dimensión espiritual en el encuentro del poder de Elías con los profetas de Baal, la sobrenatural teletransportación de Felipe a Azoto y la dramática descripción que hace Ezequiel cuando la gloria de Dios se aparta de Jerusalén escoltada por querubines multifacéticos y por ruedas con aspecto de crisólito.[28] De hecho, según señala Oscar Cullmann, siempre se mencionan fuerzas sobrehumanas de alguna clase en casi todo lugar de la Biblia donde se discute el completo señorío de Cristo.[29]

La preocupación de los antiguos con lo diabólico aparece en las citas tanto de Michael Green como de Heinrich Schlier. En su libro Principalities and Powers, Schlier, por ejemplo, cataloga el vasto número de nombres que usaron los autores del Nuevo Testamento para describir este panteón infernal. Entre los más notables aparecen: principados, potestades, tronos, dominios (*kuriotetes*), señores, príncipes (*archontes*), dioses, ángeles, espíritus, espíritus inmundos, espíritus del mal, y espíritus elementales (*stoicheia*). Éstos se agregan a los muchos sinónimos de Satanás mismo. "De alguna forma", complementa Schlier, "la revelación absorbió estos fenómenos a partir de la tradición en la experiencia universal humana".[30]

Ojos de rana y los planícolas

En el mundo moderno, desde luego, las suposiciones han cambiado. Al escapar de la influencia de los planetas, de los dioses y de los espíritus, nos hemos vuelto a la religión de la ciencia. La ciencia, anota Kraft, nos da el control sobre el mundo material, que ha venido a ser el foco céntrico de nuestras vidas.[31] En un mundo así, el dato reina como rey, la lógica es el credo que prevalece; y lo que no podemos explicar, lo descartamos con eufemismos.

Tan condicionados estamos por las reglas científicas de la evidencia racional que presumimos para decir, con notable certidumbre de estrechez mental, que deberíamos ignorar los fenómenos recurrentes particulares porque son imposibles. Pero, como observa Philip Slater en *The Wayward Gate*: "Nunca, desde cuando la ciencia comenzó primero a implantar su regla que ciertas clases de sucesos no se deben tratar como reales, ha habido tantos desafíos a esa regla".[32]

Las investigaciones de los agujeros negros y otras rarezas del universo, dirigen la ciencia hacia ideas que considerablemente sobreponen el plano psíquico con el espiritual. Acompaña a cada revelación nueva, según las palabras de Slater: "una sensación creciente de urgencia con respecto de la pequeñez en la reducida porción de la realidad sobre la que tenemos conciencia —un sentimiento de cuán poco vemos, y oímos y sabemos, y cuán vastas son las dimensiones".[33]

La experiencia sensorial humana tiene lugar en un universo de cuatro dimensiones: longitud, anchura, altura (o profundidad) y tiempo.[34] Sin embargo, los hombres de ciencia sospechan basados en cálculos matemáticos, que el universo contiene diez dimensiones. Más allá de las cuatro observables en las que vivimos, hay seis dimensiones teóricas adicionales que el físico Michio Kaku llama hiperespacio.[35] La palabra hiperespacio significa "sobre, encima o más allá de la dimensión actual". Si estas dimensiones "superiores" existen realmente, las implicaciones tienen la potencialidad de abrumar con admiración el pensamiento. Entre otras cosas, los OVNIs y los viajes por el tiempo ya no estarían más confinados al campo de la ciencia-ficción. Todo ser que pudiera dominar las seis dimensiones extras del hiperespacio encontraría que es una tarea fácil moverse dentro y fuera del espacio-tiempo convencional, mientras los observadores atados a la tierra encontrarían tales acciones poco menos que milagrosas.

Esto se debe a que el concepto de las dimensiones superiores es tan malvadamente difícil de captar. Como el apologista cristiano Brooks Alexander observa: "No podemos concebir algo que no podemos experimentar (o extrapolar a partir de la experiencia).[36] La única forma de hacer frente a las intervenciones que vienen del hiperespacio, cree Alexander, es imaginar cómo interactuaríamos con un mundo de menos dimensiones que el nuestro.

Fue esta línea de razonamiento movió a Edwin Abbott, novelista británico del siglo diecinueve, a presentar su muy famoso mundo bidimensional llamado Tierraplana o Flatland —un ámbito como sugiere su nombre donde no hay arriba ni abajo.[37] Sus habitantes —los planícolas— más planos que panqueques, que aparecen con dos formas dimensionales como cuadrados, triángulos y círculos, son incapaces de visualizar la altura. Imagínese el asombro que resultaría del paso de un objeto tridimensional a través de su nivel plano, o inclusive a partir del simple acto de llevar a uno de tales habitantes hacia lo alto y colocarlo hacia abajo en alguna otra parte.

Considerarían ambos sucesos como sobrenaturales. En el último ejemplo, el planícola "desaparecería" y luego, tan justa como repentinamente, se "volvería a materializar". En el primer caso, el objeto misterioso que aparecía sin saberse de dónde, cambiaba de forma de momento en momento (o en cada punto a lo largo de su trayectoria). La forma tridimensional ocurriría en Flatland no como una cosa sino como un proceso.

La experiencia de los planícolas, que Alexander ve como análoga a la fiebre reciente de los OVNIs, "es completa y auténticamente tangible dentro del ámbito de los observadores... pero es también inexplicable en ese ámbito".[38] Limitadas por sus perspectivas, a las criaturas de las menores dimensiones se las deja para que obtengan su propia conclusión sobre una realidad más alta a partir de claves incompletas y transitorias. Las claves en el registro escritural podrían incluir detalles como el resplandor del rostro de Moisés después de hablar con Dios (Éxodo 34:29-35), la transfiguración de Cristo (Mateo 17:1-9), y la capacidad de Jesús para pasar a través de las paredes en su postresurrección (Juan 20:19, 26; Lucas 24:37). Desafortunadamente, estos rasgos momentáneos revelan, con demasiada frustración, muy poco acerca del mundo que dejaron.

Por otra parte, los seres de la dimensión más alta, se hallan en la posición de observar los planos más bajos de una manera absoluta y sin obstáculos. Junto con su perspectiva superior se halla la capacidad que tienen de manipular virtualmente todo según su voluntad. Las opciones, que son muchas, incluyen violar las leyes de causa y efecto de la dimensión inferior, invadir y ocupar imágenes familiares e intervenir en las vulnerables vidas interiores de sus habitantes.[39]

Estas opciones comprenden obvias potencialidades para engañar, pero no es indispensable que el engaño se ejercite. Casi todos los cristianos podrían decir que Dios mismo ha adoptado esas técnicas sin malicia en nuestro mundo actual. El haber calmado una tormenta en el mar de Galilea, la encarnación de Cristo, así como la convicción del Espíritu Santo, son todos ejemplos.

Luego, las propias tesis científicas, lejos de negar la intervención sobrenatural —la existencia de dimensiones superiores— ofrecen una plataforma para su confirmación.[40] Inclusive conceptos que antes se consideraron con burlas, como la omnipresencia, ahora la ciencia los retira del dominio "mitológico".

El término contemporáneo para esta característica diviniforme es *nonlocalidad*, concepto cuyas raíces se hallan en la extraña pero exhaustiva teoría de los cuantos en el corazón de la física moderna y que se conoce como mecánica cuántica. Toda unidad de materia o de energía, de acuerdo con la interpretación convencional de esta teoría, existe alternadamente bajo las formas de ondas o de partículas. Materia y energía, como partículas, se comportan más o menos como pequeñas bolas de billar. Pero en la fase de onda, las cosas se vuelven raras. Aquí cada partícula de materia o de energía se considera que existe de modo simultáneo en un número virtualmente infinito de localidades. Todavía para que sea más fantástico, los científicos afirman que el hecho de la observación humana, de alguna manera, hace que la onda mecánica se colapse y, por tanto, permite a la materia y la energía regresar al estado de partículas.

Si usted encuentra esto extraño, sepa que no está solo. Como David Freeman, editor científico, anota: "La pregunta de cómo exactamente la observación causa que materia y energía hagan la transición de una extraña y fantástica onda a una partícula de buen comportamiento, es algo que la mayoría de los físicos ni siquiera se atreven a formular".[41]

La física actual es, en el mejor de los casos, un modo no natural de describir la realidad. Perdemos y echamos de menos muchas cosas implícitas en la experiencia humana. De hecho, según anota William Poundstone en *Labyrinths of Reason*: "Hay cosas que siguen saliendo allí y que jamás apreciaremos".[42] Y a este respecto, nuestra visión limitada es casi como la de las ranas.

Robert Ornstein cita los estudios sobre el ojo de la rana para demostrar que este órgano descarta todo, excepto cuatro estímulos disponibles: contrastes fijos que dibujan la forma general del ambiente; los diseños de movimientos repentinos; los descensos abruptos en la luz; y los objetos pequeños y oscuros próximos al ojo. Y a no ser por estos pedacitos de información que ayudan a la rana a conservarse con vida, es ciega como un topo. Y así también, en muchos aspectos lo somos. La diferencia entre nosotros y la rana, es sólo cuestión de grado. Vemos un fragmento diminuto de la realidad, uno que nos permite dominar nuestro medio físico —y muy poco más. Lo que denominamos como "realidad" no es lo que existe, sino tan sólo lo que necesitamos.[43] La cuestión, en palabras de Isaac Asimov, es así: "¿Cuánto se justifican nuestros supuestos y hasta qué punto son simplemente malas interpretaciones, descuidadas y egoístas de la realidad?"[44]

La relevancia de esta pregunta asomó por primera vez a la superficie de mi propia mente durante una entrevista radial, en vivo, al comienzo de la década de 1990. Mi invitado era una figura popular en una gran estación cristiana del sur de California. A pesar de sus éxitos en el aire, en privado era cínico de modo deprimente y en grado superlativo. Cuando una 'pausa para comerciales' interrumpió nuestra conversación sobre fenómenos sobrenaturales contemporáneos, apoyó la espalda en su silla, se quitó los audífonos, y sacudió la cabeza. "De manera precisa no sé", dijo con toda incredulidad. "Simplemente, no lo sé". Después de un largo período de espera, repliqué: "Está bien no saber algo. Pero la verdadera pregunta es: ¿Cuán intensamente lo quiere descubrir?"

Como el siervo de Eliseo en Dotán (2 Reyes 6:8-18), el cristianismo occidental se ha adherido a sus discriminaciones de la realidad con tanta tenacidad que casi ha perdido por completo su capacidad de reconocer la dimensión espiritual. Para citar a William Irwin Thompson:

> Somos como moscas que nos movemos a lo largo de la bóveda de la Capilla Sixtina: no podemos ver qué ángeles o qué dioses yacen bajo el umbral de nuestras percepciones. No vivimos en la realidad; vivimos en nuestros paradigmas, nuestras percepciones habituales, nuestras ilusiones...[45]

Al considerar la hora, este es un peligroso defecto —quizá fatal. El simple reconocimiento de nuestra ceguera, sin embargo, no es suficiente. Debemos seguir y personalizar el clamor de Eliseo: "Oh, Señor, abre nuestros ojos para que veamos".

Teoría demoníaca N° 16

Una vez que se ha examinado lo que es el laberinto, y por qué amerita investigaciones, nos queda una pregunta más preliminar:

¿Cómo vamos a navegar por este ámbito extraordinario? Algunos filósofos insisten en que la meta está escondida en la jornada misma. Así, pues, Cathy Johnson parece sugerir en su contemplativo libro *On Becoming Lost: A Naturalist's Search for Meaning*:

> Hay un arte para deambular. Si tengo un destino, un plan —un objetivo, he perdido la capacidad de encontrar la aptitud para hacer descubrimientos afortunados en forma accidental. He venido a ser muy focalizado, excesivamente simple de pensamiento. Estoy en un viaje para encontrar aventuras, no en una caminata sin metas definidas. Estoy en la búsqueda del Santo Grail de la particularidad y desecho los cálices llenos y rebosantes que se me ofrecen gratis.[46]

Nada es más paralizante, por otra parte, que la posibilidad ilimitada. Como pensativamente advierte Poundstone: "En una red infinita de pasajes, uno no puede arriesgarse a vagar, sin una meta, a través de partes desconocidas".[47]

No sólo hay sitios en el laberinto espiritual que no se deben visitar, sino que tal vagabundear no es nada eficaz. Aventurarse por las avenidas para ver si son ciegas, es una investigación de disparos al azar. Si vamos a hacerlo, deberíamos, por lo menos, tener conciencia de, y enterarnos de sus limitaciones.

A modo de ilustración, el filósofo de la ciencia Hilary Putnam ofrece su propia "teoría de demonios". La teoría (en realidad una hipótesis) es así: Un demonio aparecerá delante de sus ojos si usted se pone una bolsa de harina sobre la cabeza y golpea una mesa dieciséis veces en rápida sucesión. Putnam da a esta hipótesis el nombre de Teoría demoníaca N° 16. La Teoría de demonio N° 17 es igual, sólo que debe haber diecisiete rápidos toques sobre la mesa. Así, pues, hay una lista infinita de teorías acerca de los demonios.[48]

El punto de Putnam, desde luego, reside en que los investigadores deben ser selectivos con respecto de las teorías que persiguen. Es posible pasarse la vida entera en teorías inadmisibles y no llegar a ninguna parte. El truco consiste en separar la paja del grano a partir de las hipótesis "posiblemente verdaderas" de aquellas con las que no vale la pena molestarse. Si la ciencia y los elementos del cristianismo occidental se desvían en su desconfianza absoluta de lo sobrenatural, otros errarán en su apropiación completa. Esto es particularmente cierto de algunos carismáticos y de los "cazademonios", que con mucha frecuencia definen el movimiento moderno de la guerra espiritual.

Un monje franciscano del siglo catorce, William de Okham, ofreció lo que podría ser la mejor herramienta para criticar severamente las "realidades" abstractas propuestas por individuos crédulos. Su principio, conocido como "Navaja de Okham", afirma: "Las entidades no se deben multiplicar más allá de la necesidad". En otras palabras, la explicación más simple que concuerda con la evidencia, generalmente es la mejor. No deberíamos recurrir a hipótesis o suposiciones nuevas, excepto cuando sea necesario.

"Sí", escribe Poundstone, "una huella en la nieve, se podría atribuir a un oso, o se podría explicar como perteneciente a una criatura parecida al hombre, no descubierta antes, se debe escoger la hipótesis del oso". Esto no es simplemente cuestión de elegir la explicación menos sensacional. "Uno favorece a los osos sobre los abominables hombres de las nieves sólo cuando la evidencia (como una huella medio derretida) es tan insuficiente que ambas hipótesis, la del oso y la del yeti, en ambos casos cuentan igualmente bien."[49]

A veces la mejor alternativa es sensacional. Por ejemplo, en cierta ocasión, el aterrizaje de OVNIs ofreció una explicación más plausible para la misteriosa cantidad de círculos en cultivos de Bretaña que la hipótesis contraria que los atribuyó a enormes manadas de erizos o puerco espines.[50] Pero la Navaja de Okham no es infalible. A veces el principio elimina las hipótesis que parecen extravagantes pero que, sin embargo, son correctas. El escepticismo y la incredulidad del pasado, por ejemplo, apartaron la atención de realidades como la forma de la tierra y el papel de los microorganismos como agentes de enfermedades. Por tanto, mantener una mente abierta es algo que necesitamos aprender y practicar, pues mientras las afirmaciones extraordinarias requieren pruebas extraordinarias, a veces la evidencia que buscamos se halla oculta directamente bajo nuestras narices. Como Sherlock Holmes observó: "Nada hay más engañoso que un hecho obvio".

Más preguntas para la encuesta

La apertura de la mente no es el único requisito para tener éxito en la exploración. También necesitamos guía —en forma de mapas, claves, o una escolta experimentada.

En la época de los Stuart y de los Tudor, los diseñadores de las redes de pasajes en un laberinto con frecuencia incorporaban una clave o señales marcadas clandestinamente, de modo que los iniciados podían encontrar sus caminos de entrada y salida sin dificultad. Los iniciados en este caso eran reyes, príncipes o aristócratas que evitaban así quedar peligrosamente perdidos dentro de sus propios terrenos.

La navegación en el laberinto espiritual es, desde luego, una empresa mucho más seria. Se sondea no por deporte sino para tener un cuadro equilibrado de la realidad. Perderse ahí es fácil. No sólo porque el terreno es extraño sino porque está poblado por fuerzas que intentan distraer de su misión a los viajeros humanos.

Pero los riesgos guardan proporción con las posibles recompensas; es consolador saber que Dios ha dejado un rastro amistoso de señales para dirigirnos a través de las miríadas de desviaciones y ramas del laberinto. Que Él haga esto, es evidencia tanto de su justicia como de su gran afecto por los buscadores de la verdad. Sin embargo, pese a las intenciones benévolas de Dios el éxito en la navegación requiere de nuestro concurso. Muchas de las pistas que Él ha puesto a lo largo de nuestro sendero sólo se pueden discernir si permanecemos atentos e inquisidores. Pero incluso esos rastros no nos dirigirán al hogar. Pues mientras las claves para las realidades espirituales se pueden descubrir con una búsqueda honesta, sólo se vuelven de valor por el ministerio interpretativo del Espíritu

Santo. Él es el único que nos da la iluminación mediante ese libro magnífico de guía para la dimensión espiritual que es la Biblia.

El propósito principal en nuestra jornada de investigación, una vez más, es reunir inteligencia para la guerra espiritual que describen las cartas de Pablo, con especialidad a saber, 2 Corintios 10:3-5 y Efesios 6:12. Si aceptamos la premisa bíblica que la batalla es verdadera, también debemos aceptar que nuestro adversario es auténtico. Y como lo entienden todos los hombres de negocios, los entrenadores, los políticos o los comandantes militares, todos aquellos que han alcanzado el éxito, ignoramos nuestra competencia para nuestro propio riesgo. Uno puede pensar que casi todos los cristianos conocen tanto en la teoría como en la práctica lo que decía el apóstol Pablo cuando habló de lucha contra huestes espirituales de maldad en las regiones celestes. Desafortunadamente, no es así. Para muchos creyentes el concepto de regiones celestes es una abstracción que se ubica en alguna parte entre la gravedad y la capa de ozono.

Pablo habla de "regiones celestes", según Michael Green, no sólo como el sitio donde Dios mora, sino como lo que rodea al mundo material. Es un lugar, de acuerdo con esta definición extendida, que abarca "la vivienda tanto de los principados y las potestades (Efesios 6:12) como de Dios quien en Cristo ejerce su reino y dirección sobre ellos (Efesios 1:20)".[51] Y aquí llegamos a un punto crítico. Como Dios es el habitante primigenio de la dimensión espiritual, cualesquiera investigaciones que no consideren sus atributos, intenciones y hechos, son burdamente ineficaces. Si nos confinamos al lado oscuro del laberinto, esto nos garantizará un cuadro desequilibrado de la realidad.

Al reflejar la naturaleza de sus dos inquilinos, el laberinto es simultáneamente luminoso y sombrío. Al diablo y a su séquito de demonios ya se les canceló el alquiler de su préstamo, pero todavía no ha tenido lugar su expulsión completa. Su influencia sobre hombres y mujeres permanece fuerte y malvada. En el claroscuro los hijos de la luz y las fuerzas de las tinieblas comparten un terreno común. A los cristianos piadosos también se les llama a combatir en este plano.

A medida que entramos en los pasajes sombríos del laberinto comienza nuestra investigación para resolver uno de los más grandes misterios de la vida. Por qué la oscuridad espiritual permanece donde lo hace, ya no es un enigma insondable. Pero no se nos ha dejado solos, dependientes de nuestros propios recursos. En los seis capítulos que siguen de esta sección, examinaremos las ramitas rotas y las flechas en el polvo que apuntan hacia el centro del laberinto. Los lectores cuidadosos descubrirán estas claves en forma de alturas, imaginaciones, escapes, rebeldías, traumas, pactos, tradiciones, festivales y tecnología. Cada uno de estos tema-señal viene con su propia carga de revelaciones y quienes tengan paciencia suficiente para desempacarlas en el orden adecuado, encontrarán su camino.

Al comenzar nuestro viaje, nuestra acción inicial será considerar la evidencia de un diablo objetivo, y cualquier plan maestro que pueda yacer detrás del sufrimiento, las perspectivas, los motivos mitológicos y los sistemas religiosos humanos.

CAPÍTULO TRES

LAS CARAS DEL DRAGÓN

En el curso de los siglos, la opinión popular sobre el diablo ha derivado casi tan uniformemente como las ondulantes dunas del Desierto del Sahara. En un momento parece como un enemigo de las tinieblas, con terrible poder, mientras al siguiente se transforma en un payaso. Aún otras veces se percibe sólo como la inventiva de una imaginación miedosa.

Para quienes consideran las actitudes hacia Satanás como un peligro tangible al que se debe tomar en serio, él y su séquito están activos por todas partes. Capaces de causar indecible daño mental y físico se les ve que toman posesión de sus víctimas no sólo mediante transgresiones y pactos explícitos sino por entradas clandestinas a través de orificios físicos que no se guardan. Esto ha llevado a algunas sociedades a ver el bostezo, el estornudo y otras actividades más primitivas como oportunidades para preocuparse. Pero las preocupaciones no se detienen con lo que podría entrar. Los alemanes y los habitantes de Transilvania (región de Rumania), en épocas primitivas, compartían la creencia que era peligroso aun dormir con la boca abierta. Temían, en tales condiciones, el escape del alma bajo la forma de un ratón, o que el alma sufriera daños durante sus viajes.[1]

Los antiguos moradores de Mesopotamia fueron quizá los primeros en considerar la ubicuidad de Satanás y los espíritus malos. Además de Lamashu, espantoso espíritu femenino que amenazaba a las mujeres en el curso de los alumbramientos y les robaba los niños de pecho, estaba Namtaru, el temible demonio de la peste o plaga negra. Asimismo estaban Rabisu, el Encogido, que acechaba en las puertas de entrada, y su contrario, el malvado *utukku*, demonio que habitaba los espacios abiertos.[2]

En los siglos siguientes, al diablo se le asignaron varios apodos o sobrenombres populares algunos de los cuales se han extendido hasta la época moderna: Coco, Demonio, Duende, Caballero Jack, el Adversario, el Buen Tipo, el Enemigo, el Maligno, el Patas, el Viruñas, Lucifer, Luzbel, Rijoso Dick, Viejo Grosellero, Viejo Cornudo, Viejo Nick, Viejo Peludo, y Viejo Uñas. Estos apelativos, a pesar de todo su humorismo anticuado, parecen haber cumplido un propósito. Como Jeffrey Burton Russell, profesor de historia en la Universidad de California, dice: "Dar al maligno un nombre absurdo y ridículo fue un antídoto popular contra el terror que origina".[3]

Sin embargo, en años más recientes, la credibilidad hacia el diablo y sus ángeles perversos se ha batido en retirada. Según las palabras de Walter Wink: "En la sociedad educada y cortés, los demonios simplemente están 'fuera.'"[4] Desenmascarados por los racionalistas, exorcizados por los psicoterapeutas, y desmitificados por los teólogos, Lucifer y los demonios ya no son los principales sospechosos de las diabluras que tienen lugar en la sociedad contemporánea. Así, Robert Frost escribió de Satanás: "...el uso descuidado y figurativo de la iglesia lo ha reducido muy bonitamente casi a una simple semisombra de sí mismo".[5]

En la precipitada carrera para relegar al diablo a una metáfora y a un eufemismo, se ha visto que casi todos los escépticos seculares ocupan las mismas sillas de los clérigos judeo-cristianos. Como escribió un estudioso católico estadounidense: "Ningún teólogo actualizado cree que Satanás sea una persona".[6] Para George MacRae, investigador bíblico de la Facultad de Teología de Harvard: "El Antiguo Testamento no contiene un diablo personal que sea el principio de todos los males y el adversario de Dios".[7] Como un eco de esta observación, el rabino Menachem Brayer declara con toda franqueza: "No hay tal cosa como una fuerza satánica".[8]

Puestos como estamos, en las palabras de Wink, entre la roca del rechazo y el difícil y duro sitio de la histeria,[9] es crecientemente difícil localizar lo demoniaco en nuestro mundo actual o en los mapas mentales. La cuestión es: ¿con qué nos quedaremos cuando abandonemos los extremos del rechazo y de la histeria?

Casi todos, pese a los traspasos de los límites de la teología liberal, todavía piensan de las tinieblas como si sólo fuera la ausencia de luz. Las ven como algo malévolo, activo y a menudo palpable. Paulo VI, en 1972, se refirió a los demonios como "la presencia invisible de un oscuro enemigo", un mal que "no sólo es una deficiencia espiritual sino también una eficiencia. Un ser espiritual vivo que es tanto perverso como pervertidor; una realidad terrible misteriosa y excesivamente mala".[10]

Otros, mientras se preparan para reconocer la existencia oscura de Satanás en el mundo, están convencidos que los cristianos o no necesitan —o no deberían— gastar su tiempo en preocuparse y molestarse con él.

El problema con esto, desde luego, consiste en que las Santas Escrituras sí lo hacen. Presentado como "el dios de este mundo", el diablo y su séquito tienen en el Nuevo Testamento casi dos veces la frecuencia con que figura el Espíritu Santo.[11] Y el bien conocido investigador de la Universidad de Chicago Andrew Greeley advierte: "Si Satanás aún está en su negocio, entonces nos corresponde estar listos para saludarlo con el respeto debido..."[12]

Luminosidad alada

Aunque la probabilidad de equivocar la identidad del maligno parecería remota, las sugerencias al respecto se reciben con una sonrisa conocedora. De acuerdo con quienes han tenido tratos con él, no es un ente difícil de reconocer la segunda vez que se manifiesta. Al principio del siglo catorce, por ejemplo, un hermano cisterciense (irónicamente de nombre Adán) encontró al diablo cerca de Chevreuse, Francia. No sólo el adversario despedía un "hedor de corrupción", sino que sus ojos relucían "como pulidos calderos de cobre". La religiosa española Teresa de Ávila, después de un encuentro con el malo, agregó que "una gran llama parecía salir de su cuerpo". Durante los diez meses de Martín Lutero en el Castillo de Wartburg, el monje experimentó continuos fenómenos "poltergeist" atribuibles a duendes y oyó a Satanás que gruñía audiblemente como si se tratara de un cerdo.[13]

Mientras sería fácil, y en verdad deseable, desechar esas teorías como productos de mentes sobrecargadas, sus grandes cantidades hacen esto considerablemente más difícil. Lo que es más, las descripciones del sospechoso y sus escenarios tienen mucha consistencia en los diversos relatos: un semblante horroroso y lascivo, el olor de podredumbre de la muerte, así como una sofocante sensación opresiva que inclusive corta el aliento. Además, está el terror que se origina al saber que uno ha atraído la atención de un psicópata sobrenatural.

Pero a pesar de lo perturbador y la amplitud que tienen estos incidentes, no cuentan toda la historia. Muchas almas, por cualesquiera razones, han encontrado al diablo sin percibir ni una pizca del peligro mortal que está delante de ellas. Esto es testimonio, desde luego, de la bien documentada pero raramente discernida capacidad de Satanás para aparecerse como ángel de luz (2 Corintios 11:14).[14]

Al lado de las desagradables y horribles descripciones mencionadas, dos de las más comunes características que se asocian con el diablo y sus demonios se podrían esperar de ángeles caídos: alas y un semblante luminoso. Y aunque con frecuencia estos atributos se consideran como parte de un disfraz diabólico, los más probable consisten en que sean prendas genuinas. Si aceptamos que el diablo emplea artificios engañosos sobre todo para cubrir sus alianzas e intentos, se deduce que se puede disfrazar como ángel de luz, mientras al mismo tiempo sigue como un solo ser.[15]

Por lo menos un pasaje del Antiguo Testamento parece indicar que Lucifer pudo haber tenido en alguna ocasión en el cielo el papel de querubín nombrado como guardián o "portador de la luz", sobre la tierra. Como el supuesto sujeto de Ezequiel 28:11-15, fue, se nos dice: "...el sello de la perfección... En Edén, en el huerto de Dios". El versículo 14 nos informa que era "...querubín grande, protector... en el santo monte de Dios". El nombre *Lucifer* en hebreo es *Helel ben-Shahar*, o "estrella de la aurora, hijo de la mañana" (véase Isaías 14:12). En el mundo antiguo a la estrella de la mañana se le asignó género masculino y en latín se le llamó, *Lucifer*.[16]

En vista de los pasajes del Evangelio de Juan que presentan a Satanás como el príncipe de este mundo,[17] Francis Schaeffer se preguntaba si el diablo ocupó este papel "antes de la rebeldía del hombre, o inclusive antes de la creación del hombre".[18] Este punto de vista fue favorecido por C. S. Lewis quien en su famosa trilogía espacial imaginó a cada planeta gobernado por un ángel poderoso que se llama un Oyarsa. La tierra misma se encuentra caída, bajo el poder de un "Oyarsa inclinado", que es un perverso *archon*.

Pero este aspecto origina preguntas por sí mismo. Si Lucifer habitaba el Edén donde era "el sello de la perfección" (Ezequiel 28:12, RV) y "perfecto eras en todos tus caminos... hasta cuando se halló en ti maldad" (Ezequiel 28:15, RV), ¿qué apresuró su caída? Además, si esta caída tuvo lugar después de andar por el Edén, ¿por qué la Biblia menciona que cae desde el cielo (Isaías 14:12; Lucas 10:18)?

La respuesta típica a la primera pregunta —¿qué apresuró esa caída?— se centra en sus celos[19] sobre la naturaleza única del hombre y la atención que Adán recibió de Dios. Los celos, a su tiempo llevaron a orgullosas comparaciones y a pensamientos exaltados— y, el resto, como se dice, es historia. En lo referente a la segunda pregunta —¿cómo pudo caer desde el cielo, si se rebeló en la tierra?— la teoría principal reside en que Lucifer, como querubín nombrado, viajaba rutinariamente por la autopista dimensional entre el cielo y la tierra. Su pecado preliminar puede haber tenido lugar en la tierra, pero por último llevó su rebeldía al cielo, de donde fue expulsado con una tercera parte de las huestes angélicas.

¿Habitó Lucifer en el Edén antes de su caída del cielo? Las respuestas son conjeturas, pero a la hipótesis la sostienen evidencias generosas.[20]

Con respecto a la forma angélica de Lucifer, es digno de notar que la historia, tanto antigua como contemporánea, está llena con ejemplos de interacción humana con seres luminosos. Un incidente primitivo tiene que ver con Mani, el fundador de la religión maniquea que una vez atrajo a San Agustín. A los doce años de edad, Mani informó haber recibido una revelación de un ángel despachado por el Rey de los Jardines de la Luz. Otros ejemplos de seres luminosos son Mitra, una deidad tomada de las escrituras de Zoroastro como el dios de la luz celestial, y las legiones de los seres luminosos celestiales descritos en los textos sagrados de los mandeos.[21]

A los espíritus radiantes y diáfanos que participan en la experiencia de muchos sobrevivientes de casi-muerte, también se les refiere como "seres de la luz". En el libro *Fire in the Head*, su autor Tom Cowan señala que en los chamanes existe la tendencia a contar por lo menos con la ayuda de unos cuantos espíritus compuestos de colores claros o brillantes. Menciona también a un místico irlandés entrevistado a principios del siglo veinte que aseguraba distinguir diversos órdenes de seres luminosos: "los que son brillantes y los que son opalescentes y parecen encendidos por una luz que llevan dentro de sí mismos".[22]

Luego está el extendido fenómeno luces de la tierra que ofrece una sorprendente correspondencia con los encuentros angelicales documentados en las Escrituras. Al describir la llegada de seres divinos sobre Babilonia, por ejemplo, el profeta Ezequiel hace referencia a una inmensa nube rodeada por luz brillante. Del centro de este resplandor que Ezequiel sugiere que parece "metal ardiente", las criaturas mismas se mueven adelante y atrás como relámpagos. Como si esto no fuera suficiente, el profeta concluye el informe de su cercano encuentro con el descubrimiento que cada criatura estaba acompañada por unas ruedas de tipo giroscópico cuyos rines (aros) eran altos y espantosos.[23]

Aquí debemos considerar la perturbadora posibilidad sostenida tanto por la Biblia como por la experiencia humana que los ángeles caídos son capaces de emular el aspecto y la actuación de sus contrapartes divinas.[24] Si esto es cierto, significa que la potencialidad del diablo para engañar es considerable. También quiere decir que, por nuestro propio bien y para nuestro beneficio, deberíamos romper el hábito de igualar luminosidad con bondad.

En su novela de 1926 *Under Satan's Sun*, el autor francés Georges Bernanos escribió sobre un sacerdote solitario, muy devoto, de nombre Donissan. Al verse desesperadamente perdido en una carretera rural, el cura encuentra un amable hombrecito que le ofrece ayuda. A medida que andan juntos, la simpatía y la profundidad del buen compañero al final ganan la confianza de Donissan. Al mismo tiempo le ofrece "puntaditas", a propósito o de otra manera, acerca de su verdadera identidad. No vive en "ninguna parte", está "casado con el dolor y el sufrimiento" e interrumpe la conversación con una risa particularmente ofensiva y odiosa. En forma gradual el piadoso Donissan vislumbra quién es en realidad su nuevo amigo, y por último recibe la extraña y terrible revelación de la verdad: "Soy Lucifer, el portador de la luz —pero la esencia de mi luz es una insoportable frialdad".[25]

Estas palabras, a pesar de venir de la ficción, están llenas de un significado profundo. La luz fría o luminiscencia, es una luz prestada, nacida del resplandor que queda de la energía que se absorbe a partir de una fuente radiante. La frialdad del maligno es una seña de su soledad, una triste revelación de cuán lejos ha caído y se ha apartado de la incandescente Presencia de su Hacedor. El portador de la luz, Lucifer, se ha convertido en Satanás, el príncipe de las tinieblas.

Pero a pesar de estas circunstancias trágicas y sórdidas, el enemigo es todavía una criatura de gran versatilidad. Nada hay, hasta donde sabemos, que le limite a él y a sus seguidores para tomar el aspecto de un hombrecillo o hasta de un espectro radiante. El autor Michael Harner, después de viajar por el otro mundo con chamanes en el Amazonas, revela que encontró seres odiosos que lo amenazaban y reclaman ser "los verdaderos amos del mundo". Aparecían, según Harner, como "criaturas grandes, brillantes y negras, con muñones de alas semejantes a las de los pterodáctilos..."[26]

Para los araucanos, indios del centro de Chile, la descripción de Harner podría ajustarse al demonio Pihuecheyi, una temida serpiente alada con gran gusto por la sangre, como si fuese vampiro.

Mientras no son siempre así de odiosos, los espíritus demoniacos y las divinidades protectoras han aparecido con formas aladas casi desde el comienzo de la historia. En las primitivas Mesopotamia y Persia, de rutina se ilustraron dioses y genios alados en alfarería, en bajorrelieves y en piedra como los guardianes protectores para los portales prohibidos de los templos. Muchas culturas asiáticas desde hace mucho tiempo han asociado a las serpientes aladas o dragones con el poder, las riquezas y el conocimiento esotérico.[27] Pasa lo dicho con Garuda, divinidad hindú y budista. Como el dios pájaro del sol y de los cielos, de plumaje dorado, se le considera como la encarnación del aire y como el dominador de la energía que tienen las serpientes terrenales a las que devora.[28]

El guardián enjoyado

De acuerdo con el folclor internacional y con la tradición religiosa, a las fuerzas espirituales se las asocia típicamente con animales. Al mismo Satanás a menudo se le representa como un macho cabrío, aunque su imagen más común es la de dragón o serpiente. A la serpiente, temible y misteriosa, se la respeta por encima de todas las demás bestias, por su habilidad para moverse rápidamente y en silencio entre diversos planos.[29]

La Biblia también identifica a Satanás con el dragón-serpiente (Job 26:12; Salmo 74:13; Apocalipsis 12-13, 20:2). Se han citado consistentemente como descripciones del diablo, los pasajes sobre el vigor titánico de leviatán. Por ejemplo, Martín Lutero se inspiró a partir de Job 41:33-34 cuando escribió algunas de las palabras originales del himno "Castillo fuerte es nuestro Dios":

> No hay sobre la tierra quien se le parezca; animal hecho exento de temor. Menosprecia toda cosa alta; es rey sobre todos los soberbios.

La armonía entre las imágenes bíblicas y las que aparecen en el folclor religioso es, en algunos casos, sorprendente. Tómese, por ejemplo, la descripción en la Biblia de los querubines con cuatro caras y cuyas ruedas: "...tenían una misma semejanza, y su obra era como rueda en medio de rueda. Cuando andaban, se movían hacia sus cuatro costados..." (Ezequiel 1:16-17, RV). Las imágenes son comparables a las del dragón rey chino "que da sus órdenes al moverse en todas las cuatro direcciones simultáneamente", y al dios hindú *Varuna* que "hace frente a las cuatro direcciones al mismo tiempo desde su casa en la Ciudad de la Noche Estrellada". Al palacio de esta última deidad la rodean las serpientes, y su nombre, Varuna, quiere decir "el que ata", "el que abarca", y "el que oculta".[30]

Otro vínculo entre la Escritura y la mitología religiosa se halla en la asociación que de manera muy significativa tienen los dragones-serpientes con las joyas y el conocimiento esotérico. De acuerdo con el sabio chino Li Shichen: "La naturaleza del dragón es áspera y feroz, pero le gustan las gemas hermosas y la Piedra de las Tinieblas..." Además, casi todas las tradiciones culturales ven que esta afinidad se extiende más allá de la simple afición por chucherías mágicas. Para los mayas el mismo poder de la iguana celestial o dragón señor del fuego, se encarnaba en una piedra azul-verdosa. Otras sociedades vinculan las joyas de la serpiente con la conciencia misma. En esos sistemas, el primer despertar de la mente se conoce como la piedra preciosa del dragón o la gema cumplidora de deseos —un tesoro que, desde el principio, se ha puesto precisamente en las fauces del dragón. Al permanecer y descansar en esta precaria posición, a la joya de la ciencia se le llama, sugestivamente, "la Estrella de la Mañana".[31]

Este mismo título, desde luego (junto con el de "hijo de la mañana"), se asignó en Isaías 14:12 a Lucifer —nombre que se le dio presumiblemente porque pretendía llevar la luz y el carácter del Reino de Dios a la tierra. En otro pasaje de la Biblia a este mismo querubín se le encuentra como el sabio y enjoyado guardián del Edén:

> ...eras el sello de la perfección, lleno de sabiduría y
> perfecto en hermosura. En el Edén estabas, en el

huerto de Dios, toda piedra preciosa era tu
vestidura: el rubí, el topacio, el diamante, el berilo,
el ónice, el jaspe, el zafiro, la turquesa, la esmeralda,
el oro, la hechura de tus engastes y de tus encajes
estaba en ti. El día en que fuiste creado fueron
preparados. Tú, querubín de alas desplegadas,
protector yo te puse allí..."

Ezequiel 28:12-14, (BDLA).

¿Podría ser que el ubicuo dragón-serpiente de la mitología religiosa no sea otro sino la estrella de la mañana, de las Escrituras, el querubín incrustado de gemas y de joyería? ¿Es posible que la misma prevalencia de este motivo sea prueba no sólo de que la criatura vive, sino también de un activo plan maestro para sembrar una pseudosabiduría engañosa por todo el mundo?

La caza del dragón

"El Rey de la Meditación" honrado en los ritos tibetanos Bonpo de muerte se presenta como "el gran dragón turquesa de visión espiritual que ruge en el aire medio".[32] Para hablar de este dragón el maestro del *Book of Changes* declara: "Sigue luego que uno vea al gran hombre". Cuando se le preguntó sobre lo que esto podría significar, responde: "Las cosas que están de acuerdo en el mismo tono, vibran juntas. Las cosas que tienen afinidad en su más íntima naturaleza se buscan entre sí..."[33]

En su sobresaliente libro *The Catalpa Bow*, Carmen Blacker, profesora de la Universidad de Cambridge, relata un encuentro de agosto de 1972 con una señora de apellido Sasanuma en la aldea japonesa de Fukakusa. El hijo único de la señora Sasanuma, cuando tenía cinco años, desarrolló una enfermedad aparentemente incurable. Cuando los especialistas médicos renunciaron a toda esperanza de su recuperación, se embarcó en una urgente ronda de peregrinaciones a diversos santuarios, sin resultado alguno. Luego, en el punto máximo de su desesperación, tuvo una visita de la radiante diosa Kishibojin, que le prometió salvar al niño. Al día siguiente había desaparecido todo rastro de la enfermedad.

Como Blacker dice: "La señora Sasanuma se encontró tomada completamente por Kishibojin". Además de someterse a un difícil régimen de austeridades, la atribulada madre, de alguna manera se dio a la tarea de levantar un templo a la diosa y reunir un cuerpo de discípulos. Durante este tiempo, "Kishibojin se le aparecía con frecuencia bajo la forma de una serpiente, de una forma tan vívida que a veces ella misma sentía que se había convertido en serpiente".[34]

A través de los años, y en incontables otras localidades, se han registrado apariciones semejantes. Solamente se puede sospechar que el diablo, en vista de su éxito primitivo con Eva, ha desarrollado un afecto muy especial por este astuto emisario reptil. ¿Y por qué no? A juzgar por la notoria preeminencia en la arquitectura sagrada alrededor del mundo, la sociedad de ellos dos ha sido muy efectiva. Por ejemplo, el dintel por encima de las puertas de entrada al fabuloso Angkor Wat de Cambodia, se halla adornado con dos dragones *makara* cuyos cuerpos tienen guirnaldas. Estas serpientes sirven también como el sugestivo cimiento de una segunda puerta cuyo diseño corre a cargo de la imaginación. Por todas partes, a lo largo y ancho del país, cada depósito de agua para irrigación tiene su propio templo donde se adora a las divinidades locales bajo el aspecto de dragones.[35]

En la célebre ciudad maya de Palenque, situada en el vaporoso y lujuriante estado de Chiapas en México, el Templo de las Inscripciones, alberga el sarcófago de Pacal, el gran rey-sacerdote maya del siglo séptimo. Cerca del sarcófago, localizado en una profunda cámara de piedra caliza bajo la cálida selva, una serpiente moldeada en yeso se desliza a lo largo del piso hasta el umbral de la cámara. Allí se transforma en un conducto de piedra que sube a lo largo del borde de una escalera oculta que va arriba hasta el piso del templo. Los mayas creían que a través de este conducto el espíritu de Pacal se podía levantar al mundo de los vivos.[36]

Además de Mesoamérica y del Este, las imágenes de la serpiente se pueden encontrar en el paisaje arquitectónico de Egipto,

África Occidental y los Andes, así como en partes selectas del Pacífico Sur y el Caribe. En Europa el motivo se extiende ampliamente en el Mediterráneo y en las tierras de los celtas, y se ha visto en las esculturas de madera en los techos de muchas de las iglesias primitivas de Noruega.

La serpiente también se ha adoptado ampliamente en los adornos personales, quizá más que cualquier otro objeto en la naturaleza. Entre los egipcios, los amuletos con la cabeza de la serpiente se pensaba que repelían los ataques de Seth y de Apofis. Varios de estos amuletos se han encontrado con las momias. Las mujeres griegas comúnmente usaban brazaletes delineados en forma de serpientes, práctica que no iba bien con Clemente de Alejandría:

> Las mujeres no se avergüenzan de utilizarlos entre los más peligrosos símbolos del maligno; pues así como la serpiente engañó a Eva, de la misma manera el adorno dorado con el aspecto de una serpiente engaña a las mujeres.[37]

Además de la protección inmediata ostensiblemente provista por los ojos de serpiente, los griegos creían que la visión de la serpiente se extendía dentro del futuro. De esta manera, la serpiente "sabia" se buscaba regularmente, como oráculo. Toda casa en la antigua Grecia mantenía una serpiente alimentada con leche y pasteles de miel a fin de obtener de ella protección, y consejo oracular.[38] También hay evidencia de que la cultura de Tarxien, en la isla de Malta usaba a la serpiente para adivinación, pero en una manera distinta. De acuerdo con la historiadora de Diosas Elinor Gadon, el punto focal de esta actividad tenía lugar en un santuario subterráneo conocido como Hipogeo. Excavado en piedra caliza viva, contenía un Cuarto de Oráculos repleto con un orificio de dos metros de profundidad bien apropiado para serpientes. Aquí, cree ella, los sacerdotes o las sacerdotisas humanas invitaban a las serpientes a que los picaran como una forma de entrar en estados alterados de conciencia. El autor feminista Merlin Stone de manera semejante especula que:

Las serpientes sagradas, aparentemente mantenidas y alimentadas en los santuarios oraculares de la diosa, quizá no eran simplemente símbolos, sino en realidad los instrumentos por cuyo medio se alcanzaban las experiencias de la revelación divina.[39]

En casi todas las culturas la serpiente ha gozado de un papel inclusive más alto. Por miles de años en muchísimas formas y aspectos, se ha visto a las serpientes no sólo como instrumentos reveladores, sino como la revelación misma. Entre los más notorios de estos dioses con aspecto de reptil se encuentran: Coatlicue, de México a quien se le conoce también como: "Señora Serpiente" o "La de la Serpiente con falda"; Djamballah, de Haití, a veces se ve como el equivalente africano de Quetzalcoatl, la Serpiente Emplumada mesoamericana; y la Gran Serpiente del Arco Iris que, de acuerdo con los pueblos aborígenes de Australia, fue el principal activista durante la creación primordial que se conoce con el nombre de Tiempo del Sueño.[40] En los Andes, tanto los chamanes como las montañas frecuentemente se identifican con espíritus de serpiente, mientras en Benin los yoruba adoran a la divinidad Pitón besando el polvo que dejan sus huellas.

En la iconografía tántrica budista, el cónyuge del Guardián del Norte es Kinkinadhari, la serpiente de cabeza verde; mientras que Yamantaka, el "Conquistador de la Muerte", o "Guardián del Sur", se ilustra en una guirnalda de serpientes. (También tiene una toca llena de sangre con un bastón blanco para empalar una cabeza amarilla recién cortada.) La bandera nacional del reino de Bután en los Himalayas tiene un dragón que empuña joyas; el grupo étnico primario de esta nación los drukpa, se refieren a sí mismos orgullosamente como el "Pueblo del Dragón".[41]

En la región de Gyasumdo en Nepal, los tibetanos locales viven en una relación delicada con las deidades serpentinas sensibles del submundo conocidas como *klu*. Con su capacidad para suministrar tanto perjuicios como bendiciones, estas deidades se parecen a las más familiares nagas de la India. Ambas divinidades exigen, y obtienen, ofrendas regulares para aplacar su ira, cuando se les solicita ayuda.

Los adoradores hindúes durante el festival naga en la mitad del verano se congregan por miles en los antiguos santuarios de las serpientes.[42] En algunas partes de la India, las mujeres estériles aprovechan la ocasión para visitar las cuevas de las serpientes donde esperan encontrar la fertilidad al depositar ofrendas rituales de leche, huevos, y alcanfor encendido. Afuera en las calles, en una escena que un observador llamó: "reminiscencias de los crucifijos llevados por niños del coro en las catedrales", los celebrantes desfilan con varas que llevan lagartos monitores vivos teñidos de rojo. Otros llevan vasijas de tierra que contienen cobras capturadas recientemente, y a las que se consideran como una manifestación del Señor Siva.[43]

Al principio del año, los hindúes honran a Manasa, reina de las serpientes, pintando imágenes de serpientes y aves en las paredes de sus casas; la observación inevitablemente recuerda una historia bien conocida sobre un comerciante llamado Chanda quien no sólo se rehusó a adorar a Manasa sino que expresó un profundo desprecio por ella. Con el tiempo, dice la historia, seis de los hijos de Chanda murieron mordidos por serpiente.[44]

A medio mundo de distancia, los indios hopi de América del Norte (como hemos visto) también honran a la serpiente. Al comienzo de su ceremonia serpiente-antílope, diseñada para traer lluvia sobre las tierras tostadas por el sol del nordeste de Arizona,[45] alrededor de 24 hombres pintados se agrupan en la plaza haciendo sonar sus calabazos y sus conchas marinas. Con sus pies derechos, patean sobre un *pochta* o tablero resonador, que cubre el pequeño orificio que representa el lugar de la emergencia mitológica de los hopis a partir del submundo. Es un sonido poderoso que vibra en el fondo del alma. Como Frank Waters describe en su obra de 1972 *Book of the Hopi*:

> Nada equivoca su señal esotérica. Pues este es el llamado obligatorio a la fuerza creativa de la vida conocida en otras partes

como Kundalini,[46] latentemente enrollada como una serpiente [que espera] subir hasta el trono de su Señor para la consumación final de su matrimonio místico. [Y] el poder sube. Usted puede verlo en los danzantes... que oscilan a derecha y a izquierda como serpientes, cantando suavemente y agitando sus calabazos cubiertos con pieles de testículo de antílope a medida que el poder hace su lento ascenso. Luego sus cuerpos se estiran, sus voces se levantan... Así continúa una clase de encanto hipnotizante en el oscurecer de la tarde.[47]

Del caos al pánico

La sabiduría no es el único rasgo, ni siquiera dominante, que se atribuye al dragón— serpiente. Un examen cuidadoso de este tema resulta por lo menos en otras dos asociaciones igualmente notorias —fertilidad y temor, sobre todo el temor a la muerte. Al perder el tiempo de modo notable en las primeras intersecciones de la existencia humana, el gran usurpador ha creado para sí mismo la fama de ser el árbitro definitivo de la vida y la muerte. Según los requerimientos en cualquier momento determinado, puede aparecer ante sus sujetos ya sea como un genio creativo o como un exterminador temible.

Para que se le crea como el motor primario, desde luego, la serpiente debe poseer gran antigüedad. Y en lo que respecta a los gnósticos ofitas, este fue precisamente el caso. La serpiente era Dios, insistían, porque vino antes de todo.[48] Los egipcios expandieron esta visión para incluir una familia entera de serpientes. Del templo a las aldeas la advertencia era así: "Todo lo que hagas, a donde vayas, manéjate con todas las precauciones —y cuídate del más Antiguo de la Antigüedad".[49]

En el *Popol Vuh*, el libro sagrado de los mayas, Quetzalcoatl aparece primero como Gukumatz, una serpiente celestial resplandeciente de las aguas primordiales.[50] Esta vinculación del dragón-serpiente con un mar turbulento está ampliamente extendida en la mitología religiosa. Es una unión simbólica que ha venido a ser metafórica para los comienzos primarios. En contraste con las secuencias controladas que se registran en los capítulos 1 y 2 del Génesis, sin embargo, el proceso creativo es a menudo oscuro y caótico.

En el poema épico de la creación, en Babilonia, *Enuma elish*, al caos se le personifica como Tiamat un mar primordial que de una vez está hinchado y sin descanso, amargo y sucio, mal oliente. Un sacerdote de Marduk en Babilonia, escribe en el siglo tercero antes de Cristo que en el comienzo... "todo era oscuridad y agua", y que en este caos fétido y espeso, extrañas bestias empezaron a existir —bestias semejantes a hombres con alas. Para los griegos, Caos era un dios que caracterizaba al vacío bostezador, al estado sin diferenciación, desprovisto de forma. Los primitivos mesoamericanos agregaron incontables bocas devoradoras a la definición, mientras entre los dioses hindúes simplemente era *tad eḳam*, que en idioma sánscrito significa "Aquel Uno". Muchas otras tradiciones describen el flujo como un abismo de agua agitado por un espíritu feroz cuya luz permite verlo. Así iluminado, dice el Upanishads hindú, el espíritu se mira a sí mismo hambrientamente —la misma actividad (en griego, *derḳesthai*, "mirar rápidamente como una flecha") que da al dragón su nombre.[51]

El dragón del Antiguo Testamento es también una criatura de las aguas. Además del hebreo *tannin*, literalmente "serpiente marina", hay un reptil acuático conocido como leviatán:[52]

> Aquel día el Señor castigará con su espada feroz, grande y poderosa, a Leviatán, serpiente huidiza, a Leviatán serpiente tortuosa, y matará al dragón que vive en el mar.
>
> *Isaías 27:1, (BDLA)*

Puesto que las aguas del abismo se consideran muy poco profundas como para que la tierra lo contenga, al dragón con frecuencia se le busca en los cielos. Aquí, muy por encima de la tierra, sus ilusiones de inmortalidad se admiran y se ven más claramente. Como Francis Huxley anota en *The Dragon*: "Los druidas creían que cada equinoccio de primavera una confluencia de serpientes creaba un huevo de vidrio a partir de las interacciones de sus ojos".[53] Como símbolo de inmortalidad este huevo tenía la forma de un anillo celestial —anillo que la ciencia moderna identificó desde tiempo atrás como la Vía Láctea. Para los acadios, este tren celestial resplandeciente era conocido como el Río de la serpiente, o Río del abismo; para los griegos, como la Corriente del mundo; para los escandinavos como el Gusano de la tierra media; y para los hindúes como el Sendero de la serpiente y el Lecho del Ganges. En Borneo los dayak aún creen que al mundo lo encierra un círculo formado por la serpiente acuática que se muerde la cola.[54]

El Dragón-serpiente, sin embargo, no siempre es impasible. Como la mayoría de las criaturas, tiene su lado oscuro. Sin duda, conscientes de esto, las brujas que preparan ensalmos, filtros y oráculos en el drama *Macbeth* de Shakespeare, hacen un apunte para incluir "un filete de serpiente del pantano" y "lengua de víbora común y ponzoña de gusano ciego" en su siniestra poción negra.[55]

El lado oscuro de la serpiente se manifiesta asimismo en el mundo no literario. Para los habitantes de Nueva Irlanda, isla de Melanesia, la serpiente *masalai* no sólo se relaciona con espíritus malévolos, sino tiene también la capacidad espantosa de transformarse en múltiples figuras.[56] En la Calle Villares de La Paz, Bolivia, se pueden comprar imágenes del diablo que lo ilustran con una serpiente provista de colmillos que salen de su cabeza. Para los indios mapuches, del sur de Chile, esta imagen es afín a un espíritu de serpiente con múltiples cabezas, muy temido, que se llama Chinufilu. Patrick Tierney en *The Highest Altar*, nos dice de un hombre con una pierna seca que vio en sus sueños por más de 60 años cómo esta serpiente lo devoraba.[57]

En Francia medieval, se creía que los dragones tenían un deseo exagerado por los jovencitos y las vírgenes. Huxley destaca que: "por lo menos cuatro de ellos se encontraban en Provenza: uno en Aix, donde fue vencido por Santa Margarita; uno en Draguignan, donde el alcalde de la ciudad tiene el derecho de bautizar a uno de sus ahijados como 'Drac'; un tercero en Beaucaire, que se especializaba en forzar a las madres lactantes para amamantar a los bebés dragones; y el más famoso en Tarascón... [que] guardaba la entrada al Tártaro céltico".[58]

A veces los dragones imaginarios vienen a la vida con consecuencias aterradoras y destructivas. Tal fue el caso de Belinda una brillante artista de 32 años, paciente del Instituto Neuropsiquiátrico en la Universidad de California de Los Ángeles. De acuerdo con su médico, el doctor Ronald Siegel, cuando era niña, "hablaba y jugaba con el dragón en un castillo imaginario por períodos que iban desde quince minutos hasta tres horas. Estas visitas le daban a ella el máximo de placer". A medida que Belinda creció, sin embargo, pasaba más y más tiempo en la exploración de los dominios del dragón, a veces retirándose del mundo real por semanas. Aunque algunos compañeros imaginarios funcionan como superegos freudianos, hablando al niño como lo haría el padre, Siegel informa que el dragón de Belinda se volvió lo suficientemente poderoso como para gobernar casi todos los aspectos de su conducta en el mundo real:

> Belinda consultaba a su dragón con respeto a todas las decisiones, ya fuese adónde debería ir durante el día o inclusive lo que debería decir. Quedó cautiva en una lucha decisiva entre el dragón, que quería que ella pasara el resto de su vida pintando murales en las paredes del castillo, y sus terapeutas, que procuraban mantenerla sembrada en la realidad.

Al final Belinda intentó suicidarse y fue hospitalizada. Aunque se procuró evitarle el suicidio, permaneció atrapada dentro del mundo del dragón. La descripción de Siegel de un cuadro que Belinda le dio en esta época es escalofriante: "Mostraba un mundo de sombras grises y tonos ominosos. Había un dragón que volaba por encima y en sus garras llevaba un capullo que tenía dentro el cuerpo desnudo de Belinda".[59]

Además del temor y la desesperación, muchas personas también han experimentado el terror indirecto que los griegos denominaban *pánico*, según el dios Pan. Al reflejar su dominio y carácter, estos ataques son especialmente comunes en lugares solitarios y desolados. Los nómades tuareg que ocupan vastas extensiones del Desierto del Sahara son particularmente vulnerables a esta condición. Muchos informan haber sido atormentados por espíritus que se materializan en la noche para hacerlos vagar y para dirigirlos mal —seres invisibles a quienes también se les atribuye responsabilidad en la producción de ecos y torbellinos de viento.[60]

Coleridge capturó este ominoso estado de cosas en *The Rime of the Ancient Mariner*:

> Como uno, que en una vía solitaria anda en temor y miedo, y se vuelve una sola vez para seguir caminando, sin voltear más su cabeza; porque sabe que un enemigo espantoso le amenaza por detrás y muy cerca.

Y Richard Cavendish observa:

> La creencia de la antigüedad en espíritus hostiles no está completamente resuelta al encasillarlos de acuerdo con sus funciones sociales y sus orígenes históricos. Detrás hay una experiencia humana incalculable y universal —el reconocimiento de la presencia maligna, como la sensación de que algo le sigue a usted silenciosamente a lo largo de un camino solitario, cuando usted sabe que no debe correr y que no debe mirar atrás para asegurarse de que no está allí, porque si hace una de esas cosas lo reconocerá y lo tendrá sobre usted.[61]

Los cristianos primitivos asociaban todas las divinidades paganas con demonios, pero a Pan más que a las otras. A éste se le temía por su conexión con el desierto, la vivienda favorita de espíritus hostiles y por su desenfrenada sexualidad. Peludo y con apariencia de un macho cabrío, los cuernos y las pezuñas hendidas de Pan, al final se convirtieron en el prototipo cristiano de la imagen de Satanás.[62] Ejercía poder sobre quienes preferían la emoción a la razón como guía para la verdad. El ocultista británico del comienzo del siglo veinte Aleister Crowley se sintió fuertemente atraído por Pan a quien consideró como el inspirador de la lujuria, la crueldad y la locura divina.[63] Cada una de estas contribuciones terrenales fue debidamente exaltada en el infame "Himno a Pan" de Crowley.

Por su aspecto juguetón Pan, a quien le gustaba tocar melodías de caza en una flauta de caña y perseguir animales, se asocia con un gran número de obras literarias bien conocidas, como las siguientes: *Pied Piper of Hamelin*, de Robert Browning; *Peter Pan* de Sir James Barrie; y "The Piper at the Gates of Dawn" en *Wind in the Willows* de Kenneth Grahame. En la amada historia para niños de Grahame, Rata y Topo se encuentran atraídos por un sonido de flauta que no es terrenal y los lleva al Amo de los animales.[64] De pie allí, Topo le susurra a Rata: "¿Estás asustada?" A esto Rata responde: "¿Asustada? ¿De él? ¡Oh, nunca, nunca! ¡Y sin embargo —y sin embargo— Oh, Topo, estoy asustada!"[65]

Navegar por las tinieblas inferiores

Guiados por rumores y por sus propias inclinaciones supersticiosas, los cartógrafos medievales rutinariamente adornaban los mapas de sus tiempos con criaturas fantásticas y con horrendas advertencias. Era un modo popular y expedito de tratar con la *terra incognita*, y los exploradores, tanto desde sus sillones como desde las cubiertas de sus barcos, pasaban largas horas fantaseando sobre profundidades misteriosas donde encontraban inscritas las palabras *Aquí hay dragones*. Claramente, muchos creyeron a estos avisos.

La pregunta dónde el dragón hace su guarida, aún vive hoy. De hecho, es central para nuestra comprensión de uno de los aspectos más importantes y ampliamente reconocidos del diablo. Además de su bien documentada asociación con luminosidad, gemas, sabiduría, caos, muerte y bajeza moral, se relaciona muy estrechamente con poder —específicamente, el poder del aire.

La Versión Reina-Valera, Revisión de 1960 en Efesios 2:2 lo menciona a él como el "príncipe de la potestad del aire". En este pasaje, la voz griega para aire (*aer*) se refiere no a una dirección (arriba, o en sentido del cielo) sino a un sitio (la atmósfera). Esta distinción es importante. El hecho que el dragón gobierne un lugar, nos recuerda que tiene una personalidad creada, objetiva. Mientras sus intereses con frecuencia se persiguen en el interior de la mente humana, él no es una creación imaginaria.

En Sumeria lo conocían como *Enlil* o "Señor del Aire". Además de servir como el dios tutelar de Nippur, la más santa de todas las ciudades de Babilonia, a Enlil se le consideraba como el "Rey de los dioses" y el custodio original de la Tabla de los destinos. Por todas partes, en el Oriente Medio, el dios semita Adad,[66] cuyo símbolo era el rayo bifurcado, cabalgaba las nubes con voz de trueno. La Biblia reconoce la importancia de Adad en el contexto sirio por nombres como *Ben-Hadad y Hadad Rimmon* ("Hadad el tonante").[67] Otras deidades atmosféricas incluyen el dios griego *Tifón*, que se creía la fuente de los vientos tormentosos que causan desastres en la tierra o en el mar y también *Huracán*, el dragón del Caribe de quien se decía que era responsable por los huracanes, los tornados y los terremotos. Los antiguos olmecas y los viajeros marinos noruegos también veían al dragón, como el hacedor del tiempo atmosférico.[68]

Sería más fácil desechar tales ejemplos como simples y divertidas creencias de sociedades supersticiosas, sino fuera por el reciente testimonio de un veterano astronauta del espacio, Story Musgrave. Con seis misiones espaciales en su experiencia, al doctor Musgrave, que se retiró hace poco, se le considera como el decano del moderno programa de cohetes espaciales. Aunque admite que "todavía no tiene explicación", este científico sobresaliente relata que en dos misiones distintas, observó con toda claridad a una serpiente de seis a ocho pies de longitud (1.8 a 2.4 m), que seguía al cohete alrededor de las capas superiores de la atmósfera terrestre.[69]

Claro está que hay algo extraño acerca de la vivienda atmosférica de los ángeles caídos. De alguna manera misteriosa sirve, como 2 Pedro 2:4 y Judas 6 revelan, más como prisión que como hogar. Los ángeles caídos están confinados por Dios a un ámbito de tinieblas inferiores que se llama Tártaro,[70] no simplemente una dimensión muy apartada sino un sitio en el interior de una dimensión que acontece que rodea la tierra.[71] Mientras efectivamente impide a los ángeles caídos vagar sin restricciones dentro de su propia dimensión, nada les impide descender, como Cristo, "a las partes más bajas de la tierra" (Efesios 4:9, RV). De hecho, a quien Pablo se refiere como "el príncipe de la potestad del aire" (Efesios 2:2, RV), el propio Señor Jesús lo llama "el príncipe de este mundo" (Juan 12:31; 14:30; 16:11, RV).

Las implicaciones del mal radical

Una pieza más de evidencia nos sugiere no sólo la presencia de un diablo real sino un plan maestro diabólico y activo. Descubrimos esta evidencia no dentro de un contexto religioso sino mediante los indicadores que nos ofrece la razón natural. Se encuentra en lo que Jeffrey Russell llama "mal radical". Los occidentales deben romper las estrechas limitaciones del reduccionismo materialista, arguye, y tratar con el príncipe de las tinieblas tradicional —príncipe "cuyas energías se inclinan a la destrucción del cosmos y a la infelicidad de sus criaturas".[72] Como Andrew Greeley dijo una vez "hay más potestades bajo el cielo de lo que la filosofía y sociología puedan soñar —aunque la antropología las conoce bien".[73]

La vía de la historia está atestada con personas que se han entregado al mal —hombres y mujeres que, como Jesús lo dijo, "amaron las tinieblas más que la luz" (Juan 3:19, RV). Después de contaminar sus propias casas espirituales emplearon manipulación y crueldad astutas para extender su ruina a otras vidas e instituciones incontables. En los ejemplos donde tales personas alcanzaron posiciones de gran poder (Genghis Khan y Adolfo Hitler son dos prototipos) los mismos cimientos de la tierra fueron conmovidos.

Hay aquellos que insisten en sanar la vileza humana al envolverla en definiciones científicas, pero el hecho del mal radical permanece. Por último, no hay nada clínico acerca de los Ángeles del Infierno que para sus funciones sacramentales utilizan orina y excrementos, o de los nazis que hacían cigarrilleras con la piel de los senos de las jóvenes judías, o los discípulos de Charles Manson que apuñalaron con cuchillos y tenedores el abdomen de Sharon Tate, actriz que estaba embarazada.[74]

Hay mal en cada uno de nosotros, pero inclusive aunque se combinen grandes números de individuos perversos, el mal no explica Auschwitz, Rwanda o Cambodia bajo Pol Pot. Confrontados con tales monstruosidades, solamente podemos estar de acuerdo con Russell que "el mal en esta escala parece ser tanto cualitativa como cuantitativamente distinto. Ya no es más un mal personal, sino un mal transpersonal..."[75] Al mismo tiempo a Russell le preocupa que "las suposiciones planas materialistas, de la sociedad occidental contemporánea hayan efectivamente censurado la preocupación con el mal radical por expresiones de desprecio hacia los puntos de vista trascendentes".[76]

Peter Kreeft, evangelista católico, está de acuerdo. Como respuesta a aquellos que insisten en que es psicológicamente insano creer en demonios —una regresión a la superstición y al temor medievales— Kreeft pregunta:

> ¿Si los animales salvajes existen es poco sano creer que existen? ¿Acaso no es mucho más insano pretender que no existen? Si nuestros antepasados tendían al error de sobreenfatizar al diablo (y esto desde luego era poco sano), en nosotros hay la tendencia al error opuesto: olvidar que la vida es guerra espiritual, que hay un enemigo.[77]

Aquí se nos pide confrontar dos hechos: primero, que el diablo existe y segundo, que es gobernante (el mismo Señor Jesús reconoció la realidad del imperio de Satanás en Mateo 12:26, "Y si Satanás echa afuera a Satanás, contra sí mismo está dividido; ¿cómo, pues, permanecerá su reino?"). Si Satanás es gobernante se deduce naturalmente que tiene servidores. Michael Green señala que las filas de estos siervos comprenden no solamente "las huestes de los espíritus del mal a quienes arrastró consigo desde los cielos (Apocalipsis 12:4,9)," sino también los coconspiradores humanos que marchan en hileras apretadas con los gobernadores del mundo de las tinieblas.[78]

El reconocimiento de la existencia del dragón, a pesar de la importancia que tiene, no es sino un prólogo en nuestra búsqueda para comprender por qué la oscuridad permanece donde lo hace. El laberinto mantiene todavía muchos secretos. Desde aquí debemos localizar el sendero que nos lleve hacia una comprensión de cómo y cuándo se estableció este terrible imperio del mal.

CAPÍTULO CUATRO

MISTERIOS ANTIGUOS

Para casi todos los visionarios humanistas, la historia, sobre toda la historia antigua, tiene muy poco interés. Como los adultos jóvenes que se avergüenzan por las fotos de su propia infancia o de su adolescencia, estos individuos están listos para reconocer el pasado como un tema de registro, pero no para admirarlo.[1] Como formadores del futuro, se impresionan no con los medios sino con los fines; con lo que será, no con lo que ha sido.

El razonamiento de los humanistas contemporáneos es sencillo: Como el conocimiento es acumulativo, el extremo frontal de la historia humana es un sitio pobre para buscar respuestas. (Los que trabajaron en el huerto, los que pintaban en cuevas y los que construían arcas, simplemente no ofrecen mucho a las sociedades progresistas.) En lugar de luchar contra la marea de la historia, por tanto, debemos girar en su momentum y permitirle que nos lleve a nuestro destino. Una vez dijo Herbert Spencer: "El progreso no es un accidente, sino un hecho de la naturaleza".[2] Lo único que necesitamos para realizar la promesa de perfeccionamiento (y así sigue la discusión) es mantener los ojos fijos con firmeza en el futuro.

Este raciocinio, a pesar de su aceptación general y de su tono feliz está cargado con un serio defecto: mientras la ciencia se acumula con el tiempo, la sabiduría no siempre es su compañera de viaje. Como prueba, sólo tenemos que considerar el advenimiento reciente de la pornografía interactiva, los abortos con solución salina y las armas biológicas. El principio de la entropía moral largamente observado dicta que, apartados de la conservadora sabiduría divina, la humanidad empeora sin que mejore con el tiempo.

Entonces, los supuestos populares acerca del futuro, probablemente no nos conducen a ningún modelo de perfección. Para eso debemos mirar al pasado profundo, echar hacia atrás la cortina del tiempo para captar una creación recién salida con toda su frescura de la forja divina —una creación que todavía irradia la pureza y el placer del Todopoderoso.

Aunque la Biblia no se demora mucho en la génesis de la historia humana, su penetración en la naturaleza del molde original y de lo que hizo que se quebrara, es suficiente para mantener a un lector cuidadoso ocupado durante algún tiempo. En el contexto prístino antes de la Caída, y en los siglos llenos de sucesos que rodean tanto el Diluvio como la Dispersión, aún detalles en apariencia triviales están llenos de importancia. Aquí, en los más profundos archivos de la historia humana, descubrimos por qué el laberinto se convirtió en un sitio extraño y confuso.

La entrada dimensional

Después que el aliento de Dios animó al primer hombre, fue puesto en el Huerto del Edén. En este ambiente rico y mágico, la vida se sostuvo, los secretos se compartían y las relaciones florecieron en su pureza original. Fue el trabajo de las manos de Dios y estaba lleno de magnificencia.[3]

A través de toda la historia se han hecho intentos para recrear este contexto sobrenatural. Aunque los materiales de construcción más populares han sido las palabras, que resultan en esfuerzos literarios como el clásico del fin de siglo *The Secret Garden*, de Frances Hodgson, otros han utilizado ladrillos y semillas, para hacer lugares como los famosos Jardines Colgantes de Babilonia y la utópica comunidad Findhorn en la costa noroeste de Escocia.

Los teólogos cristianos, por su parte, tienden a ser más cautos, en sus ilustraciones del Edén. Mientras permiten que el Huerto tenga dimensiones imponentes, frutos que dan vida y una notable armonía entre las especies, muestran cierto recelo para extender esta lista de hechos. Desde su perspectiva, el Edén es simplemente el sitio de la creación del hombre y donde tuvo lugar el elevado drama moral que rodeó a la Caída. El enredo, no el ambiente (como correctamente nos lo recuerdan), debería llamar y capturar nuestra atención.

Hay una amplia evidencia, sin embargo, que el Edén era más que un huerto elaborado. Según Génesis 3:8, Dios no sólo diseñó este lugar especial; también lo tuvo en cuenta para visitarlo. El Edén era entonces un sitio de comunión entre el hombre y su Creador, y las interacciones que se registran en Génesis 2:15-22 y 3:8-13 en apariencia eran consistentes con una rutina establecida.

Inclusive así, el Edén no era el sitio de morada principal del Creador. Cuando aparecía para andar con Adán y Eva en el aire del día, *venía desde alguna otra parte.* Y, como Dios es Espíritu el hecho que se manifestara en un contexto material sólo puede significar que descendía de un ámbito más alto. Lo que fuese que el Edén pueda haber sido, claramente era una entrada dimensional.

La realidad de los viajes interdimensionales se ve en diversos pasajes bíblicos. Por ejemplo, a Jacob se le dio en un sueño la visión de una escalera que se extendía entre la tierra y el ámbito celestial (Génesis 28:10-19). A medida que contemplaba esta escalera extraordinaria, notó que estaba llena con ángeles que subían y bajaban. Al despertar de esta experiencia, el sorprendido patriarca declaró: "¡Cuán terrible es este lugar! No es otra cosa que casa de Dios y puerta del cielo" (Génesis 28:17, RV).

El apóstol Pablo habló con admiración igual de las sorprendentemente grandes revelaciones que recibió cuando fue arrebatado hasta el tercer cielo (2 Corintios 12:1-4). En otra carta (Efesios 4:9-10) describió a Cristo mismo que subía y bajaba a través de dimensiones dispuestas en capas[4] —una capacidad casi irreal que también se encuentra en el relato breve de la Transfiguración en Mateo 17:1-9.

Hay la teoría adicional, mencioné en el capítulo anterior, para indicar que Lucifer frecuentaba también la entrada dimensional al

Edén. El profeta Ezequiel da apoyo a esta idea, pues coloca al querubín ungido en ambos extremos de la escalera celestial. En un momento encontramos al querubín "en Edén, en el Huerto de Dios" (Ezequiel 28:13, RV), mientras en el siguiente momento se le describe como si estuviera "en el santo monte de Dios" (versículo 14). Hasta cuando Lucifer fue desterrado de ese monte, andaba entre —o arriba y abajo— las piedras de fuego (versículo 14)[5]

En los días incipientes de la historia humana encontramos a Dios (y posiblemente a Lucifer) que viajaban entre el Edén terrenal y una morada de seres dimensionales superiores que los profetas llamaban el "santo monte de Dios" y también "monte de la asamblea" (Isaías 14:13, B.d.l.A).[6] Mientras la localización exacta de esta puerta dimensional no se especifica en la Biblia, algunos estudiosos especulan que puede haber estado vinculada con el Árbol de Vida en el centro del huerto (suponiendo que el portal fuese fijado territorialmente). Como sea, esta entrada entre el cielo y la tierra habría tenido muchas más impresionantes posibilidades que la película *Star Trek* Viaje a las estrellas.

Casi todas las recientes producciones de viajes dimensionales, incluso el curioso film *Stargate* de 1994, representan lo que podríamos llamar "viajes laterales". En tales viajes, el movimiento se limita a las dimensiones estándar de espacio-tiempo. (Aunque estén comprometidas fuerzas extrañas, invariablemente tienen sus bases en algún cuadrante del universo físico.) Mientras la facilidad de estas misiones para explorar el rango completo del continuum espacio-tiempo es suficientemente dramática, no tienen ninguna comparación con el "viaje vertical" sugerido en la Biblia.

A los científicos les gusta teorizar sobre dimensiones más altas, pero se encuentran perdidos cuando tratan de describirlas. Más simple es regresar al término *hiperespacio*, palabra que se introdujo en el capítulo 2 y que significa "encima, sobre, o más allá de la dimensión presente". Para vislumbrar verdaderamente los ámbitos insinuados por los cálculos aritméticos de la ciencia, debemos volver una vez más al profeta Ezequiel. Después de ofrecernos una historia de las más largas visiones de ángeles que vienen y van, nos ofrece una escena tan exótica, tan poco terrenal que sólo puede estar en la parte más alta de la escalera de Jacob:

> Y sobre la cabeza de los seres vivientes aparecía una expansión a manera de cristal maravilloso, extendido encima sobre sus cabezas.
>
> *Ezequiel 1:22, (RV)*

Un incidente semejante se registra en otra parte de la Biblia:

> Y subieron Moisés y Aarón, Nadab y Abiú, y 70 de los ancianos de Israel; y vieron al Dios de Israel; y había debajo de sus pies como un embaldosado de zafiro, semejante al cielo cuando está sereno.
>
> *Éxodo 24:9-10, (RV)*

Muchos aspectos del monte de la asamblea permanecen ocultos en el misterio, pero claramente es uno de los sitios de poder (que codicia Satanás en Isaías 14:13) y un lugar importante para discusiones y debates. En la Biblia también se lee que los ángeles (literalmente, *beneha elohim*, o "los hijos de Dios") iban allí para "presentarse delante del Señor" (Job 1:6; 2:1, B.d.l.A). A Satanás se le permitió unirse a ellos y entonces aprovechó este acceso para acusar a Dios de favorecer a Job.

¿Quiénes son estos privilegiados "hijos de Dios" que se reúnen para dialogar con el Altísimo en el monte de la asamblea? Mientras no podemos estar seguros, parece muy probable que son un grupo selecto de ángeles de alto rango.[7] Quizá los mejores candidatos para este papel son los veinticuatro ancianos que se mencionan en Apocalipsis 4:4. Gary Kinnaman compara el título de ellos con el gobierno y sugiere que son seres angelicales cuyo servicio en el orden creado por Dios es análogo a los cargos de "senadores del cielo".[8]

Un monte cósmico para asambleas también se encuentra en el centro de muchos de los más antiguos mitos religiosos del mundo. Mientras podemos estar de acuerdo en que casi todos estos relatos poseen cierta autoridad dudosa, su tendencia a unirse alrededor de un motivo es algo curioso. Tan lejos como en la región de Altai en Siberia occidental, los nómadas religiosos hablan seriamente de una montaña en el corazón del mundo, por encima de la cual se encuentra el mundo superior (¿expansión de Ezequiel?). Estos nómadas también tienen nociones acerca de la actualidad de la Presencia divina. En el amanecer de los tiempos de acuerdo con sus mitos, el Creador se sentó en una montaña dorada en medio del firmamento. Después de formar la tierra y sacarla del vacío, bajó este monte y lo convirtió en tierra sólida.[9]

Equipado para el éxito:
Adán en el País de las Maravillas

Un cuidadoso examen del registro del Génesis revela cuán maravillosamente equipados estaban para la vida, la comunión y el liderazgo los primeros ciudadanos humanos. Dios claramente tuvo planes muy grandes para Adán y su esposa. A medida que ejercitaban el dominio sobre la tierra, sus gozosas obligaciones consistían en crecer en sabiduría y multiplicarse.[10]

Para aumentar la experiencia de ellos Dios instiló en Adán y en Eva algo único. Aunque presumiblemente había formado millones de especies vivientes antes del hombre, en ninguna otra ocasión dinamizó esas vidas mediante su aliento. Pero cuando sopló el aliento de vida en el marco elemental de Adán, se abrió la vía de acceso para que la humanidad entrara en la dimensión espiritual. Como el fallecido Andrew Murray escribió en *The Spirit of Christ*:

El espíritu dinamizante del cuerpo ha hecho una persona viviente con la conciencia de sí misma. El alma fue el sitio de reunión, el punto de unión entre cuerpo y espíritu. Por medio del *cuerpo*, el hombre, el alma viviente, se mantuvo en relación con el mundo exterior de los sentidos; pudo influirlo o ser influido por él. Por medio del *espíritu*, se relacionó con el mundo espiritual ... [donde] podía ser tanto el recipiente como el ministrador de su vida y poder. Al permanecer así, a mitad de camino entre

dos mundos, y relacionarse con ambos, el *alma* tenía poder...
para elegir o rechazar los objetos que estaban a su alrededor y
con los cuales se mantenía en relación.[11]

La descripción de Murray del alma como sitio de encuentro es
útil, pero deja sin respuesta otro interrogante: ¿Cuál es la relación
entre el alma y la mente? A pesar del silencio de Murray sobre
este tema, hay consenso en que más que permanecer en relación,
el alma y la mente son tan sólo términos intercambiables para el
asiento de la conciencia.[12]

¿Y qué acerca del papel del cerebro en la conciencia? Aquí existe una enemistad entre las nociones cartesianas de "alma directiva"
y la proposición de Gilbert Ryle que el cerebro es tan sólo un órgano físico. El neurólogo Richard Restak ve necedad en ambos
campos y recurriendo a la analogía, dice de un niño de ocho años
que viaja a Washington, D.C., con la esperanza de ver el gobierno
de los Estados Unidos. El primer día visita el Congreso; en el segundo día recorre la Casa Blanca; y en el tercer día se le muestra la
Corte Suprema. En este punto el perplejo niño pregunta: "¿Bueno, pero dónde está el gobierno?" El problema desde luego es que
ha confundido las entidades localizadas en el espacio y en el tiempo con un proceso que describe las interacciones de estas entidades.

Entonces, ¿son conciencia y cerebro lo mismo? El afamado biólogo británico Julián Huxley observó:

> El cerebro por sí solo no es responsable de la mente, aunque es
> un órgano necesario para sus manifestaciones. Desde luego, un
> cerebro aislado es una pieza biológica y sin significación, como
> lo es un individuo aislado.[13]

Como la neurobiología ha estado perfeccionando la noción de
lo que es la conciencia, los teóricos del cuanto dirigidos por el afamado físico de Oxford Roger Penrose han hecho notables declara-
ciones sobre lo que puede hacer. La teoría cuántia sostiene (como lo
anotamos en el capítulo 2) que los electrones no observados y otras

partículas subatómicas habitan una zona de claroscuro entre masa y energía. De alguna forma inexplicable, están en un estado o en el otro y tan sólo como impresiones se registran en la mente del observador.* La implicación disparatada de la mente aquí es que la conciencia puede en verdad *definir* la realidad, por lo menos en el sentido que la observación en apariencia tiene un efecto literal sobre la estructura del mundo físico.[14] Cuando uno considera este fenómeno extraordinario, de acuerdo con el físico especialista es partículas James Jeans: "el universo comienza a parecer más como un gran pensamiento que como una gran máquina".[15]

Si la conciencia define la realidad externa, sin embargo, también depende de la interacción con el mundo exterior. La mente no puede funcionar de manera adecuada si se aparta del contacto estimulante con cosas y personas. Los experimentos con estudiantes voluntarios en la Universidad McGill y otras instituciones han demostrado de manera conclusiva que la deprivación sensorial lleva a confusión, pánico e inquietud. La deprivación severa, como la que se produce en los tanques especiales de inmersión puede llevar a la desintegración de la conciencia.[16]

El diseño de estas verdades ha dado luz sobre las intenciones de Dios en el Huerto del Edén. Al crear a Adán como alma viva con el poder de la observación consciente, Dios lo preparó para obrar como una fuerza creativa genuina en el universo físico. Para facilitar el extraordinariamente alto nivel de conciencia de Adán, Dios al comienzo abrió un vasto despliegue de canales sensoriales naturales. Los aumentó al inspirar en el hombre la capacidad para la comunión espiritual. Por último, colocó a esta criatura finamente sintonizada en la mitad de un ambiente maravilloso que agraciaba de rutina con su propia Presencia. Así fue Adán dinamizado, por medio de la estimulación constante, no sólo para ejercer dominio efectivo en el plano físico, sino también para crecer en sabiduría. A esta soberanía sólo la limitaba su necesidad de compañerismo y

---

* El renombrado físico de la Universidad Princeton declara: "El principio cuántico... destruye el concepto del mundo como 'allá afuera'".

orientación exteriores. El hombre podía ser inmortal, pero no su propio amo.

El Libro del Génesis que sirve como base para nuestro examen de los deberes originales de Adán, ofrece cuatro categorías interesantes: su estatura física y la potencialidad de ser inmortal; su capacidad para conversar con Dios directamente; su capacidad para tener comunicación con otras especies; y su ensanchada potencialidad cerebral.[17]

Estatura física e inmortalidad

Mientras la Biblia no es explícita sobre la estatura física de Adán, ofrece varias claves indirectas que señalan hacia un gran tamaño. La primera consiste en la expectativa de Dios que Adán cuidaría y trabajaría un huerto vasto (Génesis 2:15). En vista de los datos suministrados en los versículos 9-11, podemos suponer que esta orden habría requerido vigor y fortaleza extraordinarios.

Otro indicador de la estatura de Adán se encuentra en la referencia a los misteriosos nefilim o gigantes que resultaron de la unión de los "hijos de Dios" con "las hijas de los hombres" (Génesis 6:1-2).[18] En estos descendientes directos de Adán también descritos como: "héroes de la antigüedad" o "varones de renombre" (versículo 4), es muy probable que hubiesen características poseídas por su progenitor.

También debemos recordar que la inmortalidad era parte básica del plano original de Adán —hecho que no se debería descartar como en relación con su espíritu solo. A Adán se le creó con cuerpo, y como el pecado aún no había entrado en el mundo, su cuerpo no habría conocido la muerte. En vista de este hecho, se nos puede perdonar la curiosidad por tratar de averiguar justamente qué clase de cuerpo era.

La hipótesis que la abundancia de frutas en Edén (Génesis 2:9,16-17; 3:1-6,11-12) suministraba a Adán y a Eva resistencia para las enfermedades y una larga vida, la sostienen por lo menos dos pasajes bíblicos. En uno de ellos, Dios razona que al hombre caído no se le debe permitir que estire su mano para que también tome del Árbol de la Vida y coma y viva para siempre (Génesis 3:22). En el otro pasaje, el evangelista y apóstol Juan se refiere a un árbol celestial cuyo fruto es para vida y cuyas hojas son para sanidad (Apocalipsis 22:2).

Capacidad para conversar cara a cara con Dios

Otro don notable que tuvo Adán consistió en la capacidad maravillosa para dialogar con Dios cara a cara (Génesis 3:9-10). Mientras otras figuras bíblicas posteriores también se encontraron con la Presencia manifiesta del Todopoderoso, solamente lo hicieron por medio de sueños y visiones (Jacob, Isaías, Ezequiel, Pablo y Juan) y, casi siempre, en circunstancias cuidadosamente controladas (Moisés en el Sinaí y los sumos sacerdotes que oficiaban en el Santo de los Santos, ya fuese en el Tabernáculo o el propio recinto sagrado del Templo). Ninguna de estas personas, hasta donde sabemos, tuvo la posibilidad de oír en forma directa y personal a Dios, conforme se describe en Génesis 3:8.

Más evidencia de los tratos directos de Adán con Dios se suministra en la ausencia aparente de mensajeros celestiales o ángeles (en griego, ángel quiere decir mensajero), antes de la Caída.[19] Como el primer hombre y su Creador tenían aún intimidad, estos intermediarios eran francamente redundantes, y vinieron a ser necesarios sólo cuando el acto de rebeldía del hombre alteró su sistema de manera que ya no pudo tolerar más la Presencia directa de Dios. Con el advenimiento del pecado, la Presencia Divina que una vez deleitó a Adán y a Eva, repentinamente amenazaba consumirlos. Lo que en alguna ocasión era compañerismo, ahora despertaba temor.[20]

Comunicación entre especies

En su obra apologética del siglo doce *Guide for the Perplexed*, el teólogo judío Maimónides, hace un comentario interesante. "En el tiempo de Adán" —escribe—, "había animales con apariencia de hombres en su forma y también en su inteligencia". Al diseño de estos animales les faltaba solamente "la imagen de Dios".[21]

Aunque la afirmación de Maimónides que los animales aparecían con aspecto humano es sospechosa, es plausible la idea que los humanos y los animales hubieran poseído en alguna época las facultades necesarias para sostener una relación de inteligencia. Pasajes como Génesis 3:1 y Génesis 3:13-15 dan a entender muy fuertemente que por lo menos ciertos animales tenían la capacidad para hacer juicios con razonamiento.[22] Además, los primeros cinco versículos de Génesis 3 revelan que Eva sostuvo un diálogo complejo con la serpiente. En ningún punto Eva da a entender que esta comunicación entre especies no fuese otra cosa sino rutina.

Inclusive hoy, millones de personas experimentan lo que se podría llamar "el efecto Disney" que implica comodidad y gozo resultantes de la relación con animales que hablan.[23] Tan fuerte y tan universal es este fenómeno que uno se pregunta si la magia creativa de Walt Disney, Beatrix Potter y Jim Henson no evoca anhelos latentes por un mundo que existió en alguna época.[24]

Potencialidad cerebral aumentada

Aunque la Biblia no enfatiza la capacidad de Adán para establecer comunicación con los animales, no hay ninguna duda que su poder mental antes de la Caída era formidable. El simple acto de dar nombre a las criaturas le debe haber requerido recordar miles de nombres, quizá mucho más, como para no duplicarlos.

Podemos deducir otros de sus poderes cerebrales por medio del examen cuidadoso de su descendencia. Inclusive, a medida que reconocemos que las capacidades de la mente moderna sólo reflejan en forma muy confusa los fuegos que una vez ardían (se calcula que entre noventa y seis y noventa y nueve por ciento de todas las potencialidades mentales están sin uso),[25] los escasos restos que quedan, sin embargo, son impresionantes.

Los investigadores con frecuencia afirman que el cerebro humano es un supercomputador subutilizado, un órgano que parece ser superdotado. Cuando el doctor Kennenth Boulding declara que la capacidad del cerebro de los seres humanos es "inconcebiblemente grande" quiere decir que las 3.5 libras de sustancia gris almacenadas en el cráneo de un hombre adulto típico, contienen entre quince y un centenar de billones de neuronas —¡neuronas que colectivamente se encienden diez billones de millones de veces por segundo![26]

Otros vistazos muy interesante en el pozo profundo de la mente los han suministrado los "sabios" —individuos mentalmente disminuidos que demuestran relámpagos de esplendor en un área determinada. En la película de 1988 *Rain Man*, Dustin Hoffman hace el papel de un "sabio" cuya habilidad para hacer complejos cálculos con rapidez la explotaba temporalmente su hermano en juegos de casino. En la vida real los "sabios" gemelos estadounidenses "Charles y George" manifestaban una capacidad semejante para calcular fechas del calendario. Si les preguntaba podían responder en un instante cuándo cayó en domingo el veintiuno de abril, tan atrás como hasta el año mil setecientos. Cuando el neurólogo británico Oliver Sacks accidentalmente derramó una caja de fósforos frente a los gemelos, ambos gritaron al unísono "Ciento once". Al contar los fósforos Sacks confirmó que habían caído exactamente ciento once fósforos. Al preguntarles cómo habían contado los fósforos con tanta rapidez los gemelos respondieron "no los contamos... vimos ciento once"[27]

La capacidad de "ver" números se relaciona estrechamente con otra anomalía cerebral que se conoce como *sinestesia*. En este raro síndrome, las sensaciones que se generan en un sentido, por regla general se expresan en términos de otro sentido. Los sentidos están entrecruzados. De acuerdo con expertos como Richard Cytowic y Harry Gilbert, la audición coloreada es la forma más notoria de sinestesia. "Una de las cosas que amo de mi marido", escribió una mujer con sinestesia, "son los colores de su voz y de su risa". Son de un maravilloso castaño dorado, con un sabor de pan con mantequilla bien tostadito".[28]

Otros individuos sinestésicos perciben formas, pesos o texturas cuando prueban algo con un sabor intenso. En el caso del maestro de North Carolina Michael Watson, el aroma de la menta le produce filas de columnas invisibles cuyas superficies lisas, frías y suaves se pueden acariciar o abrazar. El fallecido Soloman Shereshevsky, un extraordinario sinestésico estudiado por psicólogos rusos durante más de treinta años, conectaba lo que oía con tres sentidos: vista, tacto y gusto. Cuando percibió un tono con un timbre de dos mil ciclos por segundo, Shereshevsky dijo:

> Parece como las llamas de una chimenea con un matiz entre rojo y rosado. La tira de color se siente áspera y desagradable y tiene un sabor feo —más bien como el de un encurtido supersalado. Podría dañar la mano.[29]

Aunque la investigación clínica continúa, el doctor Cytowic cree que la sinestesia probablemente es un proceso *normal* del cerebro, cuyo centro quizá esté en el sistema límbico, que se halla suprimido en casi todas las personas.[30]

Se han propuesto hipótesis semejantes en relación con capacidades psíquicas. Uno de estos "dones" más complejo y motivo de debate, consiste en lo que los parapsicólogos llaman percepción extrasensorial, o ESP (por las siglas en inglés: extrasensory perception). Por mucho tiempo vista por la comunidad científica como no demostrable y por la comunidad cristiana ya como superstición o ya como actividad demoníaca, esta facultad ha atraído en los últimos años más miradas por parte de la ciencia y de los cristianos. Aunque los trucos y las manifestaciones genuinas demoníacas todavía se ven como responsables para casi todo lo que hoy se llama fenómenos paranormales, un número selecto de casos en apariencia desafían ambas explicaciones.

En un esfuerzo para saber más acerca de estos casos, los investigadores en diversas instituciones prestigiosas, han promovido una serie de experimentos diseñados para dar una mirada objetiva y controlada sobre *la clarividencia* (capacidad de ver cosas u objetos distantes o escondidos), *la telepatía* (capacidad para transmitir pensamientos), la precognición (capacidad para ver sucesos futuros); y la *psicoquinesis* (capacidad para manipular objetos con la mente).[31]

En una serie de estudios controlados para analizar la clarividencia, los físicos del Instituto de Investigaciones de Stanford, Harold Puthoff y Russell Targ, suministraron a un artista de Nueva York de nombre Ingo Swann un mapa con coordenadas para diversas localidades alrededor del mundo y le pidieron describir la localización verdadera. En una de esas pruebas, Swann deliberó sobre un juego de coordenadas de latitud y longitud enviado al laboratorio vía postal por un científico muy escéptico de la Costa Oriental, y luego expuso algunas impresiones iniciales:

> Parece haber una especie de montículos o de colinas redondas. También hay una ciudad hacia el norte —puedo ver edificios más grandes y una nube de contaminación. Parece un lugar muy extraño, algo así como... una base militar. Tengo la impresión de algo subterráneo, pero no estoy seguro.

Después que Swann hizo un esquema gráfico de lo que había visto, el dibujo y la copia de su descripción se enviaron por correo que atravesó todo el país al expectante incrédulo. El conmovido científico informó en su análisis posterior que la visión de Swann era segura en todos los detalles, precisa en lo referente a dimensiones y distancias en el dibujo. El objeto blanco resultó ser una muy poco conocida área de acceso restringido para proyectiles.[32]

Al principio de la década de 1970 el productor de documentales Douchan Gersi (cuyas observaciones sobre el vudú en Haití aparecen en el capítulo 1) pasó casi dieciocho meses viviendo con los nómadas tuareg en Mali y en el sur de Algeria. Gersi pudo registrar numerosos ejemplos de telepatía y precognición que después presentó en su serie Explore en el Canal Discovery.

Una vez en el remoto Sahara, Gersi y varios compañeros en un Land Rover se cruzaron con un solitario tuareg que se sentaba a la sombra de su camello. Como el hombre estaba bastante lejos de cualquier pozo o de las rutas nómadas de comercio, el grupo se detuvo para ofrecerle té y preguntarle qué le pasaba. El tuareg respondió que esperaba a un amigo y que la cita se había fijado siete meses antes en Gao, una ciudad en Mali, algo así como seiscientas millas (960 km) de distancia. Como el día estaba para terminar, el equipo de Gersi armó su campamento con el nómada. A la mañana siguiente, cuando cargaban el Land Rover, Gersi le ofreció al tuareg algo del agua extra del equipo. El hombre expresó su gratitud pero la rehusó y les dijo que ellos la necesitarían más que él. Gersi lo miró intrigado: "Anoche —explicó el tuareg—, mi amigo me dijo que estaba a dos días de distancia y que tuvo que hacer un desvío a fin de llenar sus *guerbas* (odres de piel de cabra que se usan para llevar agua)". Todavía más perplejo, Gersi le preguntó cómo le había comunicado el amigo esta información. "Me lo dijo en la mente —respondió el tuareg—. Y de la misma manera le hice saber que lo esperaría... simplemente pensé en él con intensidad y repetí lo que quise que él supiera".

Gersi se volvió a sus compañeros y les propuso que aguardaran dos días para ver qué pasaba. Como todos estuvieron de acuerdo, el grupo descargó el Land Rover y se pusieron a esperar. Al fin del segundo día, de pronto apareció una silueta mucho más allá de las rocosas colinas. A medida que la figura se movía y se acercaba más al aislado campamento, Gersi y sus compañeros quedaron asombrados al saber que era, desde luego, el amigo a quien el tuareg esperaba.[33]

Mientras la actividad psíquica permanece misteriosa y se sospecha de ella en muchos aspectos, por lo general se considera que es menos motivo de discusión que lo que se llama "mente sobre la materia". De modo oficial se conoce como psicoquinesis y este campo también tiene sus estrellas. En la cima de toda la lista se encuentra Nina Kulagina, una rusa sencilla que fue objeto de experimentos muy rigurosos en las décadas de 1950 y 1960. Estas pruebas dirigidas por físicos soviéticos en el Instituto A.A. Utomsky, en lo que era entonces Leningrado, demostraron los extraordinarios poderes mentales de Kulagina no sólo para mover y romper una gran variedad de objetos, sino aun para separar en un huevo la clara de la yema.

Investigaciones similares se han diseñado en el PEAR (por las siglas en inglés del Princeton Engineering Anomalies Research Laboratory) en New Jersey. Después de casi quince años y de varios millones de ensayos en su programa, el doctor Robert Jahn y la psicóloga Brenda Dunne de la Universidad de Chicago, concluyeron que "la evidencia científica (sugiere) que la conciencia humana juega un papel activo, aunque pequeño, en la creación de la realidad física".[34]

Con esto hemos dado un círculo completo a la noción que Dios equipó a Adán para obrar como una genuina fuerza creativa en el universo, y que Él hizo esto, a lo menos en parte, al abrir para el hombre un vasto campo de canales naturales sensoriales con objeto de facilitarle un elevado nivel de conciencia. Basado en las Escrituras y en la observación contemporánea científica, podemos especular que Adán, en su gloria original pudo haber sido capaz de:

- ordenar un número de recuerdos virtualmente ilimitado y sin tacha;
- comunicarse con otras especies;
- ejecutar análisis instantáneos, seguros y precisos;
- procesar simultáneamente estímulos externos a través de todos o de la mayoría de sus sentidos;
- "ver" mentalmente sitios y sucesos remotos;
- transferir sus pensamientos a otras mentes sin verbalizarlos;
- manipular objetos externos con la mente; y
- teletransportarse instantáneamente a otras localidades.

Inclusive con esas dotes de superhombre, sin embargo Adán no era invulnerable a la Caída. Este varón magníficamente diseñado, pronto se volvió contra su Hacedor, conforme la historia tristemente confirma. Para detener el daño que este derrumbamiento moral trajo al mundo, Dios se vio obligado a fijar graves limitaciones al diseño original de Adán. El debate continúa sobre lo extenso de esta acción, pero como mínimo hay un hecho seguro, ningún ser humano en la historia después del Edén, jamás ha manifestado todo el juego completo de capacidades que tuvo Adán.

Esta observación hace surgir dos posibilidades: O esos dones se le quitaron a los seres humanos, en cuyo caso aparentemente las manifestaciones escasas que permanecen son atribuibles a falsificaciones satánicas; o la dotación original del hombre se ocultó en un estado durmiente en la subconsciencia, en cuyo caso necesitamos discernir si es sabio o legal tratar de activarlas.

Los afamados investigadores Willis Harman y Howard Rheingold parecen favorecer esta última hipótesis. En una revisión de estudios psíquicos llevados a cabo en el prestigioso SRI (siglas del inglés para el Stanford Research Institute), concluyen que "la capacidad de saber lo que sucede en un lugar que uno jamás ha visitado no es un talento raro sino una habilidad entrenable que está latente dentro de todos nosotros".[35]

El fallecido autor cristiano Watchman Nee adoptó una actitud semejante. Sugiere en su libro *The Latent Power of the Soul* que muchas de las capacidades originales de Adán, en lugar de desaparecer después de la Caída, se enterraron en lo profundo dentro de la subconsciencia de su mente. A medida que una generación sucedía a la anterior, "esta capacidad primordial de Adán se convirtió en una fuerza 'latente' en sus sucesores".[36] Dice Nee: "hoy la obra del diablo es agitar el alma del hombre a fin de liberar este poder latente en el interior como un engaño para el poder espiritual"[37]

Un par de mentiras en el Paraíso

Las intenciones originales de Dios para sus bien dotados amigos humanos eran tan fáciles de recordar como profundas en sus implicaciones. A medida que Adán y Eva dominaban la creación física y multiplicaban su propia especie, no tenían sino una obligación adicional: depender de su Creador en lo que respecta a sabiduría y sostenimiento.

En términos del ejercicio del dominio, los descendientes de la primera pareja lo han hecho bien. Desde el amanecer de la historia, los seres humanos han modificado, manejado, o utilizado completamente por lo menos la mitad de los ecosistemas libres de hielo de la tierra.[38] Según un informe científico de 1990, las corrientes de materiales y energía que se han movido de sus sitios primitivos (o que se han sintetizado) ahora rivalizan con las corrientes de tales materias dentro de la naturaleza misma.[39]

La humanidad también ha sido excesivamente fructífera. A pesar de las severas pérdidas causadas por el Diluvio Universal, la familia humana ha logrado crecer hasta casi seis mil millones de miembros. Además, muchos investigadores predicen confiadamente que esta cifra se doblará o hasta se triplicará antes que ias tasas de crecimiento desciendan. ¡Aun ahora la población humana crece aproximadamente en diez mil personas por hora![40]

Una desilusión muy grande ha sido el fracaso de la humanidad para encontrar sabiduría. Una generación tras otra, separada de su compañerismo vigilante, se ha visto sin esperanza de ninguna clase atrapada en la red pegajosa y dulce del pecado. En su decisión para explorar los misterios de la vida sin contar con el Creador, los supuestos amos de la tierra han venido a ser "vanos en sus imaginaciones", pues sus necios corazones se han oscurecido para la fuente verdadera de sabiduría.[41]

Esta es una tragedia que jamás se debería haber escrito. Desde el instante en que Adán respiró por primera vez, se levantó muy distinto en la creación debido a su capacidad para hacerse sabio. Esta capacidad para la sabiduría tenía sus raíces en su espíritu —la esencia profunda de un núcleo al que los hebreos llaman *ruach*. Este término, que es sinónimo con "aliento", nos recuerda que la fuerza de la vida consciente en la humanidad es producto ni más ni menos que del aliento de Dios. Con el aire divino en sus pulmones, al hombre se le equipó en una forma única y para siempre con la capacidad para comunicarse íntimamente con su Hacedor.

La intención de Dios al establecer este conducto tan especial, era asegurarse que el hombre podría siempre encontrar su sitio, ya fuese en la exploración de los misterios del universo físico o en el recorrido de las confusas vías del corazón. Mientras la criatura humana se extendiese hacia su Padre celestial, la sabiduría sería para él como un "árbol de vida" (Proverbios 3:18, RV).[42]

Como criaturas espirituales, Adán y Eva poseían no sólo capacidad para la sabiduría sino también hambre de ella —hecho evidente en la observación de Eva que el fruto prohibido era "deseable para alcanzar la sabiduría" (Génesis 3:6, RV). Cada día los finamente sintonizados sentidos de Adán y de Eva recibían información del mundo que les rodeaba y luego procesaban estos datos en preguntas. Casi todo el tiempo las respuestas llegaban fácilmente. Las que no —con frecuencia se relacionaban con el "porqué" de las cosas— se resolvían (podemos suponerlo) en su comunión espiritual diaria con Dios.

Esta disposición infortunadamente, no excluía problemas en el Paraíso. En toda parte Lucifer estaba en la creación del primer hombre y de la primera mujer, en sus observaciones del obvio afecto de Dios hacia estas criaturas formadas del polvo y esto encendió un fuego inextinguible de celos dentro de su corazón. A partir de allí sus únicos pensamientos se enfocaron en oscurecer el sueño del Creador.

Dispuesto en su amarga misión, Lucifer sabía que el único camino seguro para destruir a los seres humanos consistía en lesionar su dependencia de Dios. La pregunta era: ¿Cómo? Puesto que tenían almas, el hombre y la mujer estaban enterados de sí mismos; pero como no tenían pecado, no estaban absorbidos por el yo. Si Satanás iba a retirar a Adán y a Eva de la conciencia de Dios y llevarlos a la autoconciencia, tenía que encontrar un cebo.

Al final Lucifer ideó un plan ingenioso. En vez de negar la búsqueda de la sabiduría intuitiva en el hombre, promovió la idea de una investigación. Al apelar al hambre legítima pudo enfatizar las posibilidades más que las prohibiciones. Todo lo que necesitó para hacer su arriesgada obra era proponer una fuente alternativa de conocimiento —y un juicio creativo para lograr que Adán y Eva la persiguieran.

La Escritura no nos dice quién —si hubo alguien—, llevó a Eva al centro del Edén, pero habla de su encuentro con un árbol encantado y una serpiente con lengua de seda. Al compartir del fruto llamativo, le aseguró a Eva, que el viejo régimen de tutoría se podía reemplazar mediante la sabiduría instantánea. La decisión era de ella sola; pero si tomaba la "correcta" eso la haría más —como Dios— no menos.

Eva fue entretenida por la retórica de la serpiente por un tiempo largo y la trampa cuidadosamente concebida saltó para cerrarse con un estremecimiento cósmico. Aunque la conciencia de Eva fue desde luego inundada con conocimiento carnal, la promesa de la sabiduría instantánea vino a ser tan hueca como el propio corazón del diablo. La triste y prolongada consecuencia del asunto, Salomón la registró más tarde como una expresión moral:

> Dios hizo al hombre recto, pero ellos buscaron muchas perversiones.
>
> *Eclesiastés 7:29, (RV)*

Hay varias razones para que las palabras de la serpiente fueran tan persuasivas. A saber, la serpiente era parte del orden original y amistoso al que Adán había dado nombre. Como el pecado no había hecho su ingreso al mundo, Eva no tenía razones, por lo menos inicialmente, para entrar en sospechas.[43] También, según hemos visto, la serpiente apeló a un legítimo deseo. Como a los seres humanos se les diseñó para buscar conocimiento y sabiduría, al diablo le quedó fácil alentarlos en esta dirección. Al mismo tiempo, hizo uso astuto de los dones sensoriales que sin ninguna disminución tenían Adán y Eva. Al reconocer la habilidad de ellos para buscar la perfección ambiental, simplemente destacó las tentaciones naturales del fruto prohibido.[44] Eva tomó del fruto, pues de acuerdo con Génesis 3:6," ...el árbol era bueno para comer, y... agradable a los ojos, y árbol codiciable para alcanzar la sabiduría..."

En su núcleo el engaño del diablo se basó en un par de potentes mentiras. La primera consistió en la repetida seguridad de la serpiente a Eva: "*...no moriréis*" (Génesis 3:4, RV, énfasis del autor).

Con estas simples palabras, el diablo triunfó al ocultar no solamente el dolor físico y las descargas emocionales de las generaciones por venir sino la realidad devastadora de la muerte espiritual. Al tratar de esta manera con las preocupaciones de Eva, la serpiente siguió rápidamente con una segunda mentira cuyo objetivo era el corazón de las ambiciones de Eva. "...*seréis como Dios*", le dijo a ella, "sabiendo el bien y el mal" (Génesis 3:5 RV, énfasis del autor).

Como Eva permitió que este poderoso engaño tuviera cabida en su mente, el veneno se diseminó con rapidez. En el curso de instantes, su voluntad entró en un acto de abierta rebeldía contra el Dios del cielo.[45]

En realidad, el ropaje de la tentación que ofreció la serpiente estaba libre de amenazas. Si Eva no hubiese sido tan impulsiva, se habría dado cuenta de esto. Sólo tenía que considerar el simple hecho, como Francis Schaeffer señaló, que "el conocimiento del mal a partir de la experiencia no es lo que hace Dios a Dios " Tristemente Eva no se molestó en tales consideraciones y al final "la Caída no fue un levantamiento sino un descenso en todos los aspectos concebibles..."[46]

El árbol sagrado: Desconexión de lo divino

En el momento en que Eva permitió que el orgullo y la independencia entraran a su corazón, activó un proceso que iba a invertir el propio diseño de Dios. Sus descendientes, en lugar de experimentar fructificación del alma, cosecharían esterilidad espiritual. En lugar de ejercer dominio, serían dominados por el temor a la muerte.

Las raíces de este desastre no se encontraban en el conocimiento del bien y del mal *per se*, sino en la manera en que Adán y Eva lo habían adquirido.[47] Dios, como dador de sabiduría, pretendía que sus hijos estuviesen bien informados acerca del mal —que acechaba por todas partes— pero solamente *después* que ellos hubieran adquirido un estado de dependencia sana y práctica.

Cuando Adán y Eva comieron el fruto prohibido, sus ojos se abrieron a su propia desnudez. Al darse cuenta que habían cambiado, pensaron que lo mismo le sucedió a Dios. Aunque en las sendas del Edén todos los animales seguían siendo familiares, los amos del Huerto sufrieron una sensación desagradable que las posteriores generaciones, más experimentadas, reconocerían como los dolores del temor primario. Con empeño para esconderse de su Hacedor, se les confrontó con la pregunta de los siglos: "*¿Quién te enseñó que estabas desnudo?*" (Génesis 3:11, RV, énfasis del autor).

Por primera vez en sus vidas, Adán y Eva se preocuparon con su apariencia. El autocuidado se metamorfoseó en autoconciencia. El conocimiento prematuro del mal se convirtió en una luz interior, que los apartó de la agenda divina.

Los descendientes de Adán y Eva vinieron a estar más preocupados con el autoengrandecimiento y con la muerte —una condición que apresuró su vulnerabilidad para las mentiras originales del diablo. Desde las antiguas civilizaciones de Mesopotamia hasta las filas contemporáneas de la mal llamada Nueva Era, la historia tristemente registra los relatos de hombres y mujeres que han querido pagar casi cualquier precio por la promesa de la inmortalidad y de la divinidad interior.[48]

En tiempos más recientes, los motivos primitivos del Edén —la serpiente, la mujer y el árbol central— han resurgido en conexión con los esfuerzos para volver a hacer sagrados los aspectos femeninos de la naturaleza. Una de las personas más decididas en proponer este movimiento es la doctora Elinor Gadon, historiadora de arte que ha enseñado en la Universidad Tufts y en la Escuela de Teología de Harvard.[49]

En la primavera de 1992, tuve la oportunidad de reunirme con la doctora Gadon en un pequeño restaurante francés en uno de los suburbios del sur de Berkeley, California. Me pareció muy agradable y al mismo tiempo entusiasmada con su misión. Tenía por adorno un anillo de serpientes entrelazadas y llegó en un carro en cuyo parachoques se leía "*La diosa está viva y la magia está en movimiento*". Esperaba y conseguí una entrevista muy interesante.

Los presentes intereses de la doctora Gadon se avivaron ella me dijo, en el curso de una visita que hizo a la India en 1967. Sus comentarios sobre esta experiencia (que ofrece en su libro de 1989 *The Once and Future Goddess*) fueron particularmente reveladores.

"Sucedió en la India", explicó, que me experimenté como persona sexual, sagrada, y poderosa en una forma que no lo puede hacer ninguna mujer de Occidente. Cuando más tarde regresé a los Estados Unidos hubo una ruptura radical en mi interior. Mi ego erótico, la fuerza profunda de la vida dentro de mí, se había activado y no hubo manera de volver el genio a la botella.[50]

Por todas partes en su libro de amplia circulación, Gadon presenta las ideas de la "feminista erótica" Deena Metzger. Como Metzger lo ve, el único modo de renovar la cultura disfuncional de hoy es adoptar fundamentalmente nuevas creencias, y la mejor manera de hacer esto consiste en reinvocar a la diosa.[51] Como parte de este nuevo orden espiritual Metzger insiste "debemos comprometernos en dos herejías". La primera tarea es "volver a la misma percepción neolítica, matriarcal, pagana del Sagrado Universo en sí", y la segunda consiste en "resantificar el cuerpo". Al mismo tiempo, Metzger parece sentir la delicadeza que inevitablemente acompaña al antinatural acto de pretender engañar al Creador al perseguir la sabiduría. "Con frecuencia nos sentimos como si estuviésemos desafiando a Dios en el acto de buscar lo Divino", dice. Es un "estado de tormento" donde "nos sentimos solos, avergonzados y asombrados..."[52]

Infortunadamente Metzger como Eva antes de ella, falla en reconocer que este conflicto interior es producto de su propia rebeldía. Precisamente a esta rebeldía (y engaño) se dirige Pablo en el primer capítulo de Romanos. Aunque los miembros de la humanidad conocían a Dios, escribió, "no le glorificaron como a Dios, ni le dieron gracias..." Como consecuencia, "...se envanecieron en sus razonamientos, y su necio corazón fue entenebrecido" (versículo 21). Debido a que cambiaron la gloria divina por imágenes mortales, el Todopoderoso "... los entregó a la inmundicia en las concupiscencias de sus corazones..." (versículo 24), lo que les hizo degradar sus mentes y sus cuerpos por medio de la impureza sexual.

Al rasgar una página de las prácticas religiosas primitivas en Mesopotamia y Canaán, Metzger declara a sus lectoras: "Debemos permitirnos tiempo, pues se le necesita para restablecer la conciencia de la Prostitución Sagrada...″[53] En su prisa por abrazar esta imaginería alternativa, Metzger informa que durante una sesión de meditación guiada, la confrontó "una mujer grande y luminosa" cuyo cabello era "la misma luz". Al encontrarse cara a cara con lo que era "claramente una imagen de la diosa", Metzger murmuró: "si pudiera meterla dentro de mí, sabía que mi vida iba a cambiar. La mujer era poderosa... me atrajo hacia ella".[54]

De pie tentadoramente detrás de la mujer había un árbol, que a veces aparecía como una rama o como una columna o como un bastón con muescas. Sus raíces profundas y primarias también han venido a ser un símbolo universal de sabiduría y de inmortalidad. Desde las aldeas dyak en Malasia hasta las tierras altas de Etiopía, persiste la creencia que los primeros antepasados humanos nacieron del árbol de la vida.[55]

En otros sitios el árbol se ha convertido en sinónimo de entradas dimensionales y de centros cósmicos.[56] De interés muy particular son las inscripciones primitivas de Babilonia que declaran: "Cerca de Eridu había un huerto, donde se podía encontrar un Árbol de Vida". Plantado por los dioses y protegido por espíritus guardianes, el árbol tenía raíces que se decía se profundizaban, en tanto que sus ramas alcanzaban el firmamento. Los mitos relacionados revelan no solamente que este árbol tenía miembros de lapis lázuli y producía fruto maravilloso, sino también que todo el universo giraba alrededor de él.[57]

Siempre al acecho en la vecindad de la mujer y del árbol está la serpiente. En el plano mítico, los griegos hablaban de las manzanas de oro del Jardín de las Hespérides que colgaban de un árbol paradisiaco guardado por una temible serpiente enrollada alrededor del tronco.[58] En el mundo real, los arqueólogos han descubierto por lo menos dos sellos de Mesopotamia que ilustran escenas aun más sugestivas del relato que se lee en el Génesis. Uno de éstos, una antigua tablilla babilónica que ahora se encuentra en el Museo Británico, muestra a un hombre y a una mujer que recogen frutos de un árbol central. Detrás de la mujer se levanta erecta una serpiente, como si les brindara estímulo. En el otro sello, descubierto en el montículo Tepe Gawra, precisamente al norte de Nínive y fechado hacia el año 3500 A. C., una serpiente sigue a una pareja desnuda, abatida y desanimada.[59]

Los días de los gigantes:
La vida en el resplandor agonizante del Edén

Al contrario de las ciencias abstractas, que se construyen sobre teorías y fórmulas, la historia es esencialmente una colección fascinante de relatos. La mayoría de éstos se refieren a cosas que en realidad sucedieron. Sin embargo, en vista de su antigüedad, deben haber llegado hasta el día de hoy por medio de una cadena transgeneracional de "cuentistas".

En 1872, George Smith del Museo Británico encontró algunos de los eslabones primitivos de esta cadena, mientras dirigía una investigación en lo que ahora es el norte de Irak. Estudiaba tablillas de la biblioteca del rey asirio Asurbanipal en Nínive que eran copias de registros semejantes fechados en la primera dinastía de Ur. Curiosamente, estos mensajeros de tierra contenían referencias no solamente "al Diluvio", sino también a la "época antes del Diluvio".[60]

Aunque la mayoría de los cuentistas de la era antediluviana murieron en el Diluvio esto no quiere decir que sus historias perecieran con ellos. Se han conservado páginas ilustradas de este misterioso capítulo de la historia humana, en una variedad amplia de lugares bajo la forma de arte rupestre y de restos fosilizados. Cada uno de estos registros ofrece su propia explicación del mundo que fue —una especie de relato documental de la vida diaria en los tiempos prehistóricos.[61]

¿Qué nos dicen estos relatos? Por un aspecto, parece que, a partir de un punto estándar en el ambiente, el resplandor agonizante del Edén era todavía apto para sostener notoriamente una vida fecunda. Los restos paleontológicos de esta época revelan que palmas ondulantes, viñas y árboles frutales de noventa pies (27 m) de alto cubrían las regiones que ahora son paisajes polares y desérticos. Además, descubren que el hombre estaba unido a la tierra por animales enormes, incluso rinocerontes de diez y siete pies (5.4 m), y cocodrilos de 50 pies (15 m). Los camellos de tamaño muy grande deambulaban a través del desierto de Alaska, mientras los mamuts, las panteras, y las hienas, vagaban por los valles llenos de niebla de Europa continental.[62]

La caza también abundaba y el hombre se convirtió en cazador nómada.[63] Una de las más interesantes referencias a esto se encuentra en el relato de Nimrod que figura en Génesis 10. Aunque no aparece en la escena sino hasta después del Diluvio, su destreza física y su legendaria fama como cazador vigoroso y poderoso (versículos 8 y 9) hacen fácil asociarlo con los nefilim (gigantes) mencionados en el versículo cuatro del capítulo seis en el Libro del Génesis 6:4.[64]

Además de su imponente estatura, los hombres y las mujeres primitivos tuvieron también la bendición de notables longevidades. El historiador judío Josefo menciona el consenso entre los historiadores egipcios, caldeos, fenicios y griegos que "los antiguos vivían hasta mil años".[65] El capítulo cinco de Génesis no solamente concuerda con estos historiadores, sino también termina con la nota asombrosa que Noé engendró tres hijos después de tener más de quinientos años.[66]

Además, hay un lado oscuro en la historia antediluviana, un siniestro complot que sopla a través de las cuevas de las iniciaciones secretas, de los santuarios urbanos y de los paisajes alucinogénicos. Anidada en el corazón de este complot hay una decisión consciente, insondable, en la descendencia de Adán de abandonar el orden divino por un mundo donde la fertilidad proviene de los toros y donde la sabiduría se recibe de las bocas de aves y reptiles.

A los ancianos les tocaba, una vez que abrazaban ese punto de vista del mundo, instilar sus mitos tribales en la mente de las generaciones sucesivas. Para vencer cualquier escepticismo natural, los jóvenes iniciados se llevaban a cuevas calizas donde confrontaban lo que el paleontólogo John Pfeiffer llama arte profundo —imágenes sagradas y sugestivas de bisontes, osos, lechuzas y leones. No sólo este arte estaba en la más estricta oscurida d, sino que con mucha frecuencia era anamórfico— pinturas en las rocas, sobre protuberancias y depresiones naturales como para dar una apariencia tridimensional. El efecto era especialmente poderoso cuando se veía de modo inesperado con un ángulo y una luz correctos. Los chamanes y los líderes de la tribu sabían con exactitud cuándo y dónde encender sus antorchas de grasa animal. También sabían que sus despliegues primitivos de realidad virtual se podían ampliar por el adelantamiento (al susurrar los mitos), por efectos de sonido (tambores, cánticos) y por la desorientación (pasajes oscuros en los laberintos; alucinógenos que alteraban la mente). Con estos elementos en su sitio, las cuevas paleolíticas se transformaron en santuarios subterráneos donde se podía iniciar a los novicios en las realidades alternativas de sus ancianos.[67]

Las evidencias sugieren que el arte rupestre estaba muy difundido. Se han descubierto más de doscientas de estas cámaras ceremoniales ,solamente en Europa suroccidental donde se incluyen las cuevas de Lascaux, Altamira, y Chauvet (mapa 1). También se han encontrado en el sur de Anatolia (Kara'In), Libia (Tadrart Acacus) y en la República Checa (cueva de Pekarna).[68] También existen sitios rituales en la superficie del terreno. Entre los ejemplos más impresionantes están las galerías de los aborígenes del norte de Australia y los murales así llamados "Round Head" (Cabeza redonda) en el Sahara occidental.

Los murales Round Head se localizan en la meseta Tassili-n-Ajjer del sur de Argelia, en tierras remotas descritas por un visitante como "un paisaje de alucinación, producido por fiebres internas". Aquí, en un laberinto de desfiladeros en piedra erosionada se hallan algunos de los motivos más primitivos de chamanes en trances rituales. Uno de los juegos de pinturas ilustra la danza de figuras enmascaradas con los puños llenos de hongos alucinógenos. En otro, un estilizado sacerdote-mago tiene plantas encantadas que brotan de su cuerpo. Aunque el propósito exacto de estos exóticos frescos se desconoce con exactitud, varios eruditos que han estudiado las pinturas sobre las rocas de Tassili, creen que su situación y su estilo sugieren un papel semejante al que juegan las cuevas europeas con arte rupestre.[69]

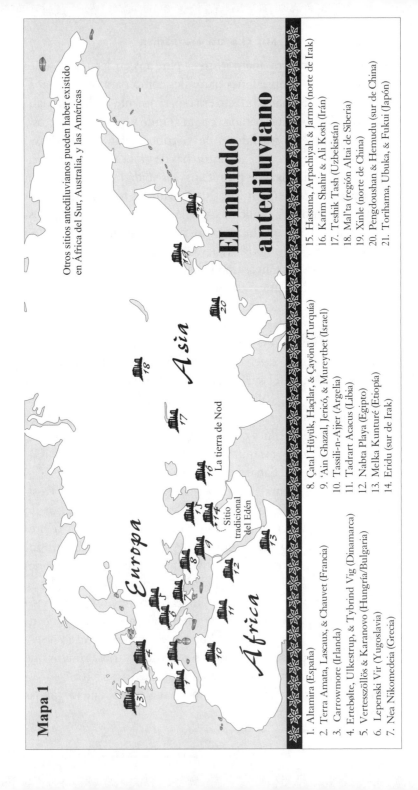

Mapa 1

Otros sitios antediluvianos pueden haber existido en África del Sur, Australia, y las Américas

EL mundo antediluviano

Europa

Asia

África

La tierra de Nod

Sitio tradicional del Edén

1. Altamira (España)
2. Terra Amata, Lascaux, & Chauvet (Francia)
3. Carrowmore (Irlanda)
4. Ertebølle, Ulkestrup, & Tybrind Vig (Dinamarca)
5. Vertesszöllös & Karanovo (Hungría/Bulgaria)
6. Lepenski Vir (Yugoslavia)
7. Nea Nikomedeia (Grecia)

8. Çatal Hüyük, Haçilar, & Çayönü (Turquía)
9. 'Ain Ghazal, Jericó, & Mureyrbet (Israel)
10. Tassili-n-Ajjer (Argelia)
11. Tadrart Acacus (Libia)
12. Nabta Playa (Egipto)
13. Melka Kunturé (Etiopía)
14. Eridu (sur de Irak)

15. Hassuna, Arpachiyah & Jarmo (norte de Irak)
16. Karim Shahir & Ali Kosh (Irán)
17. Teshik Tash (Uzbekistán)
18. Mal'ta (región Altai de Siberia)
19. Xinle (norte de China)
20. Pengdoushan & Hemudu (sur de China)
21. Torihama, Ubuka, & Fukui (Japón)

En lo que respecta a las manos que en realidad produjeron estas imágenes, los eruditos han propuesto los nombres de varias culturas prehistóricas, entre ellas la magdaleniense y la de los llamados pueblos del Caspio.[70] Otra posibilidad reside en que esos cazadores nómadas fueran sucesores de Caín. Según la Biblia, Caín salió de delante de Dios porque el suelo no le volvió a dar su fruto, y, condenado a vivir errante y extranjero (Génesis 4:12, 16), viajó primero a la tierra de Nod. Con localización al oriente del Edén, puede haber incluido moradas en cavernas como Karim Shahir al norte en los montes Zagros. Con el tiempo los nómadas cainitas presumiblemente se pudieron extender hacia el Occidente, en migraciones a través de diversas cuevas en Anatolia y en los Balcanes, en la ruta hacia su destino en África del Norte y en el suroeste de Europa.[71]

A medida que las tribus neolíticas errantes seguían su desarrollo en cifras y en conocimiento, gravitaron hacia instalaciones más permanentes.[72] En el proceso de esta evolución social, el arte ritual que se había limitado a gargantas, cuevas y cavernas se volvió a los santuarios comunales. En Lepenski Vir, antiguo centro pesquero en la hoya del río Danubio, los arqueólogos descubrieron edificios de más de cincuenta de tales santuarios. Hallazgos semejantes se han registrado en el asentamiento de Çatal Hüyük en el centro de Turquía.[73]

Los santuarios de Çatal Hüyük, como las residencias privadas, se levantaron verticalmente, en una arquitectura similar a la de los indios pueblo de Norteamérica. La entrada a las cámaras, sin puertas ni ventanas, se hacía por escaleras que bajaban desde aberturas en el techo. El interior las paredes se adornaban con imágenes pintadas y frisos de arcilla en bajo relieve. En casi todos había animales totémicos —leopardos, buitres y especialmente toros. En el centro de las habitaciones, sillas y altares con cuernos servían para recibir las ofrendas rituales de grano y de sangre. Y aunque los arqueólogos tienen dudas sobre si alguno de los habitantes de Çatal Hüyük, estimados en siete mil, estaban entre los sacrificios, no saben cómo explicar el significado de los cráneos humanos que encontraron en canastas cercanas.

Un elemento de misterio también rodea la presencia de "reclinatorios" especiales construidos en algunas de las piezas de los santuarios. Por lo menos un estudioso ha supuesto que pueden haber facilitado el empleo de sustancias psicoactivas.[74] Si esta idea es correcta, es posible que esos trances de visiones primitivas vinieran a alimentar el culto emergente de la Diosa Tierra, cuya presencia simbólica, como la del toro viril, se sentía en todos los rincones de la comunidad.

Como en Lepenski Vir, donde aparecía con rasgos mitad humanos y mitad pez, la Diosa en Çatal Hüyük era quimérica o una mezcla de especies. En un santuario su rostro y cuerpo eran felinos; en otro sus características eran tanto humanas como semejantes a aves. Muchas de las imágenes aparecen con las piernas muy separadas, para dar nacimiento a toros, carneros o leopardos, mientras en otras nacen niños.[75]

Si la Diosa precipitó o simplemente reflejó el colapso moral al que se refieren Génesis 6:5 y Romanos 1:21-32, no hay duda que sus patrones demoniacos la usaron hábilmente para erosionar y corromper las inigualables cualidades y nobleza del hombre. Al rechazar el mandato de Dios de ejercer dominio sobre la naturaleza y el reino animal, los habitantes de Çatal Hüyük —y los del resto del mundo— se encontraron inclinándose ante el "Ama de los animales".[76] A medida que la influencia de la Diosa se extendía por todo el período neolítico (entre 8000 y 3500 A. C.), decenas de miles de figuras de la Diosa inundaban Europa y el Cercano Oriente. En muchas se han visto las cabezas alargadas y los ojos de serpiente de su padre espiritual.[77]

Estos desarrollos no llevaron a una era de bienaventuranza espiritual, como muchos contemporáneos abogados de la Diosa quisieran hacernos creer, sino a una época de violencia y perversiones sexuales sin precedentes.[78] Hombres y mujeres en su convencimiento de estar poseídos por una naturaleza animal, comenzaron a actuar de acuerdo con tal convicción. Al seguir lo que Terence McKenna llama una religión "orgiástica y psicodélica", para los cultos a la Diosa en África y en Çatal Hüyük se utilizaban alucinógenos "a fin de promover una sexualidad abierta y sin restricciones".[79] En las cuevas sagradas de Europa suroccidental, los artistas primitivos pintaron decapitaciones humanas y toros que montaban a mujeres.[80]

La Biblia señala dos catalizadores primarios en la diseminación de esta maldad: la proliferación de ciudades o comunidades urbanas[81] y los no recomendables matrimonios entre los "hijos de Dios" (la línea de los setitas, descendientes de Set), y las "hijas de los hombres" (la línea de los cainitas o sucesores de Caín). La ciudad, con su doble capacidad de sostener la vida y de ofrecer un mercado de ideas, se convirtió en el nuevo Edén. Aquí los setitas por primera vez oyeron a sus muy viajeros primos los relatos cautivadores de los hongos mágicos, los templos subterráneos y hasta de una gran Diosa. Aquí también por primera vez se pusieron en contacto con la belleza seductora de las "liberadas" mujeres cainitas y, por último, ignoraron sus instintos espirituales para seguir a estas mujeres y abrazar a sus dioses. Aquí, asimismo, como sus primos antes de ellos, abandonaron la Presencia del Señor.[82]

El alcance de este éxodo abarcó tanto que, de acuerdo con Génesis 6:6, el corazón de Dios se llenó de dolor. Por todas partes la tierra estaba corrompida y llena de violencia. Las gentes ya no querían mantenerlo más en sus pensamientos. Sus corazones se inclinaban ahora sólo hacia el mal. Era una catástrofe de proporciones épicas y para detenerla, Dios no tuvo otra elección sino visitar la tierra con juicio. Cuando el tiempo finalmente llegó, sus lágrimas corrieron desde los cielos por cuarenta días y cuarenta noches.[83]

Los cambios ambientales producidos por el Diluvio fueron enormes, pero todos sus efectos no se sintieron por muchos siglos. Al haber apartado sólo una familia de las aguas del juicio, Dios concedió a sus miembros una longevidad semejante a la antediluviana para permitir el repoblamiento de la tierra. En consecuencia, las últimas restricciones sobre el curso natural del medio, no se retiraron sino hasta cuando la historia llegó a los umbrales de Babel.[84]

La Biblia marca este suceso clave con la mención de dos hermanos —a quienes se recuerda no por sus hechos, sino por los acontecimientos que se asociaron con sus días. En efecto, Génesis 10:25 nos informa que a Peleg, cuyo nombre significa "división", se le llamó así porque en su tiempo la tierra fue dividida. Y, según el Talmud judío, su hermano Joctán, derivó su nombre, "pequeño", del hecho que "la duración de la vida del hombre se acortó y se empequeñeció en su tiempo".

Estos breves pero extraordinarios resúmenes históricos nos recuerdan no sólo la capacidad de Dios para integrar sus propósitos soberanos en los procesos de la naturaleza, sino además su honda preocupación por las circunstancias que llevaron a, y que muy probablemente fueron el resultado de, las iniciativas del hombre en Babel. Si el Diluvio representó un gran golfo para dividir la historia humana, así, también, lo hizo la extraña e infame torre en la llanura de Sinar.

La Torre a través del golfo

Mientras poco se sabe de los llamados años de la recuperación entre Ararat y Babel, el Génesis señala dos hechos importantes durante este tiempo. El primero, que también se puede analizar a partir de la arqueología, consiste en que la humanidad se extendió desde una simple familia hasta una civilización desarrollada. El crecimiento de la población, sin enemigos externos, fue al mismo tiempo rápido y coherente desde el punto de vista social. Pero, asimismo, el conocimiento y el temor de Dios disminuyeron. Los hombres que una vez habían levantado altares al Señor, comenzaron en cambio a edificar monumentos para sí mismos.[85]

Esta decisión tan poco sana, se facilitó, sin duda, por la unidad lingüística de los hombres (Génesis 11:1). Las comunicaciones, después de todo, permiten la conspiración. Si este monolingüismo se derivó o no del mundo antediluviano, su presencia posterior en el Cercano Oriente se ha comprobado mediante diversas fuentes de Sumeria,[86] así como por los estudios de varios destacados lingüistas. Uno de los más conocidos el doctor Merritt Ruhlen de la Universidad Stanford, sostiene que la evidencia comparativa, por sí sola, nos lleva a la "ineludible conclusión que todos los lenguajes existentes comparten un origen común".[87]

Sin embargo, si la lengua común facilitó la infamia en Babel no fue el único factor. Una aventura de esta magnitud también necesitaba liderazgo, papel que aparentemente llenó el enigmático Nimrod. Un bisnieto de Noé, fue quizá la figura más dominante en la tierra durante la era de Babel. Dada su elevada estatura, sorprende cuán poco se haya escrito sobre él. De hecho, a no ser por el notable resumen de Génesis 10 —donde se dice que el "poderoso cazador" estableció no menos de ocho centros urbanos, donde se incluyen las grandes ciudades-estados de Babilonia y Nínive— es muy poco probable que la fama de Nimrod hubiese llegado hasta los tiempos modernos. Aunque su herencia es más fuerte en Asiria (norte de Iraq),[88] el Zohar judío revela que Nimrod en Babilonia "comenzó a adherirse a otras potestades".[89]

Si la construcción de la oscura Torre de Babel fue tan sólo una reedición a gran escala de la Caída, entonces la rebeldía fue su piedra angular. A medida que los sudorosos descendientes de Noé levantaban sus ladrillos bajo el implacable sol del Oriente Medio, su meta era tan obvia como su arquitectura: si Dios no se iba a manifestar en términos más de acuerdo con sus gustos y caprichos, entonces ellos pavimentarían su propio camino hacia la sabiduría y la estabilidad.

En lo que Francis Schaeffer llama "la primera declaración pública de humanismo", les oímos proclamar: "...*hagámonos un nombre*" (Génesis 11:4; RV, énfasis del autor). El orgullo de la autosuficiencia es inequívoco, pero no es el único motivo que obra. También expresan su preocupación de ser esparcidos por toda la tierra (verso 4).

Quizá no hay mayor temor que el de perderse o el de perder la identidad propia. Es una emoción con raíces en la autoconciencia —y la autoconciencia, como hemos visto, es una senda que retrocede hasta el Edén. Como Os Guinness observó en *The Dust of Death*:

El mismo sendero hacia la trascendencia implica cierto grado de alienación. El hombre es la única especie que experimenta la urgencia de escapar de su rango ordinario de conciencia que obviamente no le es satisfactorio; esta urgencia le da una sensación de estar encontrado consigo mismo; sentirse distinto de lo que es.[90]

El hombre es también la única criatura que posee la capacidad de conceptualizar la muerte —lo último en la pérdida de la identidad. A menos que haya hecho la paz con Dios, la angustia será la compañía natural en su alienación.[91] En tales condiciones dos cosas son de importancia grande: *compañeros de viaje* (seguridad en números) y *un método para adivinar el futuro* (seguridad en el conocimiento previo). En la paranoia colectiva que gobernó al sur de Mesopotamia, la gente satisfizo estas necesidades en la forma de un inmenso zigurat hecho de ladrillo cocido que se levantaba en espirales hasta la misma habitación de los dioses.[92]

Con los recuerdos de la edad dorada del Edén aún frescos en sus mentes, el pueblo de Babel en apariencia trataba de volver a abrir una entrada dimensional a lo divino. Como el árbol en el centro del Paraíso, el zigurat sagrado era como un eje a cuyo alrededor giraba el resto del mundo. Era el *dimgal*, o "puesto de unión", donde, de acuerdo con Geoffrey Ashe, convergían líneas espirituales de fuerza —abertura por donde "era posible el paso de una región cósmica a la otra".[93]

Igualmente sugestivos eran los nombres que se aplicaban a los santuarios en la base de esta escalera cósmica —nombres como "Casa de la Base del Cielo y la Tierra" y "Vínculo entre Cielo y Tierra".[94] (Babel mismo significaba "La Puerta de los Dioses".) El Templo en la cima de la Torre de Babel se consideraba como una estación importante en la vía para los dioses a medida que descendían del cielo a la tierra.[95]

Aunque la dualidad de la presencia divina estaba casi ciertamente estandarizada según el arquetipo edénico, donde Dios descendía de su santo monte para andar con Adán y Eva, hubo una distinción importante: en Babilonia los dioses no bajaban para andar con los seres humanos, sino para "estar" con ellos. Esta práctica sexual comprometía tanto a hombres como a mujeres y tenía lugar dentro del zigurat que coronaba el templo.[96] Además de la cópula ritual entre un rey humano deificado y la diosa Innana (un rito anual emprendido para asegurar la fertilidad del año siguiente),[97] también había sacerdotisas, conocidas como *Entu* que estaban dispuestas para la unión sexual con los dioses masculinos.[98]

Pasara lo que tuviera lugar en lo alto de la Torre de Babel o en cualquiera de sus muchas reproducciones,[99] el monte cósmico adonde iba era el dominio principal de *Enlil*, conocido popularmente como "el Señor del Aire". Los potentes vientos de Enlil cargaban la atmósfera sobre Sumer.

Luces del norte
y enjambres de tinieblas

Para concluir que algo serio se daba en Babel, sólo tenemos que notar el interés extraordinario de Dios en la situación. Según Génesis 11:5 Dios *bajó* con el propósito de efectuar una inspección personal en el sitio de la ciudad donde se edificaba la Torre.

Aunque la idolatría de los babilonios y la ambición eran profundamente perturbadoras, el foco del cuidado divino era en apariencia su unidad de propósito. "Si como un solo pueblo que habla la misma lengua han comenzado a hacer esto, entonces nada de lo que piensen hacer les será imposible". Este fue el razonamiento de Dios según Génesis 11:6.

Esa diciente observación nos recuerda el asombroso poder de la sinergia. El pecado nunca está domesticado, pero cuando se persigue como parte de una causa común sus efectos se aumentan de modo exponencial. En el caso de Babel, la unidad moral y física de estas gentes había llamado grandemente la atención en el mundo espiritual. La Llanura de Sinar, que significa "Poder extraño",[100] se cubría con un enjambre de tinieblas. A Dios no le preocupaba el diseño de la arquitectura, sino los nexos entre los hombres unidos y las huestes demoníacas que se reunían.

Para decirlo más sencillamente, los demonios se congregan donde lo hacen las personas. No hay ninguna razón para que ellos se encuentren en ninguna otra parte. Su horroroso mandato es "robar, y matar, y destruir" (Juan 10:10 RV) lo que es precioso para Dios; y conforme el Salmo 8:5-6 y Mateo 6:26 nos dicen, los seres humanos se encuentran con toda seguridad puestos en la cima de la lista de cosas valiosas de los cielos.

Las ciudades, con sus concentraciones de seres humanos, son imanes poderosos sobre todo para las potestades demoníacas, lo que ayuda a explicar por qué hay sitios con tanta frecuencia oscuros y opresivos.[101] Babel no era excepción a no ser porque sus ciudadanos representaban la población de la tierra. Dada esta única demografía, es fácil sentar la hipótesis que la ciudad y su infame Torre eran el centro de la más grande reunión demoníaca en la historia humana.

Las Escrituras hebreas, en apoyo de esta idea, hacen uso repetido idiomático del término *tsaphon* para el norte (lo que incluye a Babilonia como sinónimo).[102] Si el norte se usa estrictamente como un corte *tsaphon* significa "oculto, oscuro o sombrío". Derivado de la palabra *tsaphan*, que quiere decir "desconocido, escondido (estar encubierto) o acechar furtivamente", la idea general consiste en que el norte es una envoltura de tinieblas —una concentración de los mayores poderes del mal.[103]

Aunque hay considerable literatura apocalíptica tanto judía como de los seguidores de Zoroastro sobre el tema, la idea de un norte espiritual oscuro de ninguna manera se limita al antiguo Cercano Oriente. Los aztecas creían que cada uno de los puntos cardinales tenía una personalidad que ofrece aspectos particulares de la jornada para los hombres. El norte, sugestivamente llamado "la tierra de las serpientes en las nubes", era la dirección de la muerte y del desastre. Enfrentar al norte o ir al norte implicaba serios riegos, pues allí el alma podría perderse para siempre.[104] Para los chinos, el norte ha simbolizado por mucho tiempo el temor, el invierno y el caos primordial; los indios zuni de Nuevo México lo evitan como el "Sitio Estéril o Árido".[105]

El profeta Jeremías escribió no sólo que "el mal mira hacia abajo desde el norte" sino que también es la dirección de donde "está en marcha el destruidor de naciones" (Jeremías 6:1; 4:7).[106] Sobre quién podría ser este destruidor malvado, Daniel presenta a Antíoco IV Epifanes, perverso e inspirado por el demonio, mientras la literatura de Zoroastro ofrece a Ahriman, el mismo diablo (el hemisferio superior es el sitio de su reino infernal).[107] Agustín también vio al diablo —pero simbólicamente— en los tormentosos vientos del norte de Ezequiel 1:4: "¿Quién es ese viento norte que le salva y que dijo 'pondré mi trono y en el monte del testimonio me sentaré, a los lados del norte, y seré como el Altísimo'?"[108]

Si el norte es un plano de poder, sin embargo, también se percibe como un lugar de revelación. Los ejemplos incluyen la creencia que el dios griego Apolo bebió su sabiduría de un misterioso pueblo del norte conocido como los hiperbóreos; y la expectativa de la comunidad Qumrán que el "Intérprete de la Torah" mesiánico aparecería en Damasco, una ciudad considerada no sólo como "la Tierra del Norte" sino también como la puerta de entrada al conocimiento oculto que pasaba del Cercano Oriente a Israel y a Europa.[109] Es también digno de nota que el filósofo persa Mani recibió su llamado del "Rey de los Jardines de la Luz" mientras vivía en la ciudad de Tesifón situada en Babilonia.

Esta y otra evidencia que vincula las huestes de las tinieblas al hemisferio norte[110] nos ayuda a entender la preocupación de Dios con lo sucedido en Babel. Si no hubiese obrado según lo hizo, es posible que el poder de la visualización colectiva hubiese permitido la unión de las fuerzas demoníacas para poner en peligro la raza humana. Como lo fue, la Torre hubiese venido a convertirse en una fuente alternativa de conocimiento —un *dejà vu* edénico. Dios, que ya había pactado abstenerse de una destrucción masiva de vida, eligió tratar con la alianza impía de la humanidad por medio de la separación geográfica y lingüística. Entonces los seres humanos en lugar de ser consumidos quedarían confundidos.

Para atestiguar el éxito del plan divino, una antigua tablilla de Mesopotamia declaró:

La edificación de esta Torre ofendió a los dioses. En una noche destruyeron lo que los hombres habían construido. Fueron diseminados al exterior y su idioma se volvió extraño.[111]

Con la explosión exterior de la humanidad, nuestra búsqueda para descubrir por qué las tinieblas espirituales permanecen donde lo hacen toma un *momentum* adicional. Ahora se nos han dado varias claves valiosas. Donde se incluyen la preocupación de la humanidad con las entradas dimensionales y la especial atracción que las comunidades humanas tienen por poderes demoníacos. Para aprender cómo estas cosas nos pueden ayudar a resolver uno de los misterios más importantes del laberinto —los orígenes de las fortalezas territoriales— nuestro paso siguiente será seguir a los pueblos aborígenes de Babel a medida que emigran desde las Llanuras de Sinar.

CAPÍTULO CINCO

FUERA DE BABEL

Los pueblos estaban en movimiento mucho antes de ser concebidos el maravilloso Camino Real de los incas o la famosa Vía Apia de los romanos. Desde cansados clanes tribales que con pena marchaban a pie hasta ejércitos formados por jinetes que consumían propiedad raíz en un galope, sus metas eran sondear los límites del mundo exterior en búsqueda de pastos más verdes.

El registro de estas exploraciones primitivas es con frecuencia una mezcla exótica de hechos y fantasías. Europa zumbaba como hacia el final de los años 1700 sobre los viajes de Lemuel Gulliver —un relato que pretende describir los pueblos de tierras como Brodbingnag y Liliput hasta entonces desconocidas. Aunque se vino a saber que los *Viajes de Gulliver* en realidad eran la invención imaginaria de Jonathan Swift, muchos rehusaron abandonar la fantasía.

Pero tampoco fue Swift el proveedor de tales visiones. El geógrafo del siglo tres, Julius Solinus (apodado *Polyhistor, o "Relator* de Cuentos Variados") de rutina embellecía sus páginas con dibujos de hombres que tenían cuatro ojos o de una tribu de monopedios que usaban su único pie muy grande como parasoles a fin de protegerse del sol. Una vez más, pensadores líderes del día, como Agustín de Hipona, preferían suspender la credibilidad más que desechar una fuente potencial de conocimiento.[1] Inclusive en el día de hoy, los movimientos de los hombres de la antigüedad permanecen como una mezcla de verdad y de leyenda. Quienes procuran documentar los débiles rastros a menudo se encuentran desviados por las narraciones inventadas de religiones falsas (el Mahabharata de los hindúes y el Libro de Mormón vienen a la mente) o los señuelos teóricos de la antropología evolucionista. Los pocos que mantienen sus apoyos en el matorral de la desinformación lo hacen al tomar frecuentes lecturas a partir de la brújula que es la Biblia.

Pero el registro bíblico aunque sea confiable, es también perturbador, especialmente cuando se relaciona con los siglos que siguen a la dispersión del hombre desde Babel.[2] No sólo esta era caracteriza a los seres humanos que llegan a los límites más extremos del planeta, sino que los conecta con las fuerzas espirituales de las tinieblas que una vez cubrieron a Sinar. Saber precisamente cómo se cumplieron estos hechos es uno de los más grandes rompecabezas de la historia.

Reconstrucción del pasado

La tarea de reunir la información prehistórica no es fácil. Con eones de tiempo y un complemento total de borradores naturales a la disposición, el pasado profundo es muy efectivo en mantener sus secretos. Sin querer desviarse en estas "oscuridades de contracorrientes y abismos del tiempo",[3] muchos historiadores han elegido confinar sus investigaciones a los límites de la civilización letrada.

Desde luego, la palabra *prehistoria* no entró en los vocabularios europeos sino hasta la mitad del siglo diecinueve. Si se toma literalmente, significa "anterior al uso de la escritura", e implica que hay fuertes limitaciones sobre lo que es posible que conozcamos hoy. Como el connotado arqueólogo británico Colin Renfrew nos recuerda, sin embargo, "esto no quiere decir que tenemos que asumir ignorancia completa".[4] De hecho, el propio campo de Renfrew en la arqueología representa uno de los mejores medios de mirar hacia el interior del pasado profundo. Los pueblos son descuidados, y los despojos y restos que nuestros antepasados sembraron en las tierras que ocupaban nos pueden ofrecer valiosos informes sobre sus movimientos, hábitos y aspiraciones.

Muchos pueblos prehistóricos, al reconocer las propiedades de conservación que tienen ciertos materiales inorgánicos, buscaron amparar sus pensamientos y sensaciones imprimiéndolos en esos materiales.[5] Con el tiempo los misioneros, mercaderes y exploradores, descubrieron y trajeron a Europa estos registros esquemáticos o esculpidos. Después de muchos años de languidecer en "vitrinas de curiosidades", como propiedades privadas de personajes ricos y poderosos, eventualmente se convirtieron en las atracciones estelares de muchos museos públicos.[6]

En los años que siguieron, las tecnologías nuevas han permitido a los estudiosos recobrar miles de utensilios de todo el mundo.[7] En presencia de estos antiguos objetos y lugares, el pasado ha venido a ser más que una bodega de mitos.[8] Cada nuevo descubrimiento nos recuerda que personas verdaderas manufacturaron esos elementos que encontramos. Y aunque sus tarjetas de visita pueden haber desaparecido con el tiempo, los frágiles y con frecuencia débiles mensajes que tienen, nos pueden hablar abundantemente sobre la vida y las edades primitivas.[9]

Los huesos y ciertos utensilios no son los únicos mensajeros del pasado. De acuerdo con lingüistas como Aron Dogopolsky, mucho se puede aprender también del uso que dan los hombres a las palabras.[10] Dogopolsky dice que ha identificado o reconstruido más de mil términos prehistóricos —casi todos relacionados con temas como la caza, la anatomía de los animales, ciertas fuerzas mágicas y el pronunciar ensalmos—. Dogopolsky que nació en Rusia goza cuando habla de "mirar a través del telescopio del vocabulario" para captar una comprensión de los antiguos modos de vida.[11]

La reconstrucción de hechos prehistóricos mediante análisis lingüísticos implica muchas de las mismas habilidades detectivescas que se emplean en arqueología. Sobresaliente entre ellas son las inferencias —hipótesis lógicas que se basan en hechos conocidos.[12] Si se desarrollan correctamente, las inferencias pueden revelar detalles significativos acerca de los movimientos de los pueblos, sus actividades y relaciones. Si una comunidad en un área desprovista de tigres, por ejemplo, habla una lengua que incluye un término para este animal, podemos deducir que una vez vivió o que pasó por un hábitat de tigres o también que hizo contacto con grupos de personas que conocían los tigres.[13]

Las preciosidades del lenguaje también se pueden conservar por medio de las tradiciones orales. Como Renfrew escribe: "generalmente ahora hay acuerdo en que así precisamente se conservaron la poesía épica de Homero...lo mismo que la épica irlandesa".[14] La épica irlandesa ha pasado a través del cántico de los sacerdotes druidas en una forma muy semejante como la que utilizan los santones hindúes que han conservado los himnos védicos por muchos siglos.[15]

De hecho, casi todas las transmisiones orales de la literatura han tomado la forma de cantos interpretados por especialistas, ya sean bardos o sacerdotes. En las tierras célticas los bardos eran poetas épicos que a menudo se acompañaban con arpas. Muy entrenados en su arte, eran objetos de una estimación muy especial.[16] De hecho, sólo en la antigua África, donde los cuentistas recibían el nombre de domas (maestros del conocimiento), encontramos una reverencia semejante.[17] Como dice un proverbio local: "La boca de los viejos huele mal pero de ella salen cosas buenas y saludables".[18]

Diseminación de clanes y playas que derivan

Aunque los aviones bien pintados en el día de hoy transportan centenares de miles de pasajeros sobre los grandes mares de la tierra, los antiguos habrían encontrado tal propuesta impensable. En sus mentes, los océanos eran tan impasables como los cielos, no simplemente debido a su inconmensurable grandeza, sino porque se vaciaban en la bóveda del olvido.[19]

Con el tiempo, desde luego, se combinaron la curiosidad, el valor y la tecnología para vencer estos temores primarios. Hay evidencia que hacia el año mil doscientos A.C., los egipcios empleaban veleros fuertes para mover miles de hombres a través del Océano Índico y llevarlos a trabajar las minas de oro de África del Sur y Sumatra. Hacia el siglo octavo A.C., los marineros fenicios cruzaron el Mediterráneo abierto para establecer la colonia de Tarsis al sur de España, una ruta que mantuvieron con los barcos más grandes conocidos en el mundo semítico (uno de los cuales llevó al renuente profeta Jonás).[20] Al otro lado del globo, seiscientos años más tarde, Wu, emperador chino, condujo una gran parte de su corte en una expedición comercial transoceánica desde el norte de China hasta la costa oriental de la India.[21]

Tan impresionantes como puedan ser estos viajes primitivos, no ofrecen ninguna solución a los complicados problemas de los pueblos aborígenes. Cada vez que los exploradores náuticos llegaban a las playas de una tierra nueva, virtualmente descubrían que ya había pueblos residentes allí. La pregunta es: ¿Cómo llegaron?

Para resolver este dilema los científicos y los teólogos han sugerido dos posibilidades: la primera sostiene que al principio sólo había una gran masa de tierra —el continente de Pangaea. Esa teoría, que una vez se consideró no más digna de crédito que la del continente perdido de la Atlántida, ha recibido mucho apoyo en los últimos años.[22] Desde una perspectiva creacionista, la ruptura del supercontinente comenzó con el Diluvio[23] y alcanzó su clímax en los días de Peleg cuando "la tierra fue dividida" (o en hebreo, "canalizada" —Génesis 10:25).

No es fácil hacer un mapa de la geografía de una época antigua sobre un planeta dinámico, pero hay muy poca duda de que tal ruptura tuvo lugar.[24] Además de la armonía geológica entre varias cadenas de montañas a ambos lados del Océano Atlántico, los datos magnéticos y las imágenes de satélite del fondo del océano, revelan profundas fracturas a lo largo de las cuales los continentes se deslizaron.[25]

Una teoría alternativa sostiene que los continentes ya se habían dividido en el momento de la Gran Dispersión y que los pueblos primitivos fueron capaces de alcanzar esos hábitats tan lejanos mediante puentes de tierra en los lugares bajos.[26] Después, cuando el calentamiento global derritió vastas masas de hielo polar, estos ocupados caminos intercontinentales desaparecieron bajo los mares que se formaron.

Si los antiguos se dispersaron a través de estos caminos de corta vida o al remar en placas tectónicas como balsas a través de los reservorios de magma fundido, jamás lo sabremos.[27] Podemos afirmar con relativa seguridad, sin embargo, que los emigrantes de Babel encontraron este cataclismo geológico tan desorientador como sus lenguas confundidas. Explorar nuevos mundos es una cosa; ver que su única conexión con el pasado se hunde bajo las olas es otra muy distinta.[28]

Entre quienes sufrieron este trauma estaban los antepasados de los indios hopi y navajo que en la actualidad habitan el sudoeste de los Estados Unidos. En ambas tribus los mitos de la creación hablan de antiguas migraciones a través de cuatro mundos. Los navajos escriben poemas sobre andar la "Larga marcha", en tanto que los hopis afirman que el centro polar de la tierra se derivó del ahora desvanecido tercer mundo del hogar hopi en este cuarto mundo actual.[29]

Antes de despreciar estas afirmaciones como inventos imaginarios, es importante recordar que los mitos con frecuencia se basan en hechos o sucesos que en realidad pasaron. En el caso de los indios hopi y navajos es concebible que los mitos se refieran a jornadas largas y difíciles que sus antecesores hicieron desde Mesopotamia hasta el sudoeste de América del Norte. También es plausible que sus "cuatro mundos" correspondan a estaciones secuenciales donde establecieron sus hogares en Sinar, la región de Altai (en Siberia, donde adoptaron elementos de los chamanes), y el corredor entre Alaska y el Canadá occidental (donde hoy tienen parientes lingüísticos y genéticos) y las sagradas colinas de Arizona y Nuevo México.

En otros mitos culturales hay referencias semejantes a migraciones antiguas que se originaron en asentamientos del Cercano Oriente. Como William Howells afirma en su bien conocido texto *Mankind So Far*: "Si buscamos... aquella parte del mundo que fue la caldera de las razas, sólo podemos tener una alternativa. Todas las huellas visibles se inician en Asia".[30]

También es claro que los que hayan dejado esas huellas se movían rápido. De acuerdo con el antropólogo Randall White, una de las formas más comunes de adorno corporal en Europa prehistórica fue el collar de caninos. Sorprendentemente la misma moda estuvo en boga en la antigua Australia. ¿Una coincidencia sin importancia? Los antropólogos han aprendido que tales coincidencias son raras. Como Michael Lemonick observa en la revista *Time* "si este arte se movió alrededor del mundo lo hizo con una velocidad asombrosa".[31]

Tales observaciones, obviamente no conclusivas, prestan apoyo adicional a la idea que el mundo era todavía una masa solitaria de tierra cuando se produjo la dispersión de los seres humanos a partir de Babel. Sin tener que cruzar océanos a través de puentes de tierra, los hombres primitivos se pudieron diseminar con mucha más rapidez. Si sólo hubo una masa de terreno, el descubrimiento de ideas y modas como "coincidencias" en extremos opuestos del globo no debería sorprendernos.

La tarea de determinar las rutas de las migraciones antiguas tampoco es tan desalentadora como se esperaría. En efecto, los movimientos humanos, como los de los líquidos, tienden a tomar las líneas de menor resistencia. Mientras las montañas, los mares y los pantanos han sido obstáculos típicos que impiden la circulación de la humanidad, los valles y las llanuras suministran vías sin mayores problemas ni dificultades.

Los estudios de los lenguajes también son útiles para reconstruir las circunstancias que dirigieron la distribución actual de los pueblos del mundo. Si se parte de la teoría (llamada *monogénesis*) según la cual la humanidad inicialmente hablaba un solo idioma, lingüistas como Joseph Greenberg y Aron Dogolpolsky han hecho mapas de distintas genealogías donde se señalan los hogares originales y los secundarios.[32] Lo que es más, estos mapas recientemente han coincidido en forma dramática con el censo a nivel mundial de Luca Cavalli-Sforza sobre los diversos grupos sanguíneos[33] y con los más nuevos métodos de fechas (técnicas para determinar la edad de restos arqueológicos) de Colin Renfrew acerca de la diseminación de la agricultura.

Estos adelantos son emocionantes tanto para los científicos como para los estudiosos de la Biblia. Significan que, por primera vez, los datos de tres disciplinas distintas —lingüística, genética y arqueología— dicen más o menos la misma historia en relación con las metrópolis y migraciones primitivas.[34] Provistos con esta evidencia nueva, podemos construir un escenario mucho más completo y seguro del éxodo humano a partir de Babel.

A medida que comenzamos nuestra investigación del gran exilio, se presenta por sí mismo un hecho interesante. Cuando el hombre partió de Sinar, su salida no fue tan fluida o fragmentada como se nos ha hecho creer. En vez de dispersarse de manera inmediata sobre la faz de la tierra, los refugiados de Babilonia aparentemente se reagruparon en varios sitios secundarios de detención, de modo muy notorio en Arabia, Anatolia (Turquía oriental), y la región de Altai en Siberia (mapa 2). Además de servir como metrópolis lingüísticas y lechos de simientes espirituales, estos lugares se convirtieron en ejes directivos del tránsito.

Las Escrituras guardan silencio acerca del tamaño de esas bandas primitivas de peregrinos, pero son casi locuaces sobre los temas de quiénes eran y adónde fueron. Muchos de estos datos se encuentran en la Tabla de las Naciones que figura en Génesis 10. Aquí se nos dice con toda claridad que las tribus de los hijos de Noé, es decir, los semitas, los camitas, y los jafetitas fueron responsables de las naciones que se esparcieron en la tierra después del Diluvio —sobre todo por la vía de Babel.

Los semitas

La primera partida se dirigió al sur hacia Arabia, tierra que tiene muy poco parecido con el paisaje árido que conocemos hoy. Este fue el país de Job, cuyas memorias consideradas por muchos eruditos como el registro más antiguo de las Escrituras, hablan de montañas con cimas cubiertas de nieve, viñedos y árboles de sombra. Allí abundaban las aguas (se mencionan más de 25 veces) que nutrían a los campos dorados de grano y a una diversidad grande de animales de pastoreo.

Este sitio tan deseable se conoció como la tierra de Uz y, de acuerdo con Jeremías 25:20, al final atrajo una población de tamaño apreciable.[35] Uz figuraba entre los descendientes de Sem,[36] y la evidencia sugiere que la región sirvió como patria semítica primitiva de donde los tentáculos colonizadores se extendieron a África del Norte, el Levante y aun hacia atrás a Mesopotamia.[37] Otros sucesores de Sem aparentemente permanecieron en Sinar (donde se supone que hablaron sumerio) y en el suroeste de Persia (donde desarrollaron un lenguaje distinto, no semítico, conocido como elamita).

Los camitas

Otros emigrantes que se fueron hacia el sur ignoraron a Arabia en favor de una región más abundante que se extiende desde lo que hoy se llama Yemen (la bíblica Sabá) hasta el corazón de las montañas de Etiopía (o tierra de Cus en la Biblia).[38] Casi todos estos viajeros eran camitas,[39] un conglomerado de individuos robustos, de piel más oscura, que por último se diseminaron a través de todo el resto del continente africano.[40]

Las ramas primitivas de estas migraciones aparentemente incluyeron por lo menos dos grupos que se dirigían hacia el Oeste —los pastores del norte que condujeron sus rebaños de ganados a través de las vastas praderas del Sahara alrededor del Lago Chad y el conjunto de cazadores recolectores que iban a cosechar la abundancia de las densas selvas alrededor de la cadena Futa Jallon (Guinea) y de las colinas de Atakora (Togo). Aunque los niveles primitivos de lluvias eran suficientes para alertar a estos pastores y hacerlos construir sus casas sobre montículos como protección contra inundaciones repentinas, las sequías los obligaron a que se reagruparan a fin de movilizarse más hacia el sur.

En tanto que algunos grupos como los miembros de la cultura Kintampo en Ghana, continuaban con la cría de cabras enanas y ganado de cuernos cortos, muchos otros se volvieron hacia la agricultura.[41] Con el tiempo la domesticación del millo, el arroz y el ñame fueron suficientes no sólo para sostener los antiguos reinos de

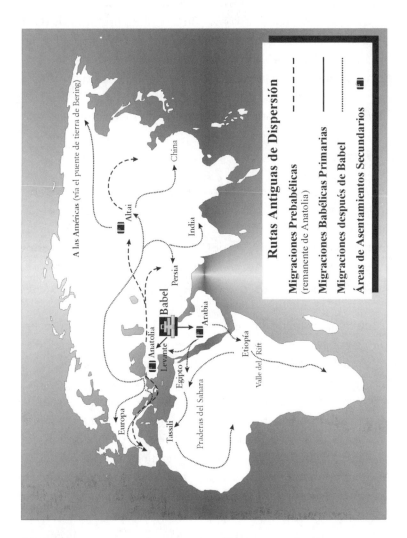

Mapa 2

Ghana, Mali, Songhay, Benin, y Asante, sino para acelerar la expansión de los llamados pueblos bantúes que en la actualidad dominan gran parte de África del Sur y África Oriental. De acuerdo con la mayoría de los estudiosos esta expansión nació en el valle de Benue, situado en la frontera entre Nigeria y Camerún, justamente al norte de la imponente selva ecuatorial lluviosa. Desde aquí la evidencia arqueológica sugiere que los proto-bantúes se dirigieron hacia el sur, a lo largo de la costa del Atlántico y, más circularmente, por la región de los Grandes Lagos de África Oriental.[42]

La vía de mayor tráfico pesado en África, puede haber sido el Valle del Rift, una amplia separación natural de cincuenta millas (80 km) de ancho que cruza el ecuador para adentrarse en Kenia, Uganda, y Tanzania. Parte del sistema afroárabe de desfiladeros que se extiende por cuatro mil millas (6.400 km) desde Israel hasta Mozambique, esta depresión ha canalizado las huellas de literalmente millones de hombres y animales durante siglos.

Alrededor de 2500 A.C., al fin de una época húmeda conocida como fase de Makalian, los antiguos clanes camitas se vertieron sobre Etiopía y las tierras altas que franquean el valle del Rift. Hasta donde sabemos, fueron los primeros seres humanos que siguieron esta vía en la época después del Diluvio. Su viaje, que precedió las migraciones de los bantúes por casi dos milenios, se halla por lo menos parcialmente documentado por utensilios y huesos que quedaron en varias cuevas.[43]

Los jafetits

Varios siglos antes, un tercer grupo principal, los jafetitas, también habían abandonado Babel. Desde sus acogedores cuarteles en la Llanura de Sinar, estas tribus se diseminaron en dirección al norte, entraron a Anatolia, donde establecieron una metrópoli lingüística,[44] y desde aquí hasta los más apartados parajes del Hemisferio Norte. Su paso, según casi todos los cálculos, fue veloz. En el curso de un solo milenio establecieron su presencia en sitios como Italia, Armenia y el occidente de China.[45]

A partir de Anatolia, las rutas de partida de los jafetitas tenían dos direcciones: al occidente a través de los Balcanes, hacia Europa, y hacia el Oriente a través de las estepas rusas para entrar a Asia. Los que siguieron el primer curso eran, en las palabras de Renfrew: "granjeros inmigrantes" que llevaron sus granos de cereal y sus animales domesticados a través del mar Egeo hasta Grecia. Al viajar entre los años 4000 y 3000 A.C, (datos que no son de Renfrew), representaban los antepasados lingüísticos tanto de los hititas de Anatolia como de los micenos de Grecia. Las evidencias señalan que estos granjeros se movieron desde las ricas tierras campesinas de Grecia continental en dirección oeste a través del mar Adriático a Italia, de donde siguieron a Francia y España, y en dirección norte hacia los Balcanes. La última vía, la más bien trajinada de las dos, también se bifurcó. La rama occidental se dirigió al centro de Europa, donde al final emergerían los idiomas célticos y germánicos, mientras la rama oriental se fue hacia las tierras eslavas de Europa Oriental.[46]

Vale la pena seguir un poco más a los orientales, pues, según confirman excavaciones arqueológicas recientes, no todos se demoraron para explotar el suelo fértil del sur de Ucrania. En cambio, muchos de estos primitivos hablantes indoeuropeos siguieron al oriente hasta llegar a las estepas de Altai y del sur de Siberia. Aquí florecieron durante muchos siglos, y quizá hasta por varios milenios, en la así llamada cultura Andronovo.[47]

Mientras tanto, sin embargo, se fueron diferenciando.[48] Un grupo grande se orientó hacia Persia para venir a ser los indoiraníes. Otro grupo, los arios, avanzaron en el valle del Indo donde se superpusieron a los miembros de piel más oscura de civilizaciones más antiguas en Mohenjo-daro y en Harappa. Con un idioma que evolucionó en el sánscrito, los arios produjeron un libro sagrado, el Rig-Veda —que en la actualidad es el sobreviviente más antiguo de la literatura indoeuropea. Entre tanto, sus sucesores se expandieron en el subcontinente del sur de Asia para dar origen a la India de la historia y tradición hindúes.

La evidencia también parece vincular los indoeuropeos con China oriental, específicamente el territorio en la Provincia de Xinjiang (Sinkiang). Por muchos siglos esta árida extensión situada entre Mongolia y Tibet sólo tuvo un motivo para ser famosa: hospedaba algunas de las estaciones finales de la Ruta de la Seda. En una época esos oasis, sobre todo Kucha, Khotan, Turfan, y Tun-huang sostenían pueblos vigorosos —pueblos que hoy, muy literalmente, están oscurecidos por las arenas de los tiempos.

En esta región que Colin Renfrew describe como "una de las áreas menos investigadas del mundo", se aventuraba en 1907 Aurel Stein, húngaro de nacimiento. Un día, al explorar las ahora famosas "Cuevas de los Mil Budas", Stein consiguió una extraordinaria cantidad de información en el sitio donde se hospedaba el cuidador taoísta, Wang Tao-Shi. En efecto, siete años antes, mientras limpiaba las obras de arte religioso en la pared de una de las cuevas, Wang había visto una grieta en el yeso. Quedó asombrado al encontrar, tras un examen atento, que se trataba de la entrada a una cámara secreta donde había una gran colección de documentos antiguos.

Stein al reconocer la magnitud del hallazgo, convenció al sacerdote para que volviera a abrir la cámara y para que le vendiera parte de la biblioteca.[49] Más tarde, cuando éstos y otros documentos se estudiaron en Europa, los eruditos se sorprendieron al ver que varios estaban escritos en un lenguaje desconocido, aunque era uno que empleaba un alfabeto del norte de la India.[50] A este idioma se le llamó Tocharian y más tarde se le asoció con un pueblo indoeuropeo que los chinos identificaron como los Yü-chi.[51]

Más recientemente, los investigadores han desenterrado centenares de momias caucásicas en Xinjiang; algunas se remontan hasta el año 2000 A.C. La evidencia primaria sugiere que son de los jinetes Yü-chi (o pueblo de Andronovo) a los que se refieren registros chinos primitivos.[52] Así, pues, a los estudiosos modernos les obsequiaron verdaderamente una extraordinaria ventana al pasado y una oportunidad para observar el rostro de una cultura antigua ya extinguida.[53]

Quienes hayan sido los miembros de ese pueblo, sirven para recordarnos, como mínimo por el momento, de otro misterio asiático aún sin resolver. Según la evidencia que consideraremos en un momento, es claro que la cultura de Andronovo entró en contacto con tribus que tenían elementos de chamanes y que la habían precedido en el Altai de Siberia. También es claro que ninguna de estas tribus hablaban lenguajes indoeuropeos.

Las preguntas abundan. Si hubo pueblos aborígenes que vagaban por Altai, ¿quiénes eran? ¿Cómo llegaron allí? ¿Cuándo? Si la identidad y la historia de un oscuro grupo de gentes dedicadas al animismo fuese lo único de importancia, podríamos tener la tentación de desechar tales interrogantes como algo de interés académico. Pero el asunto es considerablemente de mayor valor, pues en esos pueblos altaicos, algunos sugieren, que podemos encontrar las raíces lingüísticas y espirituales de las grandes culturas de China, Mongolia, Corea, Japón , y Tibet.[54]

Felizmente, la explicación de los orígenes de estos pueblos del norte de Asia, se encuentra al alcance de la mano. Y si nuestra teoría es correcta, las claves yacen no en algún descubrimiento arqueológico, sino en una oscura familia de lenguajes y en una reevaluación de los primeros ocho versículos de Génesis 11.

La familia de las lenguas dene-caucásicas, descubierta por los lingüistas en la década de 1980, ofrece algunos retos interesantes. Además del hecho que los miembros de esta familia están dispersos en sitios ampliamente aislados entre sí (mapa 3), los dene-caucásicos también ofrecen cognados más débiles (cognados son términos que se relacionan con palabras en otros idiomas) que la mayoría de los grupos de lenguas. Además, como Ruhlen indica en *The Origin of Language*: "La familia como un todo falla en aparecer como una unidad cohesiva en el árbol genético de Cavalli-Sforza para las poblaciones del mundo".[55] En resumen, las lenguas dene-caucásicas, a diferencia de cualquiera otra familia de lenguas, parece ser una colcha de retazos inventados a partir de restos lingüísticos.

Mapa 3

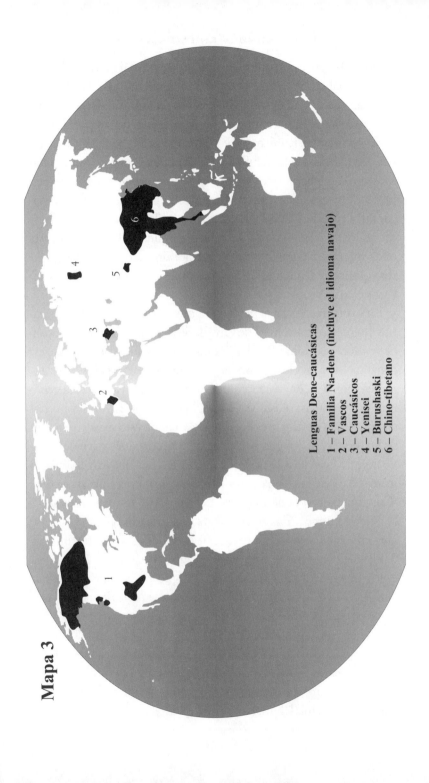

Lenguas Dene-caucásicas

1 – Familia Na-dene (incluye el idioma navajo)
2 – Vascos
3 – Caucásicos
4 – Yenisei
5 – Burushaski
6 – Chino-tibetano

Sin embargo, este análisis es prematuro. No sólo hay explicaciones razonables para los desperfectos aparentes de las lenguas dene-caucásicas, pues estas explicaciones recorren un largo camino para resolver el misterio que rodea los orígenes de los pueblos con los que se asocian. Ruhlen, sostiene, por ejemplo, que las localizaciones discontinuas de las familias dene-caucásicas "sugieren que tratamos con dos migraciones separadas". En la primera, los hablantes proto-dene-caucásicos primitivos se diseminaron de un antiguo hogar en el Oriente Medio para establecer enclaves en Europa, el Cercano Oriente y en el norte de Asia. En alguna fecha posterior, esta onda migratoria inicial fue superada por una expansión más poderosa que incluyó pueblos que hablaban varios lenguajes urálicos, altaicos e indoeuropeos.[56]

En lo que respecta a la razón para que fallara el censo de los grupos sanguíneos mundiales de Cavalli-Sforza en dar una clasificación dene-caucásica única, Ruhlen indica la posibilidad de una mezcla genética.[57] Dados el tiempo y la proximidad, los pueblos con diferentes lenguajes, de manera inevitable desarrollan afinidades genéticas más cercanas con sus vecinos de lo que lo hacen con sus primos ancestrales en otras partes del mundo. Cuando esto sucede, el análisis lingüístico, no los genes, conserva un cuadro más claro del estado inicial. Cuando se le preguntó a Ruhlen por qué los idiomas no se mezclan en la forma como lo hacen los seres humanos, dijo: "Creo que la respuesta es obvia. Los lenguajes no tienen sexo".[58]

Todavía nos queda, sin embargo, una pregunta final: ¿Cómo se abrieron camino hacia Europa y al norte de Asia los pueblos de habla deno-caucásica antes de la gran explosión de Babel? Una teoría prometedora indica que un antiguo remanente puede haber permanecido en Anatolia en una época en que de acuerdo con Génesis 11:2, la gran mayoría de los descendientes de Noé "salieron de oriente..." a la tierra de Sinar "...y se establecieron allí".

Aunque todos suponemos que la especie humana entera estaba presente en Babel, la Biblia en Génesis 11:1-9, no lo dice así. Lo único seguro en este pasaje es: primero, que todo el mundo hablaba la misma lengua; segundo, que los actos de los babelitas movieron a Dios a confundir su lengua; tercero, que los pueblos se esparcieron ampliamente a partir de Babel. Si igualamos el remanente de Anatolia con los proto-deno-caucásicos, podemos deducir como hipótesis que en algún momento previo a 3500 A.C., iniciaron un viaje migratorio que los llevó al norte de Asia, al Cáucaso y a Europa (como los antecesores de los vascos).

Miradas hacia atrás: Anhelo de la Edad Dorada

Aunque el juicio de Dios sobre el pueblo de Babel implicó (por así decir) reinstalar de nuevo sus cortezas cerebrales, la percepción de las lenguas confundidas se limitó a las consecuencias sociales. La absorción instantánea de otro idioma fresco y reciente hubo de seguir el proceso convencional de aprendizaje, que estimula un darse cuenta de cambios internos. Al percibir que su propia habla era lo que siempre había sido, sólo podían suponer que el repentino fracaso en las comunicaciones era de alguna manera culpa de sus vecinos, recién hechizados.

Virtualmente en cada sector a través de toda Babel, la unidad y la precisión de estilo militar que habían facilitado los logros arquitecturales de la ciudad, se evaporaron. Las órdenes se gritaban, pero no se entendían. El temor y el caos danzaban en las calles como bufones locos.

El bloqueo de la ciudad, sin embargo, tuvo su fin. Como hormigas que se mueven de un nido perturbado, los babelitas que partían eventualmente se alinearon con los de su clase. Hasta donde era posible ver, sus caravanas ondulantes se extendían a través de las ricas praderas de la llanura de Sinar. Destinados a un futuro incierto y todavía adheridos a sus sueños de una escala celestial, con certeza muchos se quebrantaron y lloraron. Otros, que prefiguraban la acción de la esposa de Lot, echaban miradas hacia atrás hasta que el horizonte que se retiraba se desvaneció con lo que quedaba de su ilusoria Torre de Babel.

En las centurias que siguieron los descendientes de estos emigrantes primitivos se extendieron hasta los confines del mundo. Y mientras los recuerdos de Sinar y aun los de Edén viajaban con ellos, tendían a desvanecerse entre más lejos se apartaban de la tierra de sus orígenes. Para preservar su conexión con el pasado, muchos pueblos aborígenes desarrollaron una colección núcleo de mitos que se podían pasar convenientemente a las generaciones sucesivas. Mezcla de historia de hechos y de imaginaciones humanas,[59] estos mitos estaban atados por dos temas estrechamente relacionados: la Edad dorada y la Antigua Sabiduría.

Para los pueblos primitivos de la tierra, la Edad dorada habla de un paraíso perdido, o por lo menos de una época en que la vida fue mejor y más luminosa. Los elementos vívidos y recurrentes de este mundo incluyeron alturas sagradas, árboles de vida, animales sensitivos, y compañerismo con deidades benévolas y dispensadoras de sabiduría.[60] La Antigua Sabiduría era simplemente una variante con un desvío de énfasis: el "qué" más que el "cuándo" del asunto. Según las palabras de Geoffrey Ashe: "Las deidades benignas o 'sabios' conocían y sabían muchas cosas más que los seres humanos ordinarios ignoraban; y, una vez iluminados, los ayudaban". Infortunadamente, "la iluminación se desvaneció con la partida de los maestros de la Antigua Sabiduría".

Recobrar el poder, la sabiduría, la felicidad de esta extraordinaria época, pronto vino a ser la pasión devoradora de un grupo élite de sacerdotes-magos conocidos como chamanes. No contentos con simplemente mantener (o hacer) los mitos, estos intermediarios espirituales comenzaron a tomar medidas activas —y peligrosas— para restablecer el contacto con dioses y espíritus.[61]

Mientras la actividad chamánica florecía por casi todo el norte de Eurasia, hay evidencia que existió un centro particularmente importante en el Altai de la región Baikal al sudoeste de Siberia. En Mal'ta, una población pequeña localizada como a 55 millas (88.5 km) del Lago Baikal, los arqueólogos rusos han descubierto una impresionante colección de figuritas de la diosa, imágenes de serpientes y espirales con siete círculos. Aquí no sólo se practicaba el animismo chamánico, sino también se definía y se exportaba. Aquí, como Ashe insiste con todo énfasis: "algo comenzó".[62]

Un dolor común: De los traumas a los pactos

Las experiencias de las tribus salientes de Babel fueron tan diversas como sus lenguajes y sus destinos. Pero un examen cuidadoso de la historia revela por lo menos un común denominador importante. En un punto o en otro de su larga marcha, cada uno de estos pueblos antiguos encontró alguna forma de *trauma colectivo*.

Sin tener en cuenta si el enemigo produjo estas circunstancias o si simplemente se aprovechó de ellas, su efecto le suministró una entrada directa en la psiquis de estas personas. Fue un juego perfecto de hechos. No sólo el trauma provocó una discusión abierta de los poderes sobrenaturales; también movió a las almas confundidas a invocar esos poderes.

Al posar como deidades de la Edad dorada capaces de liberar a la comunidad de su prueba (juicio de Dios), los agentes demoniacos tentaron a una población general desesperada a someterse a pactos *quid pro quo* a largo plazo. El trato era simple. En cambio de una alianza que se pactaba con esos demonios disfrazados, la comunidad recibiría alivio inmediato del trauma, así como restauración de acceso al poder, a la sabiduría y a las deidades de sus antepasados.

En lo que respecta a la naturaleza o fuente de los traumas que precipitaron estos pactos, la historia registra por lo menos cinco fenómenos notables:

1. Barreras naturales intimidatorias
2. Desastres naturales y climáticos
3. Enfermedad y epidemias
4. Hambrunas y ruinas ambientales
5. Guerras e incursiones.[63]

Barreras naturales intimidatorias

En los años que siguieron al violento trastorno del Diluvio, hubo una actividad geológica continua y significativa en la tierra a medida que el planeta buscó volver a su equilibrio.[64] Una parte importante de esta actividad (como he sugerido) fue la probable ruptura del supercontinente Pangaea, un proceso indescriptiblemente poderoso que produjo montañas, islas y continentes nuevos. Los viajeros de ojos desorbitados que atravesaban estos terrenos, procuraban aplacar su temor al invocar y adherirse a los espíritus que ellos creían que controlaban esas fuerzas vastas y poderosas.

Las tradiciones orales cuentan numerosos ejemplos, incluso después de la gran Dispersión, en que los ancianos de las tribus buscaban el paso de sus fatigados clanes al pie de barreras naturales intimidatorias: montañas inaccesibles, desiertos ardientes y selvas profundas. La desorientación y la muerte, sobre todo entre los niños y los ancianos, eran comunes. En contadas ocasiones —como cuando los hijos de los hebreos estuvieron de pie ante el Mar Rojo— el estrés aumentó por el hecho que esos obstáculos físicos bloqueaban los únicos medios de escape de las amenazas humanas inminentes.

Desastres naturales y climáticos

Los desastres naturales se han ensañado en los seres humanos y en sus hábitats con regularidad atormentadora.[65] Diversos y mortíferos, sus legados incluyen todo, desde ríos de sal hirviente que una vez corrieron a través del antiguo Irán, hasta un terremoto del siglo dieciséis que causó la muerte de casi 830.000 personas en Shenshi, Provincia de China.[66]

Las características más pavorosas de la naturaleza, con más frecuencia se perciben en las tormentas (sobre la faz de la tierra, por lo menos hay mil ochocientas en cualquier momento).[67] Los seres humanos al encontrarse con los truenos, con las celliscas del invierno que congelan el aliento y hasta los huesos, y con los primitivos y abrumadores sonidos de los tornados o del tifón, han aprendido a temer y a personificar las potestades del aire.

Pero a pesar del drama y de lo inmediato de las tempestades, casi todos los traumas relacionados con el tiempo atmosférico se derivan históricamente de cambios climáticos a largo plazo que afectan la agricultura.[68] Siempre que se elimina o se interrumpe el cultivo de cosechas principales, vienen con rapidez alteraciones serias, cambios poblacionales y muertes.

Hace poco Hideo Suzuki, geógrafo de la Universidad de Tokio, comenzó a preguntarse si los patrones de cambios climáticos tenían algo que ver con el hecho que, hace cinco mil años, las civilizaciones principales se desarrollaron, y desaparecieron rápidamente en los valles de los ríos Tigris-Éufrates, Nilo, Indo, y Amarillo. ¿Por qué —se interrogaba—, se desarrollaron en ese tiempo particular y por qué en esos sitios particulares? En sus estudios e investigaciones, Suzuki notó que en ese momento preciso de la historia, el Período Hipsotérmico —donde prevalecían las temperaturas más altas, junto con una pista más dirigida hacia el norte para los vientos del oeste— comenzó a desvanecerse. Como impacto práctico de este cambio, observó que el área verde que se extendía desde el Sahara, atravesaba Arabia y llegaba hasta la parte noroeste de la India, comenzó a secarse. Las tierras cultivadas gradualmente cedían ante la desertificación y los cultivadores se vieron obligados a buscar refugio en los valles de los grandes ríos.[69]

A medida que los refugiados inundaban estos valles, los habitantes originales los usaron como obra de mano barata o como esclavos. De repente los utensilios, las viviendas y las cosechas se produjeron en cantidades mayores y en tamaños más grandes que antes. Parece que la civilización "nació". Pero mientras la historia ha celebrado este período como una piedra angular en el desarrollo de la humanidad, también se debe considerar como una época de profunda dureza. Para muchos pueblos que vivían en barracas de escuálidos esclavos o en ghettos de inmigrantes, las noches deben haberse llenado con lágrimas sobre las tierras, las vidas y las libertades perdidas.[70]

Enfermedad y epidemias

Otra fuente de traumas en la experiencia de los hombres han sido las manos de la enfermedad y las epidemias. Estas pérdidas masivas de vidas hicieron su primera aparición en la historia cuando los pueblos se establecieron mediante permanencias prolongadas en sitios aislados. Los problemas iniciales se originaron a partir de invasiones parasitarias asociadas con el aumento de contacto con los desechos humanos y la contaminación de las fuentes de agua. Más tarde la aglomeración de las gentes hizo vulnerables las comunidades a enfermedades infecciosas que se extienden por medios como los estornudos y la actividad sexual.[71]

Los babilonios, los arios, los griegos, los egipcios, todos temían a los dioses de las epidemias —lo que era muy comprensible. Además de las aflicciones divinas mencionadas en Éxodo 7-11, Egipto se enfrentó a un asalto de peste bubónica que duró dos años en el siglo catorce, y costó la vida a uno de cada tres egipcios.[72] Las epidemias en Roma que vinieron como olas sucesivas desde alrededor del año 387 A.C., fueron igualmente devastadoras. Hubo dos plagas particularmente severas, cada una de tres lustros de duración, registradas en los años 165 y 251 A.D. La primera consumió una tercera parte de los habitantes en los lugares afectados; la segunda en su apogeo tomó cinco mil vidas *por día.*[73]

La infame Peste (Plaga Negra) que visitó a Europa por cuatro años a mediados del siglo catorce, produjo 75 millones de muertes y se convirtió en la más grande catástrofe (superada sólo por el Diluvio) en la historia humana. En un intento por describir los horrores de una epidemia secundaria en el siglo diecisiete en Londres, el comediógrafo y poeta inglés Thomas Dekker escribió sobre "Los gemidos en alta voz que emitían los enfermos, y los dolores de las almas al partir". La escala de la muerte fue masiva: "Centenares de tumbas se abrían y en cada una de ellas se depositaron de diez a once cadáveres". Al final del día, el número de cuerpos en cada tumba podría ser de sesenta.[74]

Entre 1200 y 1393, A.D., la población de China virtualmente se redujo a la mitad, pues declinó desde 123 millones hasta cerca de 65 millones.[75] Una vez más la plaga negra o peste, junto con la guerra se consideró sospechosa de ser un factor principal. Los registros chinos que muestran un pico muy notorio en este período traumático, revelan que una simple epidemia en la Provincia de Hopei mató una cifra cercana a noventa por ciento de los habitantes.[76]

Hambrunas y ruina ambiental

Uno de los primeros ejemplos de una civilización diezmada por la hambruna y la ruina ambiental[77] se encuentra en el Valle del río Indo donde el hidrólogo Robert Raikes sugiere que la cultura Harappa "se terminó por la destrucción de sus campos y asentamientos debida a las inundaciones" —inundaciones que fueron "producidas por mayores derivaciones de la corteza terrestre cerca de la boca del río Indo".[78]

La dinastía III de Ur que floreció en el sur de Mesopotamia alrededor del 2100 A.C., fue diezmada por un problema igualmente traumático. A medida que el suelo se hizo más salino, la agricultura derivó del trigo al centeno que es más tolerante a la sal. Cuando no hubo más centeno, la sociedad dependió de las importaciones de grano antes de colapsarse bajo la carga de la sobrepoblación (y los asaltos de los vecinos elamitas). Uno de los últimos registros escritos de Ur es un quejumbroso mensaje del rey Ibbi-sin a uno de sus funcionarios en el norte de Babilonia :"¿Dónde está mi cargamento de grano?"[79]

Aunque la salinización también fue como un ensalmo de maldición para los indios hohokam que vivían en el área que ahora ocupa la ciudad de Phoenix, casi todas las culturas americanas primitivas sufrieron otras crisis ambientales. En el cercano Cañón Chaco, la gran civilización Anasazi aparentemente sufrió su pérdida cuando una tala excesiva de árboles llevó al detrimento del suelo fértil.[80] El mismo problema puede haber aparecido en los mayas y en otras culturas centroamericanas, incluso el "Pueblo sin Ningún Nombre", que por cerca de seiscientos años vivió a lo largo de la costa sur de Guatemala. Contemporáneos de los mayas y de la cultura de Teotihuacán aparentemente salieron no se sabe de dónde, y luego, repentinamente también desaparecieron.[81]

Guerras e incursiones

Quizás los traumas más devastadores son los que los hombres traen sobre sus compañeros con maldad y sobre seguro. Al contrario de los peligros de la naturaleza y de los dioses, la violencia que se origina en los seres humanos es al mismo tiempo inminente y caníbal —un mal perpetrado contra nosotros por quienes pertenecen a nuestra propia clase.

En el curso de los años las sociedades han desarrollado una tendencia muy marcada para medir las semejanzas y descartar las "impurezas" (la gente que no es "como nosotros") —una práctica que surgió primero con la confusión de las lenguas en Babel. Al encontrarse los vecinos incapaces de comunicarse entre sí, repentinamente se volvieron extraños, lo común y corriente de sus vidas reducido a una gesticulación torpe. Con el tiempo, e inevitablemente, esto condujo a la alienación; y cuando se produjo, Babel se convirtió en el área de cultivo para todas las guerras que a partir de allí se iniciarían en toda la humanidad.

Desde las primitivas incursiones de los elamitas, los gutianos y los amorreos sobre las ciudades-estado de Sumeria, hasta los fieros ataques de los mongoles en el siglo trece, las sangrientas invasiones militares han precipitado muchos tratos desesperados con el espíritu del mundo. El despiadado y cruel Genghis Khan se ufanaba una vez: "El gozo más grande es derrotar a tus enemigos y cazarlos delante de ti, despojarlos de sus riquezas y ver a sus seres queridos bañados en lágrimas y sangre". El resto del mundo temblaba ante tales palabras porque sus hechos le daban completo crédito. Cuando sus hordas saquearon Pekín el saqueo y la rapiña continuaron sin control durante todo un mes. Muchas jovencitas se arrojaban por los muros de la ciudad. "El suelo", escribió un testigo, "estaba resbaladizo con la grasa de los hombres, y en la puerta de la ciudad yacía una pila de huesos humanos"[82]

De acuerdo con el bien conocido experto en traumas Kai Erikson, la experiencia traumática es tanto extraña como perversa y ruin:

> Te invade, te posee, te vence... se convierte en una característica dominante de tu paisaje interior y en el proceso amenaza con drenarte y dejarte vacío.

En lo que respecta a esta fuerza debilitadora que viene, Erickson dice:

> Puede resultar de una exposición sostenida a la batalla así como de un momento de choque que te deja sin sentido, de un cuadro continuo de maltrato, lo mismo que un simple asalto repentino, de un período de atenuación y erosión severa, así como de fugaz relámpago de temor. Los efectos son los mismos.[83]

Erikson también acentúa la dimensión social del trauma. "La textura de la comunidad", insiste, "se puede lesionar mucho de la misma manera como pasa con los tejidos de la mente y del cuerpo". La pérdida repentina de instituciones familiares donde se ha recibido nutrición, por ejemplo, puede destruir el sentido de identidad de una comunidad. Al mismo tiempo, "las heridas traumáticas que se aplican a los individuos pueden... combinarse para crear un modo, un ethos —casi una cultura de grupo— que es distinta de (y más que) la suma de las heridas privadas que causa".[84] Ya sea de una u otra forma, el trauma cambia a la colectividad.

También hay evidencia que sugiere que la disfunción severa y compleja psicológica se relaciona directamente con la frecuencia y longitud de la exposición al trauma que sufre una persona o la comunidad.[85] Mientras los individuos, particularmente los niños maltratados, tienden a superar su dolor y sufrimiento por medio de la promiscuidad sexual o con un desorden de personalidad múltiple, las comunidades se inclinan más a volverse hacia alguna forma de idolatría.[86] En ambos casos la regla es la misma: *Entre más traumática la circunstancia, es más grande el número de "salvadores" solicitados.*

En ninguna parte esta regla es más evidente que en la India, una tierra donde los dioses y sus santuarios son la única comodidad en suministro mayor que el sufrimiento. En un día determinado de esta nación pesadamente cargada, millones de peregrinos hacen de eso su meta primaria para asegurar la intercesión de una enorme mezcla de seres sobrehumanos. Tan profunda es la desesperación que aparentemente no les parece importar que estas deidades figuren con brazos como una araña o con cabezas de elefantes o de monos. Habiendo aprendido el "precio de compra" de sus campeones, se acercan a sus santuarios completamente listos para ofrecer cualesquiera sacrificios recíprocos o votos recíprocos que sean necesarios para obtener alivio.[87]

Antiguos tapetes de bienvenida

No podemos reconstruir los detalles de todo pacto que haya dado la bienvenida a las fuerzas demoníacas dentro de la comunidad humana, pero esto no significa que esos contratos sean especulativos. En muchos ejemplos existe una documentación de calidad —y cuando se examina la evidencia, emerge un patrón consistente que se impone.

Lo que vemos es esto: Después de un trato inicial, casi siempre bajo circunstancias de dureza los demonios proceden a demostrarse suministrando a la comunidad o al individuo cierta medida de alivio para los traumas. En algunas situaciones el alivio es real, en otras es simplemente un placebo que se reparte astutamente. Ya sea real o imaginario, sin embargo, el comienzo de la recuperación señala que es tiempo para pagar la deuda.

Casi comúnmente, los servicios por la deuda en tales pactos se cumplen mediante alguna forma de tributo ritual o de alianza pública —y los "intereses" pueden ser brutales. A quienes fracasan en leer la multa del contrato que aparece impresa en el frente, con frecuencia se les hace sufrir para que aprendan que se han comprometido a arreglos a largo plazo y radicalmente a un solo lado. Cuando esta realidad se hunde, vienen a ser prisioneros del temor y de la desesperación. Si fallan en su parte del trato, arriesgan a invitar una recurrencia del trauma original. Si honran el pacto, permanecen sujetos al temor y al temperamento caprichoso de su amo nuevo.

En las páginas que siguen procuraremos dar una breve mirada a varios ejemplo de la vida real de la humanidad donde se establecen las relaciones con espíritus territoriales. Sacados de cuatro hemisferios y de cinco mil años, su testimonio común ofrece una clara evidencia de los vínculos entre el trauma y el hecho de hacer pactos espirituales.

La gran sequía del Sahara

Cuando una antigua derivación en los vientos ecuatoriales del oeste comenzó a secar el abundante Sahara, los habitantes perturbados se volvieron primero a diversos dioses y diosas de la fertilidad y luego a los cultos solares. En Acacus, Libia, y en Wadi Djerat en el Tassili, las antiguas pinturas en las rocas muestran hombres enmascarados con falos gigantes erectos, listos para copular con mujeres. Se creyó que esta cópula ritual, junto con la danza, podría forjar un vínculo entre la comunidad y cualesquiera fuerzas invisibles responsables por el sostenimiento de la vida.[88]

Eventualmente, sin embargo, las tribus del Sahara se vieron obligadas a retirarse en gran escala. Muchas se dirigieron hacia el sur para entrar en el Sahel, mientras otras se diseminaron por el valle del río Nilo. A medida que la sequía agobiaba a los lagos, la vegetación y a los animales, los dioses que se asociaban con estos elementos sostenedores de la vida también desaparecieron, al final, el sol era lo único visible —una esfera cegadora de fuego que viajaba constantemente de un horizonte a otro.[89]

Para las tribus aborígenes de Egipto oriental, y para los desplazados del Sahara que se les unieron allí, este asombroso y primario poder recibió el nombre de Aten. Desde su centro primitivo en Heliópolis,[90] el culto al dios sol se diseminó a lo largo y a lo ancho, y alcanzó su punto más alto bajo el reinado de Amunhotep IV, esposo de la renombrada reina Nefertiti.[91] Aunque al final Aten se fragmentó en varias personas —Atum, Ra, Khepri y Amón-Ra—, algunos aspectos de la deidad solar siempre estuvieron presentes en el pináculo del panteón egipcio.

En las eras dinásticas de Egipto, los faraones mismos se consideraban como encarnaciones de y compañeros con el dios sol.[92] En el siguiente pasaje de uno de los textos de las pirámides al dios sol Atum-Khepri primero se le exalta y luego se le suplica:

Oh Atum-Khepri tú viniste a ser el más alto sobre el "Altísimo", te levantaste como la piedra Benben en el templo de Fénix en On (Heliópolis...)[93]

Oh Atum, pon tu protección sobre este rey, sobre esta pirámide suya, y sobre esta construcción del rey, y evita para siempre cualquier cosa mala que pueda sucederle...[94]

Cortejo a la madre viruela

Si la sequía preparó el camino para el éxito de Aten en Egipto, la viruela fue el ujier para una de las más populares diosas de la India, Sítala o "La Que Produce Frío". Mientras los orígenes de la viruela nunca se han establecido en forma definitiva, expertos como William McNeill reconocen que hay una base perfectamente sana para la tradición moderna que la enfermedad es originaria de la India. Cualquiera que sea la verdad, el comienzo de la viruela en el subcontinente fue muy precoz, con toda certeza.

En los años que siguieron, la enfermedad vino a ser familiar, pero mal recibida, residente en muchas de las ciudades de Asia del sur. Muchos le dieron a la viruela el nombre de Mata, o "la Madre".[95] Las tradiciones orales de todo el país cuentan epidemias horrendas donde había miles de personas con síntomas que incluyeron fiebre, vesículas y pústulas en la piel. Durante estos tiempos de perturbación, se colocaba a los pacientes muy enfermos frente a la imagen de Sítala, junto con vasos de agua santificada, que con frecuencia se traían desde el Ganges, que para los hindúes es un río santo. Cuando estas medidas fallaban en detener la ola de muertes, algunas comunidades procuraban aplacar a la diosa con algo adicional muy delicado: sangre humana.[96]

El efecto traumático de estos episodios sobre la psiquis nacional era (y todavía es) considerable. Hasta el día de hoy los templos hindúes dedicados a Sítala atraen miles de adoradores desde los sitios más apartados del subcontinente —un fenómeno muy notable si se tiene en cuenta que la enfermedad ya se erradicó.

Cruce del Hindu Kush

En su sobresaliente libro *Eternity in Their Hearts*, el veterano misionero y autor Don Richardson cuenta las circunstancias de otro antiguo pacto en época de crisis, que se relaciona con los antecesores del pueblo Santal en la India. Después de una larga migración hacia el oriente, estos primitivos viajeros repentinamente encontraron su camino bloqueado por las imponentes montañas Hindu-Kush (que dividen al moderno Afganistán). Atrapados en este difícil y traicionero terreno los individuos más débiles empezaron a desfallecer. La falta de sustento y las impredecibles condiciones climáticas se convirtieron en serias preocupaciones. Al concluir que su progreso lo impedían los poderosos espíritus de la montaña conocidos como Maran Buru, los ancianos de la tribu decidieron proponer un pacto *quid pro quo*. "Oh Maran Buru", dijeron, "si nos das una vía para salir de aquí, nos ataremos contigo cuando lleguemos al otro lado".

Siglos más tarde, en 1867, dos misioneros escandinavos encontraron al pueblo Santal que vivía en una región al norte de Calcuta, India.[97] Se sorprendieron mucho al observar que la palabra para *demonios* en Santal se traducía como "espíritus de las montañas", porque no había montañas en la vecindad inmediata. El misterio se resolvió cuando un estimado anciano Santal de nombre Kolean resumió los detalles finales del viaje de sus antepasados a través del Hindu-Kush.

"Después de pactar con el Maran Buru", explicó, "llegaron a un paso en la dirección del sol naciente". A esta apertura que puede haber sido el famoso Paso Khyber, le dieron el nombre *Bain*, o "Puerta del Día". Al salir a las llanuras del subcontinente hindú, los miembros de la aliviada tribu para cumplir su juramento, se dedicaron a practicar el aplacamiento de espíritus.[98]

Señores Chak y dioses del océano

Los antiguos indios maya eran adictos a las peregrinaciones, especialmente en épocas de gran tensión. Cuando las tierras estaban amenazadas por sequías, epidemias o invasiones militares, despachaban corredores reales para anunciar peregrinaciones y reunir ofrendas de oro precioso, cerámica y jade. Con frecuencia a estos mensajeros también se les ordenaba conseguir vírgenes hermosas a quienes se pudieran sacrificar a los Señores Chak (o deidades de la lluvia) en el pozo sagrado de Chichén Itzá. Al ofrecer a sus dioses lo que la tierra tenía para dar, esperaban convencerlos para que les enviaran la lluvia dadora de vida en sus tierras tostadas por la sequía.[99]

Más al sur, los indios mapuche de Chile, todavía tienen su propia ceremonia anual de lluvias. El acontecimiento, que se conoce con el nombre de *guillatún*, culmina con la sangre de animales que se riega y se ofrece a Lafquén Ullmén (deidad conocida también como "El Hombre Rico del Mar") y a Manquián, el dios del océano.[100] Mientras la sequía es una preocupación principal no es la única. La historia de los mapuches es un pozo profundo que almacena centenares de otros traumas, dioses, y ofrendas, incluso un relato primitivo de un niño sacrificado en la consecuencia desastrosa de un terrible terremoto en 1575.

Tan traumático como fue este temblor, su poder palidece en comparación con otro terremoto que golpeó al sur de Chile en 1960. Este terremoto, que midió un asombroso 9.5 en la escala de Richter, es seguramente el más potente registrado en el siglo veinte. Además de destruir los edificios como si fueran castillos de arena, el movimiento dio nuevas direcciones a los ríos, hundió centenares de kilómetros de tierra bajo el nivel del mar y disparó docenas de erupciones volcánicas. Lo peor de todo fueron las olas de mareas masivas. Patrick Tierney, que pasó meses en el sur de Chile para investigar el incidente, describe la escena:

> Primero el océano retrocedió; los barcos eran como juguetes, al exponer kilómetros de lecho marino y los desechos de los siglos. Luego, después de un ominoso silencio, el océano comenzó a hervir como unos pailones furiosos a medida que rugía tierra adentro para tragarse árboles casas, y personas, todo lo cual daba tumbos con las cabezas sobre los talones en las poderosas olas de las marejadas.[101]

La comunidad sobreviviente conducida por una poderosa chamán local de nombre Machi Juana, subió hasta Cerro Mesa una colina sagrada de cima plana que dominaba el Pacífico Sur. Allí de acuerdo con los vecinos Senovio y Rosario Opazo, danzaron hasta cuando una tercera ola casi los arrastra a todos: "¡Debe haber tenido sesenta pies (19.5 m) de alto!" Exclamaron los vecinos. "Pensamos que era el fin del mundo".

En ese punto, de acuerdo con varios testigos oculares, Machi Juana insistió en que un niño se debería sacrificar al mar para que la comunidad sobreviviera. La víctima resultó ser un pastorcito de cinco años llamado José Luis Painecur. "El pequeño estaba aterrado", recuerda María Trangol amiga de la familia. "Antes de morir dijo: 'Prometo que seré bueno, abuelito, por favor, no me maten'. Pero ya era demasiado tarde.

Aun cuando pedía el perdón de su abuelo, Rosario Opazo recuerda: "Cortaron los brazos y las piernas del niño..." en parte para ahogar sus gritos, el pueblo hizo resonar los tambores y sopló flautas de carrizo llamadas *trutrucas*. Cuando la *Machi* recibió los diversos miembros, "los pasó al viejo Trafinado" (jefe de la comunidad) que entonces "danzó con los brazos del niño haciéndolos ondear por todas partes". Otros cortaron el corazón y los intestinos de José Luis y los arrojaron al mar.[102] Por último, tomaron lo que quedaba del torso del niño y lo pusieron dentro de la tierra como una estaca defensiva o talismán, dándole cara al océano.[103]

A medida que el rito se acerca a su terminación, otro testigo, miembro de la familia Nahuelcoy, María, recuerda que la chamán empapó una rama de maqui en la sangre del niño y comenzó a rociarla en las aguas ondeantes. "Luego" —dijo María—, "la Machi cantó algo así:

> Te pagamos con este niño...
> Te lo damos como un regalo,
> Para que se calmen las olas de la marea,
> Para que no vuelvas a mandarnos más desastres".[104]

El Pacto en Chang Ganka

Un ejemplo final de pactos primitivos con el mundo de los espíritus se toma del reino de Bután situado como una ermita en los Himalayas, nación que tuve el privilegio de visitar dos veces al comienzo de la década de 1990.

Mi experto guía en la primera de estas expediciones fue Kunzang Delek un funcionario de Estudios y Programas, miembro de la Comisión Especial de Asuntos Culturales. Él y otros dos jóvenes funcionarios fueron asignados por el gobierno para ayudarme en mi investigación sobre los orígenes de los templos antiguos, los santuarios y monasterios que adornan los valles centrales de Bután.

Un punto de interés especial en este exótico itinerario fue Chang Ganka Lhakhang, un complejo de templos blancos que corona una loma por encima de la capital nacional, la ciudad de Thimphu. Al pasear alrededor de un camino empinado exterior que se diseñó para la circunvalación ritual, me fue fácil comprender por qué se había escogido este lugar para la meditación espiritual; con una soberbia vista del valle abajo y rodeado por una selva de banderas de oración ondeantes, el lugar manifestaba una atmósfera serena y casi surrealista.

Pero había algo más. Virtualmente ignoraba todo sobre la historia de Chang Ganka, pero a partir del momento en que pisamos el complejo, mis antenas espirituales comenzaron a recoger señales poderosas —señales que sugerían que había mucho más en la cima del templo de lo que podría captar el ojo. Mis sospechas iniciales aumentaron cuando descubrí que ningún sonido se podía registrar en mi grabadora de microcasetes más allá del umbral del santuario interior.[105]

Los ídolos que ocupan los espacios interiores de Chang Ganka son antipáticos y perversos. Entre los peores figuran: guardianes con colmillos que se levantan para vigilar sobre el tambor que invoca a los espíritus del templo, y una máscara brutal y espantosa que cuelga amenazadoramente por encima de la entrada del cuarto principal de los ídolos. La máscara, que recuerda la famosa obra *The Scream*, de Edvard Munch, parece haber salido de una pesadilla satánica. Aun más perturbadora es la imagen de Palden Lhamo, duplicado de la diosa hindú Kali-Ma; se la ilustra con un niñito al que despedaza con sus dientes afilados como una navaja. Es difícil sacudir la sensación, al andar a través de esta repulsiva imaginería satánica, que todo los movimientos que uno hace los observan espíritus malévolos cuyos ojos inyectados de sangre, con un odio horrible, escasamente se ocultan tras la obra del artesano.

Por lo menos tres deidades gobernantes se asocian con Chang Ganka y la comunidad de Thimphu. La primera es una figura azul a caballo, que se llama Domtshab. Su trono se sitúa a la izquierda de Avalokitesvara (el Buda de la compasión, con once cabezas), en el santuario principal; las imágenes de las otras dos deidades especiales, Palden Lhamo y Yeshey Guempo, se guardan en una estructura aparte en el lado opuesto de un patio interior. Ambas se consideran como protectoras poderosas, no sólo en Thimphu sino en todos los Himalayas budistas.

Según Delek, el guía que me señaló el gobierno, el relato de cómo este trío de deidades asumió sus responsabilidades en el valle de Thimphu retrocede por lo menos 550 años y posiblemente mucho más.[106] Corto tiempo después de instalarse en las orillas del río Wang Chu, los inmigrantes primitivos que venían del Tibet comenzaron a solicitar ayuda sobrenatural para superar las severas condiciones climáticas, virulentas enfermedades y sangrientos conflictos tribales.[107] Como no pudo discernir ningún protector local en esta área, un alto lama de nombre Nima decidió establecer un pacto con los espíritus mi-mayan[108] que le habían acompañado por las montañas desde el Tibet.[109] Para sellar el pacto, construyó el Chang Ganka Lhakhang.

Mientras hacía una pausa cerca de una fila de ruedas de oración en el patio interior del complejo, Delek dedicó un momento para hablar sobre la naturaleza recíproca de este pacto. —Como consagrador de este sitio —explicó—, Nima dio autoridad completa a estos mi-ma-yin para confirmarlos oficialmente como deidades locales. A partir de ese día en adelante, sin embargo, los papeles cambiaron de dirección. Para cuidar de este templo y la comunidad vecina, las deidades pidieron diariamente *pujas* —oraciones rituales de aplacamiento. Inclusive hoy —continuó—, si las gentes quieren hacer un camino, construir una casa, derribar un árbol, o sacar a una persona fallecida de su hogar, primero deben ejecutar una puja a fin de agradar a la deidad local.

Para asegurarme que no había entendido mal, apreté la pausa de mi micrograbadora y la levanté hacia Delek. —¿Dice usted que las personas mismas autorizaron a Domtshab, Yeshey Guempo y Palden Lhamo para tomar el control de esta área? —Delek asintió vigorosamente con la cabeza y dijo-: Sí, eso es exactamente correcto.

Para guardar a la comunidad y a sus necesidades ante estos dioses los monjes de Chang Ganka con frecuencia llevan un gran espejo por el sendero de subida fuera del templo, y lo ponen de tal manera que una imagen de la ciudad se refleje en el cuarto principal de los ídolos. Una vez hecho esto, una falange de sirvientes del templo lleva al altar una compleja ofrenda de mantequilla, incienso, comida y dinero. Como estos dioses locales por excepción manifiestan su presencia corporal, se deben traer lamas especialmente entrenados para determinar si y cuándo los *mi-ma-yin* han recibido la puja.[110]

▨　▨　▨

Aunque el trauma ha visitado las comunidades humanas en muchas formas y en incontables lugares en el curso de los años, es un error considerar estos dolorosos episodios como simplemente el producto de una maldición divina. Dios no es en últimas un ser castigador[111] sino un rescatador. A pesar de su ferocidad exterior, la vasta mayoría de estas circunstancias han entrado en escena provistas con gracia. Disfrazadas como despertadores morales, han timbrado en diversas oportunidades para llamar a los hombres a volver a Dios en arrepentimiento y establecerle como su correcto gobernante y su único liberador.

Infortunadamente, la conducta y el cilicio de Nínive han demostrado ser una excepción rara a la regla histórica. La abrumadora mayoría de personas a través de los siglos, siempre quiso cambiar las revelaciones de Dios por una mentira. Al dirigir las súplicas a los demonios, han elegido en su desesperación entrar en pactos íntimos con el mundo espiritual a cambio de obtener el consentimiento y el favor de una divinidad, en particular para resolver sus traumas inmediatos. Colectivamente han vendido sus almas, como se dice popularmente.[112]

A través de tales acuerdos, las fuerzas demoníacas recibieron autorización para establecer fortalezas territoriales durante el largo caminar que se inició con la salida de Babel. La base de estas transacciones fue (y es) enteramente moral. Las personas hacen selecciones conscientes para suprimir la verdad y creer una mentira. Al final, como Romanos 1:18-25 nos recuerda, las personas cayeron en engaños de demonios porque así lo eligieron.

Saber cómo esos engaños toman raíz, sin embargo, no los hacen menos reales. En la vasta mayoría de los casos donde los seres humanos y los demonios han escogido vivir juntos, los primeros están genuinamente convencidos que sus socios son lo que dicen que son —lo que puede ser algo desde los gobernantes elementales para los maestros iluminados. Sólo en las más raras de tales ocasiones, las personas llegan a reconocer la naturaleza verdadera de sus supuestos protectores.

¿Así, pues, cómo encanta o anima el diablo esta gran mentira? Los observadores experimentados y agudos ofrecen una explicación doble: primero, las mentes y las voluntades de los seres humanos se encuentran en la lista de la supresión de la verdad; y segundo, las características demoníacas se transforman para mezclarse con las percepciones culturales dominantes. No son tan aparentes los mecanismos físicos y sociales que permiten al enemigo tejer estos elementos en una decepción (o engaño) inconsútil. Por esta razón y debido a que comprender su papel es crucial para una batalla espiritual exitosa, su descubrimiento será nuestro siguiente orden de temas en el laberinto.

Capítulo Seis

Encantando a la Mentira

Hacia la mitad de la década de 1950, el novelista británico Nigel Dennis escribió un chistoso pero penetrante libro titulado *Cards of Identity*.[1] En el corazón del relato, que acontece en una bucólica aldea inglesa, a un par de hermanos los toman los propietarios de una finca cercana. Muy pronto después de una cordial bienvenida, al niño y a la niña se les lleva a una conversación que levanta serios interrogantes sobre lo que pasa. A medida que la charla progresa, a los hermanos se les da a entender que no son lo que la gente piensa que eran. Al final olvidan su pasado y abrazan las nuevas identidades tejidas alrededor de ellos hábilmente por sus secuestradores psicológicos.

A medida que sin propósito aparente los misteriosos dueños de la finca proceden a atraer dentro de la casa a más personas de la localidad, nos enteramos que son miembros del Club de la Identidad, una organización cuyo objetivo, como lo dice uno de los revisores, es "compensar la incertidumbre psicológica de la vida moderna que crea por completo nuevas estructuras de la realidad". Son, para decirlo más simplemente, "manufacturadores y empresarios de la realidad".[2]

Una versión más oscura de este cuento se ha visto en el mundo real, por lo menos durante ocho mil años. En esta larga serie, los dueños de la finca son demonios felices o elocuentes que apelan a los vacíos, llenos de miedo, y caídos hijos de Adán. Estos espíritus proponentes, como los miembros del Club de la Identidad son altamente habilidosos para explotar la vulnerabilidad humana mientras ocultan sus propias identidades e intenciones.[3] Después de todo, dijo Tertuliano: "¿Cuál es el alimento más delicado para el espíritu del mal sino apartar las mentes de los hombres del verdadero Dios por las ilusiones de una adivinación falsa?"[4]

El deleite turco y la senda de frijoles

La observación bíblica de que cada pecador es arrastrado "por su propio deseo del mal" (Santiago 1:14) sugiere que la amenaza primaria para nuestro bienestar se encuentra no en las tentaciones externas, sino en la disposición de los corazones (véase también Mateo 15:19). Y aunque ha venido a ser crecientemente popular atribuir las elecciones inapropiadas a la ignorancia de lo que es correcto, Romanos 1:18-32 nos aclara que venimos a ser presa del enemigo cuando "suprimen la verdad" (versículo 18) y decidir lo que ya no es más "digno, como para retener el conocimiento de Dios" (versículo 28). Todo comienza, en otras palabras, con un acto de la voluntad. Conforme Dios le dijo a Caín: Si no haces lo que es correcto, el pecado se agazapa a tu puerta, pues desea tenerte, pero tú te enseñorearás de él (Génesis 4:7. Versión libre).

La relación entre los malos deseos, el dominio propio y el encanto, es uno de los temas principales de la inmensamente popular novela de C.S. Lewis, *El león, la bruja y el guardarropa*. De particular interés es el encuentro de Edmundo con la bruja Blanca, una reina que utiliza la magia para crear y luego alimentar el deseo del muchacho por el propio y especial deleite turco de ella. Una vez que Edmundo probó su efecto, quedó cautivo. "Pensaba todo el tiempo en el deleite turco", leemos, "y no hay nada que aumente el sabor de la comida ordinaria buena como el recuerdo de la mala comida mágica". Pronto el juicio del muchacho se oscurece ante la más inminente de las amenazas. Mientras se vuelve muy incómodo al oír que la dama que le había mostrado su amistad era en verdad una bruja peligrosa "todavía probar aquel deleite turco una vez más, era todo lo que habría deseado."[5]

De manera similar, Michael Green relata la historia del celebrado predicador del siglo dieciocho Rowland Hill. Mientras caminaba un día por la calle, el buen reverendo se sorprendió de ver una piara de cerdos que iban tras un caballero como si éste fuera el Pied Piper of Hamelin (El flautista de Hamelin).

> "Esto", dijo Hill, "excitó mi curiosidad tanto que decidí seguirlos. Así lo hice y para mi gran sorpresa encontré que los llevaba al matadero. Le dije al hombre: 'Amigo, ¿cómo hace usted para inducir a los cerdos que le sigan hasta aquí?' Replicó: 'Tenía una canasta de frijoles bajo mi brazo y les echaba unos cuantos a medida que caminaba para acá, y así logré que me siguieran'".

Esta, dice Green, "es precisamente la estrategia del diablo".[6]

Claro que hay una diferencia entre los cerdos y los seres humanos. Mientras las personas como Edmundo reciben y toman el cebo del enemigo, lo hacen a menudo con un sentimiento de molestia. Esto se debe a que en nuestras conciencias están puestas de fábrica unas señales, para alertarnos siempre que nos aventuremos en un territorio peligroso y autodestructor. Como casi todas las alarmas, sin embargo, la conciencia puede ser derrotada y (a menudo lo es), por un intento de la voluntad en perseguir su propio deseo del mal.

Remiendos en el "Wetware": El poder latente del pensamiento

Si la voluntad es al final responsable de la decepción (engaño) y la alienación, el pensamiento se debe ver como una avenida crucial. Según nos informa Romanos 1, a los hombres que adoran las cosas creadas se les entrega a la impureza sexual (una degradación del cuerpo) y a una mente depravada (que no sólo abandona a Dios sino que lo aborrece e inventa las maneras de hacer el mal).[7]

Esta referencia a nuestra capacidad para "inventar" el mal es importante. Nos recuerda que, por diseño, el cerebro humano es la fábrica de la realidad. Además de ser capaz de convertir los contenidos de los estímulos exteriores (palabras, imágenes) en metáforas que dan un sentido a nuestra imaginación, también puede *crear* la realidad[8] —una capacidad que el enemigo ha encontrado particularmente útil.

Este proceso no es tan raro como se podría pensar. Durante los episodios de sueño nocturno, por ejemplo, la imaginación utiliza de rutina fragmentos de recuerdos para construir realidades (incluso paisajes, personalidades, relaciones y aventuras) que existen aparte de cualquier estímulo externo. Este fenómeno también se documentó ampliamente entre individuos forzados a soportar condiciones de aislamiento social (como los montañistas, los niños maltratados, los ascetas religiosos y los prisioneros en confinamiento solitario). Richard Cytowic anota: "Un cerebro en deprivación sensorial de estímulos externos comenzará a proyectar una realidad externa propia de él, donde percibe con rapidez cosas que no están realmente allí".[9]

Algunos individuos, que quieren experimentar a voluntad, estas alternativas de la realidad se han puesto a crear las condiciones necesarias para disparar la magia de la imaginación. Para los chamanes esto implica el compromiso con elaboradas disciplinas de visualización.[10] Después de años de entrenamiento, se dice que los lamas budistas tienen la capacidad de generar, y luego habitar, mundos enteros dentro de sus espacios psíquicos.

Los científicos occidentales mejor equipados han visto que un tanque de flotación a prueba de ruidos[11] puede servir para el mismo propósito. Después de dejar el Instituto Nacional de Salud Mental en 1958, el neurofisiólogo John Lilly tuvo una experiencia de casi-muerte donde se encontró con dos seres radiantes que dijeron ser sus guardianes. Cuando le informaron que sólo los podría percibir en un estado cercano a la muerte, Lilly decidió tratar de volver a tener contacto con ellos mediante un tanque de flotación junto con LSD. Durante siguientes experiencias "fuera-del-cuerpo", Lilly se sometió al límite de sus posibilidades hasta un solo punto de conciencia en un mundo vacío, silencioso y negro. Desde este punto de referencia, se dedicó a numerosos viajes a través de vívidos planos psíquicos. En ese camino, dijo haberse encontrado con "un rango amplio de seres, algunos compuestos de líquidos o de gases relucientes y varios de los cuales (sugestivamente) recordaban deidades tibetanas".[12]

Nuestros pensamientos, a pesar de ser como tan efímeros, poseen sustancia real en la dimensión de la psiquis. Mientras algunos se desvanecen como chispas del martillo de un herrero, otros se demoran sobre nosotros por cierto tiempo para aparecer como complejos, neurosis, o, en los casos extremos, personalidades casi autónomas.[13] En cierto sentido, la concentración del occidental sobre una fantasía llena de deseos se ocupa precisamente en la misma actividad como el lama tibetano en la visualización de sus demonios. Ambos crean ambientes para poblarlos con presencias y actividades que ellos han llamado a ser.

Un relato reciente nos debe urgir a mantener limpio nuestro espacio psíquico. Dion Fortune, autora ocultista que en 1922 fue cofundadora de la Fraternidad de la Luz Interior, alega haber creado un hombre-lobo, sin intención, al proyectar su voluntad y su imaginación contra un individuo que la había atacado. Una noche, mientras estaba en la cama, medio dormida y rumiaba su resentimiento, la tomó la idea "de desechar toda restricción y de irse frenéticamente". Casi en el mismo instante, sintió que contemplaba la imagen de Fenrir, el malévolo y terrible lobo de la mitología nórdica. "Inmediatamente —recuerda Fortune—, sentí una curiosa sensación que salía de mi plejo solar, y allí, materializado a mi lado en la cama estaba un enorme lobo". Cuando Fortune se movió, le gruñó y tuvo que apelar a todo su valor para hablarle con toda energía y sacarlo del lecho. Aunque al final se desvaneció a través de la pared en el rincón norte de la pieza, al día siguiente alguien más en la casa informó "haber tenido sueños con lobos y andar por la noche mientras veía los ojos de un animal salvaje que brillaban en las tinieblas".[14]

Por todo el mundo cristiano, experiencias como la de Fortune, se consideran como claros ejemplos de abiertas manifestaciones demoníacas, y comúnmente lo son. Sin embargo, el productor de documentales Douchan Gersi, ofrece una posibilidad notoria:

> Los poderes misteriosos que he observado muchas veces... podrían representar capacidades y conocimientos antiguos que toda la humanidad acostumbraba tener —ya sea mediante el contacto con fuerzas fuera de nosotros, o mediante el uso de poderes (psíquicos o de otra clase) que todavía están dentro de nosotros.[15]

Como vimos en el capítulo cuatro, esta es la posición que tomó el fallecido escritor chino Watchman Nee. Cuando Adán y Eva cayeron, según Nee, sus poderes originales no se perdieron sino que se enterraron dentro de ellos como fuerzas latentes del alma. La razón para que la Biblia no promueva estas capacidades ocultas potenciales, parece bastante sencilla: El cielo no necesita superhombres. Con la larga y letal permanencia y propensión del hombre hacia la independencia, lo último que quiere hacer Dios es reforzar nuestras nociones de autosuficiencia. En lugar de eso, Él obra con nuestros espíritus (pues aquí se halla el asiento de la vida regenerada)[16] y nos invita a clamar por los recursos del Espíritu Santo, cuandoquiera que nos encontremos en necesidad.

El objetivo del enemigo es distinto. Desea, según Nee, usar la creación antigua —sobre todo, la "fuerza del alma" en el hombre— para producir una alternativa conveniente y engañosa del poder espiritual. Al asaltar nuestra maquinaria psíquica, espera generar realidades sustitutas que efectivamente retirarán a la gente de descansar en el Espíritu Santo.[17]

Infortunadamente, un flujo continuo de evidencias sugiere que la estrategia del enemigo tiene éxito. Mediante propagandas provocativas, como *Inner Doctor Is Always In* y *Healing Yourself with Your Own Voice*,[18] (Su médico interior siempre está "dentro"; y Curándose usted mismo con su propia voz), los catálogos de la mal llamada Nueva Era encuentran miles de clientes ansiosos que quieren pagar por el consejo médico que no es convencional. Muchos de estos nuevos programas están cargados con pseudociencia y con cacareos religiosos, y otros parece que logran resultados impresionantes. De acuerdo con el antropólogo Michael Winkelman, de la Universidad Estatal de Arizona:

> Un amplio rango de estudios experimentales de laboratorio demuestran [sic] que los seres humanos tienen la capacidad de afectar y curar una gran variedad de sistemas biológicos por medio de la psicoquinesis...[19]

Uno de estos relatos de éxito aparente tiene que ver con un sanador psíquico quien por varios años trabajó al lado de un médico convencional en el sur de los Estados Unidos. Durante el curso de su compañía el médico efectuaba pruebas sanguíneas a los pacientes antes y después de las reuniones de sanidad psíquica. Luego, las muestras se mandaban a un laboratorio independiente para su estudio. En los casos monitoreados, los niveles de DHEA[20] de los pacientes se elevaban entre 23 y 100 por ciento, cifras que según el médico suministraban evidencia bioquímica de que la sanidad psíquica funciona.[21]

En un esfuerzo por resolver éstos y otros misterios cerebrales, los científicos han empezado a analizar las obras internas del cerebro, al que jocosamente denominan "wetware", y por medio de un impresionante juego de parches y electrodos sobre el pecho y el cráneo; los osciloscopios y los microscopios electrónicos, capturan destellos de un mundo complejo escasamente visible pero que quita el aliento.[22]

Aquí, en lo que un escritor ha llamado "los palacios de la memoria", encontramos los archivos que sostienen el registro esencial de quiénes somos. Mientras los científicos creían que los recuerdos se almacenaban en áreas discretas del cerebro, ahora saben que los pensamientos o las recolecciones individuales, en realidad siguen un patrón de interacciones nerviosas que cubren toda la corteza cerebral. En este sentido nuestros recuerdos parecen constelaciones estelares que titilan o los mensajes relampagueantes de una consola electrónica.[23]

Expuestos a un nuevo suceso —que puede ser desde la imagen de un rostro hasta el sabor de una fruta— el cerebro inmediatamente despacha señales electroquímicas a lo largo de una mezcla de fibras nerviosas que se conocen como axones y dendritas. Dentro de nuestra vasta red de células cerebrales, repentinamente se ilumina una constelación única. De acuerdo con el experto en memoria George Johnson este circuito nuevo "obra como un símbolo o representación de algo en el mundo exterior". El reconocimiento acontece cuando encontramos estímulos externos, que evocan un patrón nervioso semejante al que ya tenemos almacenado. Al reactivar este patrón o circuito, el cerebro puede localizar y encontrar un recuerdo "tan complejo como un atardecer en Santa Fe, o el trayecto a través de una red de pasajes".[24]

Aunque la mayoría de los recuerdos se encuentran y se traen voluntariamente, algunos pueden aparecer como salidos de pronto. Hay un aspecto sorprendente, inclusive mágico, para estos sucesos. La mente, que siempre hemos supuesto bajo nuestro control, aparentemente se ha movido por su propio impulso —y hasta cierto punto lo ha *hecho*.

Como señala el investigador japonés Gen Matsumoto, los recuerdos obran en un nivel subconsciente. Y en esta dimensión enorme y misteriosa de la mente humana, las conexiones asociativas se establecen de acuerdo con un complejo juego de reglas. En tanto que algunas asociaciones son obvias y se esperan (como el apetito al olor de un asado), o el temor a la vista de una jeringa), otras parecen no tener una conexión inmediata. Si vemos una luna llena, por ejemplo, podría evocar recuerdos de relatos que oímos en la cama cuando éramos niños. Un aroma de paja que se quema, podría inundar la mente con recuerdos de un viaje que se hizo hace mucho tiempo por el campo. A pesar de su aparente aleatoriedad, estas asociaciones inesperadas son en realidad el producto de conexiones nerviosas que se forjaron subconscientemente en ocasiones más tempranas.

Otras asociaciones pueden no ser tan agradables. Dependen de los hábitos y experiencias de uno, pues los relámpagos mentales pueden también resucitar dolor o tentaciones significativas. Un veterano del ejército, por ejemplo, puede hallar una severa tormenta que le transporta de regreso al campo de batalla. Su compañero inclinado a la pornografía puede encontrar la película en el teatro de su mente saturada con escenas sexuales, cada imagen disparada por nada más gráfico que un peinado o un juego de sábanas de satín.

Aunque el *proceso* de esculpir distintos circuitos en un caos de conexiones potenciales es común a la humanidad, la resultante *colección* de patrones de recuerdos es única para el individuo. Como el físico australiano Paul Davies, dice: "El patrón dentro del cerebro, no el cerebro mismo, nos hace lo que somos".[25]

No es de sorprender, que esta colección interese mucho al diablo. Si la mente humana le sirve como su taller, entonces nuestros recuerdos son los bloques que él emplea para construir. Dado un amplio suministro de la clase correcta de patrones nerviosos, puede controlar tanto nuestra realidad interior y con frecuencia las circunstancias y la gente que nos rodea. Si no puede encontrar recuerdos suficientes para trabajar, ayudará con frecuencia en la elaboración de nuevos recuerdos. Una táctica favorita es exponer a sus sujetos a imágenes o circunstancias saturadas con contenido violento o sexual. Esto obra por dos razones: primera, nuestros recuerdos más profundos son de sucesos altamente estimulantes; y segunda, la bodega de la memoria se conecta fuertemente con las emociones.[26]

Cada vez que leemos un buen libro, viajamos por un país extranjero, consolamos a un amigo que sufre o nos comprometemos en una conversación estimulante, la experiencia aviva cambios físicos en nuestro cerebro.[27] Este proceso notable, al que los científicos llaman *germinación*, implica el crecimiento rápido de nuevas conexiones nerviosas-dendritas, axones, y las sinapsis entre ellos.[28] En experimentos dirigidos por el doctor Gary Lynch profesor en el Centro para la Neurobiología del Aprendizaje y la Memoria, en la Universidad de California en Irvine, revelaron que las neuronas estimuladas producen sinapsis nuevas en períodos tan pequeños como *¡diez minutos!*[29]

La estrategia del enemigo es simple. Quiere influir las clases de pensamientos que entran a nuestras mentes de manera que pueda alterar las estructuras nerviosas de nuestros cerebros. Este proceso, como vemos, no necesita mucho tiempo. Un acontecimiento que dura sólo unos pocos segundos puede producir cambios neurológicos de larga duración. Si nos permitimos ser tentados por el cebo del diablo, le damos una plataforma psíquica o "nidos en la cabeza" desde la cual puede manipular nuestro mundo interior. El apóstol Pablo al reconocer este peligro, advirtió: "Ni deis lugar al diablo" (Efesios 4:27. RV). En lugar de eso, nos urge a que sometamos nuestra maquinaria psíquica al señorío de Jesucristo al enfocarnos en lo que es verdadero, noble, recto, puro, amoroso, admirable, excelente o digno de alabanza (Filipenses 4:8). Todos los pensamientos o filosofías que el enemigo pueda ofrecer debemos "llevarlos cautivos" y someterlos a la obediencia a Cristo (2 Corintios 10:5).[30]

El encendimiento de la mitología cultural

Provistos de una mejor comprensión sobre cómo los recuerdos nuevos pueden cambiar para siempre la forma en que pensamos con respecto del mundo, nuestra tarea es descubrir la manera en que estas imágenes internas se pasan del individuo a una comunidad más grande. Esto a su turno nos ayudará a discernir cómo el enemigo promueve los engaños colectivos (mitos culturales, filosofías y tradiciones), que han venido a definir el mundo de los pueblos espiritualmente oprimidos.

Aunque el valor de la experiencia subjetiva ha crecido muchísimo en los años recientes, por lo menos en el mundo occidental, de esto no se sigue necesariamente que una realidad pública (u objetiva) sea más verdadera que una realidad privada. Ni, como el estudioso de las religiones de Asia Stephan Beyer advierte, es seguro "presumir a *priori* que hay una frontera entre las dos". Como la historia revela, "la realidad pública es tan dócil al control mágico como la realidad privada".[31]

Para abrir los misterios que rodean el desarrollo de las realidades públicas primitivas, nos debemos familiarizar con tres temas claves: hongos, memes y mitos. El primero de ellos se dirige a la probabilidad que por lo menos algunas mitologías culturales se hayan originado en las visiones con alucinógenos de los santos hombres en la tribu. El segundo explica cómo estas revelaciones se convirtieron en un manojo autorreplicante de ideas y el tercero ilustra cómo la imaginación colectiva puede servir de hábitat final y duradero para las potestades sobrenaturales.

Hongos mágicos y visión espiritual

En muchas sociedades tradicionales los expertos que confrontan lo sobrenatural directamente son chamanes —término derivado de la lengua de los pueblos Tungus de Siberia. De acuerdo con el antropólogo Michael Harner, el chamán es una figura respetada que típicamente hace contacto con el Otro mundo por medio de un estado de trance y "que tiene uno o más espíritus a sus órdenes..."[32] Sus viajes espirituales, emprendidos para obtener conocimiento, se facilitan por guías animales que han retenido conexiones con el mundo anterior a la Caída.

Los chamanes primitivos, como notamos en el capítulo cinco, estaban profundamente nostálgicos de la Edad dorada. No querían nada más sino volver a visitar las condiciones paradisíacas y los seres divinos que podían ser fácilmente percibidos antes de caer la humanidad. A fin de realizar este sueño, muchos de estos antiguos "caminantes del mundo" consumían hongos alucinógenos —una acción que invitaba a los agentes satánicos para tomar control de su maquinaria psíquica.[33] Embriagados por los poderosos intoxicantes, y estimulados por el sonido rítmico de los tambores mágicos, sus computadores cerebrales conjuraban las imágenes que anhelaban ver. Era, en últimas, una realidad virtual.

Harner sospecha que estas visiones no sólo reforzaban las ideas de los chamanes acerca del mundo sobrenatural, sino que pueden "también haber jugado un papel en *la innovación* de tales creencias".[34]

Mircea Eliade está de acuerdo, y concluye su estudio clásico sobre el chamanismo arcaico con la proposición que una mitología cultural (donde se incluyen temas épicos, imágenes, motivos y clichés literarios), se deriva ampliamente de los viajes de los chamanes históricos al Otro mundo:

> Las tierras que el chamán ve y los personajes que encuentra durante su viaje extático en el más allá, el propio chamán los describe minuciosamente durante o después de su trance. El mundo aterrador y desconocido de la muerte toma forma... y, en el curso del tiempo, se vuelve familiar y aceptable. A su turno los habitantes sobrenaturales del mundo de la muerte vienen a ser *visibles;* muestran una forma, despliegan una personalidad, y hasta una biografía.[35]

Otros estudiosos alegan que la noción de las experiencias en éxtasis son la fuente de motivos o tradiciones culturales. Sostienen en lugar de eso que la mente en el estado de trance simplemente refleja o edifica la imaginería impresa ya en el cerebro. "La (visión) es personalmente encendida por el chamán, explica el erudito celta Tom Cowan, "pero el encendimiento se recolecta en parte, por las creencias y los valores de la cultura".[36] Los alucinógenos son importantes para el proceso de la visión, debido a su capacidad de ayudar a encontrar y reunir imágenes visuales almacenadas, especialmente las que son intensas o perturbadoras.[37]

El problema con este argumento, aparte de su falla en reconocer las capacidades de un diablo verdadero, consiste en que pierde de vista el hecho que hablamos acerca de los *orígenes* de la mitología cultural con respecto de un período arcaico donde muchas creencias y valores tribales permanecieron ampliamente indefinidos. Es muy improbable que los chamanes visionarios al obrar en tal contexto hayan podido encontrar lista en la comunidad una fuente de encendimiento psíquico.

En Siberia, *Amanita muscaria* (un hongo alucinógeno, a veces conocido como agárico de las moscas), fue usado ampliamente por los chamanes primitivos.[38] Aunque esta práctica se pretendía que facilitaba los viajes de visiones para los psiconautas locales, insinúa que puede también haber suministrado la inspiración para una de las más celebradas tradiciones culturales del mundo occidental.

La investigación cuidadosa revela que antes de 1923, a la leyenda de Santa Claus no se le daba un equipo de renos ni la capacidad de volar o bajar por las chimeneas. Estos elementos llegaron con la publicación del poema clásico de Clement Moore, "A Visit from Saint Nicholas" (o "The Night Before Christmas"). Algunos han especulado que Moore, profesor de lenguas orientales, obtuvo su inspiración en los ritos de los pueblos Koryak, Kamchandal y Chukchi de Siberia —ritos que, hasta hoy incluyen la adoración del "espíritu del gran reno". Las únicas personas que pueden comunicarse con el espíritu del reno de acuerdo con estas sociedades tradicionales, son los chamanes de la tribu, que lo hacen así comiendo el hongo agárico de las moscas. Una vez en el trance, ellos "vuelan" al mundo espiritual, donde reciben mensajes y "dones" bajo la forma de cantos nuevos, danzas e historias para la tribu. Es interesante anotar, que el chamán entra al reino de los espíritus por medio del orificio para el humo en el techo de su *yurt*, o tienda oculta.[39]

La literatura antigua también habla de una planta misteriosa llamada *soma* que tuvo un gran papel en la religión anterior al zoroastrismo de Irán y que estimulaba las visiones sobre las que se basaron los mitos y las doctrinas hindúes.[40] Mientras algunos eruditos han expuesto la hipótesis que esta embriagante "columna del mundo" no fue otra sino el hongo agárico de las moscas, el etnobotánico de Nueva Era Terence McKenna, disiente pues afirma que *Amannita muscaria* no es lo suficientemente poderoso. Como para ofrecer una clave sobre lo que piensa que podría ser, McKenna declara: "Una y otra vez, y en diversas maneras, encontramos que soma está en conexión íntima con el simbolismo y los ritos que se relacionan con el ganado y el pastoreo".[41] Este vínculo sugiere a McKenna que la antigua planta misteriosa sea más probablemente el hongo que ama el estiércol, *Stropharia cubensis*, un hongo que contiene un alucinógeno poderosísimo del tipo de las triptaminas, conocido como psilocibina.

Es muy posible que los indoeuropeos se pusieran primero en contacto con el *Stropharia cubensis* mientras atendían a su ganado en la llanura Konya de Anatolia. (La evidencia para esto viene en la forma de un distintivo ídolo con el aspecto de un doble hongo que se encontró entre los restos de estos antiguos pastores.).[42] A partir de Anatolia esta planta mágica simplemente siguió los diferentes clanes o tribus con sus ganados a medida que migraban al oriente hacia Rusia, Persia, e India.

La dificultad principal con esta teoría consiste en que el trabajo de campo, hasta donde se ha hecho, no ha podido confirmar la presencia de *Stropharia cubensis* en la India. McKenna sostiene, a manera de explicación, que "la desertificación de toda el área a partir de África del Norte hasta la región alrededor de Delhi, ha distorsionado nuestro concepto de lo que ocurrió cuando las civilizaciones antiguas estaban en su infancia y la zona recibía precipitaciones más altas".[43] Como vimos en el último capítulo, los cultos a los hongos existían entre las sociedades primitivas que criaban ganado en el Sahara (Tassili-n-Ajjer) hasta cuando las condiciones de sequía dieron a las deidades solares el primer puesto.

McKenna aún espera encontrar el hongo *Stropharia cubensis* oculto entre la flora de la India moderna. En apoyo de su optimismo, cita el trabajo del fallecido etnomicólogo Gordon Wasson. Después de varios años de estudios botánicos en la India, Wasson determinó que los hongos psicoactivos estaban presentes no tan sólo en el subcontinente, sino que eran también comunes "en regiones más bajas" donde había un suministro constante de estiércol de ganado. También emitió la posibilidad que uno de estos hongos poderosos, *Stropharia cubensis*, podría ser el responsable "para que los hindúes elevaran la vaca a una posición sagrada..."[44]

En el trance inducido químicamente estaba el medio preferido de los antiguos para recibir y pasar revelación espiritual, pero no era la única opción disponible. El famoso centro de oráculos en Epidauro, Grecia, incluía tanto un templo para incubación de los sueños, como un anfiteatro para dramas rituales. De acuerdo con Mara Lynn Keller, especialista en los misterios eleusinos:

los peregrinos esperaban una visión que vendría durante el sueño, (habitualmente) bajo la forma de una visita de un dios o de una diosa. Después de recibir la visitación divina o la visión, era costumbre compartir los detalles para el beneficio de toda la comunidad.

En muchos casos este rito de compartir tenía lugar inmediatamente en el teatro vecino. Disposiciones semejantes existían en el santuario de Asclepio en Pérgamo donde, de acuerdo con Apocalipsis 2:13, "Satanás tiene su trono". Aquí la incubación del sueño se ayudaba por medio de la presencia de largas serpientes que se deslizaban a través de las cámaras subterráneas y "lamían" a los durmientes en sus lechos. Quienes sentían fobia por los reptiles tenían la opción del templo de Anfiaraus en Ática, donde los sacerdotes pedían a los adoradores dormir sobre las pieles de las ovejas sacrificadas; o en diversos templos egipcios, donde se producían dulces sueños al inhalar un compuesto de dieciséis especias.[45]

La naturaleza y el papel de los memes

En *The Lucifer Principle* un libro que se ha llamado "una perspectiva nueva sobre la historia del mundo", el autor Howard Bloom hace esta pregunta: "¿Qué impulsa las mareas culturales de los seres humanos?" En respuesta, Bloom introduce el concepto del *meme* —un manojo de ideas que salta de mente a mente para cambiar la forma completa como las sociedades piensan y obran".

Los memes, como todas las ideas, parten de lo pequeño. No ocupan nada más que los espacios mentales privados de los artistas individuales, los filósofos o los políticos, de donde saltan y gritan hasta cuando por último manejan el tamaño de las imaginaciones de sus huéspedes. A partir de este punto en adelante, su destino depende en captar una onda favorable de circunstancias. Si pueden deslizarse sobre el Zeitgeist (espíritu del tiempo) que prevalece, su potencialidad es virtualmente ilimitada. Si no, eventualmente se descompondrán, junto con sus huéspedes mortales. Lo que pone al meme transformador aparte de la idea ordinaria, es su capacidad para trascender los límites de una mente sola e infectar la conciencia de millones.

Para ilustrar la potencialidad explosiva de los memes, Bloom ofrece el ejemplo de Karl Marx, el agresivo socialista que, durante doce años de frustración, incubó sus teorías de la lucha de clases mientras estaba solitario en el Museo Británico.

> Hacia la mitad de la década de 1880, las ideas que se juntaron (en un solo) cerebro en la esquina de una biblioteca solitaria... habían ido, de controlar a un hombre de 150 libras, a ser los amos de millones de toneladas de materia viva en el planeta. Estos memes estaban vivos en las mentes y en el mecanismo social de más de 1.8 billones de seres humanos que extendieron sus influencias sobre las tierras, los minerales, las máquinas, y los animales domesticados que los seres humanos controlaban.[46]

Bloom explica:

> Lo que los genes son para el organismo, de la misma manera los memes son para el superorganismo, pues reúnen a millones de individuos en una criatura colectiva de tamaño asombroso. Los memes extienden sus tentáculos a través de la tela de cada cerebro humano, dirigiéndonos a formar un coágulo en las masas cooperativas de familia, tribu, y nación.[47]

En las edades más primitivas de la tierra, los incubadores primarios de memes fueron los chamanes que compartieron sus visiones del Otro mundo por medio de pinturas, sueños, e historias épicas. En otros tiempos y en otros sitios, memes asimismo influyentes brotaron de las ideas de Buda, Confucio, Platón, Pablo, Mahoma, Martín Lutero, Thomas Jefferson, Charles Darwin, Albert Einstein, Walt Disney, los Beatles. En cada uno de estos casos, las naciones y las culturas se transformaron por las visiones (implantados por el cielo o por el infierno) que ocuparon "incluso menos espacio y masa que la mezcla de átomos necesaria para una simple brizna de DNA".[48]

Las potestades espirituales en sus esfuerzos por soltar esas visiones transformadoras se han enfocado históricamente en dos variables críticas: el vaso original y el tiempo propicio.

La incubadora del meme no tiene que ser brillante, solamente entregarse. De hecho, desde la perspectiva de Dios, la debilidad es con frecuencia una virtud (véase 1 Corintios 1:27; 2 Corintios 12:9-10). Muchos de los grandes triunfos de la Biblia se produjeron mediante individuos cuya selección inicial era tan improbable como su éxito final. Los vasos escogidos del enemigo han sido no menos improbables. Se ha dicho que Karl Marx "no fue una persona promisoria en quien una idea quisiera comenzar su vida". No solamente Marx fue pobre y sin influencia, sino que su mal genio tendía a alejar los pocos amigos que tuvo. Bloom cita uno de los profesores de Marx para decir que siempre ondeaba sus puños en el aire "como si miles de diablos le agarraran del cabello".[49] Y sin duda que lo hicieron. Desde su punto de provecho, la ira visceral fue lo que hizo a Marx tan útil.

Si los memes han de tomar raíces y extenderse, sin embargo, deben haber sido plantados en el contexto de un suelo fértil —la segunda variable crítica. Las actitudes y las circunstancias predominantes pueden afectar las fortunas de un meme precisamente como puede suceder en el huésped inicial. Por este motivo, los líderes espirituales hace tiempo que han buscado originar o capitalizar condiciones probables para propiciar un cambio. Los griegos fueron tan lejos como para acuñar una palabra que describía la llegada de estas condiciones: *kairos*. Este término que implica una plenitud de madurez de tiempo, se usa en las Escrituras para compartir el sentido único del tiempo perfecto de Dios.[50] Los ejemplos de tales ocasiones *kairos* incluyen la reconstrucción de Jerusalén bajo Ciro, Artajerjes, y Darío; la diseminación del cristianismo bajo Constantino y la caída del comunismo bajo Mikhail Gorbachev.[51] Al otro lado de la moneda histórica, los agentes satánicos con frecuencia han adelantado memes por medio de la hábil explotación de sucesos traumáticos como la guerra (la revolución rusa), las epidemias (viruela en la India) y desastres naturales (la adoración de Pele en Hawaii).

En últimas, las culturas representan nuestras fantasías colectivas acerca de lo divino sobre lo profano, y acerca de aquello que cruce el umbral de la muerte. Como los estudios lo han demostrado, estos "tapetes de memes" (o perspectivas) comienzan a formarse en la mente durante la niñez y necesitan su edificación durante toda una vida. Su esencia, conforme se notó antes, comprende distintas recolecciones de patrones neurales que representan la base de datos de la realidad. Es imposible, aparte de esta vasta mezcla de metáforas, reconocer o interpretar los miles de sucesos que hacen desfilar el pasado a nuestros sentidos cada día. Así no nos debería sorprender que las sociedades hagan casi todo para defender los memes que constituyen sus sistemas de creencias. Como Bloom observa: "Permitir que la fe o una ideología sea descartada [es] abandonar una tela nerviosa masiva en la que usted ha invertido una vida entera..."[52]

Esto también explica por qué la conversión verdadera (es y debe ser) un proceso tan radical. A medida que el Espíritu Santo renueva nuestras mentes, los viejos patrones mentales en realidad se reemplazan con nuevas metáforas sencillas y sin torsiones. Si estos memes continúan para ser parte de la imaginación social más grande —como ocurrió en Nínive, Judá y Antioquía (Jonás 3; 2 Reyes 22-23; Hechos 11)— la gloria de Dios se libera en avivamiento público.

Mitos como hábitats psíquicos

Los memes imaginarios que han venido a ser parte de la psiquis pública se llaman mitos. Entre los pueblos arcaicos, los orígenes de estos mitos por lo general se pueden rastrear hasta las visiones de los chamanes (que ya hemos explorado) o a las explicaciones fijas a los traumas colectivos. Los últimos no sólo son importante porque representan soluciones compartidas al dolor común, sino también porque las experiencias intensas, especialmente las que producen temor, tienden a forjar recuerdos duraderos.[53]

Los mitos también suministran una vivienda, un hábitat psíquico para fuerzas sobrenaturales personificadas. Como estos planos en la fantasía no están limitados a una sola mente, pueden existir sobre muchas generaciones o hasta el tiempo en que sean reemplazados por memes competidores (como el Evangelio). La misma longevidad de estos mitos, con frecuencia es suficiente para dotarlos, como ancianos estimados en la sociedad, que tienen un aura ilusoria de verdad.

Con el paso del tiempo, esos mundos mitológicos a menudo extienden sus fronteras hacia el mundo real. Los dioses monstruosos de los fenicios, los aztecas y los tibetanos, no son nada menos sino proyecciones externas de imágenes interiores. En la tradición de Pigmalión, Pinocho y Frankenstein, a estas deidades satánicamente inspiradas primero se les dieron "cuerpos" corporativos, bajo la forma de imágenes grabadas, luego animadas por espíritus del mal que fueron a su vez dinamizados por la voluntad y la imaginación colectivas de las comunidades humanas.[54]

En ausencia de un despertar espiritual genuino, las fortalezas mentales formadas por los memes engañosos pueden (y con frecuencia lo hacen) preparar una sociedad para la posesión colectiva por espíritus satánicos. Una marca distintiva frecuente de esta condición que puede durar períodos breves o extensos, es la violencia extraordinaria —hecho que no nos debería sorprender pues uno de los títulos del diablo es Apolión, o "Destructor" (Apocalipsis 9:11). Nuestro adversario espiritual como Michael Green nos recuerda, "es un asesino por instinto y por apetito".[55]

Una y otra vez, a medida que estudiamos el paisaje torturado de la historia humana, encontramos evidencia de esta posesión colectiva —hombres y mujeres que sucumben al ensalmo salvaje de Apolión. Esto fue cierto de los aztecas que según el autor Ptolemy Tompkins llama "la civilización más obsesionada por la muerte que el mundo jamás haya conocido". En festival tras festival, las víctimas destinadas a los sacrificios se alineaban en filas que se extendían por más de una milla (1.6 km). Estos "desfiles del ser al no ser", como Tompkins los llama, "dieron vida diaria en las ciudades aztecas a un sabor de pesadilla surrealista que dejaba su marca sobre cada miembro de la sociedad".[56]

En su libro *Paris in the Terror*, Stanley Loomis suministra una descripción semejante del período de la finalización del siglo dieciocho cuando la Revolución Francesa saltó amenazadoramente fuera de control:

> Un ensalmo de horror pareció que había caído temporalmente sobre la ciudad de París,[57] una pesadilla donde toda comunicación con la realidad se suspendió. Es imposible leer sobre este período sin la impresión que aquí uno se ve enfrentado con fuerzas más poderosas que las que controlan los hombres.[58]

Con un lenguaje casi idéntico al comentar los horrores de la Segunda Guerra Mundial, pregunta Green:

> ¿Quién puede mirar hacia atrás, a esos años de destrucción fenomenal, a las muertes de más de cincuenta millones de personas, el genocidio que sufrió el pueblo judío, y el desenfrenado reino del mal en Alemania, y no creer que hubo algo más que la obra de simples seres humanos?[59]

La misma pregunta se podría hacer con igual vehemencia en la institucionalización maya de la tortura, el terror en Uganda bajo Idi Amín Dada[60] y los infames campos de matanza de Khmer Rouge (que incluyen sus tendencias a decapitar niños). La Revolución Cultural China que dejó un número calculado de diez millones de personas muertas es otro candidato. Durante estas fiestas sangrientas los líderes del Partido Comunista en la región de Guangxi en el sur de China incitaban a sus seguidores no solamente a matar a los "enemigos de la clase" sino a comer sus carnes y vísceras en ceremonias públicas. Un informe del gobierno que la censura hizo suprimir, se refiere a los pelotones del ejército que "comían la carne de los enemigos, a modo de postres después de la cena, y hacían asados con sus hígados..."[61]

Más recientemente, en los territorios de la antigua Yugoslavia, 200.000 civiles perdieron la vida y se violó a 20.000 mujeres en una atroz campaña de "limpieza étnica". Nedzida Sadikovic de religión islámica que escapó de la localidad de Srebrenica, testificó que cuando el comandante serbio bosnio Ratko Mladic vio a los hombres y niños en una apretada multitud de varios miles de desplazados, exclamó a sus tropas: "Habrá una *meze* (una larga fiesta encantadora). ¡Correrá la sangre hasta sus rodillas!"[62]

Tarja Krehic, jovencita de diecinueve años de Bosnia, en 1995 durante una Conferencia de Juventudes en Venecia, convocada por Elie Wiesel, sobreviviente del Holocausto, dijo a los asistentes sobre el misterioso comienzo del mal en su vecindario: "El odio vino. No sé desde dónde". En Rwanda donde un brote de guerra entre tribus en abril de 1994, produjo la masacre de más de 500.000 vidas, el misionero Per Houmann expresó igual asombro:

> Estar en medio de todo esto, observar cómo cambian de las personas más maravillosas, más sonrientes, más gentiles, a tales traidores y empecinados asesinos, casi está más allá de toda comprensión. Es casi como si alguien de un tirón rápido hubiese movido un interruptor.[63]

Tan exitoso como sea el diablo al manipular la maquinaria psíquica del hombre, no se limita al campo de las imaginaciones humanas. El riesgo de exposición es demasiado grande. Al permanecer en un solo sitio o al venir a ser demasiado predecible en su metodología, eventualmente disparará las alarmas de seguridad dispuestas por Dios, como la razón y la conciencia. Así el reto del enemigo consiste en mantener esos dones inactivos, y, para hacer esto, debe cambiar su repertorio de decepciones y engaños.

También sabe que las ilusiones subjetivas, si van a permanecer con efectividad, se deben instalar o se les debe dar credibilidad mediante realidades objetivas. Los espíritus (o los antecesores) ocasionalmente deben ser observables; los ídolos deben oír y liberar; las predicciones astrológicas a veces se deben cumplir. Para ayudarle a mantener estas expectativas, descansa en un vasto ejército de agentes satánicos capaces de oscilar entre las dimensiones espirituales y las materiales.

Aunque el diablo tiene práctica en disfrazar la naturaleza, tamaño y movimientos de sus huestes, el pueblo de Dios no está indefenso. La Biblia tiene cantidades de cosas para decir acerca de estas criaturas que manipulan el mundo exterior a fin de mantener las fortalezas en la mente. Aprender más sobre ellas y en particular sobre su tendencia a gobernar las tinieblas es un paso crítico en nuestra búsqueda por entender por qué la oscuridad espiritual permanece donde lo hace. En el capítulo 7 daremos una mirada mucho más cercana a las malévolas potestades del aire que medran en las sombras del laberinto.

Capítulo Siete

El arte de gobernar la sombra

Desde tiempos antiguos a los habitantes de Bali y de Java, islas de Indonesia, los hipnotizan los juegos de sombras elaboradamente coreografiados que se conocen como *wayang kulit.*[1] Aunque se originaron en la región de Jogjakarta, las presentaciones combinan épicas hindúes con filosofía budista y con folclor local, que incluye el *Calonarang,* o "invocación a las brujas".

La fuerza animadora detrás del *wayang kulit* es el *dalang,* o artista de las sombras. Acuclillado atrás de una cortina de tela que por la parte posterior se ilumina con una lámpara de kerosén o una luz eléctrica, el *dalang* maneja figuritas de cuero entre la lámpara y la pantalla. A medida que trabaja, la magia de sus siluetas hace comenzar la danza y con sus movimientos graciosos despiertan la esencia de reinos antiguos y de otros mundos.

Maestro de múltiples talentos, el *dalang* es con frecuencia escultor, pintor, danzarín, músico, impresionista y sacerdote. Además de presentar los caracteres originales y de suministrar sus voces (a veces en varios lenguajes), es también responsable de bendecir cada función de *wayang kulit* y el área vecina con un mantra sagrado. Siempre que sea posible el artista de las sombras elige relatos apropiados a la aldea o a quien patrocina su presentación. A fin de dar un nivel adicional de relevancia, los *dalang* visitantes a menudo incluyen en sus prioridades el obtener los informes sobre sucesos actuales de la localidad al conversar con ancianos de las aldeas.

El papel de los *dalang* indonesios es análogo en muchos aspectos a las presentaciones de hechizo interior efectuadas por el mismo príncipe de las tinieblas. Al confiar en su considerable conocimiento de física y psicología, él también ha sido capaz de hacer que la gente crea en sombras, pues la induce a pasar por alto sus manipulaciones detrás de la pantalla de las circunstancias diarias. Como el *dalang*, nuestro enemigo espiritual tiene un repertorio de relatos, tan profundos como ricos, y una capacidad de personalizar cada presentación para que cause un impacto máximo.

Detrás de la impresionante colección de personalidades y ambientes, sin embargo, los engaños satánicos son esencialmente variaciones de dos temas primarios: la personificación de fuerzas naturales (animismo) y la exaltación de los reinos hechos por el hombre (humanismo). Ambas corrientes fluyen desde las primeras etapas de la historia humana. Es muy probable que el apóstol Pablo las haya tenido en mente cuando advirtió a los efesios acerca de los gobernadores del mundo de las tinieblas y sobre los principados y potestades (Efesios 6:12). Mientras los primeros representan los espíritus del mal que se levantan detrás de los sistemas caídos de la naturaleza, con los últimos se pretende designar las autoridades que conspiran junto con los hombres y los arcones (del término griego archon = príncipe, gobernador) nacionales.[2] Ambos merecen una mirada más cercana.

Los gobernadores del mundo de las tinieblas explotan las fuerzas naturales

> Como se avergüenza el ladrón cuando es descubierto, así se avergonzará la casa de Israel, ellos, sus reyes, sus príncipes, sus sacerdotes y sus profetas, que dicen a un leño: Mi padre eres tú; y a una piedra: Tú me has engendrado...
>
> *Jeremías 2:26-27, (RV)*

Las almas de nuestros distantes antecesores anhelaban respuestas. Lo mismo que nosotros, tuvieron un deseo muy intenso de entender los misterios del universo. Al reconocer esta tendencia, y notar el hecho que los cerebros humanos están diseñados para descubrir patrones, los agentes satánicos especiales conocidos como gobernadores del mundo (*kosmokratores* o "potestades cósmicas") se dedican a influir, a distraer, o de cualquier otra manera a manipular sus exploraciones.[3]

Algunos de los ejemplos más tempranos de estas "observaciones guiadas" están contenidos en los escritos hindúes sagrados bajo el nombre de Upanishads. Como parte de los así llamados "Libros de la Selva", los Upanishads describen cómo en la magia de las selvas profundas, los sentidos pueden dirigirnos a revelaciones muy hondas. En la quietud de la selva, por ejemplo, el ruido de la respiración se convierte en un punto focal para la meditación.[4] En la riqueza de los bosques la persona que medita puede observar fácilmente los ciclos de la vida —hojas, semillas y capullos que caen al suelo, solamente para estimular la siguiente ronda de renacimiento. Encantados por una serpiente antigua, con lengua de plata, casi todos no se dan cuenta que el corazón conceptual de estas "revelaciones" —la transmigración del alma, o reencarnación— es nada menos que una variedad de la mentira del antiguo Huerto.[5]

Animismo como una perspectiva mundial

Casi todos los pueblos de tradiciones están persuadidos que todo en la naturaleza tiene vida (aunque las especificidades difieren de una cultura a otra). Cada elemento natural, desde las estrellas y las montañas hasta los árboles y los animales, tiene una identidad personal y emociones sujetas a influencias. Los antropólogos y los teólogos llaman a esta creencia *animismo* (del latín anima que quiere decir "alma", o "lo que da ánimo, lo que *anima*"). Mientras algunas culturas creen que toda materia está viva, otras creen que la fuerza vital se encuentra solamente en formas habitadas, por lo que encarnan deidades o antecesores particulares.

Como el historiador británico Stuart Piggot anota en *The Druids*, los celtas antiguos se esforzaron por pintar la inteligencia detrás y dentro de la creación al personificarla. Una de las formas en que efectuaban esto consistía en esculpir rostros de dioses en troncos de árboles situados en los bosques cerca de los manantiales naturales. Inclusive hoy las personas en las tierras célticas "visten" los pozos con flores y hacen peregrinaciones de votos a los robles antiguos y a piedras especiales.[6] A lo largo de la columna vertebral volcánica de América del Sur, muchos picos batidos por el viento pertenecen a una categoría de súper dioses llamados tíos.[7] Pilas de madera con varios siglos de antigüedad encontradas en estas tierras altas testifican de las hogueras primitivas que una vez iluminaron las noches de los Andes en honor de estos tíos. Tierney ha anotado que los incas estaban comprometidos con la noción que "toda *huaca*, o sitio sagrado se debía alimentar cada año". Si así se hacía, a su turno, alimentaría a los seres humanos.[8] El Monte Kaata, que ayuda a definir la frontera entre Perú y Bolivia es particularmente rico en huacas. Representado simbólicamente como un cuerpo humano, este paisaje sacrosanto se alimenta con una dieta uniforme de *chicha* (bebida alcohólica elaborada a partir del maíz) ritual, así como sangre de animales (y ocasionalmente de seres humanos), grasa y fetos.[9]

Los animistas también sostienen que el universo como entidad con alma se comunica con la humanidad conscientemente, pues le transfiere todo desde información hasta consejo y sabiduría. De acuerdo con el chamán esquimal Najagneq, el poder divino habla no solamente por medio de "las fuerzas de la naturaleza que los hombres temen", sino también "mediante la luz del sol y la calma del mar". La voz del universo puede ser "suave y delicada" de manera que "inclusive los niños no se asusten".[10] Afirmaciones similares se conocen a través de la letra de canciones populares para niños grabadas por el artista Raffi[11] y en el canto "Todos los colores del viento" de la película *Pocahontas* de Walt Disney.

"Una vez que tomamos conciencia de que somos uno con todos los fenómenos naturales —dice la conferencista de la diosa, Marcia Starck—, comenzamos a adquirir nuestras lecciones del mundo de las plantas, del reino de los seres alados, y de la esfera celestial.[12] Terence McKenna, notable gurú de la mal llamada Nueva Era, afirma que los diversos miembros de la naturaleza se pueden comunicar entre sí por medio de la liberación de señales químicas en el ambiente. Los traductores entre las especies en esta teoría son los alucinógenos naturales como ibogaína, harmalina y psilocibina. A través de su ayuda, los seres humanos pueden perseguir una relación profundamente unida con las plantas, los animales, y la tierra misma.[13]

Astrología, destino y los cielos

No hace mucho tiempo, al Observatorio Griffith Park cerca de Los Ángeles lo inundaron llamadas telefónicas ansiosas como consecuencia de un terremoto local. Casi todas las personas que llamaban, querían saber cuál era la "diferencia" acerca del firmamento. Los confundidos astrónomos pasaron horas estudiando los cielos antes que finalmente les llegara la explicación. El terremoto había derribado una gran cantidad de transformadores eléctricos, ¡y muchos habitantes de la ciudad veían "las estrellas" por primera vez en años!

Para los antiguos, cuya visión en las horas de la noche no tenía el obstáculo de las luces y la contaminación que acompaña a las civilizaciones modernas, tales espectáculos eran lugares comunes, pero no menos misteriosos o inspiradores de admiración. Si todavía no entendían las complejidades cósmicas que más tarde serían expuestas por personalidades como Copérnico, Einstein, y Hawking, ellos registraron patrones de buena fe.[14] Infortunadamente, las interpretaciones que ellos les dieron a estos patrones fueron muy influidas por los gobernadores del mundo demoniaco. Al contemplar los cielos a través de estos lentes falsos, los antiguos llegaron a cuatro conclusiones espurias:

1. Como el dosel estrellado daba vueltas alrededor de un punto fijo, la estrella polar y sus constelaciones, la Osa Mayor se pensaban que eran el centro, y posiblemente la entrada a la dimensión celestial.[15]

2. Muchos cuerpos celestiales, exaltados y brillantes, se consideraron como deidades o figuras espirituales. Tanto los indoarios como los babilonios ofrecieron devoción a los siete

rishis (o sabios) encarnados en la constelación de la Osa Mayor,[16] mientras el mundo grecorromano concedió estado divino a los cinco planetas más próximo a la tierra (cuyos nombres han permanecido hasta el día de hoy). Virtualmente, todo estaba personificado y se adoraba al sol y a la luna.[17]

3. En muchas sociedades a las órbitas de los cuerpos celestiales eran, o "se las concebía como dioses que se movían a través del cielo de la noche en el camino para renacer cada salida del sol"; y como el autor John Carlson ha señalado: "observar y predecir las vías recurrentes de las luces divinas era conocer los destinos de reinos, reyes e imperios, discernir el día apropiado para los ritos y para pronosticar o predecir... la estación de la lluvia que da vida".[18] Inclusive más proféticos fueron fenómenos excepcionales, como las conjunciones planetarias, los eclipses y los cometas. Las observaciones de estos signos que se remontan hasta por lo menos al año 2400 A.C., se conocieron como "astrología de augurios (omen)"[19]

4. También se suponía que los movimientos y las posiciones de los cuerpos celestiales controlaban los destinos individuales, aunque para descifrar la fortuna de alguien se necesitaba una forma muy compleja de adivinación llamada "astrología de horóscopos". En este sistema las fuerzas planetarias que influían el carácter de una persona se modificaban por los signos del zodíaco, en la misma forma que los rayos de luz se modifican cuando pasan a través de paneles coloreados o de vidrios teñidos.[20]

Sea lo que podamos pensar acerca de tales conclusiones, no hay duda que la relación de nuestros antepasados con el firmamento y sus incontables órbitas fue un componente fundamental de su religión primitiva. Tampoco podemos dudar que sus percepciones fueron profundamente influidas por astutas potestades satánicas del aire. De acuerdo con Clinton Arnold, Profesor de Nuevo Testamento en la Universidad de Teología Talbot, la misma palabra que Pablo usa para "potestades"(*dynameis*) en su carta a la iglesia de Éfeso también se encuentra "en el contexto astrológico para los espíritus de las estrellas". De la misma manera, también, son sus términos para "gobernadores del mundo" (*kosmokratores*) y para "espíritus elementales (*stoicheia*).[21] Estos términos como Arnold señala habrían sido "especialmente relevantes para el pueblo que creía que las luminarias que poblaban los lugares celestiales eran dioses y espíritus".[22]

También es interesante notar la atención especial que la comunidad astrológica dio a la atmósfera de la tierra. En las mentes de muchos sacerdotes y adivinos primitivos, la región conocida como los "cielos inferiores" albergaba misterios y fuerzas de importancia extraordinaria. Uno de los primeros en escribir extensamente sobre el tema fue el astrónomo griego Ptolomeo. En tratados compuestos en la ciudad egipcia costera de Alejandría, sostenía que la atmósfera de la tierra estaba inundada por un poder etéreo llamado el "Ambiente". A través de este poder, Ptolomeo creía que las fuerzas planetarias y de las estrellas enlazaban a las personas sobre la superficie de la tierra.[23] En últimas las ideas de Ptolomeo suministran un paralelo muy interesante para "el príncipe de la potestad del aire" a quien Pablo describe como que "ahora opera en los hijos de desobediencia " (Efesios 2:2). También pueden ofrecer una explicación sobre por qué en el juicio final de la tierra, el séptimo ángel derramará su copa de la ira en el aire (Apocalipsis 16:17.)

Quienes insisten que nada hay en los "signos silenciosos de los cielos" que merezca tal preocupación, harían bien en considerar los sabeos de Harán. En *The Golden Bough*, J.G. Frazer relata que esta población pagana "ofrecía al sol, a la luna y a los planetas, víctimas humanas a quienes se elegía con base en el supuesto parecido a los cuerpos celestiales a los que eran sacrificados". Un ejemplo de esto se da en la ofrenda de una víctima pelirroja teñida de sangre que los sacerdotes presentaban al "rojo planeta Marte" en un templo apropiadamente decorado con tintes bermellones.[24]

Infortunadamente, como el doctor Arnold nos recuerda, "la astrología se practicó de modo muy amplio" también entre los israelitas.[25] El profeta Amós menciona los nombres de varios de sus dioses asirios que eran estrellas, mientras Jeremías describe cómo se quemaba incienso ante la "Reina del Cielo" que era la diosa Ishtar de Babilonia (véase Jeremías 7:18; 44:17-19, 25).[26] Esta práctica, que los escritores bíblicos describen como "inclinarse para adorar las huestes de las estrellas", irritó tanto a Dios que dijo que "cortaría" a quienes hagan tales cosas.[27]

La escena en el Nuevo Testamento no era mucho mejor. Las creencias astrológicas pendían sobre el mundo del primer siglo como la yedra. Según Cavendish y otros han señalado, inclusive el Día del Señor ha venido a ser "el día del sol".[28] Casi todas las comunidades primitivas, e inclusive las de Éfeso, Colosas, Roma y Galaxia, lucharon con el sincretismo, pues muchos racionalizaban que el arte astrológico era el estudio de las "señales" de Dios, no sus "causas".[29] Entre los más influyentes de estos pensadores sincretistas primitivos, hubo figuras como Julius Firmicus Maternus y Sinecio de Cirene, individuos cuyo legado sería más tarde vuelto a levantar por Tomás de Aquino y por Dante.[30]

Imaginería animal (Sabiduría y poder)

Mientras los gobernadores del mundo de las tinieblas han gozado de gran éxito con la astrología, su repertorio de engaños no está de ninguna manera limitado a las ilusiones que comprometen las huestes estelares. Presentaciones igualmente poderosas se siguen en el teatro terrestre, con mucha mayor frecuencia en el papel de bestias divinas y de guías de espíritus animales.[31]

Al reconocer la nostalgia del hombre por el paraíso perdido, el diablo ha sembrado la propuesta tentadora que los animales en alguna forma han retenido una conexión con la Edad dorada y que se pueden contar como fuentes de sabiduría y poder. John Lame Deer, un curandero de los Lakota entre los Sioux, cuenta cómo en el curso de su visión para investigar, oyó una voz que hablaba por las aves. "Somos el pueblo de las aves —dijo la voz—, los alados, las águilas y las lechuzas. Somos una nación y tú serás nuestro hermano".

Mientras las percepciones entre especies son comunes y bienvenidas entre los nativos americanos, con frecuencia se oscurecen por una presencia sombría y relatadora de cuentos. Un testimonio por Dick Mahwee, un chamán Paviotso de Nevada, sugiere que el águila y la lechuza son en realidad "mensajeros que traen instrucciones de parte del espíritu de la noche". Este espíritu, que según Mahwee "está en todas partes y no tiene ningún nombre" representa la fuente definitiva del poder del sanador.[32]

Para los druidas, este espíritu no era otro sino Cernunnos, el Amo Animal considerado por algunos como un chamán, por otros como un dios. Su imagen aparece por todas las tierras de los celtas bajo la forma de varios animales silvestres. En su mano sostiene la misteriosa serpiente con cuernos, "una bestia respetada por su capacidad para viajar rápida y silenciosamente entre los mundos".[33] Los mayas habrían conocido este mensajero o reptil como la serpiente de la visión —la encarnación de la vía a y desde el Otro mundo. En la imaginería del Período Clásico, "las figuras ancestrales con frecuencia se mostraban inclinándose sobre sus mandíbulas abiertas para comunicarse con sus descendientes". Las tribus primitivas se referían a esta maravilla con los nombres de "Transformador Negro" y la "Boca de la Serpiente Hueso-Blanco".[34]

Para muchos esta serpiente del Otro mundo es aún una realidad. En 1980 una joven de nombre Margaret Umlazi, compartió un sueño recurrente que tuvo mientras asistía a una escuela misionera cristiana en África del Sur:

> Seres espirituales a quienes no podía ver, me llevaron a un gran pozo de agua. De aquí salió una pitón, se enrolló alrededor de mí y me empujaba al pozo. Mi padre trajo una cabra al agua, de manera que pude ser libre de la serpiente. Me encontré saliendo del pozo y oí un silbido del reptil. Cuando miré hacia atrás, vi que el pitón se convertía en mi abuelo muerto. Sentí que el viento soplaba sobre mí mientras me despertaba.[35]

Otra mujer, estudiante de la danza *tonal* de los chamanes (visualización ritual con poderes animales) que se recobraba de una fase alcohólica, soñó que una serpiente muy grande entró a su dormitorio, se deslizó por sus piernas y vientre hasta llegar al pecho. A partir de esta posición la serpiente golpeó, y se fijó a su rostro con sus colmillos y sus poderosas mandíbulas. No importaba cuánto luchara, la serpiente no se podía desalojar. Aun después de despertar del sueño, sintió que la serpiente todavía estaba adherida a ella. Su tutor espiritual la alentaba: "danza y canta tu experiencia y construye una máscara de lo que sentiste que era la energía de la serpiente". Después de construir una horrenda máscara de la muerte, fue guiada a ponérsela y a hablar con su voz. En lugar de eso la mujer "irrumpió en sollozos, mientras pedía alcohol, veneno, *cualquier cosa* que la pudiera sacar del dolor de la existencia humana y de la nada".[36]

Todavía en otro sueño, un paciente del psicólogo suizo Karl Jung describe una perversión perturbadora de la escena celestial que se registra en Apocalipsis 8:3-4:

> Vamos a través de una puerta hacia un cuarto que es parecido a una torre, donde subimos una gran cantidad de peldaños de una escalera. En uno de los peldaños más altos leo una inscripción: "*Vits ut sis*". La escalera termina en un templo situado en la cresta de una montaña selvática y allí no hay otra vía. Es el santuario de Ursanna, la Osa-Diosa y Madre de Dios al mismo tiempo. El templo es de piedra roja. Aquí se ofrecen sacrificios de sangre. Los animales están de pie alrededor del altar. A fin de entrar al recinto del templo uno tiene que ser transformado en un animal —una bestia de la selva.

La cámara central de ese templo, según el paciente, no tenía techo, y los adoradores podían mirar directamente arriba a la constelación de la Osa Mayor.

> Sobre el altar en la mitad del espacio abierto se encuentra el tazón de la luna, del que continuamente sale humo o vapor. También hay una imagen inmensa de la diosa, pero no se puede ver con claridad. Los adoradores, que han sido transformados en animales y a los que pertenezco, tenemos que tocar el

pie de la diosa... y a partir de allí la imagen da una señal de palabras en un oráculo como "*Vis ut sis*".[37]

Esta extraña frase latina se podría traducir así: "serás lo que
quieras ser".[38] Jung llamó a la diosa en el sueño "Cibeles o Artemisa". Esta poderosa deidad honrada por los romanos y los efesios como Diana, era conocida como el Ama de los Animales Silvestres, cuya forma astral se encuentra en la constelación de la
Osa Mayor.[39]

Además, como las antiguas figuritas de la Diosa lo demuestran,
esta Ama, lo mismo que Cernunnos mantenía un "compañerismo
muy especial con las serpientes".[40]

Imaginería de la Diosa (Fertilidad y nutrición)

Si los animales se consideran como los portadores de poder y sabiduría su Ama la gran Diosa, se ve como la fuente primaria de la
vida y la que sostiene la vida. Estrechamente ligada con la tierra
misma a veces se la refiere como la Madre Tierra o Gaia (nombre
prestado del griego).[41] En lo que parece ser la afirmación definitiva
de su independencia, un cuadro de 1963 pintado por Judy Chicago
ilustra a la Madre Tierra que se da nacimiento a sí misma, pues
saca la materia prima en una enorme ola que se origina a partir de
su boca.[42]

Como Elinor Gadon nos informa:

> La evidencia arqueológica afirma abrumadoramente que los
> pueblos prehistóricos adoraban a una deidad femenina. La
> búsqueda religiosa estaba por encima de toda renovación, pues
> la regeneración de la vida —y la Diosa era la fuerza vital.[43]

Con el tiempo esta búsqueda tomó la forma de un rito, ahora
revivido, que se conoce como "Drawing Down the Moon". El doble intento del rito, según lo describe el antiguo sacerdote pagano
Aidan Kelly, fue "bajar" (o tomar) la persona de la Diosa y simbolizar su "don de inmortalidad por medio de la reencarnación".[44] Al

inspirar esa imaginería ritual, el enemigo espera extender los engaños originales del Edén a las generaciones sucesivas.

Hacia el año 2500 A.C., la cultura de la Diosa había alcanzado su apogeo. En la isla de Malta barrida por los vientos, se construyeron más de 30 templos en honor de la Gran Señora, muchos diseñados de tal forma que entrar a ellos era entrar en su cuerpo sagrado. Un centro ceremonial subterráneo conocido como el Hipogeo (localizado en el complejo Tarxien que discutimos en el capítulo dos), se consideró tanto un vientre donde las revelaciones se concebían por medio de la incubación de sueños y el veneno de las serpientes y un cementerio, donde los muertos volvían a la Madre. En la isla de Creta, durante el período minoico hay evidencia que los devotos de la Diosa contactaban a su Ama al derramar ofrendas de sangre y de otros líquidos sagrados. Los santuarios en las cuevas eran numerosos y las serpientes y el opio parecen haber tenido un papel muy importante en los ritos minoicos. Otras imágenes revelan a la Diosa que tira hacia abajo un recipiente desde el árbol sagrado, para danzar sin freno alguno, como en una orgía.[45]

Mientras su influencia continuó sintiéndose a través del período grecorromano hacia el siglo séptimo A.D., el mercado ideológico de la Diosa se perdía ante las llamadas religiones patriarcales —notablemente el judaísmo, el cristianismo y el Islam. Enfrentados a esta amenaza, sus patrones satánicos se asentaron en un complot muy astuto. Iban a contextualizar su función estelar moldeándola como "la Madre de Dios".[46] Aunque esto tuvo poco impacto sobre el Islam, al que el enemigo controlaba de otra forma, transformó a la cristiandad. Los adeptos primitivos incluyeron sectas gnósticas como la de los nicolaítas (cuyas prácticas de sincretismo, incluso la prostitución ritual, infiltraron la iglesia en Pérgamo) y los coliridianos, quienes ofrecían tortas a María como la Reina de los Cielo.[47] "El poder de la Diosa no se negó en la cristiandad —explica Gadon—, simplemente recibió un nombre completamente nuevo".[48]

Pero mientras esta adaptación suministró a la Diosa una vida extendida, no era suficiente para restablecerle la flor de su juventud. A medida que la historia progresaba hacia la edad moderna, la una vez dominante Señora vino a ser marginalizada, puesta a un lado por una nueva cosecha de pesos pesados engañosos que incluyeron el racionalismo, el materialismo y el comunismo. Algunos pensaban que su carrera se había acabado.

Este obituario era prematuro. Después de siglos de influencia declinante, la Diosa hizo un tremendo regreso que comenzó en 1979. Este avivamiento se puede rastrear, en gran escala, a dos libros de excelentes ventas: *Spiral Dance* de Starhawk y el libro de Margot Adler *Drawing Down the Moon*; y a dos sucesos que hicieron historia en la tierra, la Conferencia de la Gran Diosa que Re-Emerge en Santa Cruz, California y la iniciación del Movimiento Radical Faerie ("paganos gay") en una conferencia en el desierto cerca de Tucson, Arizona. Ambos certámenes dieron ímpetu a centenares de nuevos festivales relacionados con la Diosa, a cursos y publicaciones.

Hacia septiembre de 1955, la influencia de este avivamiento pagano se sintió mucho más en la Conferencia de Damas en Beijing, patrocinada por las Naciones Unidas. Las delegadas a esa conferencia además de recibir un arreglo de seminarios que celebraban la teología de la Diosa, también recibieron la oportunidad de llevar ofrendas rituales de frutos a la Madre Tierra. Mientras algunas damas abiertamente dedicaron sus talleres a diversas diosas, otras construyeron altares e ídolos verdaderos y por lo menos uno de ellos, más tarde se envió en un recorrido de celebración alrededor del mundo.[49]

No todos consideran este avivamiento actual como auténtico Aidan Kelly señala al hecho que muchas diosas antiguas, incluso Artemisa, Orthia, Kali, Cibeles, y la Morrigan, "eran a menudo feroces y sin compasión" —damas cuyos deslices satánicos se dejaban conocer. Kelly llama a las divinidades femeninas descritas en literatura feminista y neopagana corriente, por contraste, "dulces como la sacarina". Se niega a aceptar que estas diosas modernas saneadas de sus características sanguinarias y de las tinieblas sean figuras que se "hayan restaurado a partir de la historia".[50]

Adoración a la naturaleza e inclinación a los géneros

Ya hemos visto que de acuerdo con Romanos 1:21-27, hay una conexión directa entre la naturaleza cuya base es la idolatría y la perversión sexual. Al sustituir la gloria de Dios por imágenes de hombres, aves, mamíferos y reptiles, a los antiguos se les entregó a la impureza sexual y a un comportamiento homosexual. El apóstol Pablo dice: "Las mujeres cambiaron las relaciones naturales por las que son contra la naturaleza, mientras los hombres cometieron actos indecentes con otros hombres" (versículos 26-27). Al ponerse a sí mismos bajo la influencia de los perversos gobernadores del mundo, encontraron que sus imaginaciones se oscurecían y se inclinaban hacia la violencia y la contaminación sexual —una ceguera que al final los llevaría a la devastación de sus cuerpos, mentes y culturas.

Los hallazgos antropológicos y arqueológicos en los últimos años han dado lento crédito a las afirmaciones del apóstol. No sólo se sabe que los sacerdotes celtas han sido homosexuales reconocidos o de una identidad sexual ambigua,[51] sino también que los estudiosos han visto una tendencia semejante entre los chamanes de Siberia y los de la Amazonia. Al ofrecer al siberiano Chukchi como ejemplo, Eliade cuenta que aunque son heterosexuales *sus espíritus guías los obligan a vestir como mujeres*" (énfasis del autor).[52] Esto no es raro, según Cowan, pues los seres que encuentran los chamanes en sus viajes espirituales son también bisexuales. Esta androginia les permite "jugar un papel clave en la reorganización drástica de categorías, que destruye la antigua percepción chamánica de la realidad, y les abre a las múltiples dimensiones de la existencia".[53]

Los chamanes no son los únicos idólatras perturbados por esos espíritus. En la antigua Babilonia, se decía que la diosa Ishtar cambió en feminidad la masculinidad entre los servidores del templo —conocidos como *kurgarru* y *assinnu*. Saggs, que se inclina a ver esos siervos del templo como homosexuales también anota que, enmascarados, tomaban parte en danzas rituales, posiblemente como travestis. Si así lo hicieron, sus presentaciones sin duda inspiraron los notorios intercambios de trajes vistos entre los asistentes en los últimos festivales folclóricos para honrar a Diana.[54]

Más recientemente, los hombres gay en su búsqueda de modelos espirituales han comenzado a redescubrir figuras como el chamán y el *berdeche*.[55] En artículos que aparecieron en el periódico del país gay, conocido como RFD (*Radical Faerie Dust*), hay muchas discusiones sobre el papel de la androginia, el cruce o intercambio de ropas, y la homosexualidad en las culturas chamánicas. Peter Soderberg al resumir estos intereses en una entrevista de 1985 a la Reunión del Espíritu Pagano, declaró:

> Sentimos que hay poder en nuestra sexualidad... (una) energía curiosa y rara que casi todas las culturas consideran como mágica. Prácticamente es un requisito para ciertas clases de medicina y de magia.

En una celebración en la selva de los Berkshires otro gay pagano le dijo a Margot Adler: "Simplemente es más fácil armonizar con un espíritu de la naturaleza, o el espíritu de una planta o de un animal, si a usted no le preocupa un papel específico de género".[56]

Manipulación demoníaca de las fuerzas naturales

Uno de los motivos para que las religiones cuya base es la naturaleza hayan ganado tantos conversos en el curso de los años, consiste en que los gobernadores del mundo de las tinieblas han hecho un trabajo maestro, al presentar el cosmos como consciente e interactivo. Su efectividad en esta tarea aparentemente se liga a una comprensión profunda del universo físico y a una capacidad para manipular materia, energía, y otras fuerzas invisibles. Cuando tales capacidades se movilizan en respuesta a las acciones de los chamanes y los astrólogos, la decepción o engaño, es con frecuencia fluida.[57]

Los relatos de fenómenos sobrenaturales son tan numerosos como antiguos.[58] Aunque se ha comprobado que algunos son fraudes cometidos por magos astutos, no todos los incidentes se pueden explicar con tanta facilidad. Un ejemplo palpable es un encuentro de poder entre los indios mapuches de Chile y los católicos de la localidad. Al apostar sobre cuál de los dioses podrían producir lluvia para terminar una sequía severa, los partidarios de unos y otros se reunieron en una colina cercana a un pozo sagrado conocido como El Agua del Gato. Según el relato provisto por Felipe Painén, los cielos no respondieron al primer peticionario, un sacerdote católico de nombre Padre Luis. Pero cuando Juan Cheuquecoy, un antiguo *machi*, salió y oró: "El cielo se volvió negro [y] llovió muy fuerte".[59] Testigos fidedignos han registrado ejemplos semejantes en Soroti, Uganda; Timpu, Bután; y en varias reservas indias en el sudoeste norteamericano.

Winkie Pratney en su libro *Healing the Land*, nos recuerda que Dios creó no sólo la vida sino también los sistemas de la vida —es decir, sistemas que por sí mismos son capaces de reproducir la vida.[60] Pero los seguidores del animismo, con el aliento de los gobernadores del mundo demoníaco, decidieron deificar estos procesos creativos en lugar de buscar a su Diseñador definitivo. Al hacer de la naturaleza la historia y no el escenario, como C.S. Lewis observó una vez, han olvidado que "la naturaleza es una criatura, algo creado". Y aunque la naturaleza "viene con su aroma o con su propio sabor particular... no está en ella, sino en Alguien mucho más allá de *ella*, donde todas las líneas se encuentran y donde se explican todos los contrastes".[61]

Principados y potestades: Coconspiradores gubernamentales

Mientras el apóstol Pablo se refirió a Satanás como el gobernador del reino de los aires, Jesús lo llamó el príncipe de este mundo —apelativo que en griego significa "gobernante sobre reinos o estructuras".[62] En tanto que el primer título sugiere la maestría del enemigo sobre el plano natural, el último reconoce directamente que, en el momento actual, por lo menos, también mantiene dominio sobre los sistemas humanos-políticos, económicos y religiosos.

En general, Satanás asegura su autoridad sobre estos sistemas al forjar lazos explícitos con gobiernos humanos y al estimular la diseminación de memes humanistas poderosos. Sea ya en una u otra forma, como destaca Michael Green, los demonios penetran "el clima de un país, la *Tendenz* de su política y los *nuances* [matices] de su cultura".[63]

En este caso los demonios no son gobernantes mundiales que manipulan la naturaleza, sino principados y potestades orientados territorialmente.[64] La Biblia no se preocupa con la jerarquía precisa de estas potestades del aire (presumiblemente porque esta información no es de importancia para el éxito de la guerra espiritual), sino parece vincularlas con naciones, ciudades e instituciones específicas.[65] (Véase las pp.229-237)

También hay evidencia que estos príncipes demoníacos (arcones) se vinculan con duplicados humanos —reyes perversos (o por lo menos dispuestos al mal), sacerdotes y gobernantes que sirven como sus representantes terrenales.[66] Las potestades manipulan estos gobernadores terrestres, como visires maquiavélicos, al mantenerlos frescos con el vino encantado del orgullo. El profeta Isaías al reconocer el disgusto de Dios con esta unión, declaró: "Y sucederá en aquel día, que el Señor castigará al ejército de lo alto en lo alto, y a los reyes de la tierra sobre la tierra" (Isaías 24:21. B.d.l.A).[67] Encontramos ejemplos de estas alianzas juradas en relatos del Antiguo Testamento que se relacionan con los reyes de Tiro y Babilonia (Ezequiel 28; Isaías 14). Varios otros pasajes hacen referencia al sistema imperial romano. Uno de ellos, Apocalipsis 2:13, habla de Pérgamo, el lugar del poder político en el Asia romana, como el sitio donde Satanás tiene su trono. En Daniel 11, al malvado rey Antíoco IV, Epífanes, nombre que significa el Manifiesto (dios), se le identifica indirectamente como el monarca blasfemo del norte.[68]

Un ejemplo más reciente de este eje de poder fue evidente en Etiopía durante el reino brutal del dictador comunista Mengistu Haile Mariam. Después de asistir a un exorcismo hecho al finalizar la década de 1970, un testigo fidedigno informó la jactancia de los espíritus que partían de mala gana: "Gobernamos el país por medio de él (Mengistu) y lo vamos a destruir". Casi diez años después un funcionario fugitivo del gabinete que tuvo acceso al *Dergue*[*] gubernamental, recordaba un comentario que le hicieron unos temerosos oficiales del partido: "Cuando nos sentábamos en las sesiones del gabinete —confiaron—, nadie miraba a los ojos de Mengistu, que siempre danzaban adelante y atrás, mientras su lengua de serpiente silbaba medidas durísimas que siempre implican asesinatos y muerte".[69]

Dios, que conoce los peligros inherentes en los reinos humanos, trabajó para persuadir a los israelitas a abandonar un reinado terrenal y seguir con su liderazgo sobrenatural y directo. En el corazón de su cuidado estaba el conocimiento que las iniciativas inspiradas por el hombre se vuelven rápidamente en sustitutos hechos por mano humana —puertas idólatras a través de las cuales los agentes demoníacos tienen acceso a las sociedades e imponen servidumbre espiritual. Dios también sabía que el control del rey significa control de su reino.[70]

En los días primeros, los reyes de Babilonia, los faraones de Egipto y los emperadores romanos validaron esta preocupación al ponerse de pie en el umbral entre las potestades del aire y la sociedad humana. Como chamanes exaltados, representaban al pueblo ante los dioses, y servían como el conducto por cuyo medio las divinidades celestiales regulaban los negocios del estado. Como soñaban en su grandeza (Ezequiel 31:10; Daniel 4:30) y convencidos de su divinidad (Isaías 14:13-14; Ezequiel 28:2; 29:3), estos reyes-dioses ofrecían sus manos a la interminable tarea de conquistar rivales y edificar ciudades y templos gloriosos.[71]

Hay evidencia posterior del vínculo entre los ángeles caídos y los monarcas terrenales, como se ve en antiguas obras de arte de Mesopotamia. Una ilustración tan famosa como enigmática muestra a los reyes que están al lado de un árbol estilizado que lleva frutos y a los que rodean lo que parecen ser serpientes. Por encima de la cabeza de estos reyes se encuentra el dios so l Samas en la

---

[*]   Nombre que se daba al más alto círculo militar marxista del país.

forma de un "disco alado".[72] Cualquiera que sea la inspiración del artista original, la semejanza de la imagen tanto al árbol del centro del Edén, como a las criaturas que tienen ruedas en la visión de Ezequiel, es sorprendente.[73] La estela de Ur-Nammur una laja de cinco pies (1.5 m) encontrada en el piso del Salón de la Justicia en Ur describe la construcción de un zigurat. Llamada la "Estela de los Ángeles Voladores", también revela criaturas aladas que se mueven por encima de la cabeza del rey.[74]

Se han observado variaciones sobre este tema en una gran diversidad de otros sitios. Por ejemplo, durante la dinastía 26th de Egipto, se esculpió una estatua que mostraba a la diosa Hathor en forma de una bestia con una corona de fuego, que cubría y protegía al faraón Psamético. En la ciudad de Patán, Nepal (que los comerciantes primitivos del Tibet llamaban *Ye Rang*, o "La Eternidad Misma"), hay una estatua del rey Narenda del siglo diecisiete que se sienta en la cima de una columna. Sobre su cabeza una cobra levantada ofrece un capuchón protector y amenazante. En el complejo Angkor Wat, Cambodia, se encuentran imágenes semejantes, donde serpientes elaboradamente esculpidas como dioses (*nagas*) (*protegen a los dioses-reyes primitivos Khmer*,[75] y en Yaxchilán donde los glifos ilustran al gran rey maya Yat-Balam que emerge de la boca de una enorme serpiente. (De acuerdo con Linda Schele y otros estudiosos mesoamericanos la noción de seres humanos poderosos que tienen vínculos anímicos especiales con dioses está bien documentada en el pensamiento clásico de los mayas. En muchas ocasiones, estos compañeros espirituales, o *wayob*, se ilustran como si flotaran en el aire por encima de sus socios terrenales.[76])

Aunque es tentador desechar tales sociedades como pertenecientes a una era ya extinta, se debe resistir esta tentación. Si las potestades demoníacas existen, escasamente se puede esperar que se defiendan con reminiscencias artísticas de sus logros pasados. Lo que han hecho, como las siguiente viñetas lo ilustran, todavía lo hacen en la actualidad.

África y Asia

Es bien sabido que casi todas las cabezas de los estados africanos consultan regularmente con líderes espirituales tradicionales y hacen viajes periódicos a los matorrales sagrados y a las selvas. Algunos como el antiguo dictador de Uganda Idi Amín Dada, también visitan hechiceros. Aunque estos contactos generalmente se ven como formas culturales inocentes y aun saludables, en realidad son los caldos de cultivo para conspiraciones mortíferas.

Amín, después de recibir lo que llamó un "sueño profético" en 1952, fue víctima de una insaciable codicia de poder. Cuando más tarde un golpe militar exitoso lo llevó al liderazgo de su nación, la naturaleza cruel de sus aliados satánicos pronto se hizo pública. Además de manifestar un repentino y virulento antisemitismo, donde incluyó un jactancioso encuentro televisivo en el que prometió que sería "un segundo Hitler", Amín efectuó una campaña masiva de exterminio contra los cristianos. A algunos los enterraron hasta el cuello en huecos, mientras a otros se les disparó en las rodillas, se les roció con gasolina y se les entregó al fuego. En ciertos campamentos, a las mujeres se les cosieron los párpados para mantener abiertos los ojos de manera que no podían cerrarlos ni apartarlos cuando sus niños servían de alimento a los cocodrilos. En alguna ocasión, se arrojaron tantos cadáveres al río Nilo que hubo necesidad de enviar buzos para despejar el tubo de ingreso a la Planta Hidroeléctrica de Owens Falls.[77]

Un sobreviviente de estos horrores Hassanain Hirji-Walji, me dijo que cuando entró por primera vez a un campamento de muerte fuera de Kampala, los camiones amontonaban en fosas abiertas centenares de cadáveres humanos en descomposición. El hedor fue tan espantoso que Hirji-Walji sufrió un ataque de náuseas. En búsqueda de un lugar donde vomitar se deslizó a un frío edificio vecino, que estaba vacío. Cuando sus ojos se acostumbraron a la escasa luz, notó una caja de muestra en vidrio especial, donde había filas de objetos oscuros. Al acercarse para ver mejor, Hassanain repentinamente se dio cuenta que eran cabezas humanas heridas.

Mientras retrocedía horrorizado, un divertido militar apareció en la puerta. "Estos son los trofeos de Amín —cocleó—. Los conserva como recordatorio de lo que sucede a sus enemigos —¡y él mismo hace el trabajo!"[78]

Los gobernantes del Continente Negro, a pesar de sus frecuentes tratos con principados satánicos no tienen el monopolio de lo invisible. Alianzas robustas y peligrosas con el mundo espiritual, se pueden documentar a través de muchos países de Asia. Como lo demuestran los "mandatos divinos" del Japón imperial y las órdenes revolucionarias de Irán, estas sociedades con frecuencia son la fuerza directriz detrás de muchas revoluciones sociales. Al mismo tiempo, sin embargo, los arcones de Asia son lo suficientemente sofisticados como para adaptarse a situaciones donde la violencia no es ni posible ni deseable. Saben que cuando viene la realización de sus objetivos, la vara mágica de la decepción es con frecuencia tan precisa y efectiva como la maza de las destrucciones.

La nación de Indonesia ha sido particularmente susceptible al control de la magia. En tanto que se pueden encontrar dioses y encantadores en casi toda isla de esta flota esmeralda, los observadores más reconocidos están de acuerdo en que el origen principal de las potestades del aire es la ciudad de Jogjakarta en Java. Un intercesor local informa que "una gran mayoría de las poderosas "brujas a quienes los líderes del gobierno visitan y consultan" tiene su origen en esta comunidad. Un artículo de la revista *Asiaweek* en 1993, que sustenta esta información, describe *el kraton* de Jogjakarta como "un palacio del mundo gobernado por la tradición y una creencia firme en el misticismo". También anota que el doctor Suradi jefe del Departamento de Educación y Cultura de Indonesia, es un devoto de un espíritu conocido como Nyai Roro Kidul-la "Reina del Océano del Sur".[79]

En otras partes de Asia, los funcionarios de los gobiernos de Singapur y Taiwan rutinariamente reconocen a los espíritus invisibles en sus discursos públicos,[80] mientras que el Dalai Lama toma consejo de un oráculo del Estado, una práctica que se remonta a mil trescientos años atrás. El emperador Akihito del Japón, durante su coronación de 1989, efectuó unos ritos muy elaborados para reafirmar la alianza de su país con la diosa del sol Amaterasu Omikami. Para muchos japoneses, estos ritos ceremoniales simbolizaban la transformación final de Akihito en un ser divino —proceso que incluyó recibir el alma de Amaterasu a medida que se unía con ella en una unión sexual simbólica.[81] En Nepal, Bután, Tailandia, y Cambodia, los monarcas divinos suministran vínculos semejantes para el mundo de los espíritus.

Oriente Medio y África del Norte

El Oriente Medio, una región en la que Dios ha tenido particular interés en el curso de los años, siempre ha atraído también la atención de las potestades y los principados satánicos. Esta edad en la que estamos no es la excepción. La influencia del enemigo sobre las estructuras de la autoridad humana, desde Marruecos hasta Bagdad, va de lo pesado a lo asombroso. En Libia, por ejemplo, el hombre fuerte Muammar Gaddafi se dice que se retira periódicamente a una tienda en el desierto, donde pide revelación a través de *velatio* —que es la práctica de cubrirse la cabeza con una tela a fin de estimular la inspiración espiritual. Al tomar una ruta diferente con el mismo fin varios miembros del Knesset israelí —el más notorio líder del partido Shas, Aryeh Deri— llama regularmente al cabalista nativo de Marruecos Yitzhak Kaduri a su casa en el barrio Nahla-Ot de Jerusalén.[82]

Muchos príncipes sauditas son también conocidos por tener sus brujos y magos personales, aunque esto está prohibido por el Islam. Gran número de estos hechiceros (con frecuencia etíopes o marroquíes) en verdad residen en el palacio real. En el reino, es un secreto a voces que uno de los sobrinos del rey Fahd tiene una habitación especial en su palacio dedicada a las artes negras. Otro miembro de la familia real emplea un hechicero de tiempo completo para ayudar a su equipo favorito de fútbol (y echar ensalmos a los jugadores rivales); por otra parte, varias princesas sauditas emplean sus jets propios para visitar los más altos magos marroquíes (cuyos talentos esperan que les ayuden a encontrar maridos o amantes apropiados).[83]

América Latina

Los líderes políticos de América Latina manifiestan una fascinación semejante con el mundo espiritual. Al contrario de sus duplicados del Oriente Medio, sin embargo, no han sido tímidos para discutir sus prácticas o vacilantes con respecto de los actores de sus "revelaciones" en la política pública. En una reciente conferencia de prensa el presidente del Perú, Alberto Fujimori dijo a los reporteros: "consulto una psíquica. Sin decirle específicamente cuál es mi pregunta, ella me da una lectura. Luego, tomo mis decisiones". En una historia posterior para demostrar y cubrir la confianza de Fujimori en las brujas, la revista semanal *Caretas* del Perú nombró a Carmela Pol Loayza como la vidente principal de Fujimori.

La historia de Fujimori no es única. En Argentina, el carismático presidente Carlos Menem se ufanaba con franqueza de sus visitas a los psíquicos, y de cómo con frecuencia ordenaba su vida política alrededor de las recomendaciones de la astróloga Evelia Romanelli.[84] También pidió a varios chamanes visitar su casa y limpiarla de malos espíritus. En Brasil el depuesto presidente Fernando Collor de Mello, no sólo consultaba a los psíquicos sino que a menudo mandaba su jet privado para transportar a Mae Cecilia Arapiraca a Brasilia, pero (según su hermano y antiguo chofer) participaba en ritos regulares y completos de hechicería, con sacrificios de cabras y tambores, en el sótano de su casa. Cuando el Congreso de Brasil comenzó a debatir los impedimentos de Collor en 1992, se supo que el presidente y su esposa clavaban alfileres en los retratos de personas a quienes querían silenciar.[85]

Medidas semejantes empleaba el antiguo hombre fuerte de Panamá Manuel Noriega. Cuando hace varios años las tropas de los Estados Unidos invadieron a Panamá, descubrieron una "casa de brujas" en los terrenos de Fuerte Amador, donde Noriega había preparado maldiciones (llamadas "*trabajos*") contra los presidentes de los Estados Unidos George Bush y Ronald Reagan. Los militares bajo la dirección del oficial James Dibble, reunieron extensos documentos y encontraron una lengua de vaca hendida con alfileres, varios altares para sacrificios y "obras" guardadas en gelatina y en hojas de banano.[86]

El mundo occidental

A pesar de la influencia de los valores judeo-cristianos las potestades espirituales también se han dado sus mañas para asegurar una huella en los palacios de Europa, Estados Unidos y Australia, esta infiltración que data desde los propios orígenes de la expansión colonial, ha sido asistida históricamente por fascinaciones de alto nivel con filosofías esotéricas y ocultas, que incluyen neo-paganismo, rosacrucismo y masonería.[87] Hacia el fin del siglo diecinueve dos de los hombres más poderosos de Europa, el Kaiser Wilhelm de Alemania y el Zar Nicolás II de Rusia, de rutina asistían a sesiones y oían consejeros de lo oculto.[88]

En Alemania, cuatro décadas después los poderes de las tinieblas asestaron un golpe aun mayor con el levantamiento del Tercer Reich de Adolfo Hitler. Mientras el compromiso personal del Führer en los ritos ocultos ha sido vigorosamente cuestionado, no hay duda que se hizo rodear por creyentes verdaderos. El más notable de éstos incluía al profesor Karl Haushofer de la Universidad de Munich cuya organización la "Logia Luminosa", más tarde se incorporó dentro del Bureau Oculto Nazi; Dietrich Eckart, un ocultista de tendencia muy dura y fundador espiritual del "Partido Nazi"; Rudolf Hess el segundo Führer cuya devoción a la astrología rayaba en fanatismo; y Joseph Goebbels el jefe de propaganda de Hitler, cuyas creencias incluían agüeros y la reencarnación.[89]

El más connotado ocultista nazi fue Heinrich Himmler, líder de las fuerzas élites nazis, la temida SS** Varias veces al año Himmler se reunía con sus oficiales superiores en un retiro

---

** SS es la abreviatura de Schutzstaffel, término alemán para Fuerzas Élites de Seguridad.

especial de la montaña conocido como Castillo de Wewelsberg, localizado cerca de Paderborn. Aquí los místicos de camisa negra se reunían alrededor de una gran mesa de comedor hecha de roble, donde participaban en ritos solemnes conocidos como "las ceremonias del aire abrasador". Bajo la dirección de Himmler mismo, que era el Gran Maestro del ocultismo alemán, estos ritos incluían adivinación, emisión de ensalmos y contactos de meditación con el "alma racial". Bajo la guía del poder que conjuraban en Wewelsberg, la División de la Cabeza de la Muerte de las SS de Himmler salió para torturar y matar catorce millones de seres humanos.[90]

Aunque nada de tal magnitud se ha registrado en la historia de los Estados Unidos, esto no significa que el poder que se asocia con la democracia directiva del mundo no haya sentido tal influencia. De hecho, todos menos seis de los cincuenta y seis firmantes originales de la Declaración de Independencia eran miembros de la Orden Masónica, incluyendo luminarias políticas como John Adams y Benjamin Franklin. George Washington mismo fue un masón de alto grado y Abraham Lincoln se vio comprometido en la práctica del espiritismo después de la muerte de su hijo.[91] Inclusive durante la administración Reagan, que muchos cristianos sostuvieron como símbolo del renacimiento espiritual, la Primera Dama, Nancy Reagan, estaba profundamente comprometida con un astrólogo consultante que en realidad influyó la política nacional.[92] El conducto de lo oculto se volvió a abrir años después cuando Hillary Clinton invitó a Jean Houston, gurú de la Nueva Era a presidir sesiones sobreguiadas de visualización en el solarium de la Casa Blanca.[93]

Mientras el príncipe de este mundo busca continuamente seducir líderes políticos clave, no es su única estrategia para dominar sobre los sistemas humanos. Adquirir control sobre los aparatos de estado, como bien lo sabe, no le da automáticamente dominio sobre los corazones y las mentes de las personas. Para lograrlo, debe encontrar una vía a fin de promocionar la diseminación de memes humanistas.

Una vez más la solución reside en encontrar y seducir la clase correcta de gente. Mientras la lista puede incluir políticos, es bien probable que también se encuentren allí productores de televisión, escritores de libretos, artistas de presentaciones, profesores universitarios, pastores, periodistas y hacedores de políticas económicas. Tales individuos, controlados adecuadamente, pueden ser de valor inmenso para las potestades de las tinieblas que quieren inyectar su veneno en lo más profundo de la corriente sanguínea cultural.[94]

La intención definitiva del enemigo es controlar las instalaciones mentales que dominan en la sociedad, así como las instituciones que las forman y sostienen. El apóstol Pablo al reconocer esta oscura ambición se refiere a Satanás como "el dios de este siglo [que] cegó el entendimiento de los incrédulos, para que no les resplandezca la luz del evangelio de la gloria de Cristo" (2 Corintios 4:4 RV).[95] En un lenguaje más contemporáneo Clinton Arnold simplemente lo llama "el dios de muchas de las estructuras que ordenan nuestra existencia".[96] Ambas descripciones nos ayudan a captar cómo las potestades se encuentran igualmente a gusto en las ciudades de Asia antigua, infestadas de templos o en los santuarios florecientes de la cultúra occidental, que con frecuencia toman la forma de centros comerciales, universidades y complejos deportivos.

En Babilonia la Grande encontramos el primer ejemplo y quizá el más vívido de una sociedad cuyos valores y estructuras básicos sufrieron una amplia y muy clara contaminación por parte del poder de Satanás. Además de convertirse en "...habitación de demonios y guarida de todo espíritu inmundo..." (Apocalipsis 18:2 RV), a la ciudad se la retrata en Jeremías 51:7 y en Apocalipsis 17:4-5 como un antihéroe internacional —seductora de las naciones. Apocalipsis 18:3, dice:

> ...todas las naciones han bebido del vino del furor de su fornicación [filosofías y estructuras contaminadas]; y los reyes de la tierra han fornicado con ella, y los mercaderes de la tierra se han enriquecido de la potencia de sus deleites (RV).

Aunque los temas de la seducción y la infidelidad juegan fuertemente aquí, hay mucho más de lo que se observa a simple vista. Babilonia es no sólo una prostituta espiritual; es el arquetipo de la "madre de las rameras".[97] Su descendencia corrupta, fruto de una unión apasionada con el príncipe de las tinieblas, incluye reconocidos tentadores como el materialismo masonería,[98] astrología y los reinos divinos. Con la magia de las potestades que fluyen a través de sus venas, estas hijas de la gran ramera han echado poderosos ensalmos sobre los reyes y mercaderes de la tierra.[99]

Si el legado de Babilonia es obvio en los grandes imperios de Egipto, Grecia y Roma, sus características también se pueden ver en las intenciones exaltadas del Raj británico, el Japón imperial y el Tercer Reich. Inclusive las Naciones Unidas exhiben su contoneo, como lo hacen la Unión Europea, OPEC y el Consejo Mundial de Iglesias. A pesar de sus genealogías, sin embargo, éstos y otros ejemplos institucionalizados, son simples actos de calentamiento para la verdadera estrella del espectáculo: el anticristo. Bajo el reinado de esta poderosa figura,[100] las fuerzas económicas religiosas y gubernamentales se unirán en una especie de superbabilonia. Apocalipsis 13:2-8 indica que el poder y la autoridad del anticristo se derivarán del dragón[101] y se extenderán sobre "toda tribu, pueblo, lengua y nación" (versículo 7). También revela que estos coconspiradores gubernamentales serán adorados por "todos los moradores de la tierra" (versículo 8). En las palabras de Schaeffer, "el humanismo orgulloso se unirá al clímax de lo oculto".[102]

Como en Babel milenios antes, los poderes se unirán como una nube de tinieblas sobre una humanidad unificada. Esta vez, sin embargo, a sus planes de conspiración se les permitirá seguir como un preludio para el juicio final.

Los ídolos y el papel que representan

Durante los muchos años que he pasado en investigar las actividades satánicas alrededor del mundo, siempre me llamó la atención lo siguiente: El enemigo es adicto sin ninguna esperanza al poder y a la adulación, pero irá hasta las mayores longitudes para evitar ser reconocido. Aunque se deleita en controlar los negocios de naciones, ciudades y familias, parece entender que jugar un papel es una parte importante en el mantenimiento de ese control.

En algunos sitios el talento del diablo para el arte de gobernar las sombras, ha sido tan efectivo que de rutina se le desprecia como una explicación seria para la servidumbre social y política. Como anotamos en los capítulos dos y tres, hasta los cristianos parecen tener sus dudas al caracterizar la actividad demoníaca como "simplista" y "supersticiosa", y un número creciente de hombres de iglesia occidentales (donde se incluyen algunos evangélicos) han procurado buscar sus respuestas en las ciencias sociales.

Esta tendencia en la búsqueda de las explicaciones "por la razón" ha puesto a muchos cristianos modernos en abierto conflicto con los padres de la iglesia primitiva. Caso tras caso, los padres recordaban a sus lectores que mientras los dioses paganos no tienen vida por sí mismos,[103] aún son peligrosos como frentes para los demonios.[104] Así Juan Crisóstomo consideraba al dios griego Apolo. También explica por qué los apologistas cristianos primitivos como Orígenes, Justino y Taciano, estaban tan preocupados por los cimientos mitológicos del paganismo grecorromano.[105]

Aunque los primeros creyentes vieron los demonios como el ánima de los dioses, el mundo pagano veía a estas deidades como la fuerza vital que moraba en sus ídolos. En la antigua Babilonia, los sacerdotes efectuaban un ritual muy complejo conocido como la "Apertura de la Boca" que servía como una especie de calentamiento de la casa para sus dioses. Los ritos comenzaban cuando una estatua de un ídolo recientemente esculpida, se llevaba entre luces de antorchas a las orillas de los ríos Tigris y Éufrates; allí, después que la estatua se ponía en una alfombra de cañas, se le lavaba la boca repetidamente con agua bendita. Cuando se completaba esta tarea, por lo general en la mañana siguiente, los sacerdotes del culto sacrificaban un carnero con el acompañamiento de invocaciones cantadas. Por último, a medida que el ritual alcanzaba su clímax, el sumo sacerdote procedía a "abrir los ojos" de la imagen tocándolos con la rama de un tamarisco mágico. En este momento el ídolo pasaba a ser algo que tenía ya sensaciones. Con la divinidad ahora inmanente dentro de la forma esculpida, se llevaba la imagen a entronizarla ceremonialmente en un templo dedicado a su honor.[106]

La historia, según señala Winkie Pratney, con frecuencia se ha repetido. Los seres humanos al hacer sus propios dioses terminan cuando sus creaciones investidas con poderes satánicos, comienzan a gobernarlos.[107] En lo que respecta por qué los pueblos tienden a experimentar solamente sus propios espíritus culturales, apenas puedo responder que el diablo sabe mantenerse en su carácter. Habita los escritos que ha ofrecido (o que ha inspirado) y asume las características que esperamos. Su único intento, que se cumple por medio del engaño, detrás de la manipulación de escenarios, es hacer creíble la fantasía.[108]

Divinidades regionales

Una noción popular en la Edad Media sugería que el mundo estaba habitado precisamente por 133.306.668 ángeles caídos. Alfonso de Spina dividió a la mayoría de estos demonios en diez categorías (como los poltergeists y los incubi) y afirmaba que cada pueblo y castillo tenía su propio demonio asistente.[109] Mientras esta especificidad impresionaba a las audiencias medievales, sobre todo a quienes procuraban entender la estructura del mundo invisible, el temor y la amenaza fueron pronto templados por un escepticismo saludable. Muchas personas que buscaban apoyo escritural para esas afirmaciones, llegaron a encontrar que la Biblia era extrañamente silenciosa sobre el tema de las poblaciones y de las jerarquías infernales.

Parece que ofrece evidencia de espíritus del mal que están vinculados, por lo menos temporalmente, con territorios y pueblos específicos. Esta evidencia (como notamos antes) incluye la mención en Daniel de los principados angélicos unidos con Persia, Grecia; la referencia en Ezequiel al querubín guardián que se asocia con el rey de Tiro y la revelación del apóstol Juan de Babilonia como "habitación de demonios y guarida de todo espíritu inmundo" (Apocalipsis 18:2, RV). Tenemos también la Legión de demonios del demonizado gadareno que le piden a Jesús que "no los enviase fuera de aquella región" (Marcos 5:10. RV), y la comprensión correcta de Deuteronomio 32:8, que, de acuerdo con F.F. Bruce: "implica que la administración de varias naciones se ha dividido entre un número correspondiente de potestades ángelicas".[110]

El concepto de espíritus territoriales también se observa en tradiciones de diversas culturas. Las ciudades-estado de Mesopotamia primitiva como Babilonia, Ur y Nippur se consideraban como propiedad de deidades particulares que las gobernaban como les parecía apropiado. Lo mismo acontecía en Egipto, donde todo pueblo, aldea y distrito tenía su dios que llevaba el título *Señor de la Ciudad*.[111] En Siria y Palestina, a estos dioses locales se les llamaba Baales, apelativo que significaba su poderío sobre territorios y comunidades específicos.[112] En el nuevo mundo, la ciudad azteca de Tenochtitlán se dividió en 21 áreas corporativas (llamadas *calpollis*), cada una con sus propios dioses correspondientes.[113] Para armonizar estos ejemplos había una comprensión dual que (1) La actividad, el poder y el dominio de los dioses estaban señalados por ciertos límites; y (2) Las residencias divinas se mantenían en ciertos santuarios fijos.[114]

En los tiempos romanos, el tema de las fronteras divinas se complicó. Los romanos, como soberbios administradores, tenían un dios para cada lugar. Aunque Término permaneció sin desafío como el dios de los límites, también se debía reconocer a Jano que gobernaba sobre las puertas. Las entradas a las casas se congestionaba con la presencia de tres deidades: Limencio, el dios del umbral; Cardea la diosa de los goznes; y Fórculus, que gobernaba sobre la puerta misma. Había también guardianes de las bodegas, los hornos y del hogar en general.

En algunos sitios esta situación no se simplificó con el tiempo. Por ejemplo la nación de Bután, situada en los Himalayas se ufana todavía de más de 8.400 deidades cuyos perfiles se encuentran en textos que se mantienen en la Biblioteca Nacional y en algunos monasterios. Las categorías específicas incluyen divinidades regionales (que se afirman a través de tradiciones de cada área), deidades de la casa y del altar (determinadas por medio de las tradiciones familiares), deidades de las puertas y de los cimientos (reconocidas como preexistentes) y divinidades personales (que se obtienen por medio de la elección individual o gracias a la selección hecha por lamas).[115]

En la India rural, las deidades de las aldeas conocidas como *dihs* se instalan en el momento en que se funda la comunidad. Como guardianes locales, ayudan a definir la identidad de las aldeas, al controlar la entrada y la salida de todas las fuerzas e influencias sobrenaturales a través de las fronteras de la aldea. De acuerdo con un estudioso del sur de Asia, "todo acto humano que intente propiciar, exorcizar, o controlar de otra manera lo sobrenatural, debe comenzar con el permiso y la bendición de las *dihs*".[116] Una disposición semejante existe en la región de Gyasumdo en el Nepal, dominada por el budismo. Pero aquí el dios de la aldea y la doctrina budista se cree que son sostenidos por un ejército que comprende deidades guardianas que se sacan de los hogares individuales.[117]

Entre los pueblos Hausa del Níger, los *alijanu* o "espíritus cercanos" son numerosos, están equipados con alas y son distintamente territoriales.[118] En su forma perversa son parecidos a los "espíritus de la sombra" reconocidos por tribus nativas americanas como los Karuk de California del Norte. De acuerdo con el curandero chamán Medicine Grizzlybear Lago, "estos espíritus de la sombra son muy territoriales" y muchas veces "atacarán a los seres humanos que estén en el territorio de ellos".[119]

Al comienzo de la década de 1970, el evangelista Herman Williams descubrió cuán desagradables pueden ser estos espíritus. El encuentro tuvo lugar poco tiempo después que él y su esposa Fern se habían instalado en Fort Thompson, un pueblecito en la reserva india de Crow Creek de South Dakota. Desde su primer día en el área, la pareja atrajo una atención no acostumbrada, no solamente como sangre nueva en el pequeño pueblo, sino también como representantes de la raza navajo en medio de un territorio tradicional sioux.

Esto era mucho más de lo que se esperaba. Lo que los Williams nunca anticiparon fue el nivel de hostilidad que su fe cristiana levantaría entre los poderes satánicos locales. Según Williams el problema comenzó cuando un hombre de edad media se dejó caer por su casa para darles la bienvenida en la comunidad. La visita no era tan cortés como parecía. Aunque Herman y Fern no tenían manera de saberlo, su ostensible embajador de buena voluntad era en realidad un hechicero tradicional sioux. Williams recuerda:

> En un punto de nuestra conversación este hombre me dijo: "aunque usted es un navajo, me alegra tenerlo aquí. Quiero también que sepa que soy barbero, y que si alguna vez necesita algún corte de cabello no le cobraré nada". Pensé que era una gran oferta y, unas pocas semanas después la aproveché. Hizo un buen trabajo. Después de haber terminado mi peluqueada, sin embargo, tomó el cabello que Fern había recogido y lo puso en una bolsa que traía consigo. En el momento pensé que era muy raro que quisiera guardar mi cabello. Debería haberlo sabido mejor.

Alrededor de dos días más tarde comencé a sentirme enfermo, me sentía tan mal que fui a ver a un médico a más o menos sesenta millas (95 km), del límite de la reserva. Mi esposa conducía porque yo estaba muy enfermo. Curiosamente tan pronto como cruzamos la frontera de la reserva comencé a sentirme mejor y cuando llegamos al estacionamiento del hospital estaba completamente bien. Le dije a mi mujer que me sentía muy tonto por ir a ver al médico sin ningún síntoma pero ella insistió en que como habíamos llegado desde tan lejos, de todas maneras debería ir. Después de examinarme, el médico simplemente se encogió de hombros y sugirió que quizá hice una reacción alérgica a algo. Luego fuimos de compras y después regresamos de nuevo a casa.

Una vez más sin embargo, algo sucedió cuando pasamos el límite de la reserva. No estábamos sino a unas pocas millas de Crow

Creek cuando comencé a sentirme enfermo de nuevo. Al llegar a nuestra casa estaba realmente muy mal. Entonces mi esposa llamó al médico esa tarde e hizo arreglos para llevarme otra vez. Cuando sucedió lo mismo en la línea de frontera de la reserva, entonces comenzamos a sospechar que tratábamos con espíritus territoriales.[120]

Más o menos un mes más tarde estaba tan enfermo que escasamente podía salir de la cama. Una noche particular —era bastante tarde— comencé a oír un cántico indio. Con mucha extrañeza me pareció que salía de una pared interior localizada al pie de la cocina. Mientras yo escuchaba durante un tiempo, mi esposa repentinamente se despertó y me dijo: "Cariño ¿oyes algo?" Contesté: "¿Oyes tú?" Me dijo: "Sí; oigo cantos. Suena como un himno al peyote". Entonces salí de la cama en una forma muy lenta y anduve hacia el sonido. Al llegar allí, se me hizo aparente que el canto era algo que salía de entre las paredes. Era aterrador. Sin embargo, precisamente en ese instante, sentí una voz que se levantaba de lo más profundo dentro de mí. Entonces repetí: "¡Señor Jesús¡ ¡En el nombre de Jesús!" De forma inmediata el canto se detuvo y empecé a sentirme mejor. Por primera vez en mes y medio pude tener una noche de buen sueño.

Temprano en la mañana siguiente, me levanté a hacer café cuando una señora llamó a la puerta. Me dijo: "Mr. Williams ¿querría usted, por favor, venir rápidamente? Tenemos una situación que necesita oración". Entonces salí con prisa y la seguí a una choza, de papel embreado. Al entrar allí, encontré a un hombre encogido sobre una alfombra. Sus ojos rodaban hacia atrás de la cabeza de manera que sólo se podía ver lo blanco del ojo. El resto de su rostro estaba deformado grotescamente, y sus manos y sus dedos estaban torcidos como una cuerda. Miré a la mujer y le pregunté: "¿Quién es? Me contestó: "Es el curandero Joshua Turtle Bull. Anoche, alrededor de 1:30 A.M. dio un terrible grito cuando vine a investigar lo encontré en esta condición." Tristemente, inclusive mientras hablábamos esa mañana, Joshua Turtle Bull tuvo una muerte terrible.

Tres días después del funeral, otro curandero me invitó a su casa a comer. Después de un poco de charla repentinamente me dijo: "¿Sabía que Joshua Turtle bull procuraba matarlo? Había tomado su cabello para usarlo en un maleficio. Infortunadamente para él su poder fue demasiado fuerte y su brujería se le volvió en contra. Eso lo mató".

Estaba atónito. Nunca jamás había encontrado tanta evidencia gráfica del odio —y del verdadero poder real— de los espíritus territoriales. Nunca había estado tan agradecido por la protección del Espíritu Santo.[121]

Así como he documentado numerosos relatos como éste, se me ha hecho aparente que las fuerzas territoriales son tan notorias hoy como lo fueron en el día de los antiguos Baales y señores de las ciudades. En ciertas áreas, inclusive, parecen haber crecido, o por lo menos han consolidado su autoridad sobre las personas locales y sobre las estructuras sociales.

La comunidad tibetana de Asia ofrece un caso soberano al respecto. Como todos los que han andado por esas vecindades de gran altitud le dirá a usted, sus espíritus territoriales son honrados no como huéspedes sino como "los señores del suelo de este continente". Estos gobernadores invisibles, de acuerdo con los textos tántricos sagrados, son muy numerosos y representan una jerarquía espiritual muy compleja. Su morada está en el terreno escarpado de la psiquis nacional tibetana, donde se aventuran bajo la forma de "huestes demoníacas" (como los *tsen, damsi, klu,* y *geg*) o como divinidades específicas (p.e., la Señora de la Lámpara Turquesa y el Dios de la Gran Llanura del Norte).[122]

En la nación de Haití en el Caribe, donde según algunas cuentas hay ochenta y cinco por ciento de católicos y ciento diez por ciento de seguidores del vudú, el orden invisible es dominado (como vimos en el capítulo 1) por entidades espirituales poderosas conocidas como loas. Entre los rangos de estos espíritus de Voudon, están varias personalidades bien conocidas que incluyen a *Legba* ("Protector de las Entradas"), Calfour ("Gobernador de las Encrucijadas") y el más alto y temido de todos, el espantoso *Barón Samedi* ("Guardián de los Muertos"). La influencia de los loas, como un *houngan* de Port-au-Prince ha dicho, nunca se debería subestimar. Porque mientras "Haití puede aparecer como otro de los hijos abandonados del Tercer Mundo... es simplemente un venero. En el vientre de la nación siempre pasa algo".[123]

Casi todos los cristianos no pueden ofrecer ningún argumento. Inclusive si el creyente promedio no ha seguido en persona a través del mundo espiritual de Haití o del Tibet, tiene poca dificultad para creer que el poder de los demonios esté activo en tales lugares. Menos claro es el mecanismo y la naturaleza de sus asignaciones para el mal. En las discusiones de la actualidad sobre los espíritus territoriales, algunos cristianos están persuadidos que los arcones nacionales permanentemente están preasignados y que se encuentran fijos allí; otros están convencidos que el proceso es más aleatorio y espontáneo. En lugar de seguir alguna clase de estrategia escrita, estos creyentes sostienen que los espíritus del mal simplemente gravitan hacia la oportunidad más inmediata, a fin de animar las invenciones imaginativas de los hombres. En verdad, estas alternativas son probablemente no tan contrarias —o importantes— como sus proponentes nos quieren hacer creer.[124] La cuestión de si los demonios tienen una asignación permanente en ciertas áreas o si, como los actores en una comedia de larga duración en Broadway se rotan dentro y fuera del mismo papel, toca el punto. Están allí, y sus personificaciones de los dioses locales los han puesto en firme control del mundo en la perspectiva predominante.

Otros cristianos se desvían a causa de los nombres, algunos van tan lejos como para despreciar las credenciales demoníacas de una deidad simplemente porque no la pueden vincular a una referencia escritural específica. Pero Dios no distingue entre los ángeles caídos identificados bíblicamente (Lucifer, Beelzebub, Apolión) y divinidades cuyos apelativos se han susurrado dentro de las vanas imaginaciones de los hombres (Artemisa, Moloc, Kali.) Su promesa de "...juzgaré a Bel en Babilonia..." (Jeremías 51:44, RV) es comprensible sólo si se considera a Bel como un poder satánico.[125]

En el análisis definitivo, la crítica teológica actual y los espíritus territoriales se deben ver como una indulgencia occidental única —una clase de polo académico para los profesores enfrente de sus cátedras (y sobre todo los profesores de habla inglesa.) Inclusive si la doctrina de los espíritus territoriales permanece sobre un terreno que se agita bíblicamente, el concepto domina de tal manera las vidas de los pueblos no occidentales que lo toman como un valor práctico, que no se puede ignorar por quienes quieren ministrar efectivamente entre ellos. Como sabe cualquiera que haya visitado Bali Perú, Bután, Nueva Guinea, los panteones territoriales elaborados, son con mucho una parte de la experiencia diaria, así como lo es la luz del sol y el comercio. Son verdaderos porque millones de personas a lo largo de los siglos han creído que son verdaderos. Medran porque comunidades enteras han conformado sus ambientes espirituales y materiales a fin de acomodarse a esta realidad.[126]

Si la influencia de las deidades regionales satánicamente controladas se ve rápidamente, sin embargo, la cuestión de lo que determina la extensión de su autoridad, al hablar desde el punto de vista geográfico es más desafiante. Mientras Dios, y los demonios y los políticos todos se han sugerido como soluciones para este rompecabezas, la respuesta no parece comprometer a ninguno de ellos —por lo menos no en forma directa. Más bien como William Robertson Smith ha anotado: "La tierra de un dios corresponde con la tierra de sus adoradores".[127] Si los devotos de Kali que tienen su base en Calcuta se mueven hasta Houston y traen consigo sus ídolos y devociones, entonces los límites de la influencia de Kali claramente se han extendido. Lo mismo se aplica a los dioses de los budistas chinos que se han trasladado de Kong Kong a Vancouver o a las deidades del Voudon africano que viajan con sus seguidores a Haití, Brasil, o New Orleans.[128]

En los últimos capítulos hemos aprendido mucho sobre la naturaleza del laberinto. Estos descubrimientos nos han permitido sacar conclusiones más que útiles sobre la forma en que las fortalezas espirituales se establecen en el pensamiento humano, en las sociedades así como en diversas regiones geográficas. Al mismo tiempo hemos desarrollado una estimación nueva de los papeles que juegan los traumas, los recuerdos, los memes y los mitos. También hemos visto que los demonios de las sombras manipulan las fuerzas de la naturaleza y conspiran con los líderes humanos, en un esfuerzo total para distraer la atención de las personas de las tiernas acciones del Padre celestial.

A pesar de este progreso, sin embargo, nuestra jornada todavía no termina. Conocer cómo el enemigo entra en las comunidades humanas no nos explica por completo, cómo es capaz de permanecer dentro de ellas. La penetración en esta materia es vital, especialmente desde cuando un elevado porcentaje de nuestras misiones evangelísticas y de rescate se llevan a cabo en áreas donde el reino de las tinieblas ha venido a convertirse en una dinastía. Si podemos discernir cómo el enemigo se ha dado sus trazas para perpetuar su presencia en estos vecindarios, nuestros esfuerzos para expulsarlo se aumentarán.

Capítulo Ocho

Dinastías territoriales

Si es un escenario prístino el que usted busca después, pocas áreas en la tierra pueden igualar los asombrosos paisajes de la Costa del Sol en British Columbia. Virtualmente, en cada vuelta de esta tierra de maravillas del Pacífico, las arrugadas montañas, las islas que se desprenden de las playas y las entradas semejantes a fiordos, ofrecen una verdadera fiesta para la vista. Infortunadamente, la naturaleza es tímida en estas partes y con más frecuencia oculta su belleza en un velo de brumas. La Costa del Sol, con más de doscientos días de cielos encapotados al año, ¡puede llevar el más engañoso de los nombres de todos los lugares en Canadá!

El clima del sur de Alaska es aun peor. Provistas con tormentas saturadas de humedad que ruedan desde el Golfo de Alaska, ciudades como Juneau y Ketchikan tienen en promedio un asombroso 280-300 días nublados al año. No es de sorprender que muchas personas encuentren difícil vivir en estas sombras perpetuas. Esto se debe a que la luz natural es indispensable para la vida humana. La deprivación puede llevar no sólo a desórdenes del apetito y del sueño sino también a una depresión severa. Los noruegos se refieren a sus oscuros inviernos como *morketiden*, los "tiempos lóbregos". —que se relacionan tanto con el clima como con el desánimo que producen. Otros hablan de inviernos tristes o fiebre de las cabañas.[1]

En muchos aspectos, las fortalezas espirituales recuerdan estos frentes estacionarios del clima. Anclados en la falta de un arrepentimiento piadoso, sus espesos nubarrones bloquean la luz y el calor espirituales que hacen a la existencia digna de vivirse y exponen a las comunidades subyacentes a una cubierta continua de confusión, violencia y desesperanza. A veces estas nubes cubren ciudades individuales (como San Francisco, Marruecos y Jogjakarta) mientras en otras ocasiones se extiende como un hongo a través de regiones enteras (como Tibet, África del Norte, y la península de Arabia.)

A la evolución de las tinieblas espirituales, como los patrones de los tiempos adversos, la gobiernan reglas que son al mismo tiempo inteligibles y predecibles. Aunque estas reglas se enfocan sobre todo en acciones morales, en la medida en que se oponen a los elementos físicos como topografía, corrientes de aire y temperaturas del agua, sus efectos se pueden discernir igualmente.[2]

Al determinar la fuerza relativa de una fortaleza dada, debemos considerar por lo menos tres factores:

1. La claridad de la bienvenida o del pacto original.
2. La naturaleza de los malos espíritus comprometidos.
3. La cantidad de tiempo en que un pacto particular ha estado en funciones.[3]

El primer factor se relaciona con la verdad que, cuando llega el comienzo de la servidumbre espiritual, la intención cuenta (Números 15:30; 1 Reyes 11:1-10). El segundo factor nos recuerda que algunos espíritus son más poderosos que otros (Daniel 10:13; Lucas 11:24-26.) Y el tercero nos advierte que el enemigo levantará formidables baluartes engañosos cuando quiera que lo obstaculiza el arrepentimiento corporativo (Éxodo 32:1-25; Mateo 23:27-39; 2 Corintios 4:4; 11:2-4).

El último de este trío de factores es particularmente relevante al asunto de este capítulo: la longevidad de las fortalezas espirituales. Si el tema suena familiar, se debe a que hemos dado un círculo completo en nuestra búsqueda para responder la pregunta con que se abre este libro: *¿Por qué la oscuridad espiritual permanece donde está?*

Basado en la evidencia que hemos revisado hasta el momento, podemos hacer dos afirmaciones con confianza. Primera, las fortalezas nacen cuando las culturas dan la bienvenida al poder del mal en su medio, a través de pactos ambiguos. Y, segunda, las fortalezas se extienden cuando las sucesivas generaciones honran las provisiones para tales pactos.

Pero no sabemos cómo el enemigo se perpetúa de esa manera por tan considerables períodos. Inclusive, si estamos de acuerdo en que las fuerzas satánicas obtienen su entrada inicial en las comunidades, mediante las elecciones equivocadas de las generaciones anteriores, necesitamos descubrir cómo se manejan esos poderes para asegurar "extensiones en préstamo" siglos después que sus socios originales están muertos y enterrados.

A medida que procedemos a investigar este tema, se presentan por lo menos cuatro posibles explicaciones:

1. Peregrinaciones y festivales religiosos;
2. Tradiciones culturales (especialmente ritos de iniciación y adoración a los antepasados.);
3. Engaños de adaptación (o sincretismo.);
4. Injusticias sociales sin resolver.

La historia ha demostrado que cualquiera de estas prácticas es capaz de mantener un clima de opresión y de desesperanza espirituales, y que su potencia combinada es casi irresistible. Para entender mejor las razones, según su turno daremos una mirada más cercana a cada una de estas prácticas.

Renovación de alianzas: El papel de festivales y peregrinaciones

Vistos como oportunidades para contactar las potestades superiores y los ritmos de la naturaleza, los festivales religiosos y las peregrinaciones han sido parte de la agenda humana desde los albores de la civilización. Los habitantes de Babilonia daban la bienvenida a la luna llena —a la que miraban como símbolo de poder espiritual y de peligro— con timbales y sacrificios. Los hititas honraban al sol y a los dioses de las tormentas con un festival que duraba un mes, conocido como An Tah Sum. Los festivales eran también comunes entre los moradores de China, Egipto, Persia, y Fenicia —culturas cuyas celebraciones de rutina comprendían tanto demonios como divinidades.

La antigua Atenas, ciudad bien conocida por su idolatría y superstición, dedicaba más de 120 días al año a festivales religiosos.[4] Pero este nivel de compromiso público con el Otro mundo fue sólo una sombra de la asombrosa dedicación de lo que se halla en Nepal (donde ni siquiera pasa un día sin que haya una apertura colectiva a lo sobrenatural) y en Japón (que sostiene cerca de sesenta mil festivales en el año).[5] Aunque los tiempos han cambiado, algunos ritos antiguos (y extraños) permanecen ampliamente intactos. Por ejemplo, la comunidad en Persia todavía guarda el festival de Nowruz (que tiene tres mil años de antigüedad) donde se observa cómo tiemblan los huevos sobre un espejo plano y cómo se brinca por encima de fogatas.[6] En la ciudad de Yokaichi en Japón, jóvenes desnudos siguen una antigua tradición de siglos al saltar por "capullos" (en realidad pasteles de arroz) que cuelgan de una viga transversal en el templo. Todos los años en Cachemira, India, setenta mil peregrinos hindúes siguen tras las huellas de sus antecesores hasta la cueva de Amarnath, donde veneran una estalagmita helada de doce pies (3.6 m) que creen que es el falo del Señor Siva.[7]

Un festival más nuevo, igualmente excéntrico, tiene lugar cada año en la aldea de Lobpuri en Tailandia. Aquí los lugareños honran al guardián espiritual de la comunidad en un santuario del siglo decimotercero mediante una invitación a un elegante banquete para los seiscientos o más macacos de cola larga que viven en sus ruinas. La fiesta, acentuada por servilletas y manteles rojos, consiste en frutas, nueces, arroz y sodas.

Es fácil desechar tal conducta como una superstición tonta. Pero muchos obreros cristianos de vanguardia sostienen que hay algo mucho más siniestro que obra durante estos festivales religiosos y las peregrinaciones. Al ofrecer una pizca de lo que este algo podría ser, el fallecido mitógrafo Joseph Campbell anotó que:

> El propósito completo de participar en un festival consiste en que uno debería ser vencido por un estado que se conoce como..."la otra mente" —(un estado) donde uno está "al lado de uno mismo", atado por ensalmos, puesto aparte de la lógica de uno de la autoposesión...[8]

Hay poca duda que tal rendición, sobre todo cuando se expresa corporativamente, a menudo dirige a poner en libertad un poder espiritual significante. Casi todos los creyentes nacionales y misioneros que he entrevistado asocian los festivales religiosos con un sentido creciente de opresión, de aumento en las persecuciones y en la presencia de signos y maravillas demoníacas. Un cristiano que vive en la ciudad santa de La Meca pidió oración especial para cubrir el siguiente hajj.[*] "En la época de la peregrinación —explicó—, es como si los demonios anduvieran por las calles. Casi que uno puede ver y sentir la presencia de Satanás.[9] Otros han notado que el movimiento de las oraciones durante esta época, parece ser más lento y creen que las respuestas a las peticiones intercesoras las demoran hombres fuertes espirituales como el que detuvo la respuesta de Dios a Daniel.

Las ceremonias, las peregrinaciones y los festivales religiosos no son los espectáculos culturales benignos que aparentan ser. No hay nada "inocente" o "natural" en ellos. Cuando se les despoja de su apariencia colorida, quedan las transacciones conscientes con el mundo espiritual, las oportunidades para que las generaciones sucesivas reafirmen las elecciones y los pactos hechos por sus antecesores. En este sentido los festivales y las peregrinaciones son algo así como el paso de la "batuta" generacional, una posibilidad para desempolvar los antiguos tapetes de bienvenida y extender los derechos del diablo a gobernar sobre sitios e individuos específicos. Nunca se debería subestimar su significado.

---

[*] Una peregrinación del Islam que atrae algo así como dos millones de musulmanes cada año de todas partes del mundo.

Festivales:
Renovación de pactos comunitarios

Es difícil obtener una cuenta precisa de los festivales religiosos y de las peregrinaciones que se hacen en la época presente. Sin embargo, casi todos los expertos calculan su número en los centenares de miles, con facilidad apenas suficiente para establecer pactos espirituales como un negocio de 365 días al año.

Los ejemplos de estos sucesos van desde la ceremonia anual de Bali llamada "Los dioses descienden todos juntos", un elaborado y complejo rito hindú que comprende boato de los ídolos y sacrificios de animales,[10] hasta los nueve días del Festival de Mevlana, durante el cual los derviches danzarines suffes turcos se esfuerzan para comunicarse con lo divino mediante el remolinear hipnótico. A mediados del verano, en el pueblo de Beselare, Bélgica (apodado "Parroquia de los hechiceros"), sostiene públicamente una "Procesión de las brujas",[11] en tanto que los indios lakota sioux de Norteamérica se perforan el pecho en las ceremonias de la Danza del Sol, a fin de renovar su alianza con varios espíritus de la naturaleza.

Para muchos participantes, estas ocasiones poderosas y sublimes también representan una oportunidad para levantarse contra la Antigua Sabiduría e identificarse con los puntos culturales de origen.[12] Durante el festival Maha Kumbh Mela en la India, al que una vez Nehru se refirió como estar "perdido en una antigüedad desconocida", quince millones de hindúes se juntan para bañarse en la confluencia de los ríos sagrados Yamuna y Ganges. En este sitio, lleno de auspicios positivos, de acuerdo con la leyenda, cayó una gota de *amrit* (el néctar de la inmortalidad) durante un conflicto primordial entre los dioses hindúes y los demonios. Como consecuencia se dice que las aguas llevan a un río invisible de iluminación. En el curso de este largo reino, según el estudioso hindú D. P. Dubey, el festival popular "ha tenido una influencia inconmensurable en el fortalecimiento de los fundamentos culturales y religiosos del hinduismo".[13]

Otros festivales tienen como objetivo entretener o aplacar a los espíritus ancestrales que se creen que habitan en el ámbito fantasmal de los muertos. Como estos espíritus con frecuencia aparecen bajo la forma de antepasados (un disfraz demoniaco) los ritos que enfatizan su atención y sus alimentos han venido a ser efectivos en forma particular para mantener a lo largo del futuro el engaño transgeneracional. Un buen ejemplo es el festival O-bon de mediados del verano en el Japón. Al comienzo de este rito ampliamente observado, las familias viajan a las tumbas en las montañas con linternas encendidas para guiar el regreso a sus hogares a los fantasmas ancestrales. Los huéspedes invisibles, cuando llegan a las puertas de las casas son saludados por una maestra de ceremonias ataviada con quimono que se inclina respetuosamente y los dirige a un vaso con flores de plumas. Durante las siguientes tres semanas este ramillete les servirá como su acomodación temporal. Cuando llega el momento en que los queridos visitantes han de regresar a su propio mundo, se les pone a bordo de pequeños botes con luces y se les dirige muy suavemente hacia la "otra orilla".[14]

Halloween, que tiene sus raíces en el festival druida de Samhain (pronúnciese *sow-en*),[15] es quizá el tiempo más maduro para establecer conexiones con el mundo espiritual. De acuerdo con Tom Cowan, estudioso de los celtas, esto se debe a que Halloween es una estación en "un tiempo fuera del tiempo".

> Cuando se levantan los velos entre los mundos y tiene lugar mucho tráfico entre los mortales y los espíritus. En Escocia se le llama "noche de travesuras y confusión". Los celebrantes modernos, sobre todo los niños, con mucha agudeza, se dan cuenta que las leyes normales se suspenden y buscan admisión a los hogares de los demás, así como los espíritus del Otro mundo quieren entrar en este mundo. En Samhain se nos recuerda que las puertas se abren, que los umbrales se convierten en puentes, y que lo ordinario se entremezcla con lo que no es ordinario.[16]

La caracterización de los festivales religiosos como portales para el plano sobrenatural también se encontraba en los festivales públicos clásicos de los mayas. Como Linda Schele, profesora de la Universidad de Texas, ha anotado, estos espectáculos místicos eran "más que simples actos de orgullo y de piedad cívicos". Los mayas, motivados por el temor a la muerte, la fe y la fascinación, diseñaron sus festivales para facilitar el acceso colectivo al Otro mundo. "(Cuando) se abrían las vías a través del abismo, sobre las grandes escaleras y las plazas de sus ciudades —explica Schele—, los participantes se transformaban en seres sobrenaturales".[17]

Como ilustran estos relatos, los hombres jamás han abandonado su intento de la Edad dorada para volver a abrir las puertas primordiales del Edén. Esta persistencia se debe en parte a nuestro insaciable anhelo de lo eterno (véase Eclesiastés 3:11). Para ponerlo simplemente, los hombres necesitan contactar al Otro mundo. Pero, apartados de Dios, esta tarea es imposible. Como eslabones críticos en el continuum espiritual, los festivales religiosos y las peregrinaciones se deben ejecutar apropiadamente. Si se descuidan, los supuestos beneficios que sostienen (como acceso a lo divino y también la protección), se pueden evaporar —o así el enemigo lo haría creer.[18]

En un esfuerzo por ampliar esta perspectiva, y por tanto, mantener su control sobre una cultura particular, a menudo recurre al uso selectivo de la magia. En la mañana del 3 de mayo de 1996, dos ancianos navajos visitaron el hogar de Irene Yazzie cerca de Big Mountain, Arizona. Presentándose como deidades navajo, instruyeron a Irene y a su hija para que no se asustaran y preguntaron por qué no recibían ya más oraciones del pueblo. Cuando las mujeres fallaron al no contestar, los visitantes les advirtieron que si los navajos continuaban en el olvido de sus tradiciones tribales, enfrentarían graves peligros y los espíritus ya no serían capaces de prestarles su ayuda. Con esta admonición soberbia, los hombres literalmente se desvanecieron, pues dejaron sólo sus huellas y una llovizna de polen de maíz.[19]

En los meses que siguieron, lo acontecido llegó hasta los navajos que vivían tan lejos como San Diego y Albuquerque. Preocupados por lo que oyeron, miles sacaron tiempo del trabajo para emprender la larga peregrinación hasta el sitio de la visita. Muchos trajeron objetos sagrados como tributo y dedicaron muchas horas para orar. En un memorándum abierto, el presidente de la tribu, Albert Hale, declaró: "Este es un suceso significativo para el pueblo navajo dondequiera que se encuentre". Ruth Roessel, maestra de la cultura navajo expresó la esperanza que la visita inspiraría un regreso a las tradiciones abandonadas. Dijo: "Esto quizá despierte a algunas personas".[20]

Otro esfuerzo para restablecer los lazos descuidados con el mundo espiritual, tuvo lugar en 1982, cuando los residentes del deprimido pueblo montañés de Oe (cerca de Kioto, Japón), decidieron renovar un pacto de seiscientos años de antigüedad con el demonio Shutendoji. Además de establecer un festival anual en honor de Shutendoji, el pueblo también consagró un parque y un museo especiales para exhibir las máscaras ornamentales del diablo. El trato del pueblo con el diablo, de acuerdo con Masaichi Murakami, director de la Asociación Internacional Oni (diablo), hasta el momento ha tenido mucho éxito. Como prueba cita un alza significativa en el movimiento de turistas —algo así como doscientos mil visitantes por año. Murakami dice: "Creo que este pueblo, donde moran los demonios, se puede convertir en un hogar para las gentes de la ciudad".[21]

Los ritos de aplacamiento, que pueden ir desde sacrificios con toda la sangre hasta frotar malta dulce sobre las bocas de los ídolos, representa un componente importante de casi todos los festivales religiosos. En los aspectos típicos, estas acciones se perciben como pagos a plazos de políticas de seguridad, el *quid pro quo* de pactos negociados por las generaciones previas. Un buen ejemplo se encuentra en el festival anual de Aoi Matsuri, Japón, que celebran los residentes de Kioto para honrar un pacto de seiscientos años, donde los dioses estuvieron de acuerdo en suspender una estación de inundaciones destructoras.[22] En otro festival de siglos de antigüedad los habitantes de la isla Cheung Chau en Hong Kong cocinan conejos para satisfacer a los espíritus irritados cuando sus tumbas ancestrales sufren alguna perturbación.

En la isla Sumba, de Indonesia (apodada "Isla de los espíritus"), el pueblo local de la tribu Merapu tiene un festival cada año que se conoce con el nombre de Pasola. El rito comienza en la medianoche cuando los sacerdotes de la aldea (ratos) invocan a la diosa del mar Nyale en un susurro bajo: *"Hoo-hoo-huaa"*. Pronto, y siempre muy suavemente, el sonido hace un eco hacia atrás. Esta es la señal que indica que Nyale ha venido a la playa en la forma de gusanos que fertilizarán la tierra. Como un esfuerzo para honrar a la diosa por la provisión que ofrece, centenares de aldeanos se reúnen a caballo para ofrecerle sangre —sangre humana. Frente una playa muy larga cerca de la costa en la aldea de Wanokaka, los hombres se atacan repentinamente. Muchos son atravesados por flechas largas y romas que utilizan como instrumentos en los torneos. Cuando la primera sangre gotea, los circunstantes se regocijan: "La cosecha será buena".[23]

Peregrinaciones: Encuestas individuales en búsqueda de revelación

Mientras los festivales religiosos comprometen a comunidades enteras, las peregrinaciones tienen una naturaleza más personal.[24] El objetivo es todavía asegurar revelación y protección espirituales, pero solamente en la medida en que se relacionan con el suplicante individual. Como las ciudades y las culturas, los individuos a menudo experimentan crisis que necesitan la intervención de un poder más alto. Si la crisis es nueva, se puede efectuar una peregrinación a fin de reunir la ayuda, si se relaciona con condiciones crónicas o pasadas, es más probable que la peregrinación sea un medio de cumplir con un pacto al que los antecesores se hayan comprometido.

Las muestras de tales peregrinaciones son numerosas. Algunas tienen como destino un santuario particular que viene a convertirse en un punto de poder. Otras ofrecen el viaje como su propia recompensa. Sin embargo, casi todas combinan ambos elementos. La difícil peregrinación en el Tibet alrededor del Monte Kailas de

2..000 pies (6.600 m) se dice que lava todos los pecados de una vida. Antes de emprender el viaje de tres semanas, que viene a ser posible sólo después que uno ha podido llegar a este sitio tan remoto, los peregrinos en forma simbólica se despojan de sus vidas antiguas al quitarse sus vestidos y al hundir los dedos en un lago vecino. Los suficientemente fuertes para completar 108 vueltas alrededor de este pico sagrado —que tanto los hindúes como los budistas consideran el centro del universo— alcanzan y obtienen el *nirvana* (el descanso final) en esta vida.[25]

Un suceso semejante, pero menos espontáneo, consiste en el hajj del Islam. Cada año en el duodécimo mes lunar, millones de peregrinos islámicos descienden a la ciudad santa de La Meca y a la vecina llanura de Arafat. Llegan, según el Corán lo ha dicho: "Desde todo punto distante"[26] —una coordenada tan probable como Londres o París, o Senegal, o Samarkanda, o Mindanao. Como en los sagrados Himalayas, los peregrinos que llegan se disocian del mundo al echar a un lado sus ropas. Luego, después de vestirse con el *ihram*, de tela blanca, proceden a completar una serie de ritos que duran una semana y que incluyen, entre otras cosas, rodear a la sagrada Ka'aba y apedrear a los demonios en las columnas de Mina. La ejecución adecuada del hajj, que recibe el nombre de Quinto Pilar de la Fe Islámica, se dice que borra o lava todos los pecados anteriores.[27]

Si La Meca es el término definitivo para los peregrinos musulmanes, la ciudad de Varanasi en la India, es el destino de elección para los hindúes. Considerada como la morada terrenal del Señor Siva, la ciudad es huésped de no menos de ciento cuarenta peregrinaciones reconocidas. Entre las más populares se encuentra el Pancakrosi Yatra, una ruta de 55 millas (88 km) que encierra los terrenos más sagrados de Varanasi. Quienes atraviesan este camino de 108 santuarios se dice que se mueven a través de "un túnel de espacio santificado".

El doctor Rana Singh: un notable experto en los ritos religiosos hindúes, identifica tres etapas en la experiencia de la peregrinación. La primera, el estadio de *separación*, es particularmente importante. Además de ser un tiempo en el que los peregrinos se separan de los negocios del mundo —proceso facilitado por un baño purificador en el Ganges— constituye una ocasión para establecer pactos espirituales. El doctor Singh me dijo en 1992 que casi todos los suplicantes después de su baño purificador efectúan una visita el santuario de Dhundhiraja, donde hacen un solemne voto a los dioses: "Si me ayudas en mi hora de necesidad, haré el viaje a tu santuario otra vez para rendirte mi devoción".

Una vez hecha esta promesa, los peregrinos se mueven a la segunda fase, o estadio *liminal* del viaje. Durante este período de cinco días, se lleva a cabo casi todo el trabajo pesado de la peregrinación. Al andar largas distancias, al abstenerse de alimentos y de relaciones sexuales, y al postrarse ante ubicuos santuarios, los participantes esperan impresionar a los dioses con la seriedad de sus intenciones. En este sentido, el viaje se convierte en una especie de pago por cuotas de pactos recientemente establecidos, aunque muchos también informan un vínculo místico con los antecesores y con los compañeros de peregrinación.

Durante la fase final de *reagregación*, los peregrinos regresan a su vida normal al ofrecer *prasada* (dulces) a los dioses y rociar agua del Ganges en cada cuarto de sus hogares.[28]

Los rigores del Pancakrosi Yatra, aunque considerables, están muy lejos de los que experimentan los hindúes de Malasia en el Thaipusam, el día del cumpleaños del Señor Subramaniam. En esta oportunidad más de medio millón de celebrantes tamiles, se congregan en sitios sagrados de Kuala Lumpur y Penang a fin de hacer negocios con su divinidad patrona. Para muchos este es el momento de recompensar al Señor Subramanian por responder a la plegaria, responsabilidad solemne que lleva a algunos peregrinos a ejecutar actos de automutilación.

El proceso típicamente comienza a medida que las multitudes principian a cantar un coro de *Vel, vel* (como referencia a la lanza en forma de hoja que es un símbolo de Subramanian). A medida que un tamborileo rítmico sigue al canto, el devoto repentinamente es poseído por la "divinidad", momento con frecuencia marcado por un grito escalofriante. Completamente bajo los efectos del trance, se le unge con ceniza de alcanfor y se le perfora con una o más lanzas de acero. En la mayoría de los casos estos instrumentos se insertan horizontalmente a través de las mejillas o en sentido vertical traspasan la lengua. Otros creyentes cumplen sus votos por medio del *kavadi*, un complicado arnés de madera que sostiene una imagen de Subramanian. La enorme estructura adherida al cuerpo del peregrino, por docenas de ganchos y de alambres, se sube hasta el último de los 272 empinados escalones de la cueva del Templo Batu. Una vez que entra a este recinto sagrado, el sudoroso devoto se presenta ante un sacerdote, que para romper el trance escupe jugo de coco en su garganta y luego extrae cada elemento del rito.[29]

Aunque tales dramas tan elevados tienen sus usos, casi siempre se emplean como parte de una estrategia engañosa mayor. La razón es simple. Si el diablo debe mantener el control sobre las comunidades humanas, tiene que persuadir a hombres y mujeres de su poder no sólo para proteger y proveer, sino también para revelar conocimiento secreto. Hay pocas cosas más importantes para los seres humanos (como el enemigo bien lo sabe) que encontrar una vía para sondear los misterios del mañana. Mientras la muerte es la mayor de estas incógnitas, y el foco central en casi todas las religiones, una divinidad útil, también debe estar preparada para responder preguntas que se relacionan con el amor, los negocios y la salud.

Para muchas personas la promesa de una revelación especial brilla como la conocida vasija de oro al final del arco iris. Cada día su poderoso (y ampliamente efímero) resplandor alerta a millones de individuos, tanto hombres como mujeres para desplegar sus alas en la búsqueda sagrada. Para algunos la peregrinación lleva a santuarios esculpidos por manos humanas; para muchos otros, el sendero termina en selvas encantadas, en cuevas antiguas o en santuarios al lado del mar.

Mientras los paisajes sagrados de Egipto, India y Perú han llamado mucho la atención internacional, la nación de Japón

—enloquecida con las peregrinaciones— ofrece el más explícito vínculo entre los viajes espirituales y la revelación divina. En la "Tierra del Sol Naciente" las peregrinaciones son de dos clases: peregrinaciones a los santuarios de las tierras bajas (como Izumo. Ise y la isla Shikoku) y las peregrinaciones a las cimas sagradas (como los montes Omine, Fuji y Haguro). Ambos son los propósitos populares de clubes de peregrinación conocidos como *kosha o ko*. La membresía en estos clubes de viajeros ha declinado desde 1800, cuando se calculaba que comprometía ochenta por ciento de la población; pero sus cifras totales aún permanecen altas.

De las dos clases de viajes espirituales, las peregrinaciones a la montaña son las más serias. Esto se debe a que los picos en el Japón, como muchos sitios altos alrededor del mundo, se consideran como la habitación de los dioses. Aquí es posible no solamente hablar a las divinidades, sino hacer que ellas hablen —un objetivo principal de los diversos ko.

Y de los hábitats divinos, ninguno es más reverenciado que el Monte Ontake. A veces se le llama el Gran Original (*Hon Moto*.) Este volcán de 10.000 pies (3.000 m) en la cadena Hida-Shinshiu, desde hace mucho tiempo se considera como la puerta principal del Japón para lo divino. Los Ontake ko, únicos entre los clubes de peregrinación, se conocen como sociedades de posesión divina. Como el astrónomo del siglo diecinueve Percival Lowell observó una vez: "Ontake es la montaña del trance. Los peregrinos ascienden a su cima, no simplemente para adorar sino porque allí en verdad se encarnan los dioses".[30]

A principios de agosto de 1992, hice mi propia visita al Monte Ontake. El propósito de la expedición, que incluyó al doctor Mamoru Ogata y a mi hijo Brook, fue evaluar la fuerza actual del culto Ontake. (Según algunos, el fenómeno estaba en descenso debido a la secularización pública y a las religiones nuevas.)

Al tomar un bus muy temprano que nos llevó de la pequeña aldea de Kiso Fukushima, contemplamos una serie de empinados escalones que conducían al modesto alojamiento que sirve como área de permanencia para el ascenso final.[31] A medida que mirábamos hacia la cima del monte a través de la luz de la mañana, obtuvimos nuestra primera penetración en la continua popularidad actual de Ontake. Lo que vimos fue tanto notable como sobrio. Aunque todavía no eran las cinco de la mañana, literalmente miles de peregrinos vestidos de blanco, ya subían y bajaban los flancos sagrados de la montaña. Me acerqué a estas cintas ondulantes de personas y pregunté a varios miembros ko por qué habían venido. Aunque todos llegaban de distantes ciudades y de muy diversas maneras de vida, sus respuestas fueron notablemente semejantes. Casi todos nos informaron que los dioses habían ordenado su peregrinación, y que a menudo fijaron la fecha precisa de partida. Un solemne peregrino, que resumió el sentimiento más común, declaró: "Jamás soñaría tomar una decisión importante en mi vida sin consultar primero a las divinidades de Ontake".

Fuerzas irresistibles:
El agujero negro de la tradición cultural

A medio mundo de las alturas sagradas del Japón, las colinas de Galilea atraen su propia corriente espiritual de suplicantes. A estos peregrinos, sobre todo musulmanes y drusos, se les puede ver en su camino hacia las tumbas de hombres santos fallecidos desde hace muchos años. En cada uno de estos sitios se cree ampliamente que se acumula un poder especial o *baraka*. "Si es cierto o no, no interesa —observa un historiador— una vez que una tradición se cree, se vuelve verdadera".[32]

La red de la creencia tejida por la sociedad Voudon de Haití, genera una ilusión semejante de comprensión total. "No importa cómo la pueda ver un extraño —explica Wade Davis en *The Serpent and the Rainbow*— para el miembro individual de esa sociedad, se mantiene la ilusión, no debido a una fuerza coercitiva, sino simplemente porque para él no hay otro camino".[33]

El punto de esos ejemplos consiste en que la creencia dicta y fabrica la realidad. Los mitos gobiernan la historia y, al mismo tiempo, son responsables de justificarla. Una vez que un grupo de individuos se haya dado a imaginaciones vanas, las potestades satánicas del aire, al actuar como el Mago de Oz, se aprontan para animar las resultantes mitologías. En tanto que estas potestades continúen con la recepción del pacto o convenio de sus crédulos sujetos, la mentira permanecerá encantada.

Infortunadamente, centenares de miles de niños nacen cada día dentro de estos sistemas embrujados. Desde el mismo momento en que sus cuerpecitos alegran la cuna, la mentira les rodea. Los primeros esfuerzos son suaves: el obsequio de pequeños amuletos, un mito que se susurra, el sonido de tambores ceremoniales. Pronto, sin embargo, la intensidad aumenta. Junto con los rezos diarios y los festivales de cada año, hay una charla repentina de ritos de iniciaciones. Más allá de esta etapa, excepto la intervención divina, sus perspectivas espirituales son sombrías —pues, como la historia lo demuestra, los niños que abrazan la mentira, cuando son adultos, por lo general la llevan como si fuera la verdad.

Las fuerzas gravitatorias que se asocian con la tradición, como los vórtices de los agujeros negros celestiales, a menudo parecen irresistibles. Los sociólogos que intentan explicar este fenómeno, señalan los vínculos fuertes entre tradición e identidad. Nos guste o no, todos somos parte de un continuum tribal y este continuum ampliamente nos dicta lo que pensamos acerca de nosotros mismos y de nuestro mundo. Debido a que esta imaginería incluye sucesos y percepciones que exceden los límites de nuestros propios espacios de vida, y como todos necesitamos un sentido positivo de autoestima, la realidad y el mito inevitablemente se entretejen.[34] En el curso de este revisionismo subconsciente, regímenes notables de rutina se esponjan ante una herencia gloriosa. Ningún otro ejemplo sirve para explicar así de bien la obsesión de Sadam Hussein con la antigua Babilonia, o la fascinación que muchos mongoles modernos tienen con Genghis Khan. Como Bern Williams anotó una vez: "El hombre promedio se derrumbará si se le dice que su padre fue un individuo deshonesto, pero se crecerá un poco si descubre que uno de sus tatarabuelos fue pirata".[35]

Iniciación:
Puerta de entrada a un mundo alterno

Casi todos los niños tienen su primer encuentro con la intensa fuerza gravitatoria de la tradición durante los ritos de pubertad y de las iniciaciones. En las sociedades primitivas estos ritos tuvieron lugar en hondas cuevas de arcilla (véase el capítulo 4). Aquí, según el paleontólogo John Pfeiffer, las almas deliberadamente sensibilizadas de los más jóvenes fueron vueltas a enmarcar mediante secuencias de sonidos orquestales cuidadosos así como de notas y visiones. Los novicios, al confrontar las realidades alternativas de sus ancianos, nacían otra vez a partir del vientre subterráneo a un mundo vivo completamente nuevo

Los ritos de iniciación, dada su capacidad para forjar identidades relacionales e imprimir recuerdos (fábrica importante de la tradición) representan un medio particularmente poderoso para instilar la enciclopedia tribal en las mentes de las generaciones sucesivas. Al reconocer esto, el enemigo ha trabajado incansablemente para promover su observación en un rango muy amplio de diversas culturas.

Cada sociedad tiene su propia receta única para llevar a cabo iniciaciones efectivas, por lo menos con dos ingredientes en común: La separación física y el retiro, y la muerte simbólica con el nuevo nacimiento. Se diseña a los primeros para introducir al neófito en el mundo de los dioses y de los antepasados, que se manifiestan típicamente en las zarzas del desierto. Se pretende con los últimos enfatizar los medios de entrada a este mundo. Los novicios entre los aborígenes Karadjeri de Australia, se llevan a la selva por la noche.[36] A medida que la familia y los miembros de la tribu lamentan sus "muertos", los muchachos oyen los cánticos sagrados por primera vez; desprovistos de sus ropas, se sientan cerca de una hoguera y se les pide que beban una gran cantidad de sangre humana. Al fin de todo esto, que continúa a lo largo de los años, se les considera vueltos a nacer —un estado que les pone "en lo conocido" acerca del mundo espiritual, los orígenes humanos y los significados de los ritos.[37]

Un proceso semejante, aunque más corto, se encuentra entre algunos de los pueblos bantúes en África. En una ceremonia que se conoce como "nacer de nuevo", a los iniciados varones se les enfunda ritualmente dentro de la piel y la membrana estomacal de carneros sacrificados. Cuando se les saca de este vientre simulado tres días después, los jóvenes proceden a treparse a la cama al lado de sus madres y lloran como infantes recién nacidos.[38]

En su notable libro *Of Water and Spirit*, Malidoma Patrice Somé, describe con detalles sin precedentes el papel que tienen las iniciaciones sobrenaturalmente guardadas en la preservación de los pasados ancestrales.

Somé, un chamán dagara[39] con grados de las universidades de La Sorbona y de Brandeis, fue entregado por sus padres a la edad de cuatro años para su entrenamiento en un rígido seminario jesuita francés. Después de quince años llenos de problemas en la institución, regresó a su aldea de Dano hacia la mitad de la década de 1970. De acuerdo con la creencia tradicional de los dagara, una persona que permanece lejos de su hogar durante un largo tiempo, deja una gran porción de alma cuando regresa.[40] Entonces, los ancianos de la aldea Dano, en un esfuerzo para "curar" a Malidoma, le pidieron someterse a Baor un rito de iniciación que dura por lo general seis semanas y que se reserva para los muchachos que comienzan su pubertad.

La ceremonia no sería fácil, porque Malidoma sabía cosas que los espíritus preferirían que no supiera. "Hay un fantasma en tu interior —le explicó su padre—, y ese fantasma estará a la defensiva cada vez que trates de vivir. Para que puedas vivir como uno de nosotros, ese fantasma debe morir". Con eso, a Mlidoma y a otros sesenta y tres jovencitos iniciados de cinco aldeas, se les envió a lo más hondo del bosque.

En la primera noche de Baor uno de los instructores encendió una hoguera a partir de un manojo de tallos secos de millo y de yerba. Instantáneamente, como si los obligara una fuerza invisible, los muchachos empezaron a cantar a las llamas danzantes. Luego, uno de los ancianos, después de dar tres vueltas al hueco de la hoguera, sacó algo de su bolsa —bolsa que parecía extrañamente viva. El anciano se llevó esto a la boca, y habló en lenguaje primario.[41] De pronto el fuego se convirtió en un fantasma violeta que se levantó casi 18 pies (5.4 m) en el aire. El anciano parado delante de estos asombrosos sucesos explicó que el fuego es un vínculo hacia la dimensión espiritual. "Cuando sabemos sin que se nos haya dicho que tenemos que efectuar un cierto sacrificio o un rito determinado —dijo—, lo sabemos porque el fuego nos lo comunicó".

Aquella noche Malidoma percibió un par de ojos que le miraban desde las tinieblas. Los dos lentes ovales luminosos tenían un efecto magnético. Aunque inicialmente seductores y atractivos, también eran capaces de generar pánico. Malidoma no pudo decir cuánto tiempo duró esta confrontación. Pero sí una cosa era clara: cualesquiera ideas que hubiera acariciado sobre el mundo, iban a cambiar.[42]

La realidad dio una vuelta muy aguda durante la ceremonia del fuego en la siguiente noche.

—A medida que el anciano hablaba —recuerda Malidoma—, el fuego se hizo más alto y... más caliente; pero de pronto una ola fría nos envolvió a todos. Primero comencé a tiritar y luego noté que todos alrededor de mí también tiritaban. Procuraba averiguar por qué algo tan caliente, podía ser tan frío, pero no tuve tiempo para el análisis. Ahora el anciano estaba dentro del fuego, mientras andaba en círculos y hablaba. Una de sus manos tenía el cráneo de una hiena y todo alumbraba y se quemaba con un fuego que no era terrenal.

"A medida que la luz salía del cráneo de la hiena, las voces parecían emanar alrededor de nosotros. Pertenecían a entidades reunidas —en un sitio que no tenía ningún equivalente con algo que hubiera visto antes. El lugar donde estaba parecía no tocar tierra, tenía la apariencia de una alfombra oscura rodeada por una gran cantidad de estrellas".[43]

Luego el anciano habló otra vez: "Vuestros antecesores acostumbraban a decir que a menos que volvamos al Otro mundo, no conoceremos la diferencia entre aquí y allá". La siguiente etapa de la experiencia de iniciación, explicó, comprende un viaje, en cuerpo y alma dentro de este plano extraño y maravilloso.

En preparación para el viaje, los otros ancianos sostenían una piel de búfalo que goteaba una sustancia verdosa, parecida a la gelatina. Esta sustancia le recordó a Malidoma "la fermentación producida por las algas en medio de la estación de lluvias". Al observar el material con apariencia como de pantano que goteaba de la piel, se dio cuenta que miraba un agujero negro de luz —la puerta que le llevaría a él y a sus compañeros de iniciación a un mundo alterno. El acceso a este plano requeriría convertir la estructura celular del cuerpo en una forma de energía luminosa.

A medida que los muchachos se formaban para saltar uno a uno dentro del agujero de luz, el anciano daba una instrucción final: "Una vez en el agujero, no deben permitirse caer indefinidamente. Si se van demasiado lejos los perderemos. En lugar de eso, tan pronto como ustedes entren, noten las líneas incontables de luz. Hay muchos colores. Les podrán ver si tienen los ojos abiertos, pero necesitan mucho esfuerzo para abrir los ojos. Nadie puede hacer eso por ustedes. Las líneas están allí para que ustedes las usen. Agárrenlas y sosténganlas. Cuando hayan agarrado un alambre de luz, flotarán. ¿Me comprenden?" —Mientras tanto —relata Malidoma— los ancianos habían comenzado a cantar y a mover la piel hacia atrás y hacia delante. Me pareció que la cantidad de gelatina verde que goteaba de la piel iba en aumento. Los ancianos intensificaron sus fórmulas en lenguaje primario, mientras el tambor entonaba un ritmo sin descanso. Alrededor de nosotros, se formaba un campo de energía de inmensa magnitud. Mi primera sensación consistió en que la frialdad de pronto se convirtió en un frío helado alrededor de nosotros. Nuestros cuerpos reaccionaron al cambio de temperatura con un temblor violento; la gelatina verde se volvió violeta y danzaba como cuando el metano se quema.

Cuando se abrió el agujero luminoso no tenía más de 3 pies (0.9m) de diámetro. Después que el primer muchacho saltó dentro, se oyó algo que sonaba como un trueno sostenido. Luego de varios momentos de ansiedad, el anciano ordenó a los asistentes halar del agujero de luz. Al levantar la piel, hicieron un movimiento con ella, como si tuviese algo que quisieran derramar. En ese instante una burbuja violeta de luz se desprendió y saltó a casi 30 pies (9 m) por el aire. Al aterrizar ruidosamente en el terreno vecino, el proyectil humano febrilmente apagó las restantes lenguas de fuego de su cuerpo.

El siguiente iniciado tuvo problemas. Después de ser devuelto del orificio de luz con un rugido, gritó como si estuviera preso entre dos mundos, como si su estructura molecular aún luchara para reconstituirse. Permanecía inmóvil en un pozo de líquido resbaloso de color verde, sin poder apagar la parte de su cuerpo que aún ardía. Por último, después que cuatro muchachos más salieron con éxito del agujero de luz, ese joven quedó en silencio. El pozo de líquido verdusco se condensó y formó una costra. Luego, mientras Malidoma miraba horrorizado, se dio cuenta que el propio muchacho se coaguló, y que se volvió tan duro como una roca. Su apariencia era más la de una estatua grotesca que la de un ser humano[44]

Pronto era el turno de Malidoma para el viaje al hueco de luz. A medida que se acercaba a la puerta volcánica, su rugido ominoso producía una tensión casi intolerable. El instante de reconocimiento había llegado. Se le ordenó correr, inhaló profundamente, y se hundió en el orificio que silbaba.

"Al principio mi cuerpo estaba muy frío —escribe—, (casi) como si hubiera caído en un congelador". Mientras descendía con una velocidad furiosa, Malidoma ejercitó su última onza de fuerza de voluntad para abrir los ojos. Lentamente comenzó a ver que la luz se quebraba en un amanecer —una aurora boreal de color y majestad. Agarró un alambre según se le había instruido, y su descenso llegó a un punto abrupto y silencioso.[45]

En esta tierra encantada de luz, Malidoma fue particularmente atraído hacia una "montaña viva coronada con oro y zafiros luminiscentes y toda clase de metales preciosos". Era tan poderosa la atracción que la única forma en que Malidoma evitó sucumbir fue quitar sus ojos de allí. Además del atractivo visual, la montaña producía una música tan encantadora que casi sentía la necesidad de llorar.

A medida que se acercaba más, una figura viva de repente apareció a su lado. "Los ojos eran especialmente desconcertantes —recuerda Malidoma—, como globos de fuego que salieran de sus órbitas. A medida que los miraba, yo percibí una inmensa fuerza magnética que me dominó y me empujó hacia la montaña".

Sin embargo, en lugar de apartarse, Malidoma de repente se encontró con pequeñas llamas violetas que aún brillaban sobre su cuerpo tembloroso. Su viaje interdimensional había llegado a un abrupto alto en el lado terreno de la puerta.

Cuando los iniciados regresaron a la aldea seis semanas después, el padre de Malidoma lo esperaba y sostenía el primer traje tradicional del joven. "Este vestido —dijo con orgullo— será un tributo a la continuidad de nuestras costumbres..."[46]

Aquella noche los iniciados se reunieron en un círculo en la aldea para entonar la canción del regreso:

> Tenía una cita en el bosque.
> Con todos los dioses,
> Así pues, fui. Fui y llamé a las puertas
> Cerradas enfrente de mí.
> Supliqué entrar. ¡Oh! Cuán poco sabía
> Que las puertas no llevaban afuera.
> Todo estaba en mí.
> Yo era la habitación y la puerta.
> Todo estaba en mí.
> Simplemente tenía que recordar...

Linajes y antecesores: Ataduras espirituales con el pasado

La sucesión de generaciones representa el campo biológico móvil sobre el cual el pasado se transfiere al presente. Para asegurar que sus intereses se conservan a lo largo de este continuum, el enemigo cultiva muy complicadas decepciones (engaños) que comprometen los linajes y los antecesores. Por medio de estos poderosos elementos de la tradición, es capaz de reciclar antiguos encantos. Como vimos en el capítulo 7 esto le sucedió a Margaret Umlazi, la escolar de África del Sur que soñó con su abuelo que como una serpiente, la empujaba al pozo de la tradición cultural.

El área Quiché de las mesetas mayas de Guatemala, mezcla la adoración a los antepasados y la reencarnación. Esto se manifiesta en la práctica de presentar a las mujeres embarazadas ante los "santuarios de linajes" de manera que los chamanes puedan "sembrar" o "plantar" el alma del nuevo miembro de la familia en el vientre, a partir del pozo de las almas de los antecesores. Debido a que estos santuarios o "casas para dormir" son puntos de reunión para los espíritus de los sacerdotes chamanes fallecidos, se consideran sitios particularmente favorables para estas siembras rituales.[47]

Otras manifestaciones de las tinieblas dinásticas se encuentran entre los vecinos aguacatec mayas y los distantes ahusa del Níger rural. Ambos pueblos creen que ciertas clases de espíritus son heredables y que se deben ofrecer sacrificios anuales para aplacar los mismos espíritus que los padres aplacaban antes de ellos. Harry McArthur estudioso Wycliffe, al trabajar sobre la práctica de los aguacatec, anota que los deberes religiosos que se reciben de los padres se deben llevar a cabo sin desviación de ninguna clase.

> Si el padre de uno tuvo cierta responsabilidad con un dios familiar o de la casa, consistente en ejecutar ciertos ritos de aplacamiento en determinadas épocas, entonces el hijo debe asumir la responsabilidad; si falla en lo más mínimo, puede perder su *banl* (buena fortuna).[48]

En muchas áreas del mundo, el método de zanahoria-y-palo, es un hecho común en las relaciones entre los "antecesores" y los vivos. En la isla de Madagascar, por ejemplo, los antecesores que quieren hablar lo hacen a través de hombres sabios conocidos como *ombiasa*. De tiempo en tiempo, estos *médium ancestrales instruyen a los vivos para que hagan un famadi-hana* o "celebración de vuelta a los huesos", donde los restos de los antecesores se sacan de las tumbas y se vuelven a enterrar en una tela rígidamente tejida. El cumplimiento de este requisito tiene como recompensa salud y prosperidad, mientras la indiferencia puede llevar al infortunio, o inclusive a la muerte.[49] En el Nepal hindú se espera que las familias alimenten a los dioses de los linajes y a dos clases de fantasmas ancestrales. La dieta de estos seres del Otro mundo es muy rara -bananos, arroz y velas encendidas— pero a quienes suministran comidas regulares se les promete librarlos de peligros y unos poderes especiales para decir la buena fortuna.[50]

Otra forma en que el diablo obstaculiza a las personas para romper con el pasado, consiste en el vínculo con el "tiempo social" —la historia que el grupo ha experimentado. En ciertas partes de África se cree que la historia colectiva amasa poder, que a menudo se simboliza con un objeto sagrado que mantiene el rey o el líder de la tribu. Por ejemplo, los pueblos soninke utilizan cadenas cuyos eslabones individuales representan los miembros de una dinastía ancestral que se remonta hasta Sunni el Grande. Cuando el patriarca de la tribu está para morir, devuelve la cadena desde la boca, mientras el sucesor la traga por el otro extremo.[51]

Un acto tan extraño, además de simbolizar la continuidad, recuerda que las tradiciones espirituales más importantes se transmiten por vía oral. Esto, como lo puede decir cualquier anciano o gurú, se debe a que las tradiciones se dinamizan menos por su contenido que por la manera como se pasan —y pocas formas de comunicación son más íntimas (o potentes) que el habla.[52]

En el mundo del budismo tibetano, los secretos de iniciación que se asocian con el hecho de adorar a determinadas deidades, van de maestro a alumno *nyin guyd*, es decir, de oído a oído. Las iniciaciones, acumuladas a lo largo de vidas a partir de una multitud de maestros, se registran en un libro especial de "adquisiciones" o "libro de lo que se ha oído".[53] (Como la eficacia de los ritos en el Tibet depende de su vínculo directo con maestros reconocidos, cada entrada debe incluir el linaje del maestro a quien pertenecía.)[54]

Un relato perturbador de transmisión oral lo registró en la década de 1930 el etnógrafo Eric Thompson. El informe, que daba abundantes detalles sobre la iniciación de chamanes para los Q'eqchi, mayas de Belice, incluyó una notable descripción del encuentro entre los novicios y la serpiente de la visión llamada Och-Kan. En el curso de este encuentro, explicó Thompson, "el iniciado y la serpiente se encuentran cara a cara". Cuando esto tiene lugar, "la serpiente se levanta sobre la cola, se acerca al iniciado hasta cuando sus rostros casi se tocan, y pone su lengua en la boca del futuro chamán. De este modo comunica los misterios finales y definitivos de la hechicería".[55]

Engaños de adaptación: El mezclador del sincretismo

El tercer acercamiento para mantener las dinastías territoriales utiliza lo que se podría llamar "engaños de adaptación". Estas decepciones, que se pueden definir ya sea como correcciones necesarias del curso o como una actualización en la línea de productos del diablo, se introducen en etapas o fases donde las estructuras tradicionales se hallan en peligro de perder su potencialidad de engaño.

Al enemigo, pragmático hasta el núcleo, no le importa cómo se engañan las personas, sólo le interesa que permanezcan engañadas. Si esto significa que en ocasiones deba adaptar su mensaje a los tiempos y circunstancias cambiantes, está perfectamente listo para hacerlo. A fin de mantener la flexibilidad, puede explotar nuestra propensión humana a ensayar cosas nuevas —táctica que, a su turno, le permite transformar engaños antiguos en atracciones modernas.

Los engaños de adaptación no reemplazan las esclavitudes ideológicas preexistentes; construyen sobre ellas. En este sentido recuerdan al demonio que regresa con otros siete espíritus peores que él (Mateo 12:43-45). La meta no es tan sólo avanzar las tinieblas espirituales cronológicamente, sino espesarlas. El término común para esta mezcla de creencias y prácticas es *sincretismo*. Frecuentemente su manifestación se puede rastrear al desagrado con el status quo ideológico (motivador principal del pensamiento de la mal llamada Nueva Era) o a la conquista de una sociedad por otra.[56]

El diablo aprecia el sincretismo no sólo por su capacidad para introducir agentes engañosos en la corriente cultural, sino también por su habilidad para absorber y desarmar las incursiones del Evangelio. En lugar de negar a los cristianos el acceso a las sociedades que controla, el enemigo con toda sencillez utiliza el mezclador del sincretismo para diluir los mensajes de los evangelistas. El producto resultante es, con frecuencia, una cultura donde el simbolismo cristiano astutamente se entreteje con la historia indígena y con doctrinas alternativas. Mientras algunos eruditos y teólogos ponen tales culturas como ejemplos de fe dentro de un contexto, en realidad no son otra cosa sino idolatría con un rostro aceptable. Los dioses antiguos y sus viejos caminos, como puede decir cualquier observador bien informado, aún están muy vivos.

Al sincretismo lo dinamizan dos elementos muy poderosos: la tolerancia y la tradición. En el primer caso, el diablo razona con una mente muy astuta, que se puede agregar cualquier creencia a la mezcla cultural con tal que no excluya otros objetos de afecto. A primera vista éste parece ser un argumento expansivo, que suministra al cristianismo un lugar en la perspectiva mundial de la comunidad. Pero el enemigo está bien consciente que una relación genuina con el Todopoderoso sólo es posible en la ausencia de dioses rivales. Si puede mantener por lo menos otra deidad en la agenda pública, la fe de relación y el poder se marchitarán en una forma anémica de piedad.

Gracias a la influencia invasora de la tradición, encontrar una deidad alternativa es fácil. Aunque unas personas se cansen de un dios o una práctica particulares, por lo general son remisas a romper todos los eslabones con el pasado. Bajo la motivación de la culpa, del temor, o aun de los simples hábitos, prefieren mantener su antiguo señorío espiritual (a veces bastante débil) y al mismo tiempo cortejar nuevas alternativas.

Algunos investigadores, al observar esta dinámica en Grecia primitiva, están convencidos que el cristianismo helénico avanzó no por medio del arrepentimiento sino por la adaptación de la religión a la cultura pagana predominante. En lugar de renunciar a sus dioses, muchos griegos simplemente los reemplazaron con los santos.[57] (En este aspecto su conducta fue bastante semejante a la de los cristianos medievales del sur de Francia, que levantaban sus iglesias sobre los santuarios de los antiguos ritos paganos y que mantuvieron ídolos decorados en sus criptas.)[58]

La forma de acomodarse el paganismo también ha dejado su huella en las islas británicas. Por ejemplo, el último domingo de julio, miles de peregrinos suben hasta el empinado Croagh Patrick un cerro de 2,500 pies (750 m) que se levanta por encima de la Bahía Clew, Irlanda. Aunque casi todos los peregrinos dicen ser católicos, su reverencia para este sitio tiene sus raíces en ritos celtas establecidos siglos antes por los sacerdotes paganos druidas.[59] Pocos ven contradicción, pues las historias de las dos creencias, cristianismo y paganismo, se han entremezclado aquí, gracias al sincretismo, desde el comienzo del primer milenio. Como William Irwin Thompson escribió en 1976: "La iglesia irlandesa no fue un puesto de avanzada de una legión eclesiástica de Roma Imperial sino la continuación de formas arcaicas religiosas derivadas de los paganos irlandeses..."[60]

En las Américas la continuidad de este engaño se ve en las peregrinaciones que honran a la Virgen de Guadalupe, cuya imagen se sitúa en la misma colina donde los aztecas una vez adoraron a la diosa Cihuacóatl,[61] y en la festividad tenebrosa del Día de los Muertos que se celebra en México. Esto último, de acuerdo con el escritor Homer Aridjis:

> Es una tradición anterior a la conquista española del siglo XVI cuando los aztecas honraban a sus antepasados con ayunos, y a sus dioses con sacrificios humanos. Los sacrificios se detuvieron después de la llegada de los españoles, pero los días de fiesta se movieron para coincidir con las festividades católicas.[62]

El festival de Qoyllur Rit'i (la Estrella de las Nieves) en el Perú ha evolucionado en líneas semejantes. Mientras en los tiempos primitivos se ofrecía de rutina sangre humana a los cerros y a las estrellas divinizados, los modernos participantes reemplazan estas ofrendas con un fetichismo que invoca los poderes milagrosos de Jesucristo para asegurar el éxito material. Algunos insisten en que los elementos del catolicismo romano de la fiesta son "simplemente adornos que se han adherido sobre una religión indígena que no ha cambiado en forma apreciable desde la conquista", pero Robert Randall que ha hecho ocho veces esa peregrinación, cree que juegan un papel importante. "A fin de mantener su significancia vital para un pueblo —explica—, los ritos de dinamización deben cambiar de acuerdo con los cambios en una sociedad".[63]

Se puede observar un buen ejemplo en la historia religiosa de las comunidades negras de Cuba. Durante los últimos dos siglos, los cubanos de ascendencia africana se comprometieron en una cultura popular católica cuyas raíces estaban en asociaciones étnicas conocidas como *reglás* o *cabildos*. Cuando los tambores tribales anunciaban las grandes festividades de Epifanía, Carnaval, Semana Santa y Corpus Christi, los miembros se regaban por las calles de La Habana mientras llevaban máscaras de dioses de la tribu yoruba y al mismo tiempo levantaban iconos de santos patrones católicos. Con el tiempo, sin embargo, surgió con vigor una nueva tradición: la santería, es decir "la Vía de los Santos". Sus adherentes tuvieron la oportunidad de ver a los santos del catolicismo romano y a los *orishas* de África simplemente como manifestaciones distintas del mismo espíritu.[64]

A pesar de la importancia del cristianismo en las sociedades donde aparece el sincretismo, muchos engaños de adaptación encuentran sus raíces y simbolismo en otras partes. Por ejemplo, la masonería, se deriva de la mitología de Egipto,[65] en tanto que el budismo tibetano puede ser un derivado de una religión antigua infestada de demonios que se llamaba Bön.[66] En el siglo XV los incas agregaron la adoración al sol a ritos largamente establecidos que honraban las divinidades de los montes. Cuando se construyeron los templos al sol en el Cuzco, Pachacamac y la Isla del Sol, en el Lago Titicaca, los incas simplemente proclamaban sitios de peregrinación que estaban bien establecidos desde siglos atrás.[67]

Dentro del mundo islámico, los engaños de adaptación han dejado su huella en la peregrinación anual de hajj, el festival chiíta de Ashura y las rutinas diarias del pueblo en el Islam. Para apreciar cómo pudo haber sucedido esto es importante recordar que el Islam, como las otras grandes religiones monoteístas, surgió en un contexto profundamente pagano. En los años primitivos, la ciudad de La Meca no solamente sancionó la adoración de múltiples dioses y diosas, sino que incorporó esta idolatría en ceremonias que se asociaban con un gran festival de la ciudad.[68]

Mahoma, en lugar de dispersar esos potentes símbolos, los incorporó en su nueva religión, para dar origen (entre otras cosas) al hajj.[69] De manera semejante, cuando los musulmanes chiítas se flagelan en el día de Ashura, ostensiblemente lo hacen para identificarse con los sufrimientos del mártir Hussein, y emulan ritos perfeccionados siglos antes por los sacerdotes de la diosa Ma de Capadocia.[70] Conocidos como *fanatici*, estos adoradores en trance o éxtasis, con frecuencia se atravesaban con una gran variedad de armas afiladas a fin de levantar un espíritu guerrero y volverse invencibles.

Si los ritos del Islam tradicional se ven como instrumentos de refuerzo, las prácticas populares del Islam con frecuencia tienen sus raíces en diversas crisis. Enfrente de preocupaciones viscerales como el hambre, la esterilidad o la guerra, una vasta mayoría de musulmanes[71] recurre a remedios que combinan elementos de la ortodoxia islámica del animismo místico. Mientras en la mañanas se pueden dedicar a la ejecución de las *sujud* (oraciones formales) y a oír las lecturas del Corán en la mezquita, la tarde es un tiempo para consultar los amuletos, los boticarios populares y los espíritus de santos fallecidos.[72] Al mantener estos canales dobles para el mundo espiritual, los musulmanes del pueblo tienden a expandir sus opciones. Con frecuencia obtienen una vida constreñida por las cuerdas dobles del legalismo y de la superstición.[73]

Otro juego de engaños de adaptación trabaja en las nuevas religiones del Japón.[74] Al contrario del Islam popular, que mueve la ortodoxia religiosa alrededor de prácticas y creencias animistas, estos cultos ofrecen una síntesis creativa de ritos budistas y de ideología materialista. Con esta arquitectura tan brillante y ecléctica, el enemigo ha sabido manejar y sostener su presencia en un país que valora tanto la tradición como el espíritu emprendedor.

Desde el punto de vista de las cifras de adherentes, estas religiones nuevas han tenido un éxito muy amplio. Soka Gakkai se ufana de tener más de dieciséis millones de miembros, en tanto que la secta Rissho Koseikai cuenta con seis millones. Un tercer grupo, Kofuko-no-Kagaku (o "Ciencia de la felicidad") subió como un cohete de 25.000 miembros en 1991 a más de nueve millones en 1995. Este crecimiento tan rápido se explica en parte por la capacidad de la secta para llenar necesidades sociales, y en parte por las tendencias de urbanización que han debilitado la influencia de las religiones tradicionales, budismo y sintoísmo, que tienen una base rural.[75] Según dice el consejero de inversiones Yuko Higuchi: "el budismo y el sintoísmo están espiritualmente exhaustos. Los templos budistas son para el turista. No tienen ningún compromiso con el mundo moderno, y sus enseñanzas están atrasadas".[76]

Para actualizar su antiguo arsenal de engaños, las potestades satánicas en el Japón se han vuelto hacia las nuevas religiones. Los jóvenes, cansados de los templos mustios y las ordenanzas ascéticas, se sienten atraídos por los sermones seductores de autoayuda a menudo dichos en el estilo de los evangelistas de la televisión occidental, mientras los hombres de negocios son bien recibidos en los cuartos de meditación provistos de avanzada tecnología. Si el enemigo ya no puede estimular más sus responsabilidades para olvidar ataduras mundanas por medio de la doctrina budista del vaciamiento, se contenta con enredarlos en la escalera corporativa.

Otro aspecto de engaños de adaptación se ve en el movimiento actual sobre OVNIs y en las abducciones extrañas. Como David Fetcho, que fue editor del *Journal* SCP anotaba en 1977: "Cada era sucesiva cambia el contexto donde operan las especulaciones caídas, pero el patrón esencial de estas especulaciones permanece el mismo". Mientras las primeras perspectivas estaban coloreadas con la magia y se conjuraban "ámbitos espirituales repletos con dioses y diosas", las expectativas modernas, por lo menos en Occidente, son más probablemente el producto de lo que Fetcho llama "materialismo especulativo". Después de ser alimentados con una dieta uniforme de ciencia-ficción (*Star Trek, Close Encounters, Alien Nation, Star Gate, E.T., Independence Day y X-Files*) y con *películas casi científicas de televisión* (*Sightings, Mysterious Universe, Terra X, Encounters, The Extraordinary*), estamos ahora preparados para dar la bienvenida a un juego completamente distinto de visitantes cósmicos.

Estas expectativas cree Fetcho "determinan tanto la *forma* de los encuentros trascendentes como el *contenido* de todo mensaje que se reciba del más allá". Al modificar las expectativas humanas y luego conformarse a ellas, el diablo puede perpetuar su control de engaño sobre centenares de generaciones y sobre una miríada de culturas. Este principio según Fetcho, condiciona las experiencias del politeísmo hindú que visitó Saraswati, al curandero sioux en su visión de la Mujer del ternero del búfalo blanco, y los contactos modernos de los OVNIs. El patrón básico de la especulación humana caída, que obra dentro de fronteras culturalmente definidas, tiene en cada caso "hombres puestos para recibir el mensaje precisamente en la forma en que viene".[77]

Puertas abiertas de la historia: Injusticias sociales no resueltas

Ahora que hemos examinado cómo el enemigo usa los festivales religiosos, las tradiciones culturales y los engaños de adaptación para mantener las dinastías de las tinieblas espirituales, nos queda por considerar el papel de las injusticias sociales no resueltas. Como el factor escondido ya no lo era una vez más, gracias a voces como la de John Dawson, el tema últimamente ha venido a mostrarse que es un catalizador poderoso para el avivamiento (por medio de la reconciliación) y para la servidumbre espiritual.

Esta última es más probable que surja en situaciones donde las heridas morales se han dejado sin tratar por el arrepentimiento y la restitución. En tal ambiente insano, la amargura se mueve como un virus desatado en ira, que invade los santuarios interiores de la identidad y la razón humanas. Si se deja así, persistirá y atacará las almas de los individuos, las comunidades e inclusive a generaciones enteras.

Una ilustración vívida de este proceso se encuentra en la contienda sectaria de Irlanda del Norte. "Los problemas", como las personas de la localidad llaman al conflicto sangriento, comenzaron a finales del siglo dieciocho cuando agobiados por los alquileres que subían y por las insoportables condiciones de trabajo, bandas secretas de presbiterianos comenzaron a cabalgar por las noches para intimidar a los dueños de tierras y a sus agentes que pertenecían al catolicismo romano. En el curso de una década los vigilantes anticatólicos pusieron sus ojos en la quema de sus opresores para expulsarlos de Ulster. Después de salir victoriosos en un encuentro que tuvo lugar cerca de la municipalidad de Armagh en 1795, los protestantes bautizaron su organización con el nombre de un antiguo héroe, William de Orange.[78]

Organizadas como logias pseudomasónicas, llenas de juramentos y apretones de manos secretos, hoy las sociedades de Orange (Órdenes) salen a la luz pública durante la llamada "estación de marcha". Con tatuajes masivos de tambores Lambeg, antiguas armas escocesas de guerra psicológica, los marchantes pasan multitudes aterrorizadas en camino hacia los lugares de sitios y batallas antiguos. A medida que las hogueras resplandecen, la multitud patea al Papa en efigie y desatan cantos partidarios de gusto venenoso:

> ¡Una cuerda, una cuerda para colgar al Papa!
> ¡Un centavo de queso para ahogarlo!
> Una pinta de aceite de lámpara
> para embadurnarlo,
> ¡y un calor bien grande para tostarlo!

Como un piloto que se preparaba para aterrizar en el aeropuerto de Belfast dijo por el intercomunicador: "Nos aproximamos a la tierra de Ulster. Retrocedan sus relojes 300 años". Los hombres Orange de Ulster, como sus duplicados del IRA (siglas inglesas de Ejército Republicano Irlandés) utilizan los recuerdos de injusticias pasadas —y retribuciones sangrientas— como un vientre para almacenar la ira interior.[79] En el proceso, lamenta el aclamado autor León Uris, el pueblo de Irlanda del Norte se encuentra en una "vía oscura y angosta de esclavitud espiritual".[80]

La explotación satánica de injusticias sociales sin resolver también se puede ver en las Cruzadas. En el Oriente Medio se percibió como un genocidio (jihad) contra los pueblos musulmanes, no sin mencionar el comienzo del colonialismo europeo, estas expediciones religioso-políticas pueden ser rivales en términos del daño hecho a la causa de Cristo, sólo por el Holocausto y la esclavitud.[81] George Braswell Jr., estudioso islámico observó:

> Los musulmanes a través de los siglos han usado a las Cruzadas como ilustraciones de lo peor que hay dentro del cristianismo en sus escuelas, en los sermones de las mezquitas y a partir de diversos escritos, los musulmanes recuerdan a las Cruzadas como una plaga cristiana sobre el Islam.[82]

La única cosa en que los cruzados no tenían interés particular era la evangelización. A finales del siglo trece el mártir franciscano Raymond Lull declaró: "Veo muchos caballeros que van a Tierra Santa más allá de los mares y piensan que la pueden adquirir mediante la fuerza de las armas, pero al final todos serán destruidos antes que puedan alcanzar lo que creen tener". Lull creía que la única "conquista" apropiada de la Tierra Santa sería una que se intentara "con amor y oraciones, el derramamiento de lágrimas y de la propia sangre".[83] Décadas antes, Francisco de Asís igualmente preocupado, abogaba para que se demostrara el amor y no el espíritu de las cruzadas a los musulmanes.

No todos los cristianos han tenido tanta iluminación. Dante pintó un Mahoma mutilado que languidecía en las profundidades del infierno, mientras Martín Lutero fustigó al Corán como un "libro inmundo y vergonzoso" y describió a los turcos como demonios que seguían a un dios satánico.[84] No es de sorprender que tales actitudes, junto con actos penosos de violencia y de ira, hayan llevado a muchos musulmanes a calificar a los cristianos como hipócritas, y ya no más dignos de ser llamados, "gentes del Libro". El Evangelio, por haber sido mal presentado por sus mensajeros, se evita en las tierras islámicas como la emanación contaminada del "gran Satán".

En realidad, las injusticias históricas representan puertas abiertas en los hábitats psíquicos de las comunidades y culturas afectadas. A menos que esas puertas se cierren con fuerza por medio del arrepentimiento colectivo y la reconciliación, llevan a la infestación por manipuladores demoniacos. Aquí el peligro es considerable. La meta singular de estos espíritus perniciosos, una vez que han penetrado en el juego mental de las sociedades, consiste en esclavizar a sus "huéspedes" —un fin que alcanzan típicamente al convertir las memorias de amargura en grilletes de rechazo y venganza.

La Biblia señala que la injusticia social tiene una voz que resuena hasta alcanzar lo más lejano del ámbito espiritual y posiblemente también a través de nuestras dimensiones más familiares de espacio-tiempo. Al dirigirse al homicida Caín, Dios dice: "...¿Qué has hecho? La voz de la sangre de tu hermano clama a mí desde la tierra" (Génesis 4:10, RV). Algunos capítulos más tarde, el Señor declara a su siervo Abraham: "...por cuanto el clamor contra Sodoma y Gomorra se aumenta más y más, y el pecado de ellos se ha agravado en extremo, descenderé ahora y veré si han consumado su obra según el clamor que ha venido hasta mí..." (Génesis 18:20-21, RV).[85]

Notemos que los clamores en estos ejemplos salen no de intercesores piadosos sino de víctimas de la violencia y de la corrupción social (Génesis 19:4-9). El caso de Abel nos lleva aun más adelante, pues sugiere que la voz no es la de un peticionario vivo sino de la sangre de la vida que se vertió. Cuando esta observación se acopla con el lamento de Apocalipsis 6:9-11, se nos lleva a concluir que la violencia y la injusticia continúan hablando largo tiempo después de haber muerto sus víctimas.

Tales contemplaciones también pueden echar luz sobre el creciente misterio de lo inolvidable. En casi todos los casos creíbles donde se puede descubrir una actividad oculta, como explicación, el más notorio denominador común es la muerte violenta.[86] Una teoría supone que los prolongados recuerdos de lo humano y del dolor divino en tales sitios atraen los demonios, de la misma manera en que la sangre en el agua atrae los tiburones. Si el residuo de vida que se prolonga es medible en la dimensión material (posibilidad que se sugiere gracias a la hipótesis de la resonancia mórfica)[87], queda por verse.

Suelo superficial y lecho de roca

Las manipulaciones satánicas, suficientemente problemáticas por sí mismas a menudo se empeoran por la tendencia humana a clasificar las personas y las situaciones de acuerdo con su apariencia inmediata. No importa cuán duro tratemos de evitar estas opiniones superficiales y rápidas, la práctica ya forma un hábito. Casi todos, sea que lo admitamos o no, juzgamos un libro por su carátula.

Infortunadamente, estas fáciles tendencias se han puesto en una situación muy notoria recientemente debido a ciertos zelotes dentro del movimiento de guerra espiritual. En su prisa por identificar y asaltar las fortalezas territoriales, estos activistas de oración de buena voluntad pero con informaciones equivocadas, han llegado a conclusiones que, en otro campo de vida, inclusive ellos considerarían como una especulación aventurada. Las consecuencias de esta manifestación de necedad —que incluyen humedecer el entusiasmo de posibles intercesores, el despilfarro de valiosos suministros de tiempo y dinero, además, dar al enemigo una cubierta adicional para su obra— han sido muy graves.

Guerreros de oración más disciplinados han hecho una alianza con la paciencia. Al tomar tiempo para educarse acerca de las áreas de interés, luego esperan en el Espíritu Santo en búsqueda de comprensión, han aprendido a hacer distinciones seguras entre *ataduras que prevalecen y ataduras de raíces.*

Esta distinción no es siempre fácil de hacer. Las ataduras que prevalecen mientras sean visibles y estén activas, pueden ser leves y transitorias. Como el suelo superficial agrícola, tienden a montar los inconstantes vientos del cambio —característica que les hace indicadores poco confiables de la naturaleza verdadera de una fortaleza. Mientras no es posible ignorar estas ataduras, ni tampoco confundirlas con el lecho de roca espiritual que se debe quebrantar si las fortalezas territoriales han de sucumbir al Evangelio. Sólo al arar bajo la superficie de una determinada sociedad, podremos confrontar las ataduras de raíces que la controlan.

En un ensayo recientemente publicado Elinor Gadon atrae la atención hacia lo que llama "el poder inherente" de muchos sitios sagrados en la India. Al asociar la influencia de este poder primitivo (o raíz) con una larga continuidad de prácticas religiosas asociadas, Gadon nota que la evidencia arqueológica recobrada en estos sitios "a menudo revela *capas múltiples* de usos rituales" (énfasis del autor). En Sankisa, sitio cercano a la frontera con Nepal, se han documentado dos milenios de ataduras que prevalecen en capas secuenciales que incluyen el tercer siglo A.C.: un monumento budista, un templo hindú, una mezquita del Islam, la tumba de un santo musulmán y un segundo templo hindú.[88]

Vasudeva Agrawala, experto en los antiguos cultos folclóricos de la India escribe: "en la tradición religiosa de nuestro país, encontramos que los dioses y diosas más antiguos... a veces se reemplazan por algunos nuevos". Agrawala afirma: "Al mismo tiempo es difícil que estas dos cosas desaparezcan, primero, el sitio del santuario de una divinidad, y segundo, el significado del festival público o feria que se hace para honrarla".[89]

Otro ejemplo de cómo el suelo superficial en el espíritu se confunde fácilmente como si fuera lecho de roca, se encuentra en Albania, nación cuyas políticas represivas y antirreligiosas se interpretaron en alguna ocasión como una evidencia segura de una fortaleza controladora por parte del comunismo. Con el tiempo, muchos de nosotros pasamos por alto el hecho que el comunismo era un experimento impuesto con muy poco apoyo popular. Con menos de cinco décadas de influencia,[90] representó en el mejor de los casos un delgado venero de una historia que data miles de años atrás hasta la bíblica Iliria. Virtualmente ignoradas quedaban las contribuciones lejanas y más importantes de Roma, Bizancio y de los turcos otomanos; y los cristianos distraídos por el matrimonio público del régimen con el ateísmo, vieron pocas razones para preocuparse acerca del animismo simbolista, las alianzas con el Islam o las amargas deudas de sangre que habían dominado la historia albanesa antes del siglo veinte. Cuando el antiguo sistema de vendetas volvió a surgir después de la caída del comunismo en el comienzo de la década de 1990, el sacerdote Injac Dema, perteneciente al catolicismo romano se lamentaba que no podía detener "esta fuerza primitiva". Pocos intercesores lo oyeron. Estaban demasiado ocupados en celebrar el fallecimiento de la "verdadera" fortaleza espiritual de Albania.[91]

Errores similares se han hecho con respecto de China, los países andinos y el Cercano Oriente, para citar apenas unos pocos ejemplos. Al fijarse en otras servidumbres como el comunismo, los carteles de la droga, y el fundamentalismo del Islam, los guerreros espirituales se pierden de conexiones más hondas y profundas:

- En la China comunista las autoridades del partido, admiten abiertamente que confían en los antiguos dioses locales "para darle mayor peso a cualquier alianza con la ideología de Mao, Marx, y Lenin".[92]

- En América del Sur, los investigadores han revelado recientemente que muchos de los así llamados golpes de la droga, en realidad son sacrificios humanos motivados religiosamente y que se pueden vincular con cultos a los dioses de las montañas. Los hechiceros que ejecutan tales actos son vistos como los preservadores de "un antiguo legado".[93]

- En Iraq, Saddam Hussein ha vinculado públicamente las raíces espirituales y el destino de su nación con la Babilonia de Nabucodonosor.[94]

Las apariencias, como estos ejemplos nos recuerdan, pueden ser engañosas. Quienes intentan interpretar el mundo solamente a través de los lentes de la geopolítica, la sociología, o la imaginación espiritual, se encuentran a riesgo y a menudo en un terreno que no ofrece recompensas.

Inclusive periodistas endurecidos sienten que hay más en la historia de lo que el ojo observa. Después de recorrer los antiguos templos Khmer en Angkor Wat, un reportero asiático no podía dejar de admirarse y preguntar por qué y cuál había sido la causa para "convertir este lugar de una gran civilización en el país gobernado por la pobreza, destrozado por la guerra que es Cambodia en el día de hoy".[95] Lawrence Harrison, al escribir sobre Haití en *the Atlantic Monthly*, se sintió obligado a preguntar: "¿Por qué esta nación ha experimentado desde la independencia una cadena virtualmente irrompible de líderes brutales y corruptos?" y "¿Por qué este país que fue una vez el más rico en el Caribe es ahora el más pobre?"[96]

Y así sigue. Si la cuestión parece interminable —y compleja sin ninguna clase de esperanza— esta es, también, una ilusión. En realidad son adaptaciones de una simple pregunta. ¿Por qué las tinieblas espirituales permanecen donde están? Aunque nuestro viaje por el laberinto hasta ahora no nos ha permitido descubrir las ataduras de raíces de toda fortaleza local, nos ha dado el principio de entendimiento que necesitamos para conducir estas investigaciones con éxito. Lo que haremos con lo que sabemos es el tema de los restantes tres capítulos.

Segunda parte

Sobre el submundo

Derrotando las potestades de las tinieblas

Capítulo Nueve

Levantamiento de las estacas

Como seres humanos, casi todos nosotros, queremos saber dónde estamos en un momento determinado. Si todavía no hemos obtenido nuestro destino, necesitamos que se nos asegure que estamos en la vía correcta. Nuestros antecesores ganaron esta confianza al consultar puntos de referencia naturales como montañas y estrellas. Sin embargo, muy probablemente nosotros confiemos más en las ubicuas señales "¿Usted-está-aquí?" que adornan los grandes aeropuertos, los centros comerciales y los parques de recreo.

Hay también un aspecto temporal en nuestra innata necesidad de fijar nuestras orientaciones. Como criaturas de destino, anhelamos saber nuestra posición tanto en el tiempo como en el espacio. La dificultad para hacer un mapa de la cuarta dimensión consiste en que los puntos de referencia son escasamente visibles sólo en una dirección: el pasado. Estos marcadores históricos, útiles para medir cuán lejos hemos llegado, no sirven para determinar cuán lejos tenemos que ir todavía. La única solución consiste en identificar una línea final, y la única forma de hacer esto consiste en un viaje al futuro.

A pesar de nuestras obvias limitaciones en estos aspectos, casi todos nosotros no podemos ayudar sino maravillarnos dónde cuadramos en el continuum de la historia humana y de la Iglesia. El hecho que los negocios del mundo de repente se han vuelto caleidoscópicos, pues se fracturan y cambian en cada una de las revoluciones del eje de la tierra, solamente se agrega a nuestra curiosidad.

¿Son los días en que vivimos una fase de paso, o por último hemos alcanzado el umbral del fin?

Se puede argumentar que cada generación de creyentes ha esperado atestiguar el clímax de la historia pero hasta ahora ha habido una pérdida de evidencia objetiva para sostener esas expectativas del fin de los tiempos. Al definir lo que ha cambiado, los cristianos contemporáneos señalan tres fases de desarrollo:

1. Un salto cuántico en el conocimiento humano que no está frenado por la sabiduría

2. Una marea creciente sobre los intereses espirituales y sobre la actividad sobrenatural

3. La iniciación de "masa crítica" en la evangelización global

Mientras se puede decir mucho acerca de estos desarrollos importantes, la perspectiva de completar la Gran Comisión es indudablemente la más obligante. Las nuevas y poderosas tecnologías no sólo han permitido a los evangelistas cristianos rastrear el progreso frente a Mateo 24:14, algo que ninguna otra generación de creyentes había podido hacer; sino también han abierto la puerta para un gran evangelismo masivo.[1]

Al emplear estas herramientas y respaldados por un creciente ejércitos de guerreros de oración comprometidos, las misiones contemporáneas han empezado a alcanzar un nivel de éxito sin precedentes. En la mitad de la década de 1990, Justin Long del Movimiento de Evangelización Global calculó que 114 personas llegaban a Cristo en cada minuto —¡un torrente evangelístico que se produce en una ganancia neta de 44.000 nuevas iglesias por año! Durante este mismo período las estadísticas de la Fuerza de Tarea de Lausana informaron que, por primera vez en la historia, la relación entre no creyentes y cristianos bíblicos había caído a menos de 7 a 1 (en comparación con los 220 a 1 en el año 100 A.D).[2]

El desafío de los últimos encuentros

En medio de todas estas buenas noticias, sin embargo, viene lo que el comentador radial Paul Harvey llamaría "el resto del cuento".

En las aventuras más emocionantes (negocios, campañas políticas, torneos atléticos), las estacas tienden a levantarse en proporción con nuestras posiciones. Entre más cerca estemos al fin del proceso, las estacas serán más altas. Y como no hay estacas más altas que las que se asocian con el cumplimiento de la Gran Comisión —cumplimiento que Jesús profetizó que sería en el fin de los tiempos— hoy los guerreros cristianos pueden esperar enfrentarse a retos en los campos de batalla espirituales que son únicos tanto en tipo como en magnitud. El reto de los últimos encuentros, y los tiempos desesperados, como dicen, exigen y piden medidas desesperadas.

En consecuencia, mientras la restante tarea de evangelizar al mundo se hace más pequeña, en lo que respecta al número de grupos no alcanzados, también se hace más difícil. En áreas estratégicas como la Ventana 10/40 los intercesores y evangelistas se encuentran cerrados en la lucha de sus vidas. Al permanecer ojo a ojo con algunas de las más formidables fuerzas espirituales en la tierra, estos heroicos ministros informan dos cambios sustanciales para la continua expansión del Reino de Dios: *El atrincheramiento de los demonios*, obstáculo que resulta de un exceso de tiempo y *desesperación de los demonios*, obstáculo vinculado a falta de tiempo.

El atrincheramiento de los demonios no sólo es único; los hebreos lo encontraron en Egipto y Babilonia y el apóstol Pablo lo encontró en Éfeso. Pero ahora estamos a siglos de profundidad en la historia. En la tierra hay lugares, notablemente en Asia, donde los pactos con los demonios han estado en servicio continuamente desde la gran Dispersión. En estas antiguas fortalezas, la luz espiritual se extingue de rutina por las potestades que esgrimen los cuatro apagadores que examinamos en el capítulo anterior.

Consideremos, además, la proposición que las tinieblas tienen ahora una base humana más amplia como Lance Morrow, escritor de la Revista *Time*, anotó en junio de 1991: "Si el mal es una presencia constante en el alma del hombre, es también cierto que hay ahora más almas que nunca". Con esta lógica Morrow destacó que el mal se eleva en una curva malthusiana —o como mínimo con la misma tasa de la población, 1.7 por ciento por año.[3]

La desesperación de los demonios según notamos, es un problema que se asocia con la tardanza y extensión de la hora. En el Apocalipsis, Dios advierte a los habitantes de la tierra que "Porque el diablo ha descendido sobre vosotros con gran ira sabiendo que tiene poco tiempo" (Apocalipsis 12:12, RV). Tanto como muchos de estos días nos presionan, son aun más perturbadores para las potestades de las tinieblas. Confrontadas con las incursiones crecientes en sus fortalezas erosionadas por las oraciones y la evangelización, las huestes de Satanás comienzan a gustar el mismo pánico que durante mucho tiempo han inducido en los seres humanos.

Al enfrentar la perspectiva de la ruina eterna, el príncipe de este mundo ha infectado su dominio con lo que Michael Green llama "un tiempo creciente de caos".[4] Bajo la sombra de la presencia de Satanás los reinos terrenales comienzan a temblar como un paciente terminal que se despoja de los vestigios finales de la vida, y por tanto valida la profecía de Jesús de hace dos mil años que "...el amor de muchos se enfriará" (Mateo 24:12, RV). El enemigo, decidido a llenar todos los puestos en su vehículo del infierno, ha ordenado una dramática escalada de señales y maravillas falsas. Para protegerse contra aquellos que podrían procurar escapar de su cubil,[5] ha iniciado una serie de violentos contraataques territoriales.

Estos contraataques generalmente se dirigen a dos clases de blancos: territorios que han experimentado recientemente un mover único de Dios, e instrumentos individuales que llevan el Evangelio a pueblos no alcanzados. Los contraataques territoriales con frecuencia se acompañan de persecución política,[6] mientras los asaltos y ataques sobre los individuos incluyen todo, desde el rompimiento de relaciones hasta la enfermedad y las lesiones físicas.

Contraataques territoriales

Los contraataques territoriales dignos de mención han tenido lugar recientemente en países como Arabia Saudita, China, Argelia, Pakistán, Egipto, Kurdistán Iraquí, Vietnam, Mongolia y Sudán. Como el espacio no me permite revisar todos estos casos, los siguientes ejemplos ilustran la gravedad del problema.

Arabia Saudita

A casi todo el mundo le es familiar el movimiento militar que pasó a través del Oriente Medio como consecuencia de la invasión de Kuwait por parte de Saddam Hussein. Pero hubo una segunda tormenta del desierto que sopló a través de la península de Arabia, más o menos al mismo tiempo. Promovida por las oraciones de apasionados intercesores y avivada por el aliento redentor de Dios, esta tempestad divina precipitó lo que puede haber sido la más significante reunión de almas en el centro de la tierra del Islam que se haya visto en los tiempos modernos.[7]

Esta brecha de una fortaleza élite originó contramedidas satánicas. Las redadas se orquestaron a través de la religiosa policía saudita, o Muttawa, en varias de las comunidades hogareñas que habían proliferado por todo el reino. Amnistía Internacional y otros grupos de derechos humanos documentaron más de 350 arrestos de cristianos en los primeros cuatro años, después de la guerra (en mayo de 1992, el Observador del Oriente Medio con sede en Nueva York anunció nuevas reformas judiciales y las catalogó como aun más inflexibles que las que reemplazaba).

Mientras la sentencia de muerte de Oswaldo Magdangal, pastor filipino, líder de la iglesia, se conmutó en el último minuto por la deportación, se presume que por lo menos un creyente nacional fue decapitado.[8]

China

La iglesia en China también se ha visto sujeta a persecución severa luego de una estación de cosechas sin precedentes, sobre todo en las provincias de Sichuan, Henan y en algunas otras provincias costeras. En 1996 un conocido ejecutivo de misiones[9] describió una campaña para obligar a las iglesias de las casas cristianas a registrarse con el gobierno, como el "golpe mayor contra los cristianos desde 1979".

En un informe especial de noticias para *Christianity Today*, Kim Lawton reveló que la ciudad de Shanghai y las provincias de Anhui y Xingiang llevaron el peso de la campaña, "con centenares de iglesias que fueron objeto de redadas, así como decenas de cristianos sufrieron arrestos, detenciones y multas".[10] Las autoridades en la provincia de Zhejiang destruyeron quince mil sitios religiosos e iglesias. Mucha destrucción vino como respuesta a un documento del Ministerio de Seguridad Pública en junio de 1996, que urgía la renovación de la lucha contra la religión, sobre todo contra el cristianismo.[11] Otros relatos perturbadores comentan la expulsión de evangelistas extranjeros y las golpizas fatales a muchos creyentes nacionales.

Algeria

Otro contraataque territorial se desató en Algeria, nación de África del Norte, como reacción a un dramático mover de Dios que barrió por todo el país en la década de 1980. Durante esa extraordinaria época, centenares y quizá miles de árabes y de beréberes cabiles llegaron a Cristo, pues una onda de sueños divinos y sanidades tocó sus vidas.

El enemigo, sin duda al sentir esas pérdidas, agitó al fundamentalista Grupo Islámico Armado (GIA) para llevar a cabo una "política de liquidación" contra los residentes judíos y cristianos. En el proceso de esta "limpieza religiosa", pistoleros disfrazados asesinaron a cuatro sacerdotes de la orden católica Padres Blancos, dispararon a dos monjas en la cabeza cuando, después de un servicio de vísperas, regresaban a su convento, y les cortaron el cuellos a siete monjes trapenses. Aunque casi todo el personal de misioneros salió del país, cerca de un centenar de franceses del catolicismo romano perdieron la vida. Otro informe que viene del interior de la nación revela que los creyentes nacionales también reciben amenazas de muerte y que varias iglesias en las casas están "débiles y luchan por sobrevivir".[12]

Kurdistán Iraquí

Un ejemplo final de la campaña del enemigo para volver a ganar el control sobre un territorio en el que hay una lucha espiritual se encuentra en el Kurdistán iraquí. Después de dominar esta estratégica área por varios milenios, las fuerzas satánicas se pusieron a la defensiva al comenzar la década de 1990 cuando los trabajadores cristianos comenzaron a empacar alimentos, abrigo y el Evangelio al norte del paralelo 36. Según Douglas Layton del Grupo Internacional de Siervos estos benévolos esfuerzos se tradujeron en aperturas para testificar y para iniciar iglesias.

En una festividad anual cerca de Lalish, por ejemplo, el dirigente principal de la secta Yezidi, antigua comunidad de adoradores del diablo, le dijo a Layton: "El hilo entre nuestro pueblo y el cristianismo es tan delgado, que sólo esperamos que alguien venga y lo rompa". Otro líder de la misma secta Yezidi después de asistir a una reunión en la vecina localidad de Dohuk, no solamente aplaudió el Evangelio sino también extendió una invitación abierta para ministraciones posteriores en su comunidad que no se había alcanzado. En marzo de 1996, el gobernador de Dohuk Abdul-Aziz Tayeb garantizó los derechos oficiales para edificar una iglesia en su región.

No es de sorprender, que el enemigo haya reaccionado contra éstos y otros desarrollos con contraataques individuales a gran escala. Además de obligar al personal cristiano a ponerse bajo contratos (táctica favorecida por los iraníes locales), ha procurado neutralizar la influencia de los proyectos evangelísticos de ayuda, mediante la construcción de mezquitas (con dinero saudita) en los vecindarios blancos. Cuando los militares iraquíes se movieron para apoyar al Partido Democrático Kurdo en el verano de 1996, muchos obreros cristianos se apresuraron a huir del país y varios pidieron al Departamento de Estado de los Estados Unidos que ayudaran a la evacuación de sus convertidos.

Asaltos sobre los individuos

En varias áreas del mundo, sobre todo en China, el Oriente Medio y los Himalayas se han levantado redes formales para hacer labores de inteligencia contra los obreros cristianos y sus planes.[13] El aumento de esta información se usa para inflamar ataques directos contra una gran variedad de ministerios de vanguardia. El funcionario Michael Horowitz de la administración Reagan, al notar esta ominosa tendencia, declaró:

> Como judío, encuentro que lo que sucede con la persecución de cristianos a lo largo del resto del mundo, sigue un paralelo con lo acontecido a la comunidad judía en Europa durante los últimos años del siglo diecinueve.[14]

Esta marea creciente de persecución es una parte integral de las estrategias del enemigo para proteger sus terrenos. Pero aquí obra más que un espíritu posesivo. Un análisis cuidadoso de las escenas de los crímenes también revela la guía de la ira, y la desesperación. Pero la violencia no es sólo estratégica, es personal. Esto explica por qué además de los encuentros públicos que acabo de mencionar, oímos gran cantidad de informes de "microataques" satánicos contra los siervos individuales del Señor. A medida que he rastreado estos asaltos devastadores en el curso de varios años, se me ha hecho dolorosamente obvio que el enemigo reserva veneno particular contra los cristianos que trabajan en la traducción de la Biblia, contra los ministerios de los medios masivos de comunicación (especialmente la película *Jesús*) y contra los evangelistas que procuran llevar las Buenas Nuevas a pueblos no alcanzados. He extraído los siguientes relatos resumidos de mis archivos:

Edmund Fabian

Durante veinte años, el traductor Wycliffe Edmund Fabian y su compañero de labores indígena habían trabajado diligentemente para traducir el Nuevo Testamento al idioma Nabak de Papúa

Nueva Guinea. En la primavera de 1993, sin embargo, Edmund se preocupó mucho porque su colega había comenzado a oír voces y a actuar extrañamente. Más adelante se demostró que esta preocupación estaba bien fundada. En la tarde de abril 29, mientras traducían 1 Corintios 13, el ayudante tomó un hacha cercana y la clavó en la parte posterior de la cabeza de Edmund. El misionero murió cuatro horas más tarde.

El ayudante, después de entregarse a las autoridades, explicó que sus acciones las motivaron voces interiores que hacían que su mente "se fuera a las tinieblas".

Traductores en los Himalayas

Durante una visita reciente a Kathmandú, un misionero veterano me dijo: "La guerra espiritual que rodea el ministerio en los Himalayas, sobre todo los esfuerzos destinados a alcanzar a los budistas en el Tibet, ha sido feroz".

Por espacio de varios años, un pequeño ejército dedicado a la traducción de la Biblia se ha visto forzado a abandonar el campo por enfermedades, desaliento o muerte. En la década de 1980, una dama de Australia de repente comenzó a sufrir ataques epilépticos —ataques que desaparecieron después que abandonó el campo. Otro traductor que trabajaba en el idioma Solukhumbu Sherpa, reemplazaba unas tejas de zinc en Kathmandú cuando un viento repentino lo derribó tres pisos hasta el suelo. Transportado por los servicios de Medivac a Noruega con la columna vertebral rota, soportó un año de fisioterapia antes de regresar a Nepal en silla de ruedas para continuar con sus labores. Menos de seis meses después, en el comienzo del otoño de 1988, se le diagnosticó un cáncer terminal y murió pronto.

Otras pérdidas recientes incluyen una traductora de 42 años que sucumbió a un cáncer de ovario, y un talentoso ayudante nacido en Bután que murió de leucemia. Un traductor tibetano clave ha perdido dos de sus hijos por tuberculosis resistente a todos los medicamentos, en tanto que otros trabajadores nacionales simplemente han desaparecido.[15]

Stephen Hishey misionero en el Tibet, me dijo en 1993: "Necesitamos enfrentar el hecho que el poder del diablo es muy explícito. Declara que cualquiera que venga a perturbar su territorio será detenido. En realidad debemos permanecer sobre nuestras rodillas".

Rodney Vaughn

Este ministro ordenado en las Asambleas de Dios, decidió combinar su amor por la enseñanza y la evangelización al unirse a los Servicios de Idiomas de la Universidad, una agencia que tiene su base en Tulsa y que coloca maestros de inglés en China. Desde el principio Rodney Vaughn demostró ser un hábil maestro de clase. Sus estudiantes lo amaban y centenares llegaron a conocer a Cristo como su Salvador durante el curso de los dos años que permaneció en el país. En compañía de su esposa, pasaba prolongados períodos en oración por su rebaño.

Durante su permanencia del tercer año, lo enviaron a Siping, modesta ciudad localizada en la provincia nordeste de Liaoning. En la primavera de 1989, una semana después de Pascua, Rodney cayó en cama con síntomas similares a los de un resfriado. Se sentía muy mal pero no había indicios de enfermedad seria. Sin embargo, después de varios días, hubo un dramático cambio y desarrolló una hemorragia como la del virus Ébola. En 24 horas había muerto. No hubo autopsia pero el diagnóstico chino fue septicemia por meningococo. Rodney encontró el microorganismo equivocado en el momento equivocado.

No hay ninguna prueba de actividad satánica o de brujería, pero, en las palabras del director de la misión Hallett Hullinger: "Tampoco podemos ignorar la gran efectividad de Rodney en la evangelización y el impacto que claramente tuvo sobre las fuerzas de las tinieblas en China".[16]

Nativos americanos

Las enfermedades graves especialmente el cáncer también han diezmado las filas de los creyentes que ministran entre los nativos americanos. Mientras algunos de estos casos se pueden vincular claramente con actividad de hechicería, otros parecen ser cuestión de odio satánico. La reserva de los indios navajo ha sido particularmente golpeada, con una lista de víctimas que incluye a Tom Dologhan, antiguo director de la Misión del Evangelio Navajo (cáncer de cerebro); Rudy Yazzie, poderoso joven pastor navajo (cáncer del colon); y Genevieve Chiquito, intercesora estratégica de Lybrook (cáncer de huesos.)

Sheryl McLaughlin, miembro de la tribu Arapaho del Norte, condujo hasta la reserva Wind River de Wyoming recientemente para testificar a los miembros de su familia. Cuando llegó a la frontera de la reserva detuvo su auto abrió la Biblia y comenzó a leer en alta voz Isaías 43. Mientras lo hacía, un golpe de viento que salió sin saberse de dónde le cerró la Biblia y le interrumpió la concentración. Tan pronto como esto sucedió, la nariz le comenzó a sangrar incontrolablemente. Al percibir una presencia malévola de brujería que la rodeaba, Sheryl encendió el auto y regresó hacia su hogar en Casper. Durante el viaje de regreso y en el curso de la noche siguiente una tríada de apariciones satánicas procedió a castigarla por lo que había pretendido hacer.

Pakistán/Afganistán

En octubre de 1989, Dios advirtió a la comunidad de la misión en una conservadora ciudad del Islam a fin de que se prepararan para una estación próxima de intensa guerra espiritual. La tormenta golpeó varios meses después bajo la forma de ataques violentos por parte de fundamentalistas militantes. En Eid, el último día de Ramadán en 1990 una chusma enfurecida atacó y demolió una bodega cristiana de la misión de ayuda,a en una embriaguez de saqueo que duró tres días y produjo $1.5 millones de dólares en pérdidas. El director de la agencia y su hijito de seis años milagrosamente sobrevivieron a un intento de asesinato cuando su vehículo fue atacado con balas. Deprimido y bajo el impacto de esta experiencia tomó a su familia y huyó del país. En el mismo día de su partida, el subdirector de la organización fue víctima de una grave enfermedad que le obligó a una evacuación similar varias semanas más tarde.

A medida que el asalto espiritual sobre los cristianos continuaba, otros dos obreros fueron secuestrados; a uno lo aprisionaron por poco tiempo en una cueva aislada[17] mientras al otro, un joven canadiense cuya esposa estaba embarazada, lo asesinaron brutalmente. Un tercer obrero dejó el país después que su esposa sufrió la muerte como consecuencia de una roca que cayó en una popular estación de las colinas. (En el "momento de este accidente", llevaba con éxito un ministerio de correspondencia entre los musulmanes.) Varios matrimonios cristianos también resultaron víctimas del fuego cruzado. En uno de esos casos, la esposa de un conocido líder de equipo lo abandonó al huir con el asociado nacional. En otro caso, una dotada intercesora sufrió una crisis nerviosa, abandonó a su esposo y cayó virtualmente en la prostitución.

Blancos elusivos.
Aumento de protección en el campo de batalla

Varios cristianos (inclusive cuyas historias he relatado) explican estos incidentes como naturales, aunque consecuencias infortunadas de la gravedad, la política y la sociología. Creo que esta actitud es sin duda alguna una forma negativa. Al disminuir la influencia que las potestades espirituales tienen sobre los hábitats y las vidas humanas, estos individuos esperan limitar su vulnerabilidad. Si sus puntos de vista no los hacen más seguros, por lo menos los hacen sentir un poco más modernos.

Sin embargo, la Biblia no ofrece tal amparo. Desde Génesis hasta Apocalipsis se nos recuerda que la vida cristiana activa se une íntimamente con el mundo espiritual —mundo que consiste no de fuerzas o leyes abstractas sino de personalidades poderosas e interesadas. Y debido a que somos el foco de su interés, en el ministerio pocos sucesos se pueden llamar verdaderamente coincidencias.

Las potestades satánicas nunca han sido tímidas para atravesarse en el camino de los siervos de Dios. Recordemos que Satanás se levantó como acusador a la diestra del sumo sacerdote Josué (Zacarías 3:1), también aparece como el que atacó a Job con terribles y dolorosas llagas (Job 2:7), y que obstaculizó la respuesta intercesora a Daniel (Daniel 10:12-13) y, además, trató repetidamente de distraer a Jesús de su misión (Mateo 16:21-23; Lucas 4:1-13). El apóstol Pablo escribió así a una de las iglesias: "...quisimos ir a vosotros, yo Pablo ciertamente una y otra vez; pero Satanás nos estorbó" (1 Tesalonicenses 2:18 RV).

A pesar de estos ejemplos, en la actualidad muchos cristianos sostienen el punto de vista que lo mejor es ignorar al enemigo. Todavía recuerdo la indignación de un pentecostal que se me acercó después de haber concluido una enseñanza sobre guerra espiritual. Al calificar mis relatos de asaltos demoniacos a obreros cristianos como "asombrosos y sensacionalistas", sostuvo que el diablo sólo puede ser dinamizado con una atención semejante. Insistió, pues, en que la mejor conducta para tratar con el enemigo es olvidarlo.

Pero el apóstol Pedro parece recomendar un enfoque distinto. "Sed sobrios, y velad; porque vuestro adversario el diablo, como león rugiente, anda alrededor buscando a quien devorar; al cual *resistid* firmes en la fe..." (1 Pedro 5:8-9, RV, énfasis del autor). Santiago ofrece un consejo semejante. Después de instruir a los creyentes para que se sometan a Dios, añade este activo encargo: "...*resistid al diablo*, y huirá de vosotros" (Santiago 4:7, RV, énfasis del autor). El descuido pasivo como estos autores bíblicos lo entendieron bien, es una táctica pobre contra un adversario que —con suma frecuencia— rehúsa ser ignorado.

Sobrevivir al guantelete de trampas del enemigo, sin embargo no es una tarea que se tome a la ligera. Como muchos bienintencionados cristianos han aprendido, a menudo demasiado tarde, Satanás es un adversario astuto, un mago lleno de trucos cuyo dominio de las artes ocultas lo capacita para idear tentaciones según la moda, o para arrojar dardos de fuego con igual facilidad. Tampoco estos artefactos se dirigen únicamente contra los débiles. Si las experiencias de Job, Daniel y Pablo nos dicen algo es que los seres humanos no son invulnerables al problema, simplemente porque sus intenciones y ministerios agraden al cielo. Si el diablo es lo suficientemente audaz para tentar al Hijo de Dios e impedir la llegada de un mensajero angélico despachado por el Todopoderoso, ¡escasamente podemos esperar que se maneje bien con nosotros!

¿Entonces dónde nos deja esto? Si la invulnerabilidad espiritual es una meta inalcanzable, ¿no podemos por lo menos convertirnos en blancos más elusivos? La respuesta es sí. En tanto que no podemos ponernos un traje mágico o pedir que se nos exima de la batalla, la Palabra de Dios nos presenta seis pasos verdaderos y bien comprobados que si se siguen prometen protección extra. Los guerreros del último momento los deberían revisar con todo cuidado.

1. Cultivar la humildad

La Santa Biblia presenta la humildad como un requisito divino (Miqueas 6:8) y como característica para hacerse querer (2 Crónicas 33:12-13; Isaías 57:15; 1 Pedro 5:5-6). Es también un arma moral potente en la batalla contra el orgullo —un poder engañoso que Francis Frangipane llama "la misma armadura de las tinieblas".[18]

Si a Dios le atrae la humildad, aborrece el orgullo. A partir del momento en que este veneno letal e impío burbujeó en las intimidades recónditas del corazón de Lucifer, no ha traído más sino dolor al corazón de Dios. De todas las fuerzas que obran en el universo, ninguna es más destructiva o antiética para los principios celestiales. Por esta razón se nos dice que "Dios se opone (o resiste) al orgullo pero da gracia al humilde". Este Proverbio que se cita dos veces en el Nuevo Testamento,[19] se vincula en su contexto en ambos ejemplos con la guerra espiritual. ¡Y por buenos motivos! Si queremos resistir al diablo, haríamos mejor en asegurarnos que Dios no nos resiste.[20]

La humildad viene, como los guerreros espirituales exitosos lo han aprendido, de ver a Dios —y al diablo— como quienes realmente son. Uno de tales guerreros, Martín Lutero conservó sus observaciones sobre el tema en las palabras del himno "Castillo fuerte es nuestro Dios". Al hablar primero sobre nuestro adversario, Lutero escribió (en el original):

> El viejo perverso enemigo
> Está decidido a tomarnos;
> Hace sus planes viciosos
> con gran poder y cruel astucia;
> nada en la tierra es como él...

En esta última línea (que se tradujo más tarde como en la "tierra no tiene igual"). Lutero reconoció a Satanás como un ser de una dimensión superior cuyos poderes y astucia en términos humanos son incomparables.

Después de dar al diablo lo que le corresponde, sin embargo, Lutero se movió con rapidez al otro lado de la ecuación:

> Pero si el justo (Cristo) está de nuestro lado
> Una palabrita lo hará caer.

En su teología magníficamente equilibrada, Lutero reconoció dos verdades importantes. Primera, el poder de Satanás es tal que jamás podemos derrotarlo en nuestra propia fuerza —*nunca*. Segunda, el poder de Cristo es tal que Satanás no lo podrá derrotar jamás en su propio esfuerzo —*nunca*. Siempre hay una estrategia obvia en estos profundos ajustes que es visible solamente a los humildes. Subestimar a uno de estos combatientes sobrenaturales llevará a una derrota segura.

Aunque algunos críticos han acusado al movimiento contemporáneo de guerra espiritual de ignorar la soberanía divina, no he observado que esto sea un problema serio. Lo que *he* encontrado, por lo menos entre los cristianos occidentales, es una tendencia hacia un triunfalismo incalificable, una especie de actuación de comedia religiosa que disminuye las capacidades del enemigo e incita a los creyentes a entrar en batalla sin primero asegurarse que "el Justo" está de su lado. Para estos creyentes, el diablo es escasamente más que un "punching bag" abstracto, un duende etéreo a quien puede aplicar toda clase de epítetos y de cantos comunes.

Tales bravatas delante del enemigo, lejos de ser una señal de experiencia, son un signo seguro de que estos creyentes nunca han visto sus imágenes reflejadas en los ojos malignos e inyectados de sangre del diablo. Como un niño inocente que juega con una cobra, ellos no tienen la más leve idea de lo que (o con quién) tratan.

Como los hijos de Esceva descubrieron (Hechos 19:13-16), la arrogancia no tiene sitio en la guerra espiritual. El poder del diablo es verdadero y no tiene temor de usarlo. Wilson Awasu cuanta que en Ghana, país de África Occidental, un pastor ignoró las advertencias de los aldeanos locales y les ordenó derribar un árbol que los sacerdotes animistas habían convertido en santuario. Cuando cortaron la última rama, el ministro tuvo un colapso y murió. En un caso semejante otro pastor de buena voluntad, pero sin humildad, ordenó demoler un santuario de fetiches. Cuando los parroquianos procedían a ejecutar sus deseos, fue víctima de un derrame cerebral inmediato.[21]

Una tarde en Papúa Nueva Guinea, los misioneros Jim y Jaki Parlier oyeron cómo un grupo de muchachos de la tribu Managalasi temerosamente describían las consecuencias de violar el tabú sobre pronunciar los nombres de los muertos. "A veces —explicaban los muchachos—, el espíritu ancestral trepará sobre el cuerpo. Se siente muy pesado como un tronco enorme en el pecho y no se puede respirar".

Al oír esto Jaki decidió dar a los muchachos una enseñanza sobre la superstición. Se puso frente a un surco de bananos y gritó el nombre de un poderoso espíritu guerrero. "Ekileta, ¿me oye? Si puede oírme, venga y muérdame. ¡Aquí lo espero!"

Los jovencitos se agruparon y se cubrieron los oídos con las manos. Sin embargo, Jaki apenas había comenzado. Como se sentía valiente, comenzó a decir en alta voz los nombres de todos los muertos de quienes se pudo acordar, inclusive el de una vieja hechicera que se llamaba Avami. Ante esto, los aterrorizados muchachos comenzaron a llorar. Jaki recuerda:

> Unas pocas horas más tarde, una presencia fantasmal entró a nuestra habitación y me despertó. Sentí de repente algo muy

pesado sobre el pecho como si fuese un enorme tronco que inmovilizaba mi cuerpo contra la cama. Traté de despertar a Jim pero la carga me quitaba hasta la última gota de aliento. No me podía mover ni hablar. Por último, en un intento desesperado logré soltar las palabras *la sangre de Jesús*. La pesantez se levantó de inmediato.

Al recobrarse de su experiencia, Jaki se sentó en la cama. Dos luces rojas como mariposas danzaban en mitad del dormitorio. Después que las reprendió en el nombre de Jesús, las luces se dirigieron hacia la ventana, se deslizaron a través de los espacios en la cortina de bambú y desaparecieron en la noche.[22]

Cuando todo acabó, dos personas del pueblo de Dios habían aprendido una dura lección sobre los riesgos que tienen las bravatas espirituales.

2. Andar en obediencia

El segundo ingrediente para la protección espiritual es la obediencia. Algunos pueden considerar este requisito demasiado general o simplista como para incluirlo en una lista de consejos prácticos. Pero el hecho importante consiste en que la presunción humana se encuentra entre los factores que más atraen a los demonios.[23] En el terreno de la guerra espiritual el diablo se preocupa menos acerca de las palabras que se dicen en su dirección que sobre quién emite esas palabras (véase Hechos 19:15). Cuando llega el momento de atacar a un contrario, solamente le interesa una pregunta: ¿Esta persona tiene un vínculo activo en su relación con Dios?

En la Biblia, este vínculo implica no sólo oír, sino obedecer la voz de Dios. Mientras escuchar nos suministra conocimiento de la voluntad divina, la obediencia nos indica lo que debemos hacer. El profeta Samuel declaró que "...obedecer es mejor que los sacrificios..." (1 Samuel 15:22, RV), por una simple razón: Con el sacrificio, decidimos lo que Dios ha de recibir; con la obediencia, le damos a Dios lo que pide. La obediencia espiritual le permite a Dios defender sus propios propósitos.

Andar en obediencia no solamente nos hace más seguros, pues limitamos las embestidas del enemigo en nuestras vidas; también le facilita al Señor velar por sus objetivos. Aunque este apoyo no le impide al diablo disparar sus mejores tiros (como testigos están, por ejemplo, Elías, Mardoqueo, y el mismo Pablo), nos convierte en blancos más difíciles. Además, Dios también puede intervenir en nuestro favor sin que ni aun lo sepamos.[24] Cuando el rey de Moab, Balac pretendió maldecir a los israelitas por medio del hechicero Balaam, el Espíritu Santo hizo que sólo hubiese bendiciones por boca de Balaam, en lugar de la maldición que pidió el rey moabita (ver Números 23-24). En un episodio contemporáneo, una jovencita en Nepal murió durante el sueño, después de comer alimento que se ofreció a los ídolos (o demonios, según 1 Corintios 10:20-21) de un templo hindú en Kathmandú. En ese momento el Señor despertó a la madre, creyente piadosa, y le advirtió que la vida de la joven estaba en peligro cercano. Al ir a la cama de la hija, encontró el cuerpo ya frío y sin vida. Pero, conforme hizo Elías (1 Reyes 17:21-22), se abrazó a la hija y resistió a las potestades de las tinieblas, hasta cuando Dios hizo volver el alma de la jovencita.[25]

Otro caso notable de cómo Dios defiende a los suyos me contó en Bután, casi en forma casual el pastor Dawa Sandrup.[26] Estuve de visita en esta montañosa nación budista, que se conoce oficialmente como Druk Yul (Tierra del Dragón que Truena), menos de una semana cuando nos encontramos en su muy modesto apartamento de Thimphu.

Como pasé los cuatro días previos en compañía de un astrólogo budista, lama "reencarnado", y un maestro *chöd* (cuya práctica diaria consistía en visualizar cómo su cuerpo desmembrado alimentaba a demonios hambrientos),[27] me veía bajo un peso de tremenda opresión. Ahora introducido en lo que Dawa llamaba su cuarto de oración, me senté en uno los dos cojines que había. A pesar del piso de concreto frío, era el primer sitio que visitaba en el país donde se sentía una atmósfera espiritual limpia. Y al contemplar la cara amable de Sandrup, le pregunté cómo hacía para superar año tras año la presión espiritual tan intensa.

-En verdad —respondió—, el diablo ha venido para tomar mi vida muchas veces. El patrón es casi siempre el mismo. Despierto en mitad de la noche con la abrumadora sensación de una presencia satánica en el cuarto. Permanece, aunque encienda la luz. La primera etapa es física; percibo un peso sumamente fuerte en el pecho. A veces no puedo respirar. Con frecuencia a esto le sigue un ataque psicológico: las paredes de la mente comienzan a cerrarse y los pensamientos difícilmente toman forma. Es como una claustrofobia mental. La última fase del ataque —y habitualmente estoy de rodillas en este instante— es espiritual. Aunque oro hasta el amanecer, parece que no hay nadie allí para oír. Los cielos son como bronce.

"El Señor es tan amable, sin embargo —continuó Dawa—. Siempre envía una tregua. A veces, mientras oro en el Espíritu de pronto el dormitorio se inunda con paz y poder divinos. En otras oportunidades manda creyentes para que me ministren. Llaman a mi puerta en la mañana, y dicen: 'El Señor nos ha enviado a ayudarte'"

Luego Dawa señaló algo sobre mi hombro: —¿Ve eso?

Volví la cabeza, y vi un bastón de viaje que colgaba de un clavo solitario.

—El anciano que llegó a mi puerta con ese bastón viajó todo el camino desde Himachal Pradesh en el norte de la India. ¡Anduvo más de mil kilómetros! Su nombre es Sadhu Subhas. Antes de eso, nunca nos habíamos conocido ni escrito. Pero me dijo que dos años antes en 1988, Dios le había mostrado una visión de Thimphu y le dio instrucciones para venir aquí. Muy poco tiempo después, mientras se preparaba para salir, el Señor sobrenaturalmente le reveló todas las vías y los pasos de montaña que debería tomar. Llegó a mi casa en la mañana después de uno de los ataques del enemigo. Cuando abrí la puerta me dijo: "El Señor me envió a orar por ti".

"El día anterior a su llegada, hubo muchísima nieve. Pero en el día en que llegó había calma. La noche anterior a su partida, de nuevo nevó en abundancia. En la mañana siguiente, sin embargo, una vez más hubo buen tiempo. Cuando le pregunté a Sadhu sobre esto, me contestó con toda tranquilidad: 'El Señor honra y protege a los suyos.'*

En este punto de nuestra conversación, Dawa se estiró bajo el colchón de su catre y sacó un diario de oración bien empastado en cuero. Durante los siguientes minutos, con lágrimas que corrían por sus mejillas, leyó en alta voz los registros que indicaban las visitas de otros "ángeles ministradores". Los mensajes, que incluían palabras de oración, aliento y profecía, eran poderosos. A medida que inundaban el aire a nuestro alrededor, me di cuenta que este modesto y pequeño cuarto no era un sitio ordinario. Lo que parecía como un piso de concreto frío, ahora tenía la apariencia de un terreno santificado. Encontré que me era indispensable arrodillarme.

El cuarto de oración de Dawa era un puesto celestial de avanzada en el borde de un enorme campo de batalla sobrenatural. Lo que este pastor de Bután mantenía firme enfrente de los ataques satánicos era testimonio de su firme obediencia.

Cuando al final me levanté para partir, algo que colgaba de la pared llamó mi atención. Se titulaba "La luz del faro de la fe", y tenía palabras que no podían haber sido más apropiadas:

> La fe es como la luz de un faro a través de un mar turbado,
> Un resplandor de esperanza que lanza sus rayos dondequiera que estemos;
> Y a veces a través de la noche más oscura nuestros corazones encontrarán el camino,
> Al seguir esa luz de la fe en un día más brillante.

3. Ponerse la armadura espiritual

En vista de la cantidad de fuego enemigo en el aire en estos días, es asombroso encontrar tantos cristianos que van sin la armadura espiritual. Cuando llega la conducta arriesgada, uno puede ofrecer

---

* "Pero alégrense todos los que en ti se refugian; para siempre canten con júbilo, porque tú los proteges; regocíjense en ti los que aman tu nombre. Porque tú, oh Señor, bendices al justo, como con un escudo lo rodeas de tu favor" [Salmo 5:11-12; LBDA]

mejores posibilidades a los fumadores de tres paquetes al día, a los fornicarios promiscuos, o a los conductores de vehículos que no usan el cinturón de seguridad.

La razón más común parece ser simple descuido. Las personas no piensan en ponerse la armadura espiritual. Mientras el tema puede haber sido divertido en la escuela dominical, donde se representaba con papeles de colores y sobre tableros para gráficos, la tarea de relacionar los yelmos, los escudos y las corazas con el mundo moderno ha hecho que muchos adultos, por lo menos en términos prácticos, abandonen la antigua metáfora de Pablo.

Otros cristianos declinan emplear la armadura a causa de un supuesto equivocado, pues creen que la protección divina es un subproducto que se garantiza al servicio piadoso. El problema aquí no es la falta de información, sino un despliegue de machismo. Como el jugador de fútbol americano que desprecia las cubiertas protectoras, o el policía que se niega a utilizar un chaleco blindado, estos individuos se ven a sí mismos como guerreros indestructibles. La naturaleza de la batalla en el Otro mundo, les preocupa poco. Como el "rey de los niños" creen que automáticamente ordenan todo el poder y la protección que el cielo tiene para ofrecer. En todo caso el diablo sonríe con desprecio y afectadamente ante este espíritu de machismo.

En un ejemplo gráfico, al comienzo de la década de 1990, un joven viajero misionero, decidió desafiar las potestades sobre la ciudad de Kathmandú. Para esto se subió a un punto muy alto por encima del complejo sagrado del templo Pashupatinath y procedió a batallar con estos poderosos espíritus. Sin embargo, cuando regresó a su sitio, repentinamente cayó al piso y perdió el control de los sentidos —condición aguda que persistió por tres días. Una semana más tarde, después del examen realizado por un psicólogo local, tuvo que salir de la ciudad como uno de los hijos de Esceva. Los amigos que le recibieron en el aeropuerto de Singapur informaron que estaba como una canasta vacía —quebrantado física, psicológica y espiritualmente. Se necesitaron meses para devolverle la salud.[28]

A veces no es descuido ni machismo, sino una perspectiva teológica estrecha que manda nuestra armadura espiritual al armario. Cuando la doctora Linda Williams firmó un contrato a corto plazo como misionera para trabajar con Misiones Médicas al Mundo en 1984, fue asignada al Hospital de la Misión Evangélica Alianza en Taitung, Taiwan. Varios días antes de su vuelo de regreso a los Estados Unidos, Williams y un colega asistieron a un desfile de ídolos asociado con el Festival de las Linternas. Los portadores de los ídolos usaban pinturas faciales exóticas y llevaban abanicos de plumas. Los celebrantes embriagados y con el poder del mal formaban enjambres por las calles, mientras hacían explotar pertardos.

—Repentinamente —recuerda la doctora Williams—, uno de los líderes del templo se apartó de la fila de la procesión, agitó su abanico de plumas enfrente de mí y cantó airadamente. —Confundida, se volvió hacia su colega para que le explicara por qué los ojos de este hombre estaban desorbitados.

—Le dirigió una maldición —balbuceó—. Pidió a los demonios que le demostraran su poder dentro de 48 horas.

Dos días más tarde después de borrar este extraño suceso de su mente, la doctora Williams acompañada de varios amigos, fue a un viaje de despedida que le ofrecían en la playa, en compañía de una pareja de misioneros muy querida, Art y Leona Dickinson. Cuando el vehículo se acercó a una curva, un perro apareció de pronto en el camino e hizo que el conductor virara instintivamente. El vehículo se estrelló contra dos grandes árboles y se volcó.

Al volver en sí la doctora Williams se encontró cubierta de vidrios rotos. Una sustancia tibia y pegajosa goteaba sobre su nuca. "Repentinamente" recuerda, "pude oír a Art que gritaba: '¡Linda, Leona se muere!" Entonces me di cuenta que la sustancia tibia que goteaba sobre mi nuca era en realidad la sangre de Leona.

En los días que siguieron, la vida de Leona estaba en la balanza. Se mantuvo en coma y luchaba con cada respiración, mientras los cirujanos trabajaban para reparar sus órganos heridos y los huesos rotos. Cuando una de las pupilas se dilató de pronto, vino a ser claro que el tallo cerebral hacía una hernia. El cirujano jefe, incapaz de transportar a Leona a una atención neuroquirúrgica en Taipei, reunió a los misioneros para anunciarles que probablemente moriría esa noche.

Aun enfrente de este informe tan pesimista, la doctora Williams recuerda:

> Los misioneros no médicos, los maestros y los pastores permanecían consternados pero llenos de esperanza... Parecían haber identificado, antes que yo lo hiciera, que el accidente resultó de la maldición puesta sobre mí. Pero también creían en 1 Juan 4:4 y lo reclamaban para Leona: "....mayor es el que está en vosotros, que el que está en el mundo".

A pesar de sufrir una fractura vertebral en C4, condición que debería haber resultado en cuadriplejia, Leona se recobró por completo. Dice la doctora Williams:

> Hoy ya no desprecio más la realidad de la guerra espiritual. He dejado de tratar de meter al poder de los demonios en un nítido compartimento filosófico que no interfiera con mi zona de comodidad cristiana o con mis razones científicas.[29]

Como estos testimonios nos recuerdan, la armadura espiritual no es un accesorio opcional. Quienes lo desprecian lo hacen bajo su responsabilidad. En lo que respecta a la pregunta de lo que es esta armadura y cómo se pone, Pablo resumió el punto en tres simples palabras: "cada día muero" (1 Corintios 15:31). Y dijo a los gálatas: "...Ya no vivo yo, mas vive Cristo en mí" (Gálatas 2.20 RV).

En la práctica, entonces, ponerse la armadura de Dios es sinónimo con el rendimiento diario al señorío de Jesucristo. En lugar de visualizar ropas antiguas y quizá imaginarias, simplemente dediquemos cada mañana nuestros primeros pensamientos conscientes a la voluntad de nuestro Amo. La armadura espiritual, se convierte en un estilo de vida, pues para el equilibrio de cada día, elegimos andar conscientes de su presencia y propósitos.[30]

4. Mantener la responsabilidad espiritual

Carol Shields una vez escribió: "Hay capítulos en toda vida que por rareza se leen y ciertamente no en voz alta".[31] Aunque estos capítulos secretos son a veces como memorias en un diario de fracasos pasados, es más probable que se relacionen con dificultades que casi siempre preferimos manejar nosotros mismos. Esta tendencia, según Charles Kraft anotó en *Christianity with Power*, es más común entre los occidentales que practican el individualismo y la independencia. No es un hábito sano. Kraft destaca que además de engendrar y legitimar el egoísmo, una mentalidad de ir solos nos hace "vulnerables por completo al diablo en los recónditos más profundos de nuestro ser".[32]

Vale la pena recordar que una perspectiva —*nuestra* perspectiva— es solamente un punto de vista. Mientras ocupamos nuestras posiciones hacia nuestras perspectivas sobre las cosas, también debemos tener la voluntad de admitir que nuestro punto de vista es limitado. Si habitualmente rechazamos el consejo y el conocimiento de los demás, nos convertimos en blancos fáciles para el maestro del engaño.

Los intercesores cristianos son también vulnerables a lapsos muy breves de falta de cuidado que se conocen con el nombre de *microsueños*. Estos episodios disparados por cansancio extremo, por fatiga exagerada, pueden ocurrir en reuniones de oración, en la mitad de una charla, e inclusive cuando manejamos un carro. Aunque los microsueños son breves, por lo general no duran sino unos cuantos segundos, son ricos en imaginería hipnológica —formas fugaces, indefinidas, que sirven como los bloques de construcción para las alucinaciones. El peligro en estos episodios, según destaca Ronald Siegel, profesor en UCLA, consiste en que "el cerebro con fatiga puede tejer estas formas ambiguas con hechos específicos". Sin un descanso adecuado o un sistema de soporte terrenal (líderes sabios y amigos amorosos), los intercesores de largo recorrido pueden ser presa de impresiones falsas y hasta inspiradas por los demonios.

A medida que el paso de la vida y del ministerio continúa para encender alrededor de nosotros las relaciones responsables, vienen a ser de importancia creciente para nuestro bienestar espiritual. Como referencia a este momento el escritor bíblico dijo:[34]

> No dejando de congregarnos, como algunos tienen por costumbre, sino exhortándonos; y tanto más, cuanto veis que aquel día se acerca.

Hebreos 10:25, (RV)

Al final, el propósito de la responsabilidad espiritual consiste en establecer guardavías para mantenernos fuera de problemas y una atadura de seguridad en caso que tropecemos. Es como andar en un área desierta de un parque nacional. Allí suministran mapas y marcadores de las vías, pero a los recreacionistas también se les pide que firmen en una estación de vigilancia o ante el director de rutas. A los caminantes se les pide que indiquen el número y los nombres de las personas que van en sus equipos, que den un itinerario propuesto, y también que ofrezcan las fechas en que proyectan entrar, y en qué piensan salir.

Algunos ven esto como un ejemplo de un exceso de autoridad, como ciertos creyentes se irritan ante las disciplinas de la responsabilidad espiritual. Pero hay muy buenas razones para pedir tales informes. Todos los años hay personas que quedan incapacitadas en el desierto por accidentes, donde puede haber ruptura de huesos o de ataques por animales y por capricho del tiempo. Cuando estas cosas suceden —y ¿quién hace planes alguna vez para ellas?— es bueno saber que usted es objeto de alguien que se preocupa por rescatarlo. Después de todo, ¿no fue este el motivo para que el sumo sacerdote al entrar en el Santo de los Santos llevara campanillas en sus ropas y una cuerda en su tobillo?

5. *Establecer apoyo fiel en oración*

Una de las cosas que me ha admirado al aconsejar a las víctimas de asaltos espirituales en el curso de los años, es cuán pocos creyentes se molestan en establecer alguna forma de apoyo en oración para sus personas. Con excepción de algunos pastores y misioneros de vanguardia, casi todos estos individuos nunca se consideran elegibles para tal disposición. Aunque se entiende que el tema ha mejorado en años recientes, gracias en gran parte a libros como *Prayer Shield* de C. Peter Wagner, hay todavía muchos cristianos que andan solos.

Una práctica que he visto de gran beneficio consiste en dar a mis intercesores detalles por adelantado, sobre cada una de las misiones que proyecto o planeo para el futuro. Si mi agenda me llama a trabajo de investigación, sea en las tierras del Tibet o en las calles de New Orleans, procuro dar a cada uno de los miembros de mi equipo de apoyo un esquema diario de los sucesos, inclusive viajes, entrevistas y actividades de observación. Una vez que la misión anda, los intercesores están de acuerdo en mantener un diario de oración, donde detallan cómo Dios los ha dirigido a orar, mientras yo mantengo un informe diario de viaje, donde detallo lo que ha sucedido. Cuando regreso del campo confrontamos los documentos.

Invariablemente, esta revisión después de los viajes es mutuamente compensadora. Los intercesores descubren por qué se les movió a orar en un modo determinado o en cierto tiempo, mientras agradezco a Dios por la sensibilidad de ellos y también por el cuidado con que Él vigila cada uno de mis movimientos.

Hace pocos años una mujer del área de Seattle comenzó a orar por mí, después que el Señor le dio la impresión de que un extraño se paraba sobre mi cama mientras yo dormía. Esta entrada de oración, al compararla después con el informe de mi viaje, coincidió con la hora y las fechas precisas en que me desperté en el cuarto de los ídolos de Tsering Dorje en Dharamsala (como ya relaté en el capítulo 1). En otra ocasión, un intercesor de Atlanta sintió la necesidad urgente de orar por la seguridad de mi viaje, en el día preciso cuando al carro en el que yo iba se le estalló una llanta en una carretera de montaña muy difícil en Bután. Si la llanta se hubiera roto dos minutos antes o dos minutos después, habríamos caído al precipicio alcanzando la muerte.

Mi recordatorio más vívido del poder de la oración tuvo lugar en julio de 1995. Precisamente acababa de completar una rigurosa época de mi ministerio y fui a pasar unos pocos días de vacaciones con mi esposa, Lisa, y nuestros cuatro niños en la casa de mis padres en el Sur de California. En una tibia mañana de un lunes, nuestra hija de dos años, Jenna, pasó inadvertida en búsqueda de aventuras.

Mi madre, al seguir un aviso interior, se dirigió al patio trasero para verificar la situación de la niña. Una ojeada inicial fue infructuosa y entonces se movió en la dirección de sus peores temores. Al asomarse sobre el borde de concreto de la piscina, vio el cuerpecito de Jenna con su traje de baño amarillo que yacía inmóvil cerca del lado más hondo. Se precipitó hacia la casa, mientras gritaba: "George, ¡la niña está en la piscina!"

Cuando llegué al patio de atrás, Lisa ya había sacado a Jenna de la piscina. Rompió la superficie con un grito: "¡Tómala!"

Mientras tomaba el cuerpo de la niña en mis brazos, parecía completamente sin vida —un horrible recordatorio del significado de lo que quiere decir peso muerto. No tenía la más leve idea de cuánto tiempo había estado bajo el agua. Al mirar su rostro húmedo, vi todas sus características como siempre había sido. En el interior, sin embargo, sabía que el serio negocio de la vida rápidamente se desvanecía.

Atrapados dentro de nuestro universo en cámara lenta, Lisa y yo vinimos a ser conscientes de la fiera batalla espiritual que se libraba sobre Jenna. El adversario, que había espiado a nuestra hija desde la concepción se aprestaba a *devorar* su dulce carne —acción que, en el griego (*katapino*), significa literalmente "tragar" o "ahogar" (véase 1 Pedro 5:8).

Si estas intenciones fueran a ser contestadas, sabemos que se necesitaría más que CPR. Era ahora dolorosamente obvio que Jenna estaba perdida en un sitio al que no podíamos llegar y al que sólo podíamos entender oscuramente. Su destino se decidía no en un prado pantanoso del patio trasero de la casa de mis padres, sino en los corredores sin límites de la eternidad. Sólo Dios podría navegar esos intersticios misteriosos entre la mente y el espíritu; únicamente Él podría traer de regreso a Jenna al umbral de la vida.

Con el tiempo que se evaporaba como las gotas de una fragancia costosa, nuestras mentes luchaban para descartar las imágenes tenebrosas de la muerte: la indecible agonía de ser retirados del cuerpo sin respuestas de Jenna; los rigores de arreglar y asistir a un funeral prematuro; el tormento horrible que representaba la vista de los ositos de felpa solitarios y de las zapatillas vacías. Estos son los temores primarios de todo padre amoroso y rodaban por nuestras mentes como olas sin descanso en los mares abiertos. Nuestra única esperanza consistía en que ninguna de esas marejadas imaginarias todavía se había roto contra las playas de la realidad.

Pronto se nos reunió un trío de paramédicos del Condado de Ventura. Las preguntas eran tan rápidas como el fuego: "¿Respira? ¿Hay pulso? ¿Cuánto tiempo estuvo bajo el agua? ¿La piscina tiene calefacción?" Jenna cerrada en su mundo silencioso, estaba por completo inconsciente de los ruidos que había por encima de ella. Para el resto de nosotros, sin embargo, las sirenas y los radios significaban que nuestra vigilia privada se convertía en una guerra pública. Al colocar una máscara de oxígeno sobre la cara de la niña, los paramédicos apresuradamente la pusieron en la camilla de emergencia de la ambulancia y encendieron la sirena. Segundos después, estábamos en el hospital.

Cuando por último en puntas de pie nos acercamos al lado de la cama de Jenna, algo así como seis horas más tarde, lo que vimos casi rompió nuestros corazones. En lugar del manojito charlatán de gozo que habíamos visto esa mañana, encontramos una extraña inconsciente cuyas funciones vitales estaban bajo el control o monitoreo de máquinas. Ni siquiera al nacer la habíamos visto tan vulnerable, tan diminuta. Al inclinarnos a través de una mezcla imposible de tubos y alambres, apartamos unas pocas hebras de paja en su frente.

—Hola corazón. Aquí están mami y papi.

También estaba allí el Gran Médico. Sin saberlo nosotros, la noticia del accidente de Jenna ya había viajado a través del mundo.

Puestos en alerta por una variedad de aparatos electrónicos —que incluían el Club 700, la red radial de la Voz de Esperanza y la Internet— un ejército masivo de intercesores se había unido en la batalla por la vida de Jenna. Otro esfuerzo de movilización de plegarias bajo la dirección de Peter y Doris Wagner apresuraba llamadas y mensajes de sitios tan lejanos como Perth, Australia. Cada uno de ellos nos aseguraba que miles de intercesores se aliaban para unirse a la causa.

Como consecuencia de la gracia de Dios y de la oración fiel, Jenna no solamente sobrevivió a sus pruebas, sino que no sufrió ninguno de los efectos adversos —edema cerebral, neumonía y daño encefálico— como los médicos habían temido. La enfermera a cargo de la Unidad de Cuidados Intensivos llamó a la niña "pequeño milagro", y nos dijo que en veinte años sólo había visto una niña que se hubiera recuperado tan rápido y completamente como Jenna.[35]

6. *Tomar los riesgos divinos*

El paso final en nuestro programa de protección espiritual comprende una actividad que muchos cristianos pasan por alto: tomar los riesgos divinos. Aunque generalmente suponemos que el riesgo es algo contra lo que nos debemos proteger, el peligro verdadero se encuentra con frecuencia que acecha en el status quo. Por ejemplo en la Parábola de los Talentos de Jesús, el siervo que enterró el capital de su amo en un pañuelo para guardarlo, fue reprendido por sus acciones. ¿Por qué? Descuidó la atención de los intereses del Amo. En su mente egoísta, la potencialidad de la pérdida fue mucho mayor preocupación que el fracaso en la ganancia.[36] Al final, los pasos que este siervo tomó para aliviar la pérdida, en realidad la produjeron.

Las cosas hoy no son muy distintas. Los padres que se preocupan acerca de la seguridad de los hijos o de la educación "adecuada" responden y los apartan de la vanguardia del ministerio cristiano. (También con mucha frecuencia esta decisión se dispara cuando el joven cae víctima de alguna adicción o entra en componendas con los cuidados de esta vida.) Los misioneros preocupados con la persecución o con la deportación dan pasos conscientes para amordazar a sus testigos en el campo, lo que lleva al mismo resultado que el enemigo tenía en mente desde el principio: el silencio efectivo de la voz primaria de Jesucristo en la tierra.[37]

Los guerreros de oración también pueden ser víctimas de excesos de precauciones. Un buen ejemplo resultó en una extensa jornada de oración que dirigí al comenzar la década de 1990. A medida que nuestro equipo se acercaba al final de una misión de tres semanas a los Himalayas, que incluyó una intercesión en el lugar de múltiples fortalezas hindúes y budistas, varios participantes informaron que se sentían muy oprimidos y pidieron permanecer en sus cuartos del hotel. De los que entraron en los templos y monasterios, muchos pasaron tiempos considerables mirando sobre sus hombros. En medio de este malestar espiritual, Dios nos recordó el momento en que su presencia había sido llevada al templo filisteo de Asdod. Cuando el Arca del Pacto quedó al lado de la imagen de Dagón, el ídolo se colapsó y pronto quedó aplastado (véase 1 Samuel 5:1-5).

Aunque la presencia de Dios ya no reside más en un arca dorada, *está* contenida en nuestros vasos terrenales. Adondequiera que vayamos, podemos estar seguros que tendrá un impacto mayor sobre el ambiente, que lo que lo rodea pueda tener sobre ella.

Como destaqué en *The Last of the Giants*, Dios rara vez llama a su pueblo a luchar. El tema recurrente de la Escritura consiste en gigantes y multitudes. Una y otra vez a los guerreros cristianos se les pide que enfrenten enemigos cuyos recursos naturales exceden los propios.[38] Si vamos a tener éxito en tales batallas, debemos aprender a andar en fe; y se ha dicho que fe se deletrea R-I-E-S-G-O. Si algo carece de riesgos, la fe no es necesaria.[39] Y "...sin fe es imposible agradar a Dios" (Hebreos 11:6, RV).

"La vida libre de riesgos", como dijo una vez el difunto Jamie Buckingham, "es una vida libre de victorias. Significa una rendición ante la mediocridad y esa es la peor de todas las posibles derrotas".[40] Como todo tirador sabe, a nada es más fácil de darle que a un blanco estacionario.

Reconocimiento de la fuerza:
Adquisición y uso del poder espiritual

Para el cristianismo hay más que convertirse en un blanco espiritual elusivo. Nuestra misión para extender los límites del Reino de Cristo en la tierra, también requiere de nosotros que practiquemos el arte de la guerra *ofensiva*. Y mientras la verdad de la Palabra de Dios es nuestra arma definitiva, con frecuencia es más eficaz cuando se acompaña con demostraciones de poder divino.

Hechos 8 dice que "Y las multitudes [de samaritanos] unánimes prestaban atención a lo que Felipe decía, al oír y ver las *señales que hacía*" (versículo 6, B.d.l.A énfasis del autor.) Al ampliar este punto, Jack Deere, estudioso de la Biblia, enfatiza la declaración de Pablo que "...el Reino de Dios no consiste en palabras, sino en poder" (1 Corintios 4:20, RV). Este poder milagroso, según Deere, "es más que una evidencia temporal del Reino de Dios —en realidad es una característica de su Reino".[41]

A las personas casi siempre las atrae más el poder indígena que los dogmas de afuera. Hasta cuando Felipe llegó a Samaria, con grandes señales y milagros, "...oían atentamente todos, desde el más pequeño hasta el más grande" (Hechos 8:10), pero antes la atención se la daban a un poderoso hechicero de nombre Simón. El éxito del cristianismo en el mundo de Roma también se puede atribuir mucho a la capacidad de los creyentes para ofrecer evidencias y pruebas del poder de la fe sobre los demonios.

El apetito moderno por poder espiritual, cualquiera que sea su fuente, no es menos voraz. Sólo tenemos que mirar la popularidad sin precedentes de los programas de televisión sobre temas como lo paranormal, la proliferación de enseñanzas de la mal llamada Nueva Era y la revitalización de diversas religiones indígenas. La gente quiere poder, y el enemigo solamente tiene toda su voluntad para concederlo.

Como las señales y las maravillas de los demonios aumentarán a medida en que nos acercamos a la segunda venida de Cristo, enfrentamos algunas preguntas críticas: ¿Estamos preparados?

¿Tenemos la necesaria experiencia en el campo de batalla para estar de pie en esta competencia? Para muchos creyentes, incluso algunos en posiciones de liderazgo ministerial, la respuesta es un rotundo no.

Los ejemplos de esta falta de conocimiento no son difíciles de encontrar. Un episodio reciente del popular programa de televisión *Unsolved Mysteries* presentó el caso de una familia del medio oeste traumatizada por la infestación satánica de su casa. Incapaces de soportar cosas tan extrañas como luces que parpadeaban, platos que se movían y apliques que se prendían sin advertencia, la pareja se dirigió a un pastor local en búsqueda de ánimo y consejo. Después de observar de primera mano estos desconcertantes fenómenos, el clérigo sólo atinó a concluir: "Simplemente hay algunas cosas que no podemos entender".

El problema, según me dijo en 1992 un creyente indígena de Norteamérica, consiste en que "muchos cristianos no se atreven a aventurarse en situaciones más poderosas que ellos". Como tienen poca experiencia de primera mano con lo sobrenatural, se inclinan a apartarse tímidamente de sus misterios.

Sin embargo, los que admiten esta falta, pueden mejorar sus actuaciones en el campo de batalla espiritual si siguen los siguientes seis pasos básicos:

1. *Debemos exponernos a los campos de batalla verdaderos.* Muchos de nosotros estamos comprometidos con nociones acerca de la guerra espiritual, que nunca hemos probado personalmente. Al habernos confinado a mundos artificiales como la academia (donde los juegos de guerra espirituales se hacen sobre papel) o como la carismanía (donde las batallas se pelean en reuniones), con frecuencia quedamos sin preparación para lo real. El único correctivo seguro consiste en aventurarnos más allá de nuestras zonas establecidas de comodidad.

2. *Debemos encontrar un tutor calificado.* La mejor manera de aprender cómo blandir el poder espiritual con efectividad, es apegarse a alguien que haya ido antes a la batalla.

3. *Debemos permanecer como vasos humildes y limpios.* Sólo los justos, en humildad, pueden reclamar las promesas del poder divino. De acuerdo con el Salmo 66:18, Isaías 1:15 y Juan 9:31, Dios ni siquiera oye a los pecadores.

4. *Debemos recordar el propósito de las señales y maravillas divinas.* Aunque los dones espirituales con frecuencia se asocian con el bienestar personal de los cristianos, la Biblia enseña que el poder divino se manifiesta principalmente para glorificar a Dios y para facilitar el evangelismo (Marcos 16:20; Hechos 2:43; 1 Corintios 14:22; Hebreos 2:3-4).

5. *Debemos entregarnos a la soberanía de Dios.* Si en realidad cedemos al señorío de Cristo, debemos dejarle que haga oír su voz en cada una de las circunstancias con las que nos enfrentemos. Esto necesitará oír con más paciencia y de nuestra parte menos formulaciones de petición.

6. *Debemos desarrollar un sentido de expectativa.* Esto es especialmente relevante para aquellos de nosotros que vivimos en (o con) los ghetos racionalistas de la sociedad occidental. Aunque para nosotros sea difícil pintarnos en el papel de exorcistas, videntes o sanadores, es así como Dios ha elegido ministrar a nuestro mundo atado y en quebrantamiento. Si no esperamos que el Espíritu Santo manifieste su poder por medio de nosotros, probablemente nunca lo hará.

Cualesquiera posiciones que decidamos adoptar en el aspecto del poder espiritual, es importante enfatizar que nuestra competencia ya ha hecho su parte. A todo punto donde usted se preocupe mirar, los hombres y las mujeres pagan precios desesperados con el fin de adquirir y emplear poder espiritual. Para miles de monjes en el Tibet, el costo implica años de disciplina mental y de meditación solitaria. En otras partes del mundo, quienes buscan estos poderes emplean una gran diversidad de técnicas que incluyen pruebas (Australia y americanos nativos), iniciaciones (África Occidental y Melanesia), ayunos (India y Java) y trances (Haití

Turquía.) En el norte de la India, un discípulo hindú ha permanecido de pie ante la tumba de su gurú por más de cuatro años con el objeto de cumplir un voto. Duerme en una hamaca vertical, y rehúsa retirarse hasta cuando su tutor lo libere por medio de una señal en sus sueños.[42]

En muchos ejemplos, el poder espiritual que se deriva de estas acciones se emplea para defender las fortalezas espirituales existentes. Al enterarse de los esfuerzos de algunos cristianos para impedir un avivamiento de la antigua danza del sol, el curandero sioux Ed McGaa se movió a "aceptar el papel de los guerreros místicos del pasado" —papel que incluía la necesidad, conforme lo expresó, de la "armadura espiritual fuerte". De acuerdo con McGaa, "estos guerreros místicos eran como los caballeros de la antigüedad. Eran los ayudantes espirituales de hombres y mujeres santos, y eran luchadores que protegían los senderos espirituales".[43]

Por lo menos, Howard Brant, ejecutivo de la Sociedad para los Ministerios Internacionales de los Estados Unidos (SIM, por las siglas en inglés), expresó una preocupación sobre estas "fuerzas espirituales de maldad que se levantan para oponerse al avance del Evangelio y a la extensión del Reino de Dios en la tierra". En una reciente comunicación sobre el tema, Brant declaró:

> Queremos que nuestros misioneros, las iglesias que se relacionan con nosotros, y todos los cristianos en todas partes reconozcan que hay fuerzas de las tinieblas espirituales que tienen poderes enormes sobre tribus, aldeas, pueblos, grupos étnicos, e inclusive sobre naciones (Daniel 10:11-13). A medida que aprendamos a tomar las armas de nuestra guerra y atacar a estas fortalezas de maldad, el Espíritu Santo hará volver a hombres y mujeres a sí mismo, para traer salvación a los perdidos y para reavivar su iglesia.[44]

Confrontación de las potestades en Soroti

En diciembre de 1983 un joven evangelista de nombre Robert Kayanja, natural de Uganda, recibió una invitación para dirigir una

cruzada evangelística en el espiritualmente oprimido pueblo de Soroti.[45] El equipo ministerial, en un esfuerzo para romper la servidumbre espiritual sobre el área, se comprometió a ayunar durante
todos los días de la cruzada y tomar sólo una comida en la tarde.

Casi mil personas se congregaron para la primera reunión que
tuvo lugar en un campo abierto rodeado por árboles de mangos,
pero los líderes locales habían esperado más de mil. Infortunadamente, un notorio médico brujo, Muhamoud, había amenazado
con interrumpir las sesiones al soltar una caja llena de serpientes
mortíferas en la multitud. El negocio verdadero de Muhamoud, a
pesar de su nombre musulmán, consistía en vender encantos de
magia y en practicar hechicería. Por años había mantenido a las
gentes de Soroti bajo sus ensalmos y aunque había varias iglesias
cristianas en el área, era muy raro que alguno mostrara algo de interés en unirse a ellas.

Robert, sin saber nada de los negocios o de las amenazas de
Muhamoud amonestó a las personas fuertemente para dejar su
alianza con la hechicería y volverse en fe al Dios viviente. A medida que la convicción del Espíritu Santo caía, los que con vacilacio-
nes aún se apegaban a sus encantos los descartaban como si fueran
carbones encendidos. El poder de Dios barrió con sanidades por la
multitud, disolvió tumores, abrió ojos ciegos y restauró miembros
inválidos. Por lo menos seis paralíticos salieron de la reunión cami-
nando con sus propias fuerzas.

Las nuevas se extendieron como un incendio. Kayanja relata:

> Cuando me levanté para predicar el segundo día, Muhamoud
> estaba furioso. Trajo su caja llena de serpientes a la reunión e
> hizo desafíos abiertamente. En este momento la multitud había
> duplicado su número y las personas llegaban en bicicletas, en
> carretas, y las madres llevaban a sus bebés. Delante de los ojos
> de todos, Muhamoud se puso de pie enfrente de mí y gritó:
> "¡Váyase de este pueblo! Si usted se opone a las pociones que he
> vendido a la gente, lo mataré!"

En lugar de oír esta advertencia, sin embargo, continuamos con nuestro ministerio. Ese día se salvaron 111 personas, y los encantos del brujo continuaron apilándose.

Cuando Robert reunía los fetiches descartados para una quema pública más tarde, Muhamoud bloqueó su camino. "Cuando venga la lluvia mañana por la mañana a las diez "silbó", usted verá mi poder".

A pesar de esta amenaza, Robert y sus colegas dejaron la reunión y se regocijaron en todo lo que Dios había hecho. Como habían ayunado todo el día, tenían mucha hambre. Pero no les tomó mucho tiempo al llegar a la comida de la tarde, antes de descubrir algo sumamente serio. Robert recuerda:

> Después de tres cucharadas oí que el Espíritu Santo decía: *Deja de comer*. El alimento está malo. Aunque bajé mi tenedor inmediatamente, ya los otros habían comido y comenzaban a sentirse muy mal. También mi estómago comenzó a molestarme, y no podía sentir la lengua. Empecé a orar porque sabía que nos habían envenenado. Cuando llamé al cocinero al comedor, confesó que Muhamoud le había pagado para que vertiera un polvo sobre el alimento. No es de sorprender que este hombre estuviera lleno de miedo —pero inmediatamente oramos por él y lo perdonamos. A medida que hacíamos esto, Dios nos dio una tregua. Casi antes de haber dicho "Amén", vomitamos todo lo que habíamos comido y nos salvamos.

A las diez de la mañana exactamente comenzó a lloviznar. Sin embargo, en lugar de caer muertos como el brujo esperaba, el equipo se ocupó en la enseñanza de un seminario bíblico —una serie de sucesos que no se perdió en el pueblo. Hacia las dos de la tarde, la multitud alcanzaba cuatro mil personas. Muchos individuos se trepaban a los árboles vecinos a fin de poder ver mejor.

> Frustrado por el fracaso de la víspera, Muhamoud anduvo entre la multitud y levantó la tapa de su caja mágica. Me miró y dijo: "Ahora veremos quién tiene el poder verdadero". Con eso Muhamoud y sus dos asistentes sacaron una serpiente verde muy larga y la mandaron hacia la plataforma.

A medida que se deslizaba, la gente en la audiencia comenzó a saltar del camino. Procuré ignorar todo esto y estaba a punto de hacer énfasis en algo, cuando mi intérprete repentinamente con un salto se bajó de la plataforma. Gesticulaba asustado y gritó: "¡Mira hacia atrás!" Al volverme, vi que la serpiente se enroscaba como si fuera a decir: "Este es mi terreno ahora". Me quedó muy claro que este animal lo habían enviado para que nos atacara.

Bien, toda la gente estaba frenética. En toda mi vida jamás había oído tantos chillidos. Los que vendían comida en los mercados vecinos corrían para ver lo que pasaba. Recuerdo vívidamente a una mujer de pie allí con un cuchillo y una papa en cada mano. Atraídos por la conmoción los niños de la escuela uniformados que regresaban a la casa, también se apresuraron para ver, de la misma forma que lo hicieron los dueños de los diversos bares locales. Ahora se habían reunido en el campo algo así como seis mil personas.

Miré a la serpiente verde que se me acercaba y ordené: "¡Tú diablo, vete de aquí!" Inmediatamente la serpiente se desenroscó, abandonó la plataforma y regresó a su caja en el suelo. Aunque Muhamoud procuró obligarla a salir otra vez, la serpiente se negó a obedecer. Exasperado sacó una gran cobra y aulló: "¡Ataca!" Segundo más tarde la serpiente voló sobre las cabezas de las personas y aterrizó en la plataforma. Al desplegar su capucha se preparaba para atacar.

La multitud ahora estaba dividida en dos grupos —quienes estaban a nuestro lado y los que estaban con el brujo. El aire estaba lleno con los sonidos de un cántico africano de guerra: "¡Jey-ey jey! ¡Jey-ey jey!". Estábamos en la mitad de un clásico encuentro de poderes.

Aunque mis rodillas temblaban, dije a los pastores: "Esto no es una serpiente, como ustedes creen; es un espíritu". Con eso, una de nuestras intercesoras, una dama de cabello blanco y setenta años de edad, comenzó a cantar: "Hay poder en la sangre". Pronto todos nos unimos a ese himno.

A medida que cantábamos el Espíritu Santo cayó sobre mí. De repente me sentí lo suficientemente fuerte como para matar un león. Oí que el Señor me decía: *Ve a la serpiente. Señalé* con mi dedo a la serpiente, y la reprendí en el nombre de Jesús.

Espiritualmente desprovista de colmillos, se desenroscó y se volvió tan recta como una vara. Luego oí que el Espíritu Santo me decía: *Tómala por la cola*. Entonces, así lo hice, levanté a la serpiente y comencé a andar con ella.

¡La escena era increíble! Para procurar ver lo que sucedía en la plataforma, las personas se empujaban y se pisaban unas a otras. Los paganos cantaban, "Jey-ey jey", mientras los cristianos seguían con su himno para alabar a Dios. Después de alrededor de diez minutos, de repente sentí que surgía con toda su frescura y su vigor el poder del Espíritu Santo. Cuando miré a la serpiente, estaba muerta.

Al ver esto, el brujo asombrado exclamó: "¡Mató a mi mascota!" Lo señalé con el dedo y le dije: "Serás el siguiente. Vas a morir como tu serpiente si no entregas tu vida a Jesús". De pronto Mohamoud cayó al suelo y comenzó a arrastrarse como uno de sus ofidios.

Después que expulsamos los demonios de este hombre, proceso que duró alrededor de cuarenta y cinco minutos, pedí a los líderes que le subieran a la plataforma. Se encontraba tan débil que ni siquiera podía estar de pie. Le pregunté públicamente: "¿Quieres creer en Jesucristo?" Cuando dijo sí, le guié en la oración del pecador, luego instruí a la gente para que pusiera las serpientes y los encantos en la pila de brujería que íbamos a quemar. En este momento Mohamoud vomitó todo en el mismo sitio donde se hallaba, mientras tosía en cada ocasión.

La gente estaba asombrada. En muchos había lágrimas que corrían por los rostros. Dije mientras miraba a la multitud: "Si también se arrepienten de sus pecados, entonces Dios les visitará". Miles respondieron y fueron salvos ese día, inclusive alrededor de treinta musulmanes. Tal fue el comienzo de un gran avivamiento espiritual en Soroti.

Cuando por último, quemamos todo lo de la brujería las erupciones cutáneas que habían molestado a muchos de los pastores de repente desaparecieron. Mohamoud mismo estaba completamente transformado. Después de predicar con todo poder en Zanzíbar, pasó a Madagascar, donde ahora pastorea una iglesia de casi ochocientos miembros.[46]

La lección en este punto del laberinto consiste, en que el poder espiritual y la protección no solamente están disponibles para los cristianos que obedecen; son componentes centrales en la estrategia de Dios para liberar a las comunidades hechizadas. Mientras permanezcamos enfocados en este propósito (que se opone al autoengrandecimiento), podemos invocar los dones y poderes divinos sin vacilación de ninguna clase. Estos vendrán a ser, inclusive más importantes a medida que la evangelización global se alista sobre nuestro desesperado adversario que hace lo posible para inundar al mundo con falsificaciones demoníacas.

A medida que consideramos cómo Dios nos usaría para "redimir el tiempo" en estos días malos (véase Efesios 5:15), van unas de las preguntas más importantes —y que más motivan controversias— en relación con los parámetros de nuestra guerra. ¿Cuál es la extensión de nuestra autoridad para tratar con el enemigo? ¿Nuestro mandato termina, como algunos afirman, con el exorcismo personal? ¿O hay un elemento de posesión colectiva al que también debemos atender? ¿Cómo podemos estar seguros que nuestras iniciativas en la guerra espiritual tengan tanto una base bíblica, como que sean efectivas en la práctica?

Capítulo Diez

Desatar los ensalmos

En el muy conocido cuento *El león, la bruja y el guardarropa* de C. S. Lewis, cuatro niños ingleses tropiezan con un reino encantado que se llama Narnia. Aunque sus primeros encuentros con los nativos fueron deliciosos, muy pronto aprendieron que no todas las cosas resultan así de bien. El reino, según parece, sufre las perturbaciones producidas por una reina cruel y astuta. Sus súbditos la conocen como la Bruja Blanca. De alguna manera siempre ha mantenido a la tierra en un estado de adormecimiento casi perpetuo. "En Narnia" se les dijo a los niños, "siempre es invierno, pero nunca hay Navidad". Los súbditos infortunados con frecuencia incurren en la ira de la reina y ésta sumariamente los congela como piedras. Aun peor, aprenden los niños, hay una verdadera selva de estas estatuas que se ven en los salones y en los atrios, así como en los patios del oscuro castillo de la reina.

Uno de los cuatro jóvenes, Edmund, que es muy egoísta, en realidad ve a la reina en acción cuando petrifica a una familia de ardillas del bosque en la propia casa de ellas. Cuando el hecho se cumple, Edmund encuentra que no puede soportar el pensamiento que esas figuritas de piedra se sienten allí "en todos los silenciosos días y las noches oscuras, año tras año, hasta cuando el musgo crezca sobre ellas, e inclusive sus rostros comiencen a resquebrajarse".[1]

El relato de Lewis es alegórico; el nuestro no lo es. El encantamiento y la desesperación son demasiado reales. ¿Quién entre nosotros no ha sentido las caras de piedra de las almas humanas que se resquebrajan hechizadas por las potestades de las tinieblas? El gurú de ojos hundidos, la estrella de cine maquillada, el niño maltratado, el hombre de negocios con la conciencia cauterizada, el borracho que se tambalea —son todos zombies espirituales y aparentemente están todos en una necesidad interminable de ministración.

Como ciudadanos de un mundo caído, sabemos lo que es anhelar la venida de la Navidad, soñar con una primavera que va a fundir todo aquello que pone en libertad a nuestra raza del hielo del pecado y de la muerte. Y mientras varios podamos tener razones para creer que estos sucesos felices no están demasiado lejos, mientras tanto tenemos todavía mucho para hacer. Por encima de todo, debemos encontrar una forma de tratar con aquellos "en los cuales el dios de este siglo cegó el entendimiento de los incrédulos, para que no les resplandezca la luz del evangelio..." (2 Corintios 4:4 RV). Como los apóstoles antes de nosotros, Cristo nos ha comisionado para abrir "...sus ojos, para que se conviertan de las tinieblas a la luz, y de la potestad de Satanás a Dios..." (Hechos 26:18 RV).

Si el propósito del infierno es atar con ensalmos, entonces el objetivo de los cielos debe ser desatar los ensalmos. Donde el enemigo ha traído confusión, debemos llevar luz. Donde él ha robado la dignidad de hombres y mujeres, debemos llevar sanidades. Donde él ha introducido desesperación, debemos llevar esperanza. Donde él ha llevado enfermedad y muerte, debemos llevar vida. No hay papel mayor en la Narnia terrenal.

La gracia perseverante: Los buscadores de la verdad y segundas oportunidades

Desde la perspectiva del enemigo, solamente hay tres categorías de seres humanos: prisioneros (los que ya están sometidos), blancos (a los que está empeñado en acechar) y adversarios (los que resisten activamente a sus esfuerzos). Mientras que el odio del diablo se extiende a cada uno de estos grupos, sus objetivos a corto plazo se gobiernan ampliamente por la oportunidad y la conveniencia.

A los prisioneros, como ya están bajo su control, los puede retener con el propósito de diversión (objetos de tormentos) o de convertirlos en sus aliados (como agentes destructores.) Es muy probable que se disponga de ellos una vez que han servido a sus propósitos. (Los campos de batalla y las sobredosis lo demuestran muy bien.) Los blancos consisten sobre todo en niños y en quienes buscan la verdad. Aquí la meta inmediata del enemigo no es destruir sino engañar y hacer caer en las trampas. Para lograr esto en una forma efectiva, debe inmovilizar primero a sus adversarios cristianos, quienes le pueden representar un serio peligro. En este campo, sus armas de elección son por lo general las tentaciones, el agotamiento y la deprivación.

A pesar de sus recursos considerables, el diablo no siempre consigue lo que quiere. El motivo se puede seguir hasta el compromiso público de Dios para proteger a sus santos (Salmo 5:11-12; Lucas 10:19), guardar a los buscadores honestos de verdad (Deuteronomio 4:29, Mateo 7:7-8, Hebreos 11:6) y liberar a los cautivos espirituales (Isaías 61:1; Lucas 19:10.) Mientras los dos primeros elementos de estas categorías son respuesta a elecciones correctas (¡un hecho que nos debería hacer no menos agradecidos!), los últimos se dirigen hacia los rebeldes cuyo malestar se autoaplican ampliamente.

La gracia perseverante no es una aberración como hice notar en *The Last of the Giants*, "la estrategia de Dios que es decididamente activa consiste en reclamar su creación caída: En lugar de esperar a que las almas en cautiverio pidan la liberación, despacha a sus siervos en extensas misiones de búsqueda y rescate".[2] Mientras muchos prisioneros reciben la libertad por medio de una intercesión apasionada, otros la adquieren merced a los fuegos profético o evangelístico. Al final, sea uno u otro los medios que se empleen, la verdad gloriosa consiste en que Jesús vino para buscar y salvar lo que estaba perdido.

Al comienzo del invierno de 1991, encontré casi que inesperadamente, uno de los ejemplos más notables de gracia perseverante que jamás haya conocido.* Todo comenzó cuando una amiga, conocedora de mi interés por la región de los Himalayas me invitó a su apartamento de Washington, D.C., para conocer a Sylvia, una talentosa joven negociadora que trabajaba en el Departamento de Estado. Después de una agradable cena, nos retiramos a la sala, donde Sylvia contó cómo en una búsqueda inicial de la verdad había ido a la India y por último había entrado en la seductora red del budismo. Al seguir un guión que solamente Dios pudo escribir, Sylvia procedió a contar cómo al final llegó a los pies de Cristo, gracias a una dama de Bután, hija de un célebre lama budista.

Pero allí había un problema: la madre de Sylvia en Cristo (llamémosla Choeden), según informes, había apostatado desde cuando las dos pasaron algún tiempo juntas. Aunque esta situación no es rara entre los creyentes de Bután, para Sylvia era difícil aceptar que le había sucedido a Choeden. Insegura de su responsabilidad, llevó su carga en oración ante el Señor.

"Casi inmediatamente", me dijo Sylvia, "me tomó una nítida y persistente impresión que debería viajar a Bután". Convencida que esa impresión era del Señor, hizo los arreglos necesarios para pedir una licencia. Ahora, la misión de misericordia estaba adelante, a pocos días.

Deseé a Sylvia lo mejor, y terminamos la velada con oración.

Algo así como dos meses después volví a oír de Sylvia, cuando acababa de regresar de su viaje a los Himalayas. Su encuentro con Choeden no había sido particularmente bueno. —Me pareció suspicaz y hasta resentida —se lamentaba Sylvia—. Pero, ciertamente oyó la Palabra del Señor. Por lo menos sentí que hice mi parte.

Durante los siguientes cuatro meses todo parecía quedar con esa nota desalentadora. Luego, mientras preparaba uno de mis viajes a Asia, hubo un resplandor de luz. Sylvia me llamó y me comunicó que Choeden estaba bajo la convicción del Espíritu Santo y que asistía a un estudio semanal de la Biblia. Como yo iba a Bután, ¿podría visitar a Choeden?

---

* He cambiado ciertos nombres, fechas y localidades para proteger la identidad de quienes aparecen en este relato.

Así, pues, cuando llegué a Thimphu, llamé a Choeden, sin saber cómo me recibiría. Sin embargo, parecía estar conmovida cuando oyó de mí y se convino en que me iba a recoger esa tarde en el hotel.

Choeden, atractiva en la mitad de su tercera década, vestía una muy linda "*kira*", prenda de tela de colores que va hasta el tobillo, sostenida en los hombros y la cintura con broches de plata. Después de conducir una corta distancia hasta su bonita casa, nos recibió en la puerta su amiga Dem, dama muy elegante y de conversación agradable que en la siguiente media hora se dedicó a ofrecernos cantidades asombrosas de pasteles y otras golosinas. Cuando hubo una pausa para bajar todo eso con té de Darjeeling, Choeden se inclinó para contar su notable historia.

—Casi todos mis problemas se iniciaron cuando regresé a Bután después de pasar varios años en el exterior —comenzó en fluido inglés—. Primero que todo, debes hacer una peregrinación al templo de tu padre, los amigos me dijeron. Si no honras a tus dioses ancestrales, te va a ir muy mal y hasta te puedes enloquecer. Sé que esto suena como ridículo, pero aquí hay quienes han perdido el sentido simplemente por haber dejado a sus divinidades. Los poderes de los demonios son muy fuertes.

En otras circunstancias tales advertencias no habrían motivado a Choeden a emprender el difícil viaje hasta la propiedad de la familia en el remoto valle de Sakteng, sobre todo cuando sus padres habían muerto. Sin embargo, las palabras despertaron sentimientos de curiosidad y de nostalgia que se habían formado dentro de ella a lo largo del tiempo.

—Cuando estuve de viaje por el exterior al comienzo de la década de 1980 —continuó—, comencé a leer el libro *Roots* de Alex Haley. A medida que avanzaba la historia, algo se agitaba en mi interior. De repente experimenté el deseo de volver a visitar mi propio pasado, regresar al hogar de la familia que había dejado por 20 años. Incapaz de soportar esas presiones, contraté una cocinera y me dirigí hacia el oriente por tres meses.

Aunque el valle de Sakteng está a una distancia relativamente corta en línea recta, más o menos a 350 millas (560 km), el oriente de Bután no tiene aeropuertos y confina a los viajeros a una carretera de montaña, con una sola vía, ardua y sembrada de precipicios en todo su trayecto. El viaje, que toma varios días, mantiene al pasajero con los pelos de punta. En varios sitios, la ruta literalmente se esculpió en las rocas y bordea caídas vertiginosas. (Precisamente en esta carretera al jeep en que viajaba se le estalló un neumático días antes, y de no haber sido por el fiel interceptor de Atlanta, habría hecho un viaje no programado a las profundidades de un abismo.) La atmósfera tétrica se empeora con las nieblas perpetuas y la ausencia de toda actividad humana. Un pequeño monumento recordatorio honra a los 247 obreros de la India y el Nepal que perdieron sus vidas en la construcción de esta carretera.

Después de hundirse en una larga serie de curvas, la vía al fin entra en una zona semitropical con bambúes, enredaderas, y vegetación por el estilo. Aunque casi todas las casas se levantan en el estilo tradicional de Bután —estructuras de madera de varios pisos cuyos techos se sostienen pisados con piedras— otras viviendas se balancean precariamente sobre tocones de bambú. Luego de Tashigang, capital de la provincia y el segundo "centro urbano", más grande de Bután, hay aún una caminata de tres días hacia los altos valles de más o menos diez mil pies (3.000 m), de Merak y Sakteng. Localizados en el extremo oriental más aislado del país, estos valles cubiertos de rododendros, albergan a los pastores seminómadas de los yaks, los Brokpas, cuyos sombreros de lana negra son famosos en toda la tierra.

—Cuando llegué a Sakteng —siguió Choeden—, los recuerdos de mi niñez afluyeron en masa. Tuve un instantáneo y poderoso sentido de pertenencia. Por primera vez, desde mi conversión, empecé a cuestionar mi fe cristiana.

"Mientras todo esto sucedía en mi mente, se me acercó el vigilante y cuidador del templo de mi padre. Me dirigió todo un discurso para decirme que como había estado ausente todos estos años, me era obligatorio realizar un *serkem*, una ofrenda ritual de paz, a la deidad protectora de nuestra propiedad. Además de ser cristiana muy firme, también soy muy terca. Recuerdo mis pensamientos:

Esta es mi casa, ¿por qué debo aplacar a la divinidad local? Entonces le dije al cuidador: 'No haré ninguna ofrenda'.

"Como no quería pasar la noche sola, convidé a cuatro amigas para que me acompañaran en la casa. Simplemente nos acomodamos en los dormitorios del tercer piso. Mientras las otras se entregaban al sueño con rapidez, decidí terminar los últimos capítulos de Roots. No había energía eléctrica y me alumbraba con una vela. Todo estaba muy tranquilo.

"El cuarto donde dormíamos estaba al pie de la habitación de mi padre. Por tradición, nunca se nos permitió entrar allí, incluso cuando mi padre vivía. Por eso me sorprendí cuando pude ver que la puerta comenzaba a abrirse. Al principio pensé que las sombras con la luz de la vela me jugaban algún truco, sin embargo, cuando miré con atención era obvio que algo sucedía en realidad. Un momento después un enorme perro rojo salió de allí. Nunca olvidaré sus ojos. Eran aterradores. Como se preparaba para abalanzarse sobre mí, grité y lancé mi libro por el aire. Esto no sólo despertó a las amigas sino también apagó la luz. Envueltas por la oscuridad que era horrible, de alguna manera nos precipitamos hasta la chimenea de la cocina. Allí nos acurrucamos unas contra otras a fin de pasar el resto de noche.

"Cuando amaneció y hubo luz, envié a una de las damas a buscar al vigilante. Al llegar le pregunté si alguna vez había visto un perro rojo en la propiedad. Quise saber por qué intentó atacarme. Con una mirada sombría, me dijo que cuando algo perturbaba al espíritu guardián de mi padre, atacaba a la gente de esa forma.[3] Y agregó: 'Le advertí que presentara el serkem y no lo ha hecho'. En este momento estaba muerta de miedo. Mi vida cristiana parecía haberse ido. Solamente quería que mi padre me aceptara. Entonces le dije: 'Por favor, hagamos el serkem en la capilla de mi padre'".

Con este acto Choeden comenzó a deslizarse en el abismo oscuro del budismo tántrico.[4] Mientras la línea de vida en Cristo aún la mantenía, se enmarcaba con los bordes agudos del temor y la tradición. Felizmente, un equipo internacional de intercesores rogaba a los cielos por ella.

Un año más tarde se le pidió a Choeden volver a Sakteng como acompañante de la doctora. Julia Garrett, profesora asociada en la Universidad de California, que iba a Bután para investigar los efectos sociales de la lepra. Como la doctora Garrett debía observar a los sanadores locales del pueblo —yerbateros, practicantes de la magia y lamas— Choeden ayudó a preparar varias entrevistas. También intervino en el desarrollo de un *lhabab*, o rito para un oráculo del Tibet.

—El gobierno ha prohibido ahora el lhabab —me dijo Choeden—, porque se emplea para predecir los negocios del estado. Normalmente no se hacen esas sesiones a menos que se quiera saber algo sobre el futuro de un país. Pero como Julia quería ver uno, hice contacto con un hombre de Merak que antes había servido en la casa como empleado de la familia y que estaba muy contento de presentar el rito ante nosotras.

Después de viajar a caballo, el oráculo se preparó para la ceremonia en el templo de la familia de Choeden. El hombre, de baja estatura, iba vestido con el *chuba* (chaleco de lana) tradicional de los Brokpas, y con los *pishoop* (zamarros de cuero). Bajo un sombrero negro de pelo de yak, a sus fuertes rasgos tibetanos los enmarcaban un par de oscilantes aretes de turquesa.[5] Hacia el atardecer, por último, fuerzas demoníacas muy poderosas tomaron control del cuerpo del médium.

—A medida que los espíritus se enseñoreaban de él —recuerda Choeden—, comenzó a hablar con una aguda voz de mujer. Esto indicaba que lo poseía Palden Lhamo, deidad femenina que servía como guardiana a mi padre y a quien se venera muchísimo por todo Sakteng. Casi de inmediato los demonios en este hombre comenzaron a acusarme. Dijeron: 'Has dejado los dioses de tu padre y abrazaste otra fe'.

"¡Esto me asombró! No había forma en que este oráculo pudiese haber sabido que me había hecho cristiana. Mientras mi boca permanecía abierta, tomó una espada ceremonial enorme y comenzó a blandirla en el aire. Una vez más la voz femenina acusadora me habló: 'Te has apartado de los dioses de tu padre. ¡Ahora morirás!'

"Estaba absolutamente aterrorizada. A medida que el oráculo se movía lentamente hacia nosotras, los ojos de Julia casi se saltaban de sus órbitas. Y no hacía sino repetir: '¡Traduce, por favor! ¿Qué dice? ¿Qué dice?' En ese momento no podía pensar más sino en mi padre. Entonces me volví hacia su ídolo, que se había agregado al panteón del templo después de su muerte, y supliqué: 'Papá, sálvame por favor. Lamento mucho haberme ido'.

"De pronto el médium detuvo sus pasos. Me miró directamente y dijo: 'Ahora veremos si se te acepta'. Tomó en su mano una *kata* (bufanda blanca), y declaró: 'Se la ofreceré al Jowo (imagen de Buda cuando era un príncipe de ocho años),[6] y si la recibe, entonces todo está bien'.

"Me encontraba muy asustada. Pensé que iba a morir. Para mi sorpresa, sin embargo, la bufanda voló y se ató al cuello del Jowo. ¡Qué alivio! Pero esta sensación de calma y descanso se evaporó con rapidez cuando el oráculo de repente se hundió la espada en su propio vientre. Julia chilló al ver esto. El hombre quedó allí, inmóvil, y pensé: '¡Cielos, se va a morir!'

"En ese instante, sin embargo, la voz de Palden Lhamo, nos llamó desde el cuerpo del oráculo. Cuando me incliné sobre él, recuerdo haber visto la boca de una herida pero nada de sangre. Luego nos pidió que llenásemos ese orificio con grano santificado. Si le interesa, le puedo mostrar algunas fotografías".

En los meses que siguieron, el impacto de esta experiencia sobre la mente y el espíritu de Choeden, fue enorme. Sus disciplinas cristianas restantes, incluso el estudio de la Biblia, la oración y el compañerismo con otros creyentes, se secaron. Hacia el otoño de 1990, su regreso al budismo casi era completo. Solamente le faltó consagrar un cuarto de ídolos en su propia casa.

—Un día, cuando volvía del trabajo —continuó—, encontré una buena amiga que me esperaba, pues regresó de Calcuta, en la India, donde recibió entrenamiento como oficial de policía, y quería saludarme. Después de charlar por unos cuantos minutos, le ofrecí una taza de té. Llamé a la criada, una jovencita de diecisiete años pero no tuve respuesta. Unos momentos después mi sobrina me dijo que la joven se había ido a acostar, pues tenía dolor de cabeza. Pensé que estaba bien que descansara, pero me preocupé cuando no salió a la hora de la comida.

"Cuando golpeamos en la puerta de su alcoba que estaba cerrada por dentro, no hubo respuesta. Como el cuarto tenía una ventana al exterior, sugerí que saliéramos para ver qué pasaba. Al mirar pudimos ver a la joven de pie en lo que tenía la apariencia de ser una posición muy extraña. Para al ojo entrenado de mi amiga policía, la escena le dio otra impresión. Con un tono sombrío, dijo: 'Creo que está muerta'. Rompimos la puerta para entrar y la encontramos que se balanceaba sobre el piso. Se había colgado con uno de mis cinturones. ¡Todo era una pesadilla!

"Después de reponerme del choque, averigüé con un astrólogo del Nepal la causa de este suicidio. Para mi sorpresa y consternación me dijo que en realidad yo era el blanco. Los espíritus estaban muy resentidos y airados pues no cumplí en mi casa con la consagración de un cuarto para los ídolos. 'Los demonios trataron de matarla a usted —me informó el astrólogo—, pero por alguna razón no tuvieron éxito, y la maldición cayó sobre la muchacha. Por esto se trastornó'. Cuando oí esto quedé petrificada y de forma inmediata di los pasos para establecer el altar en mi hogar".

Pero Dios no estaba listo para renunciar a Choeden. Sin que lo supiera ella, era el objeto de una feroz batalla espiritual. Por un lado las fuerzas de las tinieblas que luchaban para quitarle la paz de la mente y hasta la propia vida. Y, por el otro, un ejército de intercesores que pedía ante el Señor para ella la protección divina y otras oportunidades. Gracias a Dios, las fuerzas del bien comenzaban a prevalecer.

"Cuando Sylvia vino para decirme que tenía un mensaje de parte de Dios", continuó Choeden, "debo admitir que no estuve bien. Oí su advertencia, pero en verdad le di un tiempo difícil. Le respondí así, porque me sentía muy culpable, usted sabe. Después de todo, ¡una de mis propias 'hijas espirituales' regresaba para exhortarme! Incapaz de sacudir sus palabras de aviso de la mente, dije por último: 'Señor, si lo que Sylvia ha dicho, es cierto, por favor confírmalo en un sueño'.

"Bueno, lo que sucedió luego en realidad es asombroso. Aquella noche soñé que veía a una dama hindú que con un 'sari' amarillo, venía hacia mí. Cuando me vio, dijo: '¿Dónde has estado todos estos años? Mucho te he buscado'. Luego, antes que le pudiera responder, me tomó de la mano y me llevó por un puente a una hermosa quinta. Me hizo seguir al interior y cuando me vio acomodada, desapareció en un cuarto de atrás. Al principio no me importó estar sola. La pieza donde me quedé tenía una ventana que daba a una cadena de montañas cuyas cimas estaban fantásticamente cubiertas de nieve. Era imposible retirar la mirada. A esta escena se unía la vista de un esplendoroso río.

"Pero después de saturarme con el paisaje, me pregunté por dónde habría desaparecido la mujer y, entonces comencé a preocuparme. La oí que recitaba varios pasajes de los Salmos. Recordé que bastante tiempo atrás había leído el libro devocional *Pies de cierva en los lugares altos*. Al meditar en esto, oí una voz que me decía: 'Eres como la cierva. He anhelado llevarte a las alturas conmigo, pero has permitido que tus pies se paralicen'.

"Cuando desperté a las tres de la mañana, supe instantáneamente que el Señor me había hablado. La sensación de la Presencia de Dios era abrumadora. Lo único que no sabía, era adónde llevaría todo esto.

"La respuesta, de modo muy sorpresivo, llegó pocos días después cuando estuve en Delhi, India, durante un viaje de negocios. Allí, corrí hacia la amiga que me había dirigido a Cristo diez años antes, una dama hindú muy piadosa de nombre Jaymani. Al verla, un escalofrío me bajó por la columna. Como la mujer en mi sueño, ¡tenía un brillante sari amarillo! Pero antes que pudiera decir algo más, Jaymani se excusó y me dejó en compañía de su hermana Bali, también cristiana.

"Al comentar que Jaymani se había movido a Shillong (India) desde la última vez que estuvimos juntas, Bali me pasó una fotografía de su nueva casa. Cuando miré la foto, las lágrimas saturaron mis ojos. No lo podía creer. La quinta de mi sueño, era idéntica a la nueva residencia de Jaymani.

"Cuando le comenté a Bali que había visto esa casa en sueños, pareció comprender. El cuarto de atrás donde la mujer con el sari amarillo desapareció, me explicó, era en realidad el dormitorio de Jaymani. Esto era significativo, dijo Bali, porque allí se retiraba su hermana para orar —y mi retrato estaba en su mesa de noche como un recordatorio. 'Durante los últimos diez años' me dijo Bal, 'Jaymani no ha dejado de orar para que Dios te libre del maligno'"[7]

Por un momento Choeden se quedó silenciosa y tranquila, bajo el impacto de los recuerdos que agitaban sus ocultas emociones. "Al regresar de Delhi", concluyó," de inmediato destruí el altar que había hecho en casa. Le ruego informar a Sylvia, pues estaba muy preocupada por mí. Dígale que mi conducta de oración se ha reavivado, lo mismo que el hambre por la Palabra de Dios. Sé que la batalla sobre mí continúa y que hay muchas dificultades. ¡Pero, con el favor de Dios y de personas como Sylvia y Jaymani que oran por mí, creo que el triunfo es seguro!"[**]

Posesión colectiva y exorcismo cultural

Si nuestro mandato como cristianos nos llama a llevar a cabo el rescate de individuos encantados, también requiere de nosotros que tratemos con la decepción a un nivel colectivo. Como ya señalé, hay muchas áreas en el mundo donde a los espíritus del mal los entretienen calurosamente las poblaciones generales. A no ser que y hasta cuando a esas potestades del aire las repudien con todo denuedo, las comunidades que las hospedan, permanecerán con firmeza atrincheradas en la cultura predominante.

Infortunadamente, los pactos entre las sociedades humanas y sus protectores espirituales por rareza se revocan. De manera casi universal las personas son remisas, cualquiera que sea su educación o su punto de vista, a renunciar a los certámenes o sucesos y sistemas que consideran y perciben como elementos legítimos de su propia herencia.[8] En resumen, el dios de este mundo ha cegado la

---

[**] La batalla por el alma de Choeden no ha terminado. Hay que orar para que el Espíritu Santo le dé la gracia de perseverar frente a esos retos tan formidables.

mente de los incrédulos, para que no vean la luz del glorioso evangelio de Cristo (2 Corintios 4:4).

La cuestión es: ¿Qué hacemos acerca de esta ceguera? Isaías 61:4 habla de renovar las ciudades que han sido devastadas durante generaciones. Con certeza el avivamiento se puede considerar y ver como una especie de "exorcismo cultural" para usar el evocativo término de Harvey Cox. Pero, ¿cómo llegamos a ese punto? ¿nos justificamos al comprometernos con lo que se ha venido a conocer como "nivel estratégico" de guerra espiritual (al dirigirnos a las actividades demoníacas sobre ciudades, culturas y naciones)? ¿Es ese, como algunos escritores preguntan, nuestro sitio?

Para un número sorprendente de líderes de la iglesia, la respuesta a esta pregunta es un rotundo no. Sostienen que, con la excepción del exorcismo a individuos demonizados, la Iglesia no tiene ningún mandato para tratar con los espíritus del mal.

Pero esta posición tiene deficiencias serias. Por ejemplo, no ofrece alternativas para las *localizaciones persistentes* (¿hemos de vivir siempre con tales fenómenos?) o para las *posesiones colectivas*, que Walter Wink llama "las más destructoras y ubicuas manifestaciones de lo demoniaco en los tiempos modernos".[9]

Para apreciar mejor la naturaleza y la mecánica de la posesión colectiva, debemos tomar en préstamo un concepto extraño de la ciencia de la filosofía. El concepto, conocido como *entelequia*, que, según la definición de Howard Bloom es: "el complejo que resulta cuando usted pone juntos un gran número de objetos simples".[10] Así como las ciudades, pueblos, culturas, religiones y mitologías son los resultados de entelequias, de la misma manera también lo son las fortalezas espirituales colectivas. Al final, se vinculan a, pero últimamente son más grandes que, las fortalezas de la decepción o engaño que existen en las mentes individuales.

Como Gordon Rupp nos recuerda, donde todas las comunidades han entrado en pactos colectivos con el mundo espiritual, "hay fuerzas que trabajan... y representan esta solidaridad humana". Tales fuerzas son los siempre peligrosos principados, potestades y gobernadores del mundo que Pablo identifica en su Epístola a los

Efesios. Estas dinámicas espirituales ya no son más individualizadas. La acción colectiva ha forzado el punto a un nivel más alto. Las estrategias de liberación deben considerar ahora un rango muy amplio de expresiones sociopolíticas, cada una de las cuales se puede vincular (a veces en forma bastante explícita) a los gobernadores satánicos de las tinieblas. Ignorar tales gobernadores o las acciones que los atraen (como muchos hacen), es una teología mala. Según Rupp observa: "Si el Evangelio de Cristo sólo se preocupara por los problemas morales de hombres y mujeres en el ámbito individual, obviamente sería defectuoso al máximo".[11]

A la luz de estos argumentos, la oposición constante al nivel estratégico de la guerra espiritual, particularmente en los círculos académicos, es perturbadora. Como el doctor Paul Thigpen anotó en el capítulo 2:

> Pretendemos negar las cosas que no hemos experimentado —y esta falta de experiencia, aunque pensamos que nos califica para hacer generalizaciones, en realidad sólo refleja ignorancia. En definitiva, en nosotros hay la tendencia a medir las posibilidades de la vida únicamente por nuestra propia experiencia limitada.[12]

En los últimos años, varios descubrimientos científicos nos han ayudado a entender mejor esta conducta. Ahora sabemos, por ejemplo, que cuando a la mente humana se le presentan informes que contradicen las creencias predominantes, prefiere rechazar los datos nuevos antes que modificar sus patrones o paradigmas. A esto se le llama una mente cerrada. Y la única manera de evitar esta trampa consiste en cultivar un juego de pensamiento que esté en exploraciones constantes, que dé la bienvenida a hechos e ideas nuevos como los mejores métodos para refinar nuestra imagen de la realidad. Cuando el famoso abogado de la fiscalía Gerry Spence escribió que "prefería tener una mente abierta por las maravillas y la admiración a tenerla cerrada por las creencias",[13] reconocía una verdad vital que con frecuencia se descuida: Una vez que tiene lugar el *dictamen y se pronuncia una decisión*, el aprendizaje cesa y desaparece.

Varios "eruditos", anclados en sus creencias y convencidos de no tener nada más para aprender acerca de la guerra espiritual, recientemente han tomado sobre sí mismos "corregir" los énfasis que se han originado acerca de los espíritus territoriales y del nivel estratégico en la guerra espiritual. Sostenidos por largas listas de comentarios de apoyo, pero no conclusivos, sugieren que:

1. Las oraciones de Daniel en Daniel 10 no se pueden considerar como intercesión de nivel estratégico contra fuerzas territoriales, porque el profeta en apariencia, no supo de la batalla cósmica que tenía lugar a su alrededor.

2. La lista de Pablo sobre principados y potestades se dirige hacia individuos y no tiene implicaciones estratégicas.[14]

Si estas afirmaciones parecen forzadas, se debe a que sus campeones se han comprometido con la difícil tarea de encasillar la evidencia sobrenatural en un patrón esencialmente racionalista. Aun si Daniel no hubiese tenido conciencia de todo cuanto su intercesión desató en los cielos, esto no habría alterado el hecho que era un participante directo en un conflicto espiritual de nivel estratégico. (Sostener que el príncipe de Persia no era un ser sobrenatural, carece de credibilidad. ¿Podría un simple mortal haber resistido al mensajero de Dios por tres semana?)

Efesios 6 (que ya discutimos con cierta profundidad) describe a las potestades satánicas asociadas con el ámbito caído de la naturaleza y con los sistemas humanos, políticos, económicos y religiosos. ¿Cómo "lucharemos" contra tales seres sin estar comprometidos con alguna clase de guerra espiritual de nivel estratégico?

Afirmaciones inconsideradas y expectativas sin base

Si la frazada de oposición de los críticos a los espíritus territoriales y a la intercesión de nivel estratégico, se halla fuera de foco, lo mismo no se puede decir de otras acusaciones que van contra el movimiento moderno de la guerra espiritual. Para bien o para mal, las filas de guerreros cristianos han crecido exponencialmente en los últimos años; y, como se podría esperar de esta tasa de desarrollo, el movimiento ha exhibido su parte de inmadurez.[15]

En un artículo donde cuestiona la eficacia de algunas de las más populares afirmaciones y prácticas de hoy, el doctor Barry Chant, presidente de la Universidad Tabor en Sydney, Australia, ofrece una analogía aguda y llena de humor:

> Hace varios años, cuando estudiaba en la universidad, ingresé al servicio nacional de entrenamiento del ejército. Cuando nos tocó el manejo de las armas, ni aun se nos permitía utilizar salvas de fogueo por el temor de producir un incendio en las resecas colinas de las serranías de Australia del Sur en la mitad del verano.
>
> Nuestro pelotón debía defender una loma de los ataques del "enemigo". Se nos ordenó que gritáramos en alta voz cada vez que supuestamente deberíamos disparar nuestras armas. Me asignaron a la unidad de morteros. Entonces, los cuatro estudiantes y yo nos sentamos en nuestra rocosa colina, y repetidamente gritábamos al máximo de nuestras voces: "¡Boom! ¡Mortero!"
>
> Debajo había otros que gritaban: "¡Bang! ¡Cañón antitanque!" o "¡Bang! ¡Rifle!" o "¡Rat-atat-tat!" ¡Ametralladora!" A medida que las sombras se extendían, y nuestras gargantas se resecaban, hubo una pausa momentánea, y una voz solitaria hizo eco sobre los árboles, a través del aire tranquilo del atardecer: "¡Swish! ¡Arco y flecha!"
>
> Es difícil escapar a la impresión que algunos de los métodos que hoy se siguen en la guerra espiritual, pueden ser igualmente ineficaces. Hay una gran cantidad de ruido y de jactancia fanfarrona, pero ¿en realidad, cuánto logramos?[16]

¿Por qué vienen tales preguntas? Consideremos el alto perfil de guerra espiritual que tuvo lugar la noche de Halloween de 1990 en San Francisco. Al votar para "dar reversa a la maldición" de perversidades que hay sobre esa ciudad, miles de guerreros de oración cristianos, llenos de buenas intenciones, se reunieron en el

Auditorio del Centro Cívico (Brooks Hall) para elevar un santo alboroto. Mientras hollaba con los pies y cantaba el nombre de Jesús, como un mantra, la multitud empapada en sudor ordenaba a las potestades predominantes de las tinieblas que se batieran en una rápida y pronta retirada.

En el exterior, miles de homosexuales, muchos disfrazados en lo que Miranda Ewell en su reportaje llamó "las piltrafas de su pasión", se burlaban abiertamente de la iniciativa cristiana. Un Pink Jesus (Jesús Rosa) se contoneaba calle arriba y calle abajo por las aceras, vestido sólo con delicados tacones de color rosa y un taparrabo minúsculo, hecho con las barras y las estrellas [partes de la bandera de los Estados Unidos]. Estiraba el labio inferior en un gesto de niño consentido, y con un meneo sugestivo de las caderas, echaba los brazos alrededor de una Ramera Escarlata que lucía su peluca de lentejuelas. Otros, como Max Varazslo, bisexual reconocido de San Francisco, con su disfraz de diablo, rugía a grito pelado consignas contra "los intolerantes y fanáticos nacidos de nuevo, racistas, sexistas, antigays" para que lo oyeran todos los que pasaban por las cercanías. Sin inquietarse por todos esos insultos, un guerrero cristiano de la vecina localidad de Santa Rosa, le replicó con entero convencimiento: "¡El poder de las tinieblas se quebrantará esta noche en San Francisco!"[17]

El sentimiento es loable, pero la declaración merece que se la investigüe. ¿Cómo, podemos preguntar, resiste el escrutinio de la historia? ¿De hecho, sí se quebrantaron los poderes del mal en San Francisco esa noche de octubre de 1990? ¿Alguna prueba objetiva sugiere que la reunión del Hall Brooks disminuyó la influencia de Satanás en esa comunidad tan notoriamente promiscua?

Infortunadamente, los hechos pintan un cuadro contrario. No sólo la comunidad gay ha seguido con sus marcas sobre la política social y nacional (en 1996, el concejo municipal de diez miembros de la ciudad votó en forma unánime el reconocimiento de los matrimonios entre homosexuales), sino que con un cálculo de más de medio millón de participantes su Desfile del orgullo gay se ha convertido en la segunda reunión mayor de California.[18] San

Francisco también es un centro líder de pornografía, enseñanzas de la mal llamada Nueva Era y hechicería. (En las colinas vecinas hay centenares de asambleas de brujos.) No es de sorprender, por tanto, que las estadísticas de crecimiento de iglesias, estén entre las más débiles de todas las áreas metropolitanas en los Estados Unidos.

Si los poderes de las tinieblas que obraban en San Francisco se hubiesen quebrantado o por lo menos disminuido en esa noche de 1990, ¿no tendremos justificación para preguntar por qué no hay una evidencia que apoye eso? Responder, que el quebrantamiento simplemente no se ha manifestado todavía es o ingenuidad o mala fe. La liberación fantasma carece de significado para quienes permanecen cautivos de la impiedad y de la muerte.

A pesar de la falta de resultados medibles, sin embargo, esta clase de metodología sobre la guerra espiritual ha venido a ser como una moda creciente. Casi todos los días, cristianos de buena voluntad, "claman" a Dios por ciudades y naciones oprimidas espiritualmente, o bien "ordenan" a las fuerzas satánicas que las abandonen. Sin duda alguna este ejercicio es bueno, pero hay dos preguntas críticas: ¿Funciona o sirve? ¿Tiene base bíblica?

Un problema obvio con estas acciones consiste en que con mucha frecuencia se toman sin tener en cuenta los deseos o las obras de los habitantes de la localidad. Al mismo tiempo que los cristianos visitantes expulsaban demonios de San Francisco, miles de residentes les daban la bienvenida con los brazos abiertos. Pedirle a Dios que disminuya los poderes del mal en toda una comunidad, es sugerir que Él haga a un lado las consecuencias lógicas de las malas elecciones de los pueblos. Es igual a suponer que nuestro papel como "hijos del Rey" nos da autoridad para anular la libre voluntad de los residentes o la capacidad del diablo para responder a las aperturas humanas explícitas. Si las implicaciones de este punto de vista son verdaderas, nuestra estrategia y teología evangelísticas necesitarían ajustes drásticos. En realidad, todavía tengo que tratar y encontrar un solo caso de estudio donde este enfoque se haya aplicado con éxito.

Simplemente no es tan realista esperar que podamos obtener la eliminación absoluta y total de los poderes satánicos antes de la Segunda Venida. Como Tom White y otros han señalado, la perversión sobrenatural va a continuar su infiltración de nuestras comunidades hasta cuando los hombres impíos y las instituciones impías hagan elecciones de autoservicio independientes.[19] Mientras el Nuevo Testamento reconoce que la victoria final es de Cristo, también nos recuerda que "...todavía no vemos que todas las cosas le sean sujetas" (Hebreos 2:8, RV).

Entonces, ¿esto dónde nos deja? Si el nivel estratégico de guerra espiritual no nos permite reclamar conversos en territorios o comunidades, si no nos ofrece autoridad para expulsar los demonios culturalmente atrincherados, ¿exactamente qué cumple? Para descubrir la respuesta a este interrogante —el punto final en nuestro viaje a través del claroscuro del laberinto— hay que dar el emocionante paso de la guerra espiritual imaginaria a la guerra espiritual verdadera. Y las buenas noticias consisten en que nuestras oraciones en realidad pueden jugar papel en la transformación de comunidades.

Toto y la cortina del mago

Cuando el *Wonderful Wizard of Oz* (El mago de Oz) de L. Frank Baum llegó a la pantalla grande en 1939, se convirtió rápidamente en una película clásica. En la historia llena de colorido a Dorothy, una jovencita campesina de Kansas, la toma un tornado y la lleva a la tierra de Oz, donde la reciben un espantapájaros, un leñador de lata y un león cobarde. Estos cuatro amigos juntos viajan a la Ciudad Esmeralda donde tendrán una audiencia con el célebre mago de este reino.

En una de las escenas más memorables de la película, Dorothy y sus nerviosos amigos llegan al santuario del grande y poderoso Oz. A medida que las puertas se cierran tras ellos, un altar oculto muestra amenazadoras bolas de fuego y extrañas ráfagas de humo anaranjado. Momentos después aparece el mago mismo —una cabeza holográfica sin cuerpo cuya voz retumbante les pone los nervios de punta.

Mientras la audiencia tiene lugar Toto, el perrito de Dorothy, se desliza entre las temblorosas rodillas de su ama para explorar los rincones cubiertos de cortinas del santuario. Al encontrar una pequeña cabina tapada por un telón en la parte de atrás, el perrito hunde sus dientes en el recubrimiento y comienza a arrastrarlo. Por último, a medida que cede el cortinaje, los visitantes se admiran al ver al ayudante principal del mago que mueve palancas frenéticamente mientras habla por un amplificador. Y cuando el gran Oz truena: "No le presten atención al hombre detrás de la cortina", es él quien queda ignorado. El misterio llega así a un final abrupto y revelador.

Nosotros también, como guerreros espirituales, nos vemos confrontados con un mago que intenta retener su cubierta. Nuestros papeles, lo mismo que el tenaz Toto, deben retirar hacia atrás las cortinas de la decepción o engaño que escuda al diablo en su vista mortal. Pues a menos y hasta cuando los hombres y mujeres puedan en verdad ver al titiritero detrás del escenario, su fe en la magia de él permanecerá sin disminuir.

El apóstol Pablo aclara que nuestras armas espirituales tienen poder divino "...para la destrucción de fortalezas" (2 Corintios 10:4, RV). Es obvio, según el contexto de este pasaje que tales fortalezas no son demonios ni localizaciones geográficas,*** sino hábitats psíquicos. A partir de esas plataformas, o "nidos en la cabeza" (como notamos en el capítulo 6), Satanás y sus huestes se empeñan en manipular en todo momento nuestro mundo interior.

En respuesta a tales esfuerzos engañosos, se nos llama a "derribar argumentos" (versículo 5).[20] La palabra *argumentos*, que a menudo se traduce imaginaciones, es interesante. Viene del término

---

*** Los lugares se pueden ver como fortalezas siempre y cuando se conviertan en puntos focales para prácticas o memes engañosos [véase capítulo 6]; muchas ciudades cumplen esos requisitos, lo mismo que diversas zonas de adoración y de peregrinaciones —en resumen, todo emplazamiento donde convergen realidades espirituales y culturales.

griego logismos, y se define más precisamente como "razones calculadas sobre el tiempo" (en contra de pensamientos ocasionales, al azar). Esa definición, de acuerdo con el pastor Dutch Sheets, de Colorado Springs, hace que estos argumentos o imaginaciones parezcan mucho más como lo que casi ciertamente son —sistemas filosóficos o sistemas religiosos.

Mientras no tengo sutilezas con quienes sostienen que las fortalezas mentales se atacan mucho mejor con la verdad, nuestro reto es tener acceso a las mentes de las personas bajo encantos. Como Pablo nos recuerda, el Evangelio está encubierto para quienes el dios de este mundo ha cegado su talento (2 Corintios 4:3-4). ¿Cómo, entonces, vamos a abrir "...sus ojos, para que se conviertan de las tinieblas a la luz, y de la potestad de Satanás a Dios..." (Hechos 26:18, RV)?

Una solución posible a este reto se halla en otra de las epístolas del apóstol. Después de amonestar a la iglesia de Colosas a perseverar y velar en oración, Pablo agrega una petición personal: "y al mismo tiempo intercedan por nosotros —suplica—, a fin de que Dios *nos abra las puertas para proclamar la palabra*, el misterio de Cristo..." (Colosenses 4:2-3, Nueva Versión Internacional, NVI, 1999, énfasis del autor.)

Al pedir a los intercesores que se dirijan a Dios a fin de que las puertas se abran al Evangelio, Pablo reconoce tres verdades importantes:

1. Los pueblos no salvos se hallan esclavizados en prisiones de decepción o engaño.

2. Dios tiene que intervenir de modo sobrenatural y abrir una brecha en esta fortaleza si allí ha de entrar la salvación del Evangelio.

3. La oración es un medio importante para que Dios obre al respecto.

Si queremos en forma efectiva desatar los ensalmos —liberar las mentes encantadas de modo que puedan entender y responder al Evangelio— primero debemos neutralizar la influencia cegadora de los hombres fuertes satánicos. En efecto, Jesús se refirió a este proceso así: "Ninguno puede entrar en la casa de un hombre fuerte [la mente humana] y saquear sus bienes, si antes no le ata, y *entonces* podrá saquear su casa" (Marcos 3:27, RV, énfasis del autor).[21]

No pedimos a Dios que "haga" cristianas a las personas o que eche fuera el poder del diablo que ha venido a ser objeto de adoración. Tales peticiones violan la libre voluntad humana y Dios no las va a honrar. En cambio pedimos un campo de juego a nivel, uniforme, que se levante aunque sea en forma temporal la ceguera del entendimiento que impide a hombres y a mujeres procesar la verdad (el Evangelio) en el corazón.[22]

Como nuestra propia fuerza es insuficiente para atar y desatar a los seres de las dimensiones superiores, debemos descansar sólo en los recursos del Espíritu Santo. Mientras es cierto que se nos ha dado poder y autoridad en Cristo (Lucas 10:19), esta autoridad no es para que la usemos según nuestras propias iniciativas o discreciones. Es una autoridad de embajadores, lo que quiere decir que se debe ejercer sólo de acuerdo con la voluntad de nuestro Soberano (2 Corintios 5:20).[23] Como siervos debemos permitir que la sumisión reine sobre la presunción.

El foco de la guerra de oración es también importante. El pastor canadiense John Hutchinson en búsqueda de un modelo bíblico de esta clase de intercesión, catalogó en los Salmos 850 versículos que tratan directamente con el enemigo y con la guerra.[24] Después de analizar estos pasajes, Hutchinson concluyó que mientras el salmista con frecuencia está rodeado de enemigos y habla mucho sobre ellos, sus palabras casi siempre se dirigen a Dios. Apenas en nueve oportunidades (alrededor de uno por ciento de las veces) se dirige al enemigo directamente.[25]

El nivel estratégico de la guerra espiritual, así como toda la oración que prevalece contra el enemigo o que destruye sus fortalezas, puede demandar cantidades prodigiosas de tiempo y energía.

Pedimos a Dios, después de todo, suspender temporalmente las consecuencias lógicas (encantamiento espiritual) en las elecciones equivocadas de los pueblos —acción que requiere que Él mismo se interponga entre los individuos engañados y sus amos espirituales. En vista de la naturaleza de esta empresa tan importante, nuestras oraciones no deberían ser menos fervientes e importunas que las ofrecidas por los peregrinos hindúes, los chamanes nativos o los fundamentalistas del Islam.[26]

Una vez que Dios nos autoriza a obrar —sea para atar la influencia de los espíritus territoriales o para profetizar la transferencia (o la restauración) de las entidades sociales o políticas— podemos tener expectativas de grandes cosas. Cuando describe su llamado al ministerio el profeta Jeremías, declara:

> Luego el Señor... me dijo: He puesto en tu boca *mis palabras*. Mira, hoy te he dado autoridad sobre naciones y reinos, para arrancar y derribar, para destruir y demoler, para construir y plantar.
>
> *Jeremías 1:9-10, (NVI, énfasis del autor)*

Aunque no se nos garantiza que las personas han de responder al Evangelio, inclusive si se levantan los encantos del hombre fuerte (véase Proverbios 1:22-23; 26:11), hay buenas posibilidades que muchas lo harán. La historia ha demostrado que estas ventanas de oportunidad o "puertas abiertas" son tiempos fructíferos para emprender misiones evangelísticas de investigación y de rescate. ¿Por qué? Porque si los corazones y las mentes de los individuos se despojan de sus cadenas y grilletes, la verdad tiene una posibilidad para echar raíces. Cuando Dios permite o hace que su luz brille en los corazones de las personas, las capacita para que vean, con suma frecuencia por primera vez, "...para iluminación del conocimiento de la gloria de Dios en la faz de Jesucristo" (2 Corintios 4:6, RV). Es la luz de la creación, según Dante, la ignición brillante de Dios, contra la negación satánica, el apagavelas.[27] Es el gran deshielo para fundir las figuras cautivas en piedra de C. S. Lewis.

Secamiento del hueco de pesca

Si un hombre sale del estupor de una borrachera no quiere decir que se haya liberado del alcoholismo. En tanto que la intercesión exterior temporalmente puede levantar el encantamiento en las mentes de los cautivos espirituales, los individuos se deben arrepentir de sus pecados si quieren que la libertad sea constante y continua. Esto es cierto tanto en el ámbito personal como en el ámbito colectivo.

Se puede predecir que el diablo no va a sentir demasiado entusiasmo con la pérdida de acceso a sus ricos "huecos de pesca", sobre todo si allí pudo capturar almas por mucho tiempo. Si hay alguna forma en que conserve sus intereses la encontrará. Por este motivo es muy importante que las comunidades liberadas consoliden cualesquiera ganancias que hayan podido obtener inicialmente por medio de la oración. En términos prácticos, esto significa preparar el terreno mediante el arrepentimiento corporativo. Al renunciar públicamente a las ataduras que han prevalecido, con respecto a las filosofías y dioses falsos, los antiguos cautivos pueden hacer excesivamente indeseable para el enemigo la permanencia en su colectividad.

Un ejemplo de esto tuvo lugar cuando el clan Ubakala en el sur de Nigeria se apartó de trescientos años de idolatría. La ruptura vino después de doce meses de cartografía espiritual y de intercesión en el ámbito estratégico y vio la conversión de 61 adultos, incluso varios médicos brujos y curanderos de tiempo atrás. Bajo la dirección de los hermanos Emeka y Chinedu Nwankpa, las familias que vivían cerca de la aldea Mgbarrakuma entraron en un tiempo de arrepentimiento corporativo según lo describe la Biblia en Zacarías 12:10-13:2. Después de abdicar públicamente a los pactos con los demonios y con los poderes de las tinieblas que sus antecesores habían hecho, todos los miembros de la comunidad se dirigieron a los ocho santuarios de la aldea, para ver a los recién convertidos médicos brujos renunciar a sus alianzas con los espíritus ancestrales.

Uno de estos sacerdotes del animismo, un anciano de nombre Odogwu Ogu, de pie ante el santuario de un espíritu particular llamado Amadi, dijo:

> Oye, Amadi, el pueblo que posee la tierra ha venido a decirte que precisamente todos han hecho un pacto nuevo con el Dios de los cielos. En consecuencia, los pactos anteriores que hiciste con nuestros padres, ya no tienen valor alguno. Yo también entregué mi vida a Jesucristo, y, por tanto, te llegó ahora el tiempo para que regreses al lugar de donde viniste.

Luego la gente llevó objetos rituales —como ídolos, artículos totémicos, venenos de hechicería— para una hoguera pública. Muchos de esos elementos habían pasado de mano a mano como mínimo por diez generaciones. Emeka Nwankpa recuerda que cuando terminó la quema, "se podía percibir en la atmósfera el cambio de la comunidad". Después de renunciar a sus pactos antiguos, el clan hizo una decisión colectiva por la que nadie jamás volvería al animismo.

Hoy, dice Emeka, "todos van a los templos cristianos. Hay también estudios formales de la Biblia, y las damas formaron un equipo de intercesión dirigido por mi madre. Otros se reúnen para orar después de completar sus labores comunales".[28]

Otras dos medidas con capacidad demostrada para desorganizar las fortalezas son los *sucesos de contralucha* (intercesión durante los festivales religiosos) y las *peregrinaciones de arrepentimiento* (visitas humildes de injusticias pasadas). Muchos grupos de creyentes en una localidad, y también intercesores de fuera, emplean con frecuencias estas estrategias.

Sucesos de contralucha

Los días que rodean los festivales religiosos, las peregrinaciones y las ceremonias, a menudo están cargados de intensidad espiritual. Un motivo principal para esto (como anotamos en el capítulo 8) reside en que las entidades demoníacas poderosas están cerca y se hallan muy atentas. Sin embargo, al mismo tiempo, estas épocas son frágiles. Desde la perspectiva del enemigo, siempre hay un riesgo, aunque sea pequeño, que la gente utilice esas oportunidades para negarle el acceso continuo a la comunidad.

Como intercesores preocupados y con conocimiento, queremos explotar esta misma posibilidad. Si nos recogemos las mangas de oración durante esos sucesos de tanta importancia, vamos a tener como una meta primordial explorar las condiciones que han de permitir que hombres y mujeres reconsideren los pactos que los han mantenido en esclavitud. Como Clinton Arnold nos recuerda: "Una tradición deja de ser tradición cuando la gente ya no pasa más sobre ella".[29]

Para ayudar a los intercesores en esta tarea, mi propio ministerio, el Grupo Centinela, distribuye todos los meses calendarios de contralucha espiritual que suministran detalles sobre sucesos espirituales significantes (con sesenta días de adelanto).[30] A fin de ilustrar cómo este tipo de oración puede secar y acabar con el hueco de pesca del enemigo, Francisco Galli, maestro y evangelista en Guatemala, hace poco informó sobre la ruina y exterminio de las peregrinaciones de idolatría en y alrededor de Ciudad de Guatemala, la capital del país. Esto tuvo lugar cuando un grupo de mujeres que hacen parte de Unidos para Orar, consorcio de intercesores, se situaron a lo largo de las vías de peregrinación quince días antes de las procesiones de Semana Santa en 1995.

Según el informe de Galli, cuando una de las procesiones más famosas (y donde hay más sincretismo) se alistaba para salir de su área habitual en la iglesia del Calvario, muchos de los que llevaban las imágenes cayeron al suelo (en verdad varios con brazos y piernas fracturados). En el momento en que una de las mujeres que tenía a su cargo la procesión se inclinó para levantar uno de los ídolos, sufrió un ataque cardiaco fatal. Al mismo tiempo se desarrollaban sucesos semejantes en otros santuarios de la ciudad. En un episodio que recuerda la escena en el templo filisteo de Dagón, un ídolo al caerse por sí solo quedó sin cabeza. En otro sitio, el ídolo central espontáneamente se incendió. En un pueblo vecino, las imágenes que deberían salir en las procesiones quedaron en sus nichos porque los celebrantes tenían miedo de llevarlas.[31]

Como consecuencia de estos sucesos, una enorme cantidad de guatemaltecos han comenzado a cuestionar su larga asociación con los dioses tradicionales. Asimismo, han surgido nuevas congregaciones cristianas, y muchas comunidades evangélicas no sólo en la capital sino también en las planicies y tierras altas vecinas donde hay diseminados gran número de pueblos —situación altamente inquietante y muy perturbadora para las potestades demoníacas que por siglos habían disfrutado de esos terrenos de pesca.

Peregrinaciones de arrepentimiento

Otras estrategias poderosas comprenden las asambleas solemnes (parte de una tradición más antigua donde los creyentes se reúnen en expresiones públicas de humildad y pena) y las peregrinaciones de arrepentimiento (jornadas más nuevas, orientadas hacia la reconciliación, tanto a los sitios como a las víctimas de las injusticias pasadas).

Al responder a la hostilidad sociocultural, con el espíritu opuesto —que es la humildad— los cristianos en muchas partes del mundo, lentamente secan y acaban los mejores huecos de pesca del enemigo. En agosto de 1992, quinientos años después de tomar parte en la sangrienta conquista española de América Central, los directivos del catolicismo romano en Guatemala pidieron perdón a los pueblos indígenas del país. En una carta pastoral que se leyó públicamente los obispos de las diversas diócesis, al arrepentirse de las contradicciones e injusticias del pasado, declararon: "Nosotros, los actuales pastores de la iglesia pedimos perdón".[32]

En un gesto igualmente dramático, la Convención de la Iglesia Bautista del Sur en los Estados Unidos, expresó su contrición en junio de 1995 sobre sus asociaciones del pasado con la esclavitud y el racismo. En una resolución pública que contó con el apoyo de casi quince mil clérigos (pastores, diáconos, ancianos) votantes, la denominación pidió perdón a "todos los afroamericanos por absolver y perpetuar el racismo individual y sistemático en el curso

de nuestra existencia". Un año antes, la Iglesia Evangélica Lutera-
na de los Estados Unidos expresó su sentimiento de pesar y peni-
tencia por el hecho que su fundador, Martín Lutero, hubiera escrito y pronunciado sermones y discursos violentos e injuriosos
contra el pueblo judío.[33]

Otros creyentes visitan los sitios de injusticias pasadas en peregrinaciones de arrepentimiento. Aquí se incluyen esfuerzos como
el Proyecto Sendero de Lágrimas (que tiene que ver con las injus-
tas localizaciones nuevas de la Nación Cherokee), el Proyecto Rutas de Esclavos (donde se comprenden actividades por lo menos en
doce países africanos) y otros programas semejantes que se dirigen
al conflicto de los Balcanes, a la Inquisición española y a la terrible
"marcha hacia el mar", devastadora y sangrienta, del General William Sherman a través del sur de los Estados Unidos.

En uno de los más ambiciosos proyectos de todos, los cristianos
occidentales se han embarcado en un esfuerzo para volver a trazar
las rutas de las Cruzadas. Bautizado con el nombre de "Marcha de
Reconciliación", el empeño ha suscitado una extraordinaria respuesta positiva en los líderes musulmanes desde Inglaterra hasta
el Oriente Medio. Al ofrecerse para escribir doscientas cartas de
apoyo a las mezquitas a lo largo de la ruta, un alto dignatario del
Islam declaró: "Quienquiera que haya engendrado esta idea, tuvo
una revelación —¡su cumplimento será revolucionario!"

Mientras las teorías sobre la guerra espiritual han proliferado
como conejos en los últimos años, muchas de estas nociones han
fallado en cumplir sus promesas. En el mundo real, simplemente
no funcionan. Por esta razón, muchos cristianos o se han vuelto cí-
nicos o se han desalentado, pues insisten en que la guerra espiritual es un sueño sin bases bíblicas.

Esta posición es infortunada. Y mientras puedo apreciar la frustración de estos hermanos, su retiro del campo de batalla no es
una actitud correcta ni oportuna. Hay luces en el laberinto —y espero que los ejemplos y testimonios que se presentan en el capítulo
final de este libro, tendrán un papel importante para estimularlos y
hacerlos regresar a la vanguardia de la lucha.

Capítulo Once

Luces en el laberinto

Hace diez capítulos observábamos una evidencia muy importante que nuestro mundo actual de trabajo diario se vincula con un ámbito impregnable de sombras —una dimensión semejante, superior, más alta, pero cuyos puntos de entrada, los atraviesa de rutina el tráfico humano, de acuerdo con escritores como C. S. Lewis.

A medida que nuestra investigación progresaba, aprendimos que las decisiones y los actos que se realicen en uno o en otro de estos ámbitos pueden, y con frecuencia lo hacen, afectar al otro significativamente. Pero, de mayor importancia, descubrimos que aunque somos mortales, nos es posible entender, y aun navegar, en el mundo de la puerta siguiente. Una vez que nos hemos aclimatado a su idioma y orden únicos, ocupamos una posición excelente para hacer un daño muy severo al comercio espiritual del enemigo.

Pero, también hay algo muy bueno. Que se libra una gran batalla —un conflicto cuyos estandartes e implicaciones han invadido los límites por lo menos de dos dimensiones. Desde los pliegues secretos del corazón humano, se extiende hacia el frente una mezcla compleja de líneas que se diseminan a través de miles de culturas y comunidades de la tierra, sólo para unirse y acoplarse en las vastas arenas, corredores e intersticios de la dimensión espiritual. Aquí, en un sitio que he llamado "el claroscuro del laberinto", los hijos de Dios y las fuerzas de las tinieblas comparten un terreno común. Aquí, a los justos y piadosos en Cristo se les llama a la batalla.[1]

El objeto de este encuentro, según lo examinamos en el último capítulo es liberar a hombre y mujeres de los efectos debilitantes del pecado no resuelto y de los encantos mágicos que usan los demonios. En algunos días los resultados son alentadores: hay respuesta a las plegarias, los ojos se abren, los corazones regresan a Dios. En otras oportunidades el enemigo ruge sus desafíos y la batalla decae.

La mejor de las noticias viene cuando miramos hacia abajo, sobre la batalla, desde las encumbradas alturas de la historia. A partir de esta perspectiva, es obvio lo inevitable de nuestra victoria. A pesar de que el enemigo no haya capitulado aún, con toda claridad se debilita su toma sobre los restantes pueblos del mundo todavía no alcanzados por el Evangelio. La intercesión para desatar los ensalmos ha comenzado a recibir su pago.

Muchas de estas ganancias, de acuerdo con informes recientes, se registran a escalas colectivas o comunitarias. Vecindarios y pueblos enteros salen de las espesas nieblas de la seducción espiritual y de los engaños de adaptación —a menudo en forma dramática. Mejor aún, un alto porcentaje de esas brechas iniciales llevan a arrepentimientos colectivos y a transformaciones de las comunidades.

Debido a que con frecuencia se exagera la afirmación de muchos de esos cambios impresionantes en la comunidad que se transforma, algunos líderes de ministerios han expresado su escepticismo. Otros sostienen la idea que la guerra espiritual puede incluir un impacto colectivo sobre todo. Aunque en ocasiones no estoy de acuerdo con la teología y las actitudes públicas de estos críticos, creo que tienen todo su derecho de pedir pruebas. Mi única petición consiste en que permanezcan como buscadores sinceros de la verdad, y que tengan la voluntad dispuesta para acomodar sus patrones de pensamiento cuando se les presenten evidencias creíbles.[2] Y como sugieren los siguientes cuatro relatos, estas certezas aumentan con cada día que pasa.

Los ejércitos de Musoke:
La guerra en el Beirut de Kampala

Al comenzar la década de 1980, antes que los ciudadanos de Uganda abrumados por la guerra hubiesen tenido oportunidad de recobrarse de la pesadilla de Idi Amín Dada, una vez más la nación se hundió en el caos. En esta oportunidad el conflicto era entre el ejército ugandés, dirigido por Milton Obote (sucesor de Amín), y el Ejército Nacional de Resistencia, bajo el mando del teniente general Yoweri Musevani, que en enero de 1986 vino a ser presidente de Uganda. Se calcula que durante estos años de guerra civil, perdieron la vida, asesinados, un millón de ugandeses.[3]

Por más de cinco años los soldados con un pobre entrenamiento se convirtieron en la ley del país. Aunque violaban y mataban como querían, raramente recibieron una reprimenda de sus jefes militares. Al final, los enardecidos y salvajes soldados comenzaron a atacar abiertamente a los cristianos no sólo en las calles de Kampala, la capital, sino también en otras poblaciones.

La actividad en un distrito, un pueblo fantasma, víctima de incendios que lo arrasaron por entero, apodado el "Beirut de Kampala", fue particularmente atroz. En un tiempo galería de tiro al blanco para los militares, las restantes chozas de la comunidad habían caído bajo el control de una pequeña banda de ladrones y asesinos mentalmente inestables. El jefe, casi como un rey, de esta horda de pandilleros era un notorio brujo, hábil en hechicería y magia negra, de nombre Musoke.

Desde un punto de vista normal esta saqueada vecindad escasamente se podría considerar como un lugar promisorio para plantar iglesias, pero el evangelista ugandés Robert Kayanja raramente piensa en términos normales. A la temprana edad de 22 años, este joven tizón fue sensible al llamado de Dios de ir a una zona urbana a la que todos olvidaron, menos el diablo y sus demonios.

"Cuando el Espíritu Santo me llevó a esta área en 1983", explicaba Robert en una entrevista reciente, fui solo. Luego Charles Lsubuga, que es ahora mi pastor asociado, se me unió. Después fuimos cuatro, y más tarde cinco. Cada día cubríamos toda el área con oración y le pedíamos al Señor una brecha espiritual.

Los resultados vinieron a regañadientes. Musoke, que no quería nada que ver con Dios, se enfureció cuando supo que esos cristianos intrusos no sólo oraban por sus clientes sino que también quemaban los objetos de encantos y de hechicería que les había dado. De pronto apareció en una de las reuniones que Robert tenía al atardecer en una casa abandonada, y chilló: "¡Se supone que no tienes motivos para estar aquí! Este territorio me pertenece. Si no te vas, enviaré mis ejércitos para expulsarte. ¡Luego morirás!"

Cuando los amigos del vecindario oyeron estas amenazas —recuerda Robert—, nos advirtieron que nos fuéramos. El poder de Musoke era muy real y ellos lo sabían. Todos nos aconsejaron no entrar en confrontaciones.

Unos cuantos días después, Robert y sus partidarios encontraron el primero de los "ejércitos" de Musoke. Al acercarse a la casa para un servicio al finalizar la tarde, se dieron cuenta que todas las puertas y ventanas estaban cubiertas con enjambres enormes de abejas.

—Había miles de abejas —recuerda Kayanja—. "Era como una fábrica de esos animales. No podíamos entrar. Todos en el vecindario nos dijeron que eso era simplemente obra de Musoke. Y de nuevo nos aconsejaron tomar nuestras cosas y salir. El problema consistía en que Dios nos había llamado aquí y no nos sentíamos cómodos al irnos, basado en el temor de esas amenazas. Nuestra única alternativa, sin embargo, era clamar al Señor —y precisamente eso hicimos. Nos tomó alrededor de ocho horas, pero las abejas, por último, se fueron de la casa."

La batalla apenas comenzaba. En la misma siguiente mañana, la propiedad de la iglesia se encontró rodeada por un penetrante y desagradable olor a carne quemada.

—La fetidez era tan fuerte —mencionó Robert—, que todos sentíamos náuseas. No había forma de alejar esa hediondez. Algunos nos dijeron que era un demonio. No lo dudamos, porque podíamos ver a Musoke que, muy sonriente, nos miraba desde unas 25 yardas (22.5 m) de distancia.

"El siguiente ataque tuvo lugar un domingo en la mañana —creo que era el 11 de noviembre de 1983. Moscas en cantidades increíbles aparecieron sin saberse de dónde. Era lo que se podría esperar si hubiese un centenar de cadáveres pudriéndose durante una semana. Las moscas estaban por todas partes. Era indispensable cubrirse boca y narices para evitar que entraran por estas cavidades. Por tercera vez nos dijeron: 'Es mejor que se vayan. Ese hombre los va a matar'.

"De hecho, ese mismo domingo apareció Musoke para darnos un ultimátum. Dijo: 'Les doy tres días. Si para entonces no se han ido, vendrán mis serpientes y todos ustedes morirán'. Había veinte de nosotros en medio de un servicio de adoración, cuando pronunció esta amenaza de muerte.

"La gente estaba muy temerosa, pues nunca habían visto antes nada como eso. Mi asociado, Charles Lsubuga, dijo: 'Esto es demasiado'. Poco después lo atacó una parálisis parcial. Era tan severa que sólo podía andar con ayuda de dos palos. Como no hubo fiebre y todo apareció de pronto, sospechamos como cosa natural que era producto de la hechicería de Musoke.

"Para empeorar las cosas, los soldados de Obote vinieron a buscarme. Como aquella noche particular no estaba en casa, comenzaron a golpear a Charles en la espalda. Esto sólo complicó su problema físico. Antes de irse los soldados saquearon todo —las tazas, las ollas los utensilios. Esto hizo huir a muchas personas que habían venido a nuestra congregación.

"Para combatir las fuerzas espirituales que venían contra nosotros levantamos un 'Muro de Lamentaciones' fuera de la iglesia. Hicimos un círculo alrededor de nuestra propiedad y orábamos al comenzar todas las noches, más o menos durante seis horas. Cuando los soldados volvieron, nos encontraron en oración. Como un rebaño nos llevaron detrás de la casa, nos pusieron pistolas en la cabeza y preguntaron: '¿Dónde está Robert Kayanja?' Cuando di un paso adelante y contesté: 'Aquí estoy', los soldados inmediatamente respondieron: 'No, no es verdad; apenas eres un estudiante'. Dios confundió sus mentes, usted ve.

"Al día siguiente llevamos a Charles al Hospital Nacional de Mulago porque no podía andar y sufría mucho por el dolor. Después de hacer una serie de exámenes y pruebas, los médicos no pudieron entender la naturaleza de su enfermedad. Aun así, pronosticaron que Charles no volvería jamás a andar. Esto fue muy desalentador.

"Cuando mis padres se enteraron de la dolencia de Charles y de las incursiones sobre nuestra iglesia, se unieron al coro de voces que me urgían a salir e irme. 'Dios quiere salvar a estas personas —decían—, 'pero no quiere que mueras en el proceso. Es demasiado peligroso'. Aunque entendí lo preocupados que estaban, sentí como si el mismo Espíritu Santo me hubiera pegado a este lugar de muerte que el diablo llamaba su territorio.

"En este momento sólo cuatro de nosotros quedábamos en la casa. Charles estaba en el hospital y otro asociado, Godfrey, había ido a pastorear una iglesia a 200 millas (320 km) de distancia. A pesar de todo eso, continuamos nuestra campaña de atar las potestades de las tinieblas. Una señora natural de Rwanda vino fielmente todos los días durante nueve meses. A pesar de que casi no lograba entender nuestro idioma, sin embargo su deseo era orar. Cuando el Espíritu Santo venía sobre ella, las lágrimas le rodaban por las mejillas.

"Un mes más tarde, Musoke me dio un segundo ultimátum. Esta vez se me fijaron siete días de vida. Casi inmediatamente mi cuerpo comenzó a producir un calor que era incomprensible. Como si la sangre comenzara a hervirme. Los miembros de la iglesia para mantenerme vivo empapaban toallas en una vasija de agua y me las ponían sobre la cabeza. Pero la temperatura era tan alta que las toallas se secaban por completo en cinco minutos. Lo mismo que en el caso de Charles, los médicos quedaron asombrados, pues a pesar de todos los exámenes no encontraban ninguna enfermedad en mi sangre.

"Por este tiempo, una vecina dama de edad, vino a verme. Era vendedora de bebidas y acostumbrábamos a usar sus tazas prestadas para tomar té. El propósito de su visita era decirme que

Musoke había enviado contra mí su demonio más fuerte —un *mayembe*. Agregó que este demonio viene como un viento malo, y que si yo no hubiese tenido a Dios de mi parte, ya habría muerto.

"Otros estaban convencidos que iba a morir en el curso de 24 horas. Incluso entonces no hice más sino orar con todo fervor porque ya no podía comer ni beber. Fue una verdadera batalla.

"Un poco después comencé a ver serpientes que salían a través del piso de cemento. A medida que entraban al cuarto, algunas se transformaban en criaturas reconocibles —por ejemplo, leones y leopardos— mientras otras se volvían monstruos horrorosos. Uno de estos seres tenía múltiples ojos que le rodeaban la cabeza. Siempre que separaba las mandíbulas, salía algo semejante a un avión de transporte en miniatura. Era asombroso. Otros mostraban características como de esqueletos, escamas semejantes a las de los peces o rostros deformes y torcidos.

"La conducta de esas criaturas demoníacas era muy variable. Un grupo de esqueletos de aspecto perverso y maligno danzaba y chillaba alrededor de mi cuerpo; varios otros espectros se sentaban con toda osadía en el borde de la cama. Algunos se movían constantemente por toda la habitación. Mientras no faltan quienes han sugerido que todo esto pudo ser producto del delirio por la fiebre tan alta, esta explicación falla ante el hecho que diversas personas de la casa también vieron estas apariciones de brujería y con frecuencia reaccionaban ante ellas con gritos y voces de asombro. No, sin duda alguna, todo fue demasiado real. El temor era tan fuerte que muchas veces hubo la impresión que hasta se podría tocar.

"En medio de esta lucha, que duró dos días, en un sueño fui al cielo. Allí recibí una espada que usé para combatir a los demonios que me atacaban el cuerpo, el alma (mente) y el espíritu.

"En cierto momento la batalla fue tan intensa que quienes me rodeaban pensaron que me había vuelto loco. Sin embargo, pocos minutos después, de pronto, recobré por completo tanto la salud como la conciencia. En este mismo instante —era la una de la tarde de un domingo— los pocos dependientes de negocios abiertos en el centro comercial de Kabusu oyeron el ruido de una explosión muy fuerte. Al salir y correr para averiguar qué había sucedido, encontraron que Musoke yacía muerto en la intersección de las calles Kabusu y Masaka. Aunque la cabeza se hallaba todavía unida al torso, el rostro y el cuerpo estaban hendidos —precisamente como si lo hubiese golpeado un rayo semejante a una espada".

Dos semanas después de la muerte de Musoke, hacia la mitad de diciembre de 1983, Charles salió del hospital, completamente recuperado. Por toda la vecindad y de modo especial en los bares donde Musoke acostumbraba ir a embriagarse, la gente estaba asombrada de ver la derrota tan completa que tuvo el que se autoproclamaba delante de todos como el maestro y amo de la hechicería.

—Una vez que se eliminó este impedimento —recuerda Kayanja—, las personas comenzaron a llegar a la iglesia. Era como si los cielos acabaran de abrirse. La sala se llenó rápidamente, y luego las demás habitaciones. Pronto tuvimos que ir al aire libre y al final fue necesario conseguir una enorme bodega temporal. Después de tres meses de la muerte de Musoke, nuestra congregación pasó de mil personas.[4]

"Hacia la mitad de la década de 1990, el Centro de Milagros, nuestra iglesia principal, albergaba a casi siete mil almas en el culto de los domingos por la mañana. Y las cifras siguen en crecimiento. En este mismo período se plantaron doscientas treinta y seis congregaciones satélites, y nuestro amoroso Señor ha permitido revivir por lo menos a seis muertos".[5]

Mama Jane y la Cueva de Oración

Otro ejemplo muy sobresaliente del piadoso desatar de ensalmos lo recibí del pastor Thomas Muthee de Kenyia. En una serie de entrevistas entre agosto de 1994 y febrero de 1996, Thomas dijo cómo Dios utilizó a un puñado de intercesores en el sótano de una tienda de abarrotes para producir un avivamiento en una de las comunidades más oprimidas espiritualmente de África Oriental. La congregación resultante, conocida como Cueva de Oración de

Kiambu, es ahora modelo de cómo crece una iglesia con un saludable desarrollo.

La historia tuvo su principio en 1988 cuando Thomas y su esposa, Margaret, regresaron a este país de África después de estudios especializados de teología en Escocia. En Kenya la pareja se estableció en un área productora de bananos, llamada Karuri. Desde allí Thomas se lanzó a través de la región como predicador itinerante. Además de sostener cruzadas, y enseñar seminarios, también ministró en planteles de bachillerato y de educación superior.

Con el tiempo los Muthee sintieron que Dios los alistaba para comenzar una iglesia en el pueblo de Kiambu, localizado más o menos a 9 millas (14 km) al noroeste de Nairobi y donde hay un notorio ministerio de camposantos. A pesar de múltiples años de esfuerzos, en esta comunidad de 65.000 habitantes nunca había sido posible establecer una iglesia que pasara de un centenar de miembros. El primer paso de los Muthee consistió en averiguar en oración los motivos para que hubiera un despotismo espiritual tan profundo en toda esta área.

"Queríamos conocer lo que había de malo en Kiambu", explicó Thomas. "En nuestros corazones sabíamos que a menos que pudiésemos identificar y tratar con la dinámica espiritual subyacente el espíritu dominante, si usted quiere— no veríamos un cambio en las cosas". En consecuencia, durante un período de seis meses los uthee se dispusieron a orar con fervor y a investigar. Y se dedicaron a esta tarea hasta cuando los síntomas principales de la comunidad y la raíz de una causa importante, quedaran documentados y descubiertos por completo.

A pesar de sus agradables y bonitos paisajes, que incluían frondosas plantaciones de café y de bananos, el pueblo se hallaba bajo una conquista de muerte. "Los periódicos estaban llenos de terribles noticias sobre Kiambu", me dijo Thomas. "Hasta la gente de Nairobi tenía miedo de la alta incidencia de asesinatos, violaciones y otras formas de violencia. El alcoholismo también predominaba y toda la zona sufría enorme depresión económica. Nadie invertía en Kiambu, y el gobierno tenía un tiempo muy difícil para convencer a la gente que se trasladara allí. La mayoría simplemente se negaba. Había tantos crímenes en el pueblo que muchas personas ni siquiera se atrevían a salir a las calles después del atardecer.

"Cuando les dije a algunos pastores que iba a comenzar una iglesia en Kiambu, quedaron consternados. No hacían sino preguntarme: '¿Cómo vas a hacer?' Antes de nosotros habían venido muchos y tuvieron que darse por vencidos. Un pastor de la denominación Evangelismo de Alcance (Extensión) quiso iniciar una iglesia y fracasó. Luego hasta Bishop (Obispo) Gitanga, el hombre con la iglesia más grande en Nairobi, no tuvo éxito. Otro intento lo hizo el pastor de apellido Kuranga. Me dijo que cuando vino aquí, la opresión era tan fuerte que ni siquiera buscó una casa. Tan sólo un examen del lugar le bastó para hacerlo desistir.

"Cuando llegamos a Kiambu en esencia oímos lo mismo. El primer hermano que conocí me dijo: 'Oramos, pero la gente no se salva'. Entonces, mi esposa y yo supimos que necesitábamos respuestas del Señor.

"Después de varios meses de interceder y de investigar, el Señor nos llevó a descubrir que muchas de las cosas que sucedían en Kiambu se vinculaban con una poderosa mujer de nombre Mama Jane. A medida que buscábamos entendimiento de parte de Dios, nos reveló que Mama Jane era una bruja. Aunque pretendía que era cristiana, inclusive iba tan lejos como para llamar su casa de adivinación 'Clínica Emmanuel', su fuerte era pura hechicería.[6] Y sus negocios no los hacía en secreto; se sabía que la visitaban en búsqueda de consejo personajes importantes tanto del mundo económico como del gobierno. Mama Jane era temida; ese era su poder.

"Originalmente nos acercamos a ella por los accidentes. En nuestra investigación, el Señor nos permitió descubrir que un número desproporcionado de accidentes automovilísticos fatales ocurrían en la polvorienta calle frente a su clínica.[7] No pasaba un solo mes sin que alguien perdiese allí la vida. En muchos de esos casos, las personas resultaban golpeadas y muertas pero no se veía ni una gota de sangre en la calle. Naturalmente queríamos saber lo que había detrás de este fenómeno.

"Cuando comenzamos a darnos cuenta de quién —o *qué*— era en realidad Mama Jane, Margaret y yo nos dedicamos a orar. Nuestro objetivo era quebrantar el poder de la hechicería sobre el pueblo —poder que impedía la salvación de sus habitantes. Era una lucha que implicó muchos gemidos en nuestros espíritus. Con el tiempo, sin embargo, percibimos que esa carga se levantaba. La nube oscura que habíamos visto que cubría a Kiambu, se iba y sentimos un gozo sobrenatural en nuestro interior. Supimos que las cosas iban a cambiar.

"En febrero de 1989 se decidió iniciar la iglesia. Mi primera cruzada tuvo lugar en un área sucia y grande, vecina a una estación de gasolina. Como sólo mido cinco pies con cinco pulgadas, (1.62 m) y no había púlpito, en la estación me prestaron una llanta. Cuando prediqué el Evangelio esa tarde, ocho personas hicieron su decisión por Cristo. Una de ellas fue una mujer estéril desde muchos años atrás y cuyo vientre el Espíritu de Dios bendijo y abrió en forma milagrosa. Al año siguiente vino a mostrarnos su bebé y dar su testimonio. En el segundo día de la cruzada, catorce personas se salvaron.

"Después de esto, la iglesia despegó. Durante todo el año que siguió, las sanidades y las conversiones eran algo común y muy regular. Como el salón del municipio sólo nos permitía dos reuniones por semana, decidimos mover nuestra iglesia al sótano verdaderamente enorme de una tienda de abarrotes vecina. Debido a la escasa luz y a la intercesión constante que se hacía durante las veinticuatro horas, la gente comenzó a llamar a la iglesia con el nombre de "La Cueva de Oración".

"No es de sorprender que Mama Jane se preocupara mucho con lo que sucedía. De hecho comenzó a venir a los alrededores de nuestro centro de adoración para efectuar sus ritos de brujería. Los domingos por las mañanas encontrábamos cenizas esparcidas y otras envueltas en pedazos de telas especiales, cuernos de animal y plumas de gallo. Había mucha opresión en nuestros servicios. Los hermanos procuraban cantar, pero sencillamente no podían.

"Por último decidimos que ya teníamos bastante. Toda la congregación levantó las manos hacia la Clínica Emmanuel. Pedimos a Dios que salvara a esa mujer o que la retirara de Kiambu.

"¿Sabe lo que sucedió? Pocos días después tres niños aparecieron muertos fuera de la clínica. La gente estaba furiosa porque sospechaban que la brujería de Mama Jane tuvo algo que ver con el accidente. Algunos gritaban que la deberían apedrear. Cuando la policía llegó a calmar los ánimos exaltados, encontró una enorme serpiente en uno de los cuartos de la clínica. Sorprendido, uno de los oficiales sacó su pistola y la mató. Después de esto Mama Jane se fue al pueblo de Mathare, más o menos a dos horas al norte de Nairobi. Es de interés saber que los mismos 'accidentes sin sangre' comenzaron a suceder allí. Y hasta donde sabemos, ahora hay el rumor que se ha ido a un sitio en Ngongo.

"Mama Jane se fue hace alrededor de cuatro años", me dijo Thomas en 1996. "No hemos vuelto a tener accidentes durante este tiempo. De hecho, desde cuando esta mujer salió de Kiambu, toda la atmósfera cambió. Mientras la gente tenía temor de salir por las noches, ahora hay una de las tasas más bajas de crímenes en el país. En la práctica, las violaciones y los asesinatos dejaron de ser noticia. También la economía comenzó a crecer. Si usted va al pueblo ahora, verá que por todas partes se levantan nuevas construcciones. Y como Kiambu goza de buena fama, muchos de Nairobi vienen a buscar casas aquí. Ha habido treinta por ciento de aumento en los habitantes.

"De mayor importancia, hemos visto un número muy considerable en las conversiones. Cada domingo, en la reunión de la iglesia, se salvan entre diez y veinticinco personas".

En febrero de 1996, el Pastor Thomas Muthee y su esposa, Margaret, celebraron su séptimo aniversario en Kiambu. Mediante la investigación y la guerra espiritual, han visto el crecimiento de la iglesia hasta casi cuatro mil personas.

"No hay duda", declaran, "que la oración quebrantó el poder de la hechicería sobre esta ciudad. Ahora nuestros cuatrocientos intercesores se reúnen en la iglesia 'Casa de Poder' todos los días a las 6:00A. M.; es nuestra 'Mañana de gloria'. Los miércoles de 4:30 a 6:30P. M., nos congregamos para la 'Operación tormenta de oración', mientras cada viernes tenemos una reunión de oración durante toda la noche. También contamos con un ministerio en el que, dos veces por mes, los intercesores van al monte, más o menos a nueve millas (casi 15 km) de aquí para orar. Los pastores de la ciudad, antes diezmados por la desunión, también se reúnen a fin de tener compañerismo regular con el fin de orar. Todos en la comunidad nos respetan. Saben que el poder de Dios expulsó a Mama Jane del pueblo.[8]

Las crónicas colombianas

En la compleja economía global de hoy, pocos países se asocian con un solo producto de exportación. Francia puede ser una fuente élite de modas y fragancias, pero es también proveedora de vinos y pastelería excelentes. Su vecina Suiza se ha convertido en prefijo no sólo de relojes finos sino además de quesos y chocolates deliciosos (para no mencionar las cuentas bancarias secretas, que se identifican apenas con números). Inclusive los Estados Unidos sobresalen mucho por sus películas, su música, su producción de carros, de aviones y de computadoras.

Al lado de los reinos ricos en petróleo de Arabia Saudita y Kuwait, únicamente Colombia se distingue en todo el globo por una sola exportación. Pero es una fama que el país querría sacudirse con todas sus fuerzas.

Por años Colombia ha sido el mayor exportador mundial de cocaína al enviar entre setecientas y mil toneladas anuales sobre todo a los Estados Unidos y a Europa.[9] Al cartel de Cali que controla hasta setenta por ciento de este comercio, se le reconoce como la organización criminal más grande, más rica y mejor organizada de toda la historia.[10] Mediante una combinación de sobornos y amenazas, esgrime un pavoroso poder maligno y perverso que ha corrompido no sólo a los individuos sino también a las instituciones por igual.[11]

Las buenas nuevas consisten en que la historia no termina ahí. Informes nuevos suministran evidencias frescas que este aparente imperio invencible por último puede haber hallado su fin.

Entre las filas de los valerosos y activos se encuentran Randy y Marci MacMillan, misioneros veteranos con Misión Sur América y con la Comunidad Cristiana de Fe, que han trabajado en el mismo lugar que los barones de la droga en Cali por más de veinte años. Su gozo por el desarrollo de los hechos recientes no se puede reprimir. Los detalles, que se me suministraron al terminar 1996 mediante una serie de entrevistas,[12] son tan dramáticos como los que asocian con las transformaciones ya mencionadas en Kampala y Kiambu.

—En mayo de 1995 —explicó Randy—, la asociación de pastores de Cali[13] auspició un encuentro de oración de toda la noche, o *vigilia*, en el Coliseo del Pueblo. —En este auditorio cívico hay sillas para sentar cómodamente a 27.000 personas y con frecuencia se utiliza en certámenes internacionales—. Al principio se esperaba que llenaríamos la sección superior del Coliseo. Sin embargo, al comenzar la noche había tanta de gente, que la policía y la Cruz Roja ¡no permitieron la entrada de más público! Era asombroso. Por primera vez treinta mil cristianos, de todas las denominaciones, se reunían en Cali a fin de pasar solo una noche para orar.

"El propósito principal de la *vigilia* —continuó Randy—, consistía en tomar una posición contra los carteles y sus amos espirituales invisibles. Ambos habían gobernado nuestra ciudad y el país por un tiempo ya demasiado largo. Después de humillarnos ante Dios y unos a otros, simbólicamente extendimos el cetro de la autoridad de Cristo sobre Cali —e incluso sobre sus esclavitudes a la cocaína, violencia y corrupción[14]

Los resultados llegaron con suma rapidez. Luego de cuarenta y ocho horas de la vigilia de toda la noche, *El País*, informó que en Cali había transcurrido todo un día sin un asesinato —¡noticia digna de destacarse en una ciudad con bastantes múltiples homicidios diarios. La corrupción sufrió además un golpe duro, pues en los cuatro meses que siguieron, a novecientos agentes de la fuerza metropolitana de policía, se les dio de baja al comprobarse en forma definitiva su innegable vinculación con los sobornos del cartel de Cali.[15]

"Cuando vimos que estas cosas sucedían", me dijo Randy, sentimos con mucha fuerza que las potestades de las tinieblas iban a sufrir una derrota muy significativa".

En el mes de junio, el sentimiento de anticipación aumentó cuando varios intercesores informaron sueños donde las fuerzas angélicas aprehendían a los jefes del cartel de drogas de Cali. Muchos interpretaron esto como señal profética de que el Espíritu Santo no iba a demorar más su respuesta al aspecto más urgente de la súplica unida de la Iglesia.

"En el curso de seis semanas de esta visión", recuerda MacMillan, "el gobierno colombiano declaró una guerra total contra los barones de la droga". Vastas operaciones militares de barrido se pusieron en marcha contra las bases de los carteles en las ciudades de Cali y Medellín, contra varios centros de procesamiento del alcaloide en las selvas, y contra puntos clave de envío como en la Isla de San Andrés. De los 6.500 soldados que llegaron a Cali, muchos hacían parte de un grupo especial de fuerzas combinadas conocido como el Comando Especial Conjunto[16] y tenían órdenes explícitas de rodear y prender a los siete individuos sospechosos de ser los líderes más altos del cartel.

—Cali zumbaba de helicópteros —recuerda Randy—. Había puestos de policía y tropa en todos los puntos de entrada a la ciudad. No era posible ir a ninguna parte sin demostrar quién era usted.[17]

Uno de los primeros jefes del cartel de Cali en ser capturados por la red de arrastre del *Comando*, fue Jorge Eliecer Rodríguez, notorio "*pachanguero*" (amigo de las fiestas) y *oveja negra*. A este hombre lo arrestaron en la sala de la muy famosa adivina Marlene Ballesteros, conocida como la "pitonisa de Cali".[18] Hacia agosto, sólo tres meses después de la promesa de Dios a los intercesores, las autoridades colombianas tenían en su poder a todos los siete líderes del cartel —Juan Carlos Armínez, Fanor Arizabalata, Julián Murcillo, Henry Loaiza, José Santacruz-Londoño y a los hermanos fundadores y cerebros de la organización, Miguel y Gilberto Rodríguez-Orejuela.

Llenas de denuedo con este éxito precoz, las iglesias cristianas de Cali decidieron efectuar una segunda asamblea de oración toda la noche ese mismo mes. Como el auditorio cívico resultó pequeño para acomodar a todos los asistentes, los organizadores dieron un paso de fe y alquilaron el estadio de fútbol Pascual Guerrero donde hay sillas para 60.000 personas. Pero una vez más, la demanda excedió el suministro. A las nueve de la noche, hubo necesidad de devolver a muchos intercesores, pues ya el estadio estaba repleto.[19]

En los meses que siguieron a este suceso, Randy trabajó con los pastores de la localidad para levantar mapas específicos en los aspectos político, social, y de fortalezas espirituales en cada uno de los 22 sectores administrativos de Cali. Al compilar los resultados el cuerpo de Cristo tuvo un cuadro sin precedentes de las potestades que trabajaban en la ciudad.

"Con este conocimiento", explicó Randy, "nuestra intercesión unida vino a estar verdaderamente en su foco. Al orar en términos específicos, comenzamos a ver un debilitamiento dramático del poder que el enemigo ha tenido en nuestra comunidad y nación.

"En marzo de 1996 utilizamos nuestra cartografía de inteligencia espiritual para dirigir grandes caravanas de oración por todo Cali. Mientras más de 250 vehículos hacían un perímetro de oración alrededor de la ciudad, otros desfilaban frente a las oficinas del gobierno o frente a las casas de los líderes importantes del cartel. Mi propia iglesia se enfocó en los cuarteles generales del multimillonario José Santacruz-Londoño, que había escapado de la penitenciaría de La Picota en Bogotá, en enero.[20] Su mansión —a cuatro cuadras de mi propia casa— con toda clase de adelantos tecnológicos, es como la propiedad situada en lo alto de una colina, que aparece en la película *Clear and Present Danger*. Después del día en que terminamos nuestra oración, supimos que Santacruz había muerto a balanza en un enfrentamiento con las fuerzas de la policía en la ciudad de Medellín.[21]

"Más o menos por esta misma época, una conmoción política nacional emprendida por Alfonso Valdivieso, Fiscal General de Colombia, comenzó a sonar en los altos niveles del gobierno.[22] La investigación ya había vinculado a varios de los más estrechos colaboradores del presidente Ernesto Samper —incluso a Santiago Medina, tesorero de la campaña presidencial por parte del Partido Liberal y a Fernando Botero-Zea, el director de la misma— con dineros de la droga. A partir de su prisión en el verano de 1995, ambos hombres habían insistido en que el presidente no sólo supo de las donaciones ilegales a la campaña,[23] sino que explícitamente autorizó colocar esos fondos en una cuenta secreta de uno de los bancos de la ciudad de Nueva York.

"En febrero de 1996 la Comisión Colombiana de Acusaciones sindicó de manera formal al presidente de aceptar dinero de los carteles. Aunque después un comité legislativo bloqueó los procedimientos del juicio (basado en las afirmaciones de Samper que todas las contribuciones se hicieron "a sus espaldas"), diecinueve miembros del Congreso y cinco personajes directivos de la administración, que incluyen a Botero y a Medina, fueron acusados por los investigadores.[24]

"He vivido aquí por más de veinte años —se asombra MacMillan—, y nunca he visto algo por el estilo. Las ruedas de la justicia se movían siempre a paso de caracol. ¡Ahora lo hacen como una avalancha![25]

"También cambia la economía de Colombia. Esto es evidente sobre todo en las capitales que dieron sus nombres a los carteles de las drogas. Como se volvieron adictas al dinero fácil y al consumo conspicuo, estas ciudades ahora sufren un agudo déficit. Los Porsches y los Ferraris casi han desaparecido de la congestionada Avenida Sexta de Cali, así como los compradores de lujosos apartamentos en los edificios que quedan en las cercanías de la Avenida Paso Ancho y de los locales en Cosmocentro y Unicentro, importantes puntos comerciales en el sur de la ciudad.

Muchos parecen aceptar el cambio con una medida de alivio. Fabio Rodríguez, presidente de la Cámara de Comercio de Cali, dice: "Lo que importa es que regresamos a ser quienes éramos". El editor del diario El País, Luis Cañón, está de acuerdo, y nota que la ciudad ha venido a ser más pacífica. Con la transferencia de dominio en los carteles, dice: "La psicología de la violencia ha disminuido".[26]

Aunque el peligro aún acecha en esta ciudad de 1.9 millones de habitantes, a Dios ahora se le ve como un protector hábil y dispuesto. Cuando la policía de Cali desactivó un gran carro bomba con 174 kilos de explosivos en el populoso sector de San Nicolás en noviembre de 1996, muchos notaron que el rescate vino 24 horas precisamente después que 55,000 cristianos tuvieron su tercera vigilia en el Estadio del Pueblo. Hasta El País encabezó sus titulares, "Gracias a Dios, no explotó".[27]

Los guerreros de oración en Cali estaban agradecidos, pero todavía no habían terminado. Con gran inquietud por el libertinaje y la corrupción crecientes que se asocian con la feria de la ciudad, un festival de fin de año que se acompaña de diez días de corridas de toros, "verbenas" y bailes populares donde se consumen cantidades descomunales de licores, los cristianos desarrollaron planes para una alternativa mucho más sana.

—Cuando nos acercamos a las autoridades de la ciudad —recuerda Marcy—, Dios nos dio gran favor. El alcalde no sólo nos ofreció completamente gratis el uso del Velódromo (donde se hacen competencias de ciclismo) con 22,000 sillas de capacidad, sino nos proporcionó, también gratis, los equipos de sonido y los anuncios de propaganda para nuestras reuniones. ¡Estábamos estupefactos!

"Pero tuvimos una sorpresa todavía mayor durante la última reunión. Al clausurar las sesiones de intercesores adoptamos el tema del Espíritu Santo para que —"reinase sobre" y para que "se derramara desde lo alto" en Cali. A medida que la multitud entonaba los himnos y cánticos, comenzó a lloviznar en el exterior —algo increíble e insólito en el mes de diciembre. Luego, en pocos momentos, la ciudad se inundó con 24 horas de una incontenible y desenfrenada lluvia tropical. Por primera vez en muchos años, fue necesario cancelar los certámenes de la Feria.

Las iglesias en Bogotá y Medellín, al enterarse de estos sucesos extraordinarios, enviaron observadores a las vigilias de Cali para ver qué podían aprender. Como consecuencia de estas visitas, ambas capitales tienen ahora sus propias exitosas campañas de oración que cubren toda la ciudad.

Los perros rabiosos y los fuegos extinguidos: Cuentos de la Sierra Madre

No es frecuente que uno pueda observar dos Años Nuevos en un solo mes. Pero esto me sucedió a mí en enero de 1993. Después de cinco días de haber recibido el Año Nuevo tradicional con un grupo de creyentes en Tauranga, Nueva Zelanda, veía el amanecer de un segundo Año Nuevo en las mesetas de las tierras altas en Guatemala. Mientras los viajeros veteranos sospecharan inmediatamente algo relacionado con la línea de las fechas internacionales, la explicación en este caso se asocia con el antiguo calendario de 260 días que todavía mantienen en estos lugares los descendientes de los mayas.[28]

En 1993 este extraño calendario dictaminó que el día del Año Nuevo caería dos veces —en enero 6 y en septiembre 23. Para los mayas esta festividad, con una tremenda carga espiritual, se llama "Waxaqib Batz" o el "Octavo mono". Muchos ven esta fiesta como un tiempo especialmente peligroso, una estación en que un mundo se destruye y en la que se crea otro mundo.[29]

Sabedor de mi interés en los festivales religiosos, Tom Hemingway, filólogo con base en Guatemala, me invitó para observar ese acontecimiento por mí mismo. El plan comprendía mi llegada a la capital, Ciudad de Guatemala el 5 de enero. Desde allí viajaríamos por tierra hasta la población de Momostenango, poderosa fortaleza de las tradiciones en el nordeste de las tierras altas del Departamento de Totonicapán.

Cuando salí de la aduana, Tom estaba genuinamente contento de verme. Desde la última vez que hablamos, los esfuerzos tradicionalistas para rehabilitar la cultura y la tradición mayas, habían atraído una significativa actividad noticiosa en Guatemala. Por este motivo, y debido a su propio dominio de la historia en América

Central, Tom estaba ansioso por contactar a algunos de los líderes del movimiento.

Hacia las diez y treinta de la mañana siguiente iniciábamos nuestra subida por las estribaciones de la Sierra Madre. Los paisajes eran todo un espectáculo. El volcán Agua con su empinado y simétrico cono, dominaba el horizonte. Más cerca, los campos fértiles esperaban la recolección. Las cosechas comerciales de granos y de hortalizas se entremezclaban con frutos de alimentación común, frijoles, chiles, maíz. A este último lo ponían a secar sobre los techos de las casas para almacenarlo después. A la izquierda de la carretera podíamos ver la silueta del Acatenango, otro temible volcán cuyos flancos han servido como fortalezas para la guerrilla a lo largo de la cruenta lucha civil en Guatemala.[30]

La zona nunca fue completamente saneada por el gobierno. Unas cuantas millas más adelante, Tom imploró la protección divina sobre nosotros a media que entrábamos en un área que había venido a ser notoria por los asaltos y secuestros. Durante la mayor parte de una hora, los obreros limpiaron los restos de un alud que nos dejó expuestos en el camino como patos en una laguna.

Al promediar la tarde, al espectro de bandidos y guerrilleros lo reemplazaron vendedores cuyos productos (frutas, vegetales, bolsas tejidas y otras manufacturas hechas en telares) se ofrecían casi en silencio a los viajeros de la Carretera Panamericana, a ambos lados de la vía. Mujeres indígenas que llevaban coloridos *huipiles* (blusas de algodón) y cortes de tela envueltos alrededor de la cintura, suministraban paisajes distintos mientras se movían por los caminos rurales. Muchas, con gracia y elegancia, equilibraban vasijas de barro sobre la cabeza.

También los viajeros a pie eran ubicuos y en cierto punto ofrecimos puesto a dos muchachos. El de más edad subió con una pesada carga, mientras el más joven luchó para alzar una bolsa de lana igualmente voluminosa. Antes que pudiésemos volver al tráfico, otros siete, entre los que se incluía un militar del ejército, se treparon en el platón de nuestra pequeña camioneta Toyota. Casi todos se fueron antes de llegar a la capital del Departamento de Quetzaltenango o Xela como los mayas prefieren decirle.

Desde aquí hasta Momostenango se tomaron noventa minutos, casi todos por una carretera destapada que atravesaba pinares aromáticos hasta bajar al pueblo. Un brillante atardecer rojo nos dio la bienvenida, pero fue un gozo pasajero. En el curso de minutos salieron las estrellas; la luna naciente estaba casi llena y Venus colgaba en el firmamento como un adorno bajo.

En la plaza pobremente iluminada, las personas eran sombras oscuras. Un hombre se inclinaba y cantaba ante varios fuegos pequeños. Dentro de una iglesia católica vecina, en el escenario de un nacimiento, sonaba un disco rayado de "Noche de Paz", mientras una anciana encendía velas votivas y musitaba plegarias a sus dioses nativos.

De regreso al exterior, entramos a una tienda de mercancía general, la única todavía abierta y allí vimos una colección de máscaras de Halloween que colgaban de alambres. Un cliente de edad madura compraba un centenar de velas para usarlas en la festividad del día de Año Nuevo. Tom preguntó si el propietario de la tienda sabría dónde encontrar a Rigoberto Iztep, chamán y líder en el movimiento de rehabilitación maya. Aunque el dueño o no sabía o no quiso ayudarnos, otro hombre oyó el pedido y se ofreció a guiarnos a la casa del señor Iztep.

Saltó al platón de nuestro vehículo y nos dirigió a través de calles fantasmales y vacías al otro lado del pueblo. Después de hacernos detener en una acera, nos escoltó hasta la base de una angosta y empinada callejuela. Desde un sitio invisible sonaba música de marimba por encima de nosotros. En nuestra marcha hacia arriba, indígenas suspicaces nos detuvieron tres veces. Tom que habla con fluidez tanto castellano como el dialecto indígena Mam, reconoció que le hablaban en Quiché. Poco después nuestro guía nos informó que el chamán estaba en su casa pero muy ocupado, pues se preparaba para celebrar la fiesta del Año Nuevo. Entonces, los parientes querían saber quién nos había enviado. Como en apariencia nuestra respuesta les satisfizo, nos permitieron seguir.

Subimos casi a gatas por unos escalones como tallados con hacha para llegar a un patio, a través de un pasaje. El piso de tierra, sucio, estaba cubierto con agujas largas de pino —toque típico, me enseñaron, para las ocasiones festivas. Aunque no éramos los únicos huéspedes, nos ofrecieron lo que parecía ser el sitio de honor —un banco de madera sin espaldar, frente a una marimba de tres músicos. El equipo constaba de un hombre de edad madura (quizás un poco más de cincuenta años), con dos jovencitos a sus lados, un preadolescente a cargo de las notas bajas y el otro de unos dieciséis años que parecía llevar la melodía, en el extremo más alto. Mientras los muchachos tenían sólo una baqueta en cada mano, el hombre golpeaba las teclas del instrumento con dos baquetas en cada mano.

A medida que sonaba la música de la marimba, la suspicacia inicial de la situación se calmaba. Una docena o más de indígenas, incluso una muchacha albina muy tímida, habían tomado asiento a lo largo de la periferia del patio. Otros continuaban la infiltración a través del pasaje.

En lo que quizá es una escena universal en época de fiestas, casi todas las mujeres se amontonaban en la cocina cercana donde, en un fogón de tierra que tenía una apariencia muy antigua, se cocía a fuego lento un caldo de carne y papas. Las mujeres de mayor edad utilizaban un calabazo hueco para sacar el estofado de la gran olla de barro y servirlo en un juego de tazas más pequeñas. Sorprendentemente, nos sirvieron primero a nosotros.

Mientras comíamos, tres hombres dieron mensajes cortos sobre la importancia de observar "Waxaqib Batz" y honrar los dioses del día. Cuando terminaron, de las sombras emergió un danzante con una máscara y disfraz de jaguar. Procuraba imitar los movimientos del felino, y se levantaba en ocasiones para tocar un tambor que sostenía precariamente bajo uno de los brazos. Después de diez minutos me señaló con un movimiento. Cuando sonreí, se acercó con un gesto de amenaza. Mientras los otros huéspedes sonreían nerviosamente, el bailarín comenzó a "morder" mi brazo.

Abrumado por el olor de alcohol de su aliento, de pronto me sentí muy inseguro de adónde llevaría todo esto.

Unos cuantos minutos después descubrimos que se trataba de una prueba que se nos hacía. El chamán nos había vigilado durante algún tiempo. También nos dijeron que las principales actividades del Año Nuevo sólo comenzarían a las seis de la mañana, aunque se iba a efectuar una pequeña ceremonia preparatoria, más o menos antes de las doce de la noche. Nos daban la bienvenida y nos permitían observar.

A medida que salíamos en la oscuridad hacia el sitio sagrado de reunión, todo era como un sueño, casi como si alguien hubiera puesto una hierba antigua en nuestras bebidas para embotar los sentidos. Las luces de los hogares parpadeaban desde terrazas arropadas en niebla mientras un dosel espectacular de estrellas agregaba una simetría surrealista a la escena.

El nombre original de Momostenango, Xol Mumus, significa "en medio de las colinas", referencia no sólo a las alturas que circundan el área, sino a la cima sagrada como su centro. Esta modesta loma, llamada Paklom alberga el territorio más reverenciado en el mundo Momostekano —un punto conocido como *Waqibal* o "Seis lugares".[31] Quienes adoran aquí lo hacen porque creen que se ponen de pie en el mismo eje del universo.[32]

Alcanzar Paklom supuso soplar y resoplar por una subida empinada, cubierta por tejas, que se desprendía de la plaza principal. El frío del fin de la noche dejaba una prueba brumosa de nuestro ejercicio por todo el camino hasta la cúspide. Al coronar la cima, encontramos un montículo grasoso, lleno como de cicatrices por los huecos donde se depositan las ofrendas y ennegrecido por los siglos de quemar a manera de incienso la resina de copal. Al juzgar por la evidencia, habíamos encontrado los Seis lugares.

Los adoradores, envueltos en bufandas y en tibios ponchos momostecos, formaban un semicírculo alrededor de un horno de concreto coronado por tres cruces llenas de hollín. Mientras el chamán hacía una pausa para colectar una "ofrenda" por sus servicios (en apariencia se esperaba de los "gringos" un donativo especial), una joven madre aprovechó la oportunidad para poner a su bebé, arropado en pañales, en un montón de paja. Fue una decisión fatal.

Un poco después de las once, se dio comienzo a la ceremonia. Luego de encender el fuego en el horno, Iztep empezó una oración muy larga diseñada para clausurar los negocios que no se habían terminado con todas las 260 deidades de los mayas. A pesar de la naturaleza repetitiva de la plegaria, la multitud permaneció pegada al proceso. Como casi todos los tradicionalistas mayas, estaban convencidos de que iniciar con votos quebrantados el año es invitar a problemas serios económicos y físicos.

Las acciones de Iztep, sin embargo, no eran tan sólo confesionales. Como auténtico chamán se esforzaba en crear un ingreso que pudiera unir el mundo de los seres humanos con el Otro mundo. Llamó a este espacio universal y sagrado *u hol gloryah*, es decir "el agujero de la gloria". (Esta entrada dimensional es semejante en muchos aspectos al orifico de la luz Dagara que se menciona en el capítulo 8). Aquí Iztep esperaba recibir y pasar una sustancia bendita conocida como *itz* (derivada de la diosa *Itzamna*). De acuerdo con el arqueólogo David Freidel, *itz* representa el líquido que fluye del cielo y se manifiesta en cosas como el rocío de la mañana, las lágrimas humanas, la savia de los árboles (sobre todo en la resina del copal) y en la cera que se funde de las velas. "Cuando el chamán de la aldea abre la puerta de este lado —explica Freidel—, Itzamna la abre por el otro extremo y envía su precioso itz para nutrir y sostener la humanidad..."[33]

A fin de mantener abierta la puerta interdimensional, *Iztep* interrumpió su cántico de oraciones para soplar bocanadas de whiskey en las llamas que se levantaban. Con la medianoche casi sobre nosotros, la ceremonia alcanzaba su clímax. Mientras algunos adoradores ya en completo estado de trance, giraban hacia los puntos cardinales, Iztep invocó legiones de espíritus para la ofrenda del pueblo.[34] En tanto que Paklom se transformaba en un vórtice espiritual, el arribo de los seres invisibles vino a ser palpable.

De repente, como si fuera una señal, una jauría de perros feroces que gruñían aparecieron por el lado opuesto de la colina. Supe de modo instantáneo para qué habían venido. Inmóvil, les observaba que iban en línea recta hacia el niño dormido y entonces se despertó una cólera profunda. Sin esfuerzo, me dirigí a pasos largos hacia los perros rabiosos, varios de los cuales ya arrastraban al pequeño en la paja, y reprendí a los espíritus controladores.

El efecto fue dramático. En fracciones de segundo, se destruyó el mortífero ensalmo y la manada de perros que gruñía quedaba transformada en un grupo benigno de animales que meneaban las colas. Interrumpida por el poder divino, la representación se detuvo abruptamente. La madre del niño, sin que tuviera conciencia del peligro que se había levantado contra ellos, se sacudió de su trance y desapareció de pronto con su bebé en la noche.

En el día de Año Nuevo se elevaban hacia el cielo centenares de fuegos ceremoniales a través de todas las tierras altas mayas. Las ofrendas rituales, o *costumbres*, se dirigían a una mezcla de sincretismo donde figuran muchos dioses tradicionales y santos del catolicismo romano. En una hondonada el calor era tan intenso que me recordó la Gehnma. De rodillas al borde de este infierno sagrado, un hombre de edad media, ofrecía una plegaria de corazón por las naciones. Cerca, una madre angustiada, con lágrimas, clamaba por su hija que se había descarriado. Otras personas encendían puñados de ligeras velas multicolores o mazorcas de maíz con sus cáscaras o paquetes con resina de copal.

Ya bien avanzada la mañana Tom y yo íbamos de camino hacia Zunil,[35] una de las distintas tres comunidades en las tierras altas que todavía tenían un santuario para el dios pagano Maximón. Quizá descendiente de una antigua deidad maya de nombre *Mam*, este dios desde hace mucho tiempo ha ejercido una considerable influencia en múltiples áreas de Guatemala. Además de estimular las violaciones y las uniones ilegales —no sancionadas con el matrimonio— que se inician muchas veces como huidas de enamorados en fornicación o incluso adulterio, también se asocia con la magia negra y con serpientes venenosas.[36]

Llegamos a Zunil a eso de las cuatro de la tarde. El santuario —que nos fue difícil de encontrar— resultó ser un conjunto de casas de adobe, sin pretensiones, localizadas cerca de un respiradero para los vapores del volcán. En el interior de la modesta vivienda de Maximón, encontramos el ídolo bigotudo, como un maniquí, rodeado por media docena de adoradores que estaban de rodillas. Todos parecían contentarse con prender velas votivas sobre el piso de tierra, pero por lo menos uno se levantó con la finalidad de depositar un cigarrillo encendido y un trago de whiskey en el orificio correspondiente a la boca del ídolo.[37]

Pero antes que tuviera tiempo de deleitarse con esos vicios, lo envolvieron en una gruesa frazada azul y lo pusieron sobre la espalda de uno de sus devotos al que se le conoce con el nombre de "hijo de Maximón".[38] Con sus botas de vaquero que se movían debajo de la frazada, lo llevaron a una sala de baile, donde los músicos ya estaban listos, de pie, con marimbas, tamboriles y una especie de flauta doble hecha de cañas.[39] Al comenzar la música, el hombre que llevaba a Maximón comenzó a bailar con pasos cortos y remilgados. Esto movió al funcionario que presidía, el *telinel*, a levantar un cetro negro con adornos de plata para dirigir la pareja por la sala. Pronto otros bailarines se unieron al singular y extraño espectáculo.

Cuando decidimos salir de allí, los asistentes estaban entregados a la desvergüenza. Casi todos los hombres estaban borrachos y varios jóvenes movían sus traseros en una forma indecente (el triste paso de la batuta generacional). Una mujer de edad levantaba sus faldas muy por encima de las rodillas y saltaba adelante y atrás sobre las pavesas de los fuegos que se encendieron como ofrendas temprano durante el día. Como si se bañara en el residuo de las celebraciones, usaba sus manos para ondear el humo ascendente sobre su rostro y el cuerpo.

Estas imágenes no eran muy distintas de cuanto habíamos visto Tom y yo en todo el día. Con sus ídolos esculpidos a mano y sus ubicuos fuegos de ofrendas, los mayas de las tierras altas habían recorrido un largo camino para volver a crear las clases de escenas que irritaron y perturbaron el Espíritu Santo que moraba dentro de los profetas bíblicos. Salimos de Zunil con los corazones entristecidos y apesadumbrados.

Irónicamente, justo cuando comenzaba a preguntarme en este monótono día si habría alguna comunidad que hubiera resistido doblar la rodilla ante Baal, sentí que se levantaba de inmediato la opresión. Ansioso por vincular esta sensación interior con alguna causa externa, escudriñé ambos lados de la carretera en búsqueda de evidencias de fuegos rituales. Aunque estábamos en las afueras de una comunidad agrícola establecida, no había signos visibles de actividad del Año Nuevo. La singularidad era indudable.

Un aviso nos indicó que entrábamos al pueblo de Almolonga. El nombre me era familiar, pero no pude recordar porqué. Y de pronto me vino: En uno de los Seminarios Fuller, que tuvo lugar durante una conferencia de octubre de 1992 en Argentina, C. Peter Wagner mencionó que ese sitio había tenido una transformación espiritual genuina, como consecuencia de enfocar la oración de intercesión.

A medida que conducíamos hacia el centro del poblado, la evidencia del informe de Peter estaba por todas partes. Justo al pasar la entrada del Camino de la Calle Cruz, quedamos detrás de un camión en cuyas aletas protectoras contra el barro leímos *Dios es mi guía*. Calle abajo pasamos frente del Café Edén y de una camioneta de plataforma cuyo parabrisas estaba adornado con una etiqueta engomada que proclamaba *¡Jesús es el Camino!*

Todavía más impresionante era el creciente bosque de templos en el pueblo, donde se incluía un edificio grande en bloques de concreto, levantado a lo largo de la calle principal. Tan extraña explosión febril de levantar edificios (como lo descubrí más tarde) atrajo una enorme corriente de prensa desde tan lejos como los Estados Unidos. En una entrevista un periodista de *Los Angeles Times* revivió la historia espiritual del área con Roque Yac, fundador de la Iglesia del Calvario con quinientos miembros. "Hace veintiún años —declaró Yac—, Dios estaba muerto para las personas aquí. Sus mentes se centraban en fiestas y licor".[40] Entonces los intercesores se pusieron serios. Después de oír de Dios, tomaron la decisión de acabar con el continuum espiritual que los asociaba con los múltiples pactos demoniacos de siglos de antigüedad de los mayas.

Con la extinción de esos antiguos fuegos rituales, la economía de Almolonga comenzó a florecer. Esta comunidad se levanta hoy en agudo contraste con las condiciones deprimidas del vecino Zunil. Y, en el frente espiritual, dieciocho iglesias atienden una población cuyo ochenta por ciento de habitantes son cristianos evangélicos. Algunos sociólogos pretenden ofrecer razones de una y otra índole para explicar este fenómeno, pero los intercesores locales no se inmutan. "Nuestro crecimiento no es producto de fanatismo ni de ignorancia —insiste Mariano Riscaoche—. Hemos tenido experiencias sobrenaturales".[41]

Casi año y medio después de mi visita a Guatemala, esta emocionante historia tomó otro rumbo cuando los cristianos emprendieron una campaña de guerra espiritual sin precedentes contra los engañadores espíritus territoriales. La iniciativa de 1994 la dirigió Filiberto Lemus, activo intercesor cuya congregación en Quetzaltenango por años ha luchado contra los poderes que se ocultan detrás de Maximón. Al sincronizar sus esfuerzos para hacerlos coincidir con el 25 de junio, el Día para Cambiar el Mundo, setenta mil (70.000) cristianos evangélicos desfilaron por la calles de Ciudad de Guatemala y declararon a los principados y potestades (Efesios 3:10-11) que Jesús es el único Señor de Guatemala, sin que lo sea ni Maximón ni ninguno de los otros dioses falsos.

El mismo día, Harold Caballeros, pastor de la dinámica iglesia El Shaddai en Ciudad de Guatemala, envió cuatro equipos de intercesores para orar en todos los puntos cardinales de la nación. Una semana más tarde, Crónica, una revista noticiosa muy importante en Guatemala golpeó los puestos de periódicos con el siguiente encabezamiento:

La Derrota de Maximón
El fundamentalismo protestante altera la cultura del altiplano y convierte las religiones nativas en atracciones turísticas.[42]

El cuerpo del artículo, escrito por Mario Roberto Morales afirmaba que "el cristianismo, bajo la forma de los protestantes, ha forzado a Maximón a entregar su poder a Dios el Señor, y a renunciar a su influencia ideológica sobre el pueblo". Los seguidores de Maximón, que según los informes se han reducido a un simple puñado de individuos, deben "sobrevivir mediante las limosnas que reciben de los turistas extranjeros que quieren ver al ídolo y tomar fotografías". Al evaluar estos y otros desarrollos, Morales concluyó que "la iglesia evangélica...constituye muy claramente la más significativa fuerza para el cambio religioso en las tierras altas de Guatemala desde la conquista española".[43]

Lecciones del laberinto

A medida que hacemos una pausa para considerar estos relatos en el cierre de la obra, sobresalen de modo inmediato dos lecciones. A la primera la llamo *activismo determinado*. En cada uno de los casos que hemos visto en este capítulo, las personalidades principales resolvieron llevar a cabo sus objetivos frente a oposiciones muy fuertes, incluso de cristianos de buena voluntad. Cuando las cosas se pusieron difíciles para Robert Kayanja en Kampala, Uganda, sus propios padres se unieron a quienes le urgían a irse. "Dios quiere salvar a estas personas —le dijeron—, pero no quiere que mueras en el proceso. Es demasiado peligroso". Randy y Marcy MacMillan, durante sus veinte años de trabajo en la violenta ciudad de Cali, muchas veces oyeron la misma advertencia.

Otros avisos tuvieron que ver con percepciones acerca de la opresión espiritual, las actitudes sin respuesta y el territorio adecuado del ministerio. Cuando Thomas Muthee anunció que iba a iniciar una iglesia en Kiambu, sus colegas ministeriales sólo le pudieron preguntar: "¿Cómo lo vas a hacer?" Un pastor del área declaró con toda sencillez: "Predicamos, pero la gente aquí no se quiere salvar".

Muchas veces también he oído tales palabras. En el curso de los últimos años, tanto amigos como conocidos cristianos han intentado disuadirme de visitar diversos sitios de los que se mencionan en este libro. La opinión predominante entre estas personas parece ser que es muy poco sano —y en cambio es más que innecesario— que los creyentes se expongan a guaridas demoníacas peligrosas como las que hay en Dharamsala, Ontake y Paklom.

Pero si esto es así, ¿cómo explicamos la acción de Moisés cuando contiende con los magos en la corte de Faraón? ¿O por qué Elías desafió a todos los profetas de Baal en la cima del Monte Carmelo? ¿Y qué decir del propio Jesús cuando iba a ministrar a las casas de escribas y de publicanos? ¿Y Pablo no se detuvo para razonar con los epicúreos y los estoicos en el Areópago de Atenas? ¿Y no lo encontramos cuando predicaba a los devotos de Artemisa (o Diana) en Éfeso? ¿Y cuando todo eso se ha dicho y se ha hecho, hay algo de evidencia que muestre que estos hombres recibieron daños espirituales o que se hubiesen infectado o corrompido al participar en esos debates?

Para quienes insisten que nunca debería haber asistido a la ceremonia de medianoche en Paklom, sólo tengo una pregunta: ¿De qué manera habría ayudado este consejo al niño que se iba a convertir en el sacrificio secreto? Mientras el ministerio de rescate profundo tiene sus riesgos, es necesario y, como recompensas, produce grandes satisfacciones.

La segunda lección sobresaliente de los casos que hemos estudiado se relaciona con *el poder de la oración enfocada y unida*. En todos los cuatro relatos, los cambios de las comunidades tuvieron lugar cuando los intercesores se centraban en intereses específicos para la causa común. Los detalles se obtuvieron mediante cartografía espiritual paciente dirigida (y sostenida) a la clase de oración fervorosa que produce resultados (Santiago 5:16-18). Muchos de esos esfuerzos de grupo —el Muro de Lamentaciones en Kampala, la Cueva de Oración en Kiambu y las *Vigilias en Cali*— se sustentaron en sus propias identidades únicas.[44]

Pero inclusive más alentador es el hecho que campañas semejantes de oración se llevan a cabo ahora mismo, con resultados lo mismo de dramáticos en otras áreas del mundo. Por ejemplo, en los últimos meses he reunido detalles sobre brechas intercesoras en naciones como Nepal, Pakistán, y África del Sur. Aunque por razones de seguridad no es posible dar a conocer detalles, representan evidencia adicional que el pueblo de Dios toma con entera seriedad sus responsabilidades para desmantelar los campamentos del enemigo (Deuteronomio 12:1-4).

En tanto que los cristianos dan nombre a sus campañas de oración, los incrédulos también han decidido individualizar los resultados. En la provincia de Henan en China, por ejemplo, el crecimiento de la iglesia en los últimos años ha sido tan robusto, que las autoridades comunistas ahora se refieren a esa región como el Nido de Jesús. En Burkina Faso, nación de África Occidental, donde ochenta mil (80.000) mujeres dedicaron la totalidad de un día de cada semana para interceder, orar y ayunar, la aldea de Sigli ha visto tantas liberaciones de enfermedades mentales y de posesiones satánicas, que a la congregación local se le llama la "Iglesia del Pueblo de los Locos".

También se ha dicho que la historia, aunque a veces la hacen unos pocos actos de los grandes, con frecuencia resulta de las muchas acciones de los pequeños. En ninguna parte es esto más cierto que en el ámbito de la intercesión espiritual. Aunque a William Carey, C. S. Lewis, Billy Graham, y la Madre Teresa, siempre se les recordará por sus contribuciones únicas, inclusive estas luminarias no se pueden comparar con el resplandor colectivo de los incontables y fieles intercesores a través de los años. Sin sentir el más leve desánimo por su ausencia de fama, estos héroes anónimos al final se han acercado al trono de la gracia de Dios en cifras récord.

Su intrepidez y su valor para perseverar, de acuerdo con la Biblia, les hacen valiosos participantes de la Gran Liberación. Esto se produce porque a Dios no sólo lo estimula la fragancia que surge de sus oraciones acumuladas, sino que también lo cambian. Cada petición desprovista de egoísmo que Él inhala, viene a ser parte de Él mismo. Y a medida que las voluntades divina y humana confluyen, se libera el poder de Dios para desalojar los encantos que se originan en los más sombríos laberintos de la mente y del espíritu.[45]

[el Cordero] vino, y tomó el libro de la mano derecha del que estaba sentado en el trono. Cuando tomó el libro, los cuatro seres vivientes y los veinticuatro ancianos se postraron delante del Cordero; cada uno tenía un arpa y copas de oro llenas de incienso, que son las oraciones de los santos. Y cantaban un cántico nuevo, diciendo:

Digno eres de tomar el libro y de abrir sus sellos,
porque fuiste inmolado, y con tu sangre compraste
para Dios a gente de toda tribu, lengua, pueblo y
nación...

Cuando el Cordero abrió el séptimo sello, hubo silencio en el cielo como por media hora...Otro ángel vino y se paró ante el altar con un incensario de oro, y se le dio mucho incienso para que lo añadiera a las oraciones de todos los santos sobre el altar de oro que estaba delante del trono. Y de la mano del ángel subió ante Dios el humo del incienso con las oraciones de los santos. Y el ángel tomó el incensario, lo llenó con el fuego del altar y lo arrojó a la tierra, y hubo truenos, ruidos, relámpagos y un terremoto.

Apocalipsis 5:7-9; 8:1, 3-5, (B.d.l.A)

NOTAS

Prefacio: Reflexiones sobre un viaje

1. A los votantes les perturba particularmente la falta de candor, civilidad, creatividad y claridad.
2. Me intrigó descubrir, no hace mucho tiempo, que el "motto"" en el escudo de la familia Otis dice: *Es sabio quien observa.*
3. Las investigaciones en las bibliotecas, y más de mil entrevistas han producido una apreciable cantidad de notas de campo, libros, mapas, fotografías, transcripciones y estudios de casos.
4. Garth Henrichs, citado en *Reader's Digest*, "Citas Citables, julio 1994.
5. Roger C. Andersen, citado en *Reader's Digest*, "Citas Citables", junio 1996.

Capítulo 1: Encuentros con el mundo de la puerta siguiente

1. Douchan Gersi, *Faces in the Smoke* (Los Ángeles: Jeremy Tarcher, 1991), p. 92.
2. Los *orisha* también se pueden ver como fuerzas naturales personificadas, por ejemplo, en los truenos, el viento, el fuego.
3. En los días siguientes Dick y yo nos encontramos atraídos más y más de cerca a Raina —joven que, en la providencia de Dios, tuvo intervención en nuestros planes. Aunque no conocía a Dios como nosotros, era claramente un genuin buscador de la verdad. En los tres días posteriores, este hindú nos ayudaría de modos muy numerosos como para relatarlos, incluso un orgulloso paseo a su apartamento de una habitación donde nos sirvió refrigerios. Dentro de este austero cuarto, alquilado a una familia vecina, mis ojos se dirigieron a un cuadro colgado en la pared sobre la cama de Raina. En una inspección más detenida, en una escena pastoral se revelaron las siguientes palabras: "Busqué al Señor y lo encontré en el silencio y la tranquilidad de mi corazón".
4. Más tarde en el día, el agua, que supuestamente los ídolos (dioses) perciben como leche, se retiraba y luego se volvía a usar para el "almuerzo".
5. Para más detalles sobre este tema, véase el capítulo 5.

6. Las ofrendas budistas tibetanas se enfocan en los sentidos y casi siempre constan de una bufanda de tela fina (*khata*) para el tacto, alimentos como arroz o pasteles de centeno (*torma*) para el gusto, un mandala o icono para la vista, incienso para el olfato, una campana para el oído y una lámpara de mantequilla para la conciencia.

7. Los *mantras* son una cadena de sílabas o una sílaba que se cree sirven para concentrar energías específicas. Si se usan correctamente, pueden inducir la presencia de esas energías, que se visualizan usualmente como seres en forma humana. La repetición verbal de los mantras representa una parte integral de las prácticas religiosas tanto para el budismo como para el hinduismo.

8. John Avedon, *In Exile from the Land of the Snows*, citado por Ruth Inge-Heinz en *Shamans of the Twentieth Century* (New York: Irvington, 1991), p. 104.

9. El servicio oracular puede ser riguroso. Además de prepararse para cada ceremonia con varios días de ayuno y de meditaciones especiales, el *kuden* se adorna habitualmente con ocho capas de vestidos que pesan más de un centenar de libras —un atuendo muy curioso que incluye pantalones de brocado rojo, botas de cuero blanco que van hasta las rodillas y una chaqueta triangular.

10. Cuando el jovencito descubrió que no éramos adoradores, sino simples visitantes, pareció feliz de despojarse de sus pretensiones divinas y tomó las actitudes y las características de un niño normal de siete años. A no ser por un milagro, esto seguramente cambiará con el tiempo; y mientras Dick y yo regresábamos al sendero, le rogamos a Dios impedir que esta joven existencia fuera absorbida por el corazón de las tinieblas.

11. Durante esta emocionante campaña, que tuvo lugar en octubre 1993, entre 25 y 30 millones de intercesores en todo el globo, pidieron a Dios acabar con el poder y la influencia de las fortalezas satánicas, por medio de la oración a través de la Ventana 10/40, el corredor estratégico de almas no alcanzadas que se ubica entre las latitudes diez y cuarenta al norte del ecuador y que comprende las mayores fortalezas islámicas, hindúes y budistas de África del Norte y de Asia.

12. Como cristiano desde 1973, Stephen Hishey viene de una familia budista que pasó de la India a la región de Kumbum en el Tibet. Después de convertirse, estuvo diez años como pastor de una pequeña iglesia en el remoto valle de Ladakh en los Himalayas del norte de la India. Ahora tiene un ministerio radial que se llama Gawaylon y que alcanza las comunidades tibetanas en Nepal, Bután, India y China.

13. Además de conversar con Hishey en Mussoorie en octubre 19, 1993 le hice una entrevista de seguimiento en Lynnwood, Washington, en junio 6, 1994.

14. Wade Davis, *The Serpent and the Rainbow* (New York: Warner, 1985), pp. 213, 214.

15. Una variación de este tema se puede encontrar en el estado de Kerala en la costa de Malabar en la India. Aquí, como en Haití, se venera a la serpiente como dadora de vida y prodigadora de bendiciones. Pero las jóvenes adolescentes, en lugar de ofrecerse como cónyuges para la serpiente, piden a esta deidad matrimonios tempranos mientras ejecutan danzas en trance. Empapadas en aceite y sudor, las muchachas se mueven sensualmente al sonido de violines redondos que tocan los sacerdotes hindúes o *pullavans*.

16. Gersi, *Faces*, pp. 147-149.

17. Transformismo es la capacidad diabólicamente inspirada para tomar temporalmente la forma de otro objeto o criatura (casi siempre aves y otros animales). En tiempos primitivos esta práctica era común entre los chamanes siberianos y celtas. Hace poco, se ha documentado entre los lamas del Tibet, los tradicionalistas africanos, los chamanes nativos de Norteamérica, y los seguidores del Voudon en Haití. Para un interesante estudio de casos sobre la relación entre lechuzas, hechicería y transformistas, véase Gersi, *Faces*, pp. 194-196.

18. Algunos de los detalles de este relato se verificaron en una entrevista de seguimiento con la señora Gray Eyes, que en agosto de 1994, hicieron Robert Dayzie, Mike Hendricks y Betty Dologhan; y en junio de 1994 en una conversación telefónica con el evangelista navajo Herman Williams.

19. En tales casos es costumbre que las excretas personales —sobre todo cabello, uñas o heces— se entierren, como fetiches, cerca de sitios "peligrosos" a saber, tumbas o árboles sobre los que hayan caído rayos.

20. Richard Cavendish, *The Powers of Evil* (New York: Dorset, 1975), pp. 95, 105. Véase también J.C. Cooper, *An Illustrated Encyclopedia of Traditional Symbols* (London: Thames & Hudson, 1978) pp. 124.

21. Las complejas ceremonias de sanidad entre los indios navajos reciben el nombre de Caminos de Cánticos. Algunas de estas ceremonias pueden durar hasta más de diez días e implican el dominio de centenares de himnos (cantos), yerbas medicinales y pinturas de arena.

22. La esposa de Pete tuvo un sueño por esta época donde un ser brillante, quizás un ángel, retiró algunas joyas tradicionales de su cuello, y luego procedió a sanar su cuerpo.

23. Jake Page, *"Return of the Kachinas", Science* 83, Vol. 4, No. 2, marzo 1983.

24. Conocidos por los indios hopis como páhos, los bastones de oración o plumas de oración (habitualmente de águilas) tienen sus raíces en mitología muy antigua y se usaban para llevar las oraciones de los hopis a su Creador. Cada páho se hace en concentraciones de oración y luego se cubren ritualmente con humo. Una vez completo el páho se lleva a un santuario (con frecuencia una formación natural), donde se mete en una hendidura de las rocas o se cuelga de un arbusto. Los hopis creen, que con el tiempo, las vibraciones invisibles de la oración se encarnan y serán absorbidas por las fuerzas a las que se dedicaron.

25. Los vigilantes en el Parque Nacional de los Volcanes en Hawaii cuentan relatos semejantes. Todos los días en el correo llegan encomiendas con objetos robados, por ejemplo, pedacitos de lava que los visitantes se llevaron como recuerdos. Incluyen notas donde cuentan las plagas que han atacado sus vidas por haber cogido las rocas, y piden a los vigilantes devolver esos objetos a su propietaria correcta, Pele la diosa del fuego. Véase Moana Tregaskis, "*The Magic of Hawaii*", revista *Hemispheres*, mayo 1993, p. 67.

26. Inmediatamente después de este incidente, la familia Goombi dio pasos para limpiar su hogar de todo objeto o conducta que les hubiera podido hacer vulnerables a los ataques satánicos. Como consecuencia, ninguno de los problemas previos volvió a aparecer. Los detalles de este relato se derivaron de una entrevista hecha en abril de 1992 en Albuquerque en el hogar de Wendell Tsoodle (el primer curandero que mencioné en la sección anterior y que me advirtió contra los bastones de viaje) y varias conversaciones telefónicas de seguimiento al finalizar noviembre de 1994.

    Nota: Al examinar el papel de los manojos de medicina dentro de la cultura de los indios del Castor en el suroeste del Canadá, el etnógrafo Robin Ridington observa: "Muchos de mi misma edad me dijeron que cuando eran niños jugaron y tontearon con el manojo de cualquier pariente y recibieron sustos terribles porque en el manojo había cosas que se movían —estaban vivas". Véase Robin Ridington, "Beaver Dreaming and Singing" in "Pilot Not Commander: Essays in Memory of Diamond Jenness", Pat y Jim Lotz, eds., *Anthropologia,* Special Issue, Nos. 1 y 2 (1971) pp. 115-128.

27. En ciertas partes de África Occidental, el "gizzi penny", delgada varilla de hierro más o menos de la longitud de un brazo, se usó como dinero hasta la década de 1930. Si el "penny" se dañaba, se creía que había perdido su alma. Para restaurar su valor, eran necesarios los servicios de un médico brujo que ritualmente hacía "reencarnar" el dinero. Véase *Did You Know?* (New York Reader's Digest Association, 1990), p. 271.

28. Estos concilios de fetiches tuvieron lugar alrededor del solsticio de invierno o en el Año Nuevo Nacional. Véase Frank Cushing, *Zuni Fetishes* (Las Vegas: K. C. Publication, 1893, 1990), pp. 32-33.

29. Tibor Bodrogi, "New Ireland Art in Cultural Context", in Louise Lincoln, et al., *Assemblage of Spirits: Idea and Image in New Ireland* (New York: Minneapolis Institute of Arts y George Braziller, 1987), p. 26.

30. Los indonesios además creen que para que la daga o kris mantenga su potencia, se debe limpiar ritualmente en el Año Nuevo de Java. Al agua pura se le agregan unas gotas de jugo de lima y un poquito de gaseosa para sumergir la hoja durante tres días con sus noches. Luego, se la trata con aceite perfumado, y se le quema incienso mientras se canta un mantra para invocar al artesano que la hizo. Véase Keith Loveard, "Journey through Magic", *Asiaweek*, junio 9, 1993, p. 43.

31. Según una entrevista del 6 de agosto de 1992, hecha en la casa del Dr. Tanaka en Nagoya, Japón.

32. En un informe sobre las experiencias paranormales en Mongolia, el antropólogo cristiano David Lewis se refiere a objetos robados de los montones de piedras, conocidos como *oboo* y que se asocian tradicionalmente con el chamanismo. Uno de sus informantes dijo: "Un hombre tomó piedras de un *oboo* para usarlas en una construcción. En poco tiempo murió. Dos o tres años más tarde otro hombre tomó algunas piedras. También murió". Véase David Lewis, *"Dreams and Paranormal Experiences among Contemporary Mongolians"*, *Journal of the Anglo-Mongolian Society,* Vol. 13, Nos. 1 y 2, 1991.

33. Más tarde verifiqué este relato con el Dr. Krippner durante una entrevista de mayo 1992 en el *Saybrook Institute* de San Francisco.

34. Mickey Hart, *Drumming at the Edge of Magic* (San Francisco: Harper San Francisco, 1990), pp. 179-181.

35. Dan Greenburg. *"Confessions of a Nonbeliever" Newsweek,* junio 7, 1976, p. 13.

36. Harold Owen, *Journey from Obscurity,* Vol. 1, p. 50, citado por Richard Cavendish in The Powers of Evil.

37. Una encuesta etnológica identificó posesión de alguna forma entre 360 de 488 culturas alrededor del mundo (véase Davis, Serpent, p. 215). Infortunadamente, los antropólogos concluyen sus trabajos con sus exámenes, sin dar explicaciones.

38. Loveard, "Journey", p. 41.

39. Durante el trabajo de localización en Haití relacionado con los alojamientos de los misteriosos Hombres Voladores, Gersi Douchan informa que "algo influyó la operación de las baterías e interfirió con el proceso fotográfico normal" —lo mismo que había sucedido antes cuando procuró registrar en una película los fenómenos de levitación (*Faces*, pp. 181-182).

Capítulo 2: Navegando en el laberinto

1. Una cosa es resolver un laberinto en un diagrama y otra resolverlo cuando se está dentro de la red de pasajes. En el interior de un laberinto verdadero de setos vivos o de albañilería, es difícil elaborar un mapa mental. En la cartografía de los laberintos, un nodo es una bifurcación —un punto donde las vías se encuentran y es necesario tomar una decisión. El segmento de vía entre dos nodos recibe el nombre de rama. La dificultad de un laberinto tiene mucho que ver con el número de ramas que se originan a partir de todos los nodos. Cuando a cada nodo se le permite solamente una rama, la única disposición posible consiste de una red de pasajes con un único curso —un laberinto que no es rompecabezas y que tiene una vía sencilla, sin ramificaciones desde el comienzo hasta el fin. Aquí no es posible dar una vuelta errada. Los laberintos medievales como la Catedral de Chartres eran de este tipo. Sus vías retorcidas pero sin ramificaciones con frecuencia

llevaban a un árbol o a un santuario. Véase William Poundstone, *Laby-rinths of Reason* (New York: Doubleday, 1988), pp. 164-165.

2. De hecho esta leyenda puede tener algunas bases. Las monedas de la antigua Creta no solamente muestran lo que parece ser un laberinto arquitectónico sino que además la religión en Minos incluía el culto al toro.

3. Elinor Gadon, *The Once and Future Goddess* (San Francisco: Harper & Row, 1989), pp. 62, 65.

4. Estas fantasías, que son espectáculos culturales coloridos incluyen cánticos y danzas autóctonas, platos de la cocina local y cargas dramáticas de caballos y camellos.

5. Véase George Otis Jr; *The Last of the Giants* (Grand Rapids: Chosen, 1991), pp. 86-87.

6. Cavendish, *Powers*, p. 39.

7. Gary Kinnaman, *Angels Dark and Light* (Ann Arbor: Vine, 1994), p. 149. Nota: en un incidente semejante en 1977, el misionero estadounidense Brad Long y su esposa, Laura, estaban en la casa de unos amigos ricos en Seoul, Corea. A pesar de la comodidad del sitio, los Long percibieron una opresión subyacente. En su libro *The Collapse of the Brass Heaven* (Grand Rapids: Chosen, 1994), Long agrega que a medida que él y Laura oraban en esta atmósfera de "hostilidad misteriosa", se sintieron repentinamente asaltados por una "ola invisible de inmundicia".

8. Aunque algunos cristianos desdeñan hablar de las explicaciones espirituales subyacentes como abiertamente simplistas, sus argumentos me tocan como si fueran de doble filo. Si aceptamos que la última tela de la realidad es espiritual, ¿no es por lo menos igualmente simplista confinar nuestra búsqueda para la comprensión a los ámbitos de la sociología, la política y la economía?

9. Francis Schaeffer, *Genesis in Space and Time* (Downers Grove: InterVarsity, 1972), pp. 76-77.

10. C.S. Lewis, *Miracles* (New York: Macmillan, 1947), p. 42.

11. Andrew Delbanco destaca en The Death of Satan (New York: Farrar, Straus and Giroux, 1995) que el diablo perdió su significancia y credibilidad cuando los teólogos comenzaron a "acomodarse ante los requisitos de un racionalismo emergente que en definitiva no le dejó sitio a él". Con esta pérdida de credibilidad, "la creencia en espíritus encarnados se redujo a una superstición" (pp. 57-58, 68).

12. Charles H. *Kraft, Christianity with Power* (Ann Arbor: Vine, 1989), pp. 20-21.

13. Lo opuesto de habituación es sensibilización, donde el sistema nervioso de una criatura viene a ser más receptivo a un estímulo. Véase George Johnson, *In The Palaces of Memory* (New York: Vintage, 1992), p. 24.

14. Walter Wink, "Demons and DMins: The Church's Response to the Demonic" in *Review & Expositor*, The Faculty Journal of the Southern Baptist Theological Seminary, Vol. 89, No. 4, Otoño 1992, p. 503.

15. Lewis, *Miracles*, pp. 138-139.

16. John MacArthur Jr., *Charismatic Chaos* (Grand Rapids: Zondervan, 1992), p. 132.

    Nota: La declaración de MacArthur que "quienes reclaman prodigios hoy no son capaces de sustentar sus peticiones" es digna de examen. De hecho se ha reunido mucha documentación de milagros en un gran número de ejemplos (donde se incluyen casos desarrollados por la Christian Broadcasting Network, El Sentinel Group y varias denominaciones) que es parte del registro público. Es infortunado que MacArthur descuidó explorar estos recursos antes de ir a la imprenta con sus generalizaciones. Es todavía más desalentadora su falta aparente de trabajo de campo internacional. Si hubiera dedicado más tiempo a la investigación personal en la vanguardia de la evangelización del mundo en los últimos años —incluyendo los desarrollos en China, Algeria, Nepal, Indonesia, Nigeria y Argentina— es dudoso que hubiera alcanzado conclusiones tan extremas y tan patentemente incorrectas.

17. MacArthur pp. 159, 143.

    Nota: En la revista *Christianity Today* el ministro presbiteriano Robert Patterson describió la "falla principal" del libro de MacArthur como su actitud: "al reclamar ver estas cosas con tanta claridad —por así decir, en blanco y negro— MacArthur cae en el juego mental restauracionista, identificado por el historiador Mark Noll como 'sobre confianza intelectual, alucinación sectaria, y una confianza brutal y estúpidamente ingenua en el poder de los seres humanos para extraerse de las influencias de la historia'". Quizá la consecuencia más infortunada del escepticismo sin verificación sobre milagros, consiste en el hecho que lleva inevitablemente al aislacionismo. Adondequiera que el escéptico mire, encuentra que los demás están algo teñidos con error, de manera que los esfuerzos cooperativos son todos demasiados raros.

18. Paul Thigpen, "Did the Power of the Spirit Ever Leave the Church?" Charisma, septiembre 1992, p. 22.

19. Winkie Pratney, *Healing the Land* (Grand Rapids: Chosen, 1993), p. 35.

20. Michael Green, *Exposing the Prince of Darkness* (Ann Arbor: Vine, 1991), p. 248.

21. Ibid., pp. 93-95.

22. René Padilla, *The New Face of Evangelicalism* (Downers Grove, Ill.: InterVarsity, 1976), p. 212.

23. Wink, "Demons and DMins", p. 504.

24. Paul G. Hiebert, "The Flaw of the Excluded Middle" (Deerfield, Ill.: *Trinity Evangelical Divinity School*, 1982).

25. Véase Jack Finegan, *Myth and Mystery* (Grand Rapids: Baker, 1989), pp. 58-59, 64.

26. Véase Hechos 17:16-18; 13:6-8; 16-16; 19:23-34.

27. Véase Hechos 20:9-12; 13:8-12; 14:3; 19:11.

28. Véanse 1 Reyes 18; Hechos 8; Ezequiel 10.

29. Green, *Exposing*, p. 81.

30. Ibid., pp. 82-83, 13.

31. Kraft, *Christianity*, p. 32.

32. Philip Slater, *The Wayward Gate*, citado in *Science Digest*, "Science vs. Supernatural: Bridges to a New Domain?" abril 1978, pp. 83-84.

33. Ibid., p. 86. Lyle Watson señala, por ejemplo, que mientras el espectro electromagnético entero tiene sus rangos en longitud de onda desde un billonésimo de centímetro hasta millones de millas, sólo una diminuta fracción —entre 380 y 760 billonésimas de metro es visible para nosotros, mientras muchas otras formas de energía no son visibles en absoluto.

34. Tan sólo tres y media de estas dimensiones nos son accesibles. Como Brooks Alexander indica: "La flecha del tiempo se mueve únicamente hacia delante: no tiene reversa".

35. Mientras que las teorías sobre el hiperespacio se hacen crecientemente populares (generaron más de cinco mil contribuciones científicas y más de trescientas conferencias entre 1984 y 1994), aún no se pueden probar con los instrumentos actuales ni tampoco las matemáticas las pueden definir por completo. Cuando los críticos acusan a la ciencia en campos donde hay tan pocas posibilidades de prueba, se acercan peligrosamente a la religión, admite Kaku, "estamos en territorio de ellos". Véase Bill Dietrich, "How to Travel en Hyperspace", *Seattle Times*, abril 5, 1994.

36. Brooks Alexander, "Machines Made of Shadows", SCP Journal, 17:1-2, 1992, p. 12. (Para todo el artículo ver, pp. 4-15).

37. Edwin Abbott, *Flatland* (New York: HarperCollins) [1884], 1994).

38. Alexander, "Machines", p. 13. También, conversación en las oficinas del proyecto Spiritual Counterfeits en Berkeley, California, mayo 1, 1992.

39. Si, según como cree Alexander, esta última opción incluye visualizar la psicología interior de los seres de las dimensiones inferiores, las implicaciones para los intentos de los cristianos en comprometerse con la batalla espiritual, son enormes. Como aparentemente se sugiere en Hechos 19:13-16, los demonios son capaces de discernir si quienes les resisten poseen una cualidad de corazón que ha de atraer la atención de Dios.

40. En 1911 el físico británico Ernest Rutherford descubrió que la estructura del átomo no era sólida en absoluto. En cambio, era como un sistema solar cerrado y en miniatura —un núcleo central al que rodean electrones en órbita cuyas velocidades y trayectorias erráticas daban la apariencia de una cubierta exterior. Entre el núcleo y los electrones hay una región de

espacio casi vacío. Así nació la teoría atómica. Pocos años después del descubrimiento de Rutherford, el físico danés Niels Bohr comenzó a escrutar las órbitas desconocidas del electrón. Al principio hubo la impresión que todo estaba resuelto de una vez. Sin embargo, después de un examen más atento, Bohr comenzó a observar con admiración que esas diminutas partículas cargadas saltaban de una órbita a la otra *sin atravesar el espacio que había entre ellas*. Así nació una de las más potentes e interesantes disciplinas en el campo de la física moderna: la teoría cuántica. Su premisa, enunciada sencillamente, consiste en que las partículas subatómicas son capaces, bajo ciertas condiciones, de cambiar instantáneamente de masa a energía.

Para el cristiano creyente de la Biblia, las implicaciones de esta teoría son significativas. Si la estructura del universo es, en su nivel más básico, ampliamente hueco y exento de las reglas normales de causa-efecto, entonces los "milagros" vienen a ser mucho más plausibles. Cuando la post-resurrección de Jesucristo asombró a sus discípulos, al aparecer repentinamente en habitaciones cerradas (Juan 20:19, 26), pensaron que veían un fantasma (Lucas 24:36-39). De hecho, en este caso no era que el Señor fuese etéreo, sino que lo eran las paredes.

41. David Freedman, *Brainmakers* (New York: Simon & Schuster, 1994), pp. 185-186.

42. Poundstone, *Labyrinths*, p. 188.

43. Slater, *Science Digest*, pp. 86-87.

44. Abbott, *Flatland,* introducción, p. ix.

45. William Irwin Thompson, *Evil and World Order* (New York: Harper Colophon, 1976), p. 81.

46. Cathy Johnson, *On Becoming Lost: A Naturalist's Search for Meaning*, citado en Reader's Digest, "Points to Ponder", julio 1994.

47. Poundstone, *Labyrinths*, p. 171.

48. Hilary Putnam, *Mind, Language and Reality* (New York: Cambridge University Press, 1975). Citado en Poundstone, *Labyrinths*, p. 51.
Nota: El Talmud, por su parte, ofrece las siguientes instrucciones: "Si usted quiere descubrir demonios, tome cenizas que se hayan cernido y distribúyalas alrededor de su cama, y en la mañana notará algo así como las huellas de un gallo. Si quiere ver los demonios, tome las secundinas (la placenta) de una gata negra, que sea del primogénito de un primogénito, póngalas a tostar al fuego, conviértalas en polvo y luego aplíquese algo de ese polvo en uno de los ojos..." (The Talmud, Berachot 6a).

49. Poundstone, *Labyrinths*, p. 53.

50. Posteriores investigaciones con frecuencia indican la verdad —aunque no siempre dentro de los marcos de tiempo más deseables. Por ejemplo, en 582, A.D., llovió "sangre" en París. El populacho aterrorizado vio esto como una señal del cielo y respondió castigándose ante Dios como señal de arrepentimiento. La verdadera causa de este extraño suceso consistió en

que a veces el siroco (viento que sopla desde el Sahara a través del Mediterráneo y llega a Europa), estaba cargado con una fina red de polvo del interior del desierto, que coloreó la lluvia sobre París. Véase *Did You Know?*, p.68.

51. Green, Exposing, pp. 83-84.

Capítulo 3: Las caras del dragón

1. *Did You Know?*, p.169.
2. H. W. F. Saggs, *The Greatness that Was Babylon* (London: Sidgwick & Jackson, 1988), p. 265.
3. Jeffrey Burton Russell, *The Prince of Darkness* (Ithaca: Cornell University Press, 1988), pp. 111-112.

   Nota: El profesor Russell también llama la atención a los interesantes vínculos históricos entre Satanás y Santa Claus —conexión que algunos líderes cristianos recientemente han pretendido disminuir. Desde el punto estándar del folclor europeo, anota Russell: "El diablo vive en el lejano norte y conduce renos; lleva un vestido rojo de pieles; se baja por las chimeneas con el disfraz de Black Jack o el Hombre Negro cubierto de hollín; como Pedro El Negro lleva un saco grande donde deposita a los pecados o a los pecadores (incluso a los niños tontos y necios); lleva un palo o bastón para castigar a los culpables (ahora simplemente lleva bastones de dulce); vuela a través del aire con la ayuda de animales extraños; para él se le dejan comida y vino como para sobornarlo y asegurar sus favores. El apodo de "Viejo Nick" se deriva directamente de San Nicolás. Nicolás con frecuencia se asociaba con los cultos de fertilidad, de ahí las frutas nueces y pasteles de frutas, sus regalos característicos" (p. 114). Véase el capítulo 6 para una conexión posible entre el chamanismo siberiano y "A Visit from St. Nicholas" de Clement Moore.

4. Wink, "Demons and DMins", p. 503.
5. Citado en Kenneth Woodward y Davis Gates, "Giving the Devil His Due", *Newsweek*, agosto 30, 1982, p. 72.
6. Andrew Greeley "The Devil, You Say", *New York Times Magazine, febrero* 4, 1973, p. 11.
7. Woodward y Gates, "Giving the Devil", pp. 72-73.
8. Elizabeth Peer, "Speak of the Devil", *Newsweek*, febrero 11, 1974, p. 62.
9. Wink, "Demons and DMins", p. 504.
10. Cavendish, *Powers,* p. 194.
11. En el segundo apéndice de su libro *The Prince of Darkness*, Jeffrey Burton Russell da una lista de 106 pasajes en el Nuevo Testamento donde aparecen ya sean los nombres del diablo o referencias generales sobre él.
12. Greeley, "The Devil", p. 11.

13. Cavendish, *Powers,* pp. 198-199; Russell, *Prince,* p. 172. Véase también la revista *Christian History,* edición especial 34 (Vol. 11, No. 21), p. 50.

14. Curiosamente, las linternas de luciérnagas o "cocuyos" contienen oxígeno y una sustancia que se llama luciferina. La reacción química entre los dos produce luz. La enzima luciferasa ayuda a acelerar el proceso que, a su turno, intensifica la luz. Véase *Did You Know?,* p. 29.

15. Como anota Gary Kinnaman en *Angels Dark and Light,* cuando en la Biblia aparecen ángeles, el resplandor o luminosidad es el rasgo que se menciona con mayor frecuencia. Ver Mateo 28:2-4; Lucas 24:1-4; Hebreos 1:7; Apocalipsis 10:1; 18:1.

16. Aunque se pretendió que Satanás originalmente fuese el portador de la luz en la tierra, al final el Señor Jesús toma el papel de Estrella de la Mañana, el que trae la luz (2 Pedro 1:19; Apocalipsis 22:16).

17. Juan 12:31; 14:30; 16:11.

18. Schaeffer, *Genesis,* p. 62. "Esto no se puede relacionar con nada que la Biblia diga explícitamente —declaró Schaeffer—, pero tampoco lo excluye como una posibilidad".

19. Cavendish informa en *The Powers of Evil* (p. 187) que muchos de los rabinos judíos identificaron a Satanás con Sammael, el ángel de la muerte. Este gran ángel, el más alto de todos los guardianes del trono divino, estaba celoso de Adán.

20. Los aspectos multidimensionales del Edén, por ejemplo, se examinan en el capítulo 4.

21. Los mandeos, según los describe el profesor Jack Finegan, arqueólogo retirado, son "un remanente disminuido de una cultura antigua que los árabes de las marismas desplazaron extensamente en el sur de Mesopotamia". Ver Finegan, *Myth and Mystery,* pp. 286, 74, 259-263.

22. Tom Cowan, *Fire in the Head* (San Francisco: Harper Collins, 1993), pp. 185-186.
Nota: En vista de esta unión, real o percibida, entre los seres espirituales y la luz, no es de sorprender que las asociaciones británicas ocultistas (asamblea o convención de brujos) hayan adaptado nombres como Siervos de la Luz, la Espada Resplandeciente, y Sociedad de la Luz Interior. Véase T. M. Luhrman, *Persuasions of the Witch's Craft* (Cambridge, Mass.: Harvard University Press, 1991), p. 226.

23. Cuando los seres mismos (probablemente querubines) se mueven, el profeta Ezequiel observa fuego, o algo semejante, que oscila entre ellos (Ezequiel 1:4-14; 10:6-22).

24. Ciertamente aquí hay limitaciones para los demonios. Así como al hombre caído se le privó de muchos de sus dones y cualidades originales que tenía en el Edén, es muy probable que, de modo semejante, a los ángeles rebeldes se les disminuyeran muchas de sus propiedades a partir de su

expulsión del cielo. Inclusive, si los cambios intrínsecos fuesen menores, todavía queda el hecho devastador que ya no tenían más el respaldo de la autoridad y los recursos de Dios.

25. Véase Russell, *Prince*, pp. 264-266.

26. Michael Harner, *The Way of the Shaman* (New York: Bantam, 1980, p. 9).

27. La antigüedad de la imagen de las serpientes aladas se demuestra por las primitivas características chinas para el reptil —una característica cuyos elementos constan de un cuerpo en pie, semejante al de una serpiente y al que se le sobreponen plumas o alas. Sabemos que la serpiente fue condenada en el tiempo de la maldición edénica a arrastrarse durante toda su vida. Antes de esto presumiblemente estaba erguida. Véase C.H. Kang y Ethel Nelson, *The Discovery of Genesis* (St. Louis: Concordia, 1979), p. 61.

28. Véase Stephan Beyer, *Magic and Ritual in Tibet* (Delhi: Motilal Banarsidas, 1988), p. 45, y Philip Rawson, Sacred Tibet (London: Thames & Hudson, 1991), p. 8.

29. Las asociaciones o características del dragón-serpiente son, de hecho, numerosas. Entre las más notables: 1) joyas y piedras preciosas; 2) caos y obscuridad; 3) la atmósfera, tiempo y tormentas; 4) las diosas, sexo y poder creativo; 5) liderazgo y poder; 6) mente e imaginación; 7) monstruos que devoran y muerte.

30. Francis Huxley, *The Dragon* (London: Thames & Hudson, 1979), pp. 61, 8.

31. Ibid., pp. 9, 32, 66.

32. Per Kvaerne, *Tibet Bon Religion* (Leiden: Institute of Religious Iconography, State University Groningen, 1985), p. 18.

33. Tomado de "Comentario sobre el hexagrama ch'ien", *Book of Changes*, R. Wilhelm, trad. Véase Huxley, *Dragon*, p.54.

34. Carmen Blacker, *The Catalpa Bow* (London: Unwin Hyman, 1989), pp. 169-170.

35. Huxley *Dragon*, pp. 34-35.

36. Stephen Bertman, *Doorways through Time* (Los Ángeles: Jeremy Tarcher, 1986), pp. 195-203.

37. M. Oldfield Howey, "The Serpent as Amulet and Charm", *Treasury of Snake Lore*, Brandt Aymar, ed. (New York: Greenberg, 1956), p. 50.

38. Huxley *Dragon*, pp. 8.

39. Gadon, *Goddess*, pp. 62-65.

40. Por todas partes en el Pacífico del Sur, es posible encontrar divinidades serpentinas, como Agunua, el dios serpiente primario de las Islas Salomón; Ndengei, el dios serpiente de Fiji con carne como de piedra; o la diosa serpiente Koevasi de Melanesia.

41. Aunque algunos Nagas de la India Oriental también dicen que se han originado de serpientes, la diseminación tan rápida del cristianismo por toda esta área ha servido para reducir enormemente esta identificación.

42. La antigüedad de la devoción hindú a la serpiente se confirma con una deidad que es una serpiente de diez pies (3.0 m), con una capucha de siete cobras excavada en una roca en Mahabalipuram hace trece siglos.

43. Harry Miller, "The Cobra, India's 'Good Snake'"?, *National Geographic*, Vol. 138, No. 3, septiembre 1970, pp.393-408.

44. E. Osborn Martin, *The Gods of India* (Delhi: Indological Book House, 1988), pp. 258-260.

45. De acuerdo con la leyenda de los indios hopi, la danza de la serpiente comenzó cuando un joven procuró encontrar el origen de todas las aguas al seguir el río Colorado hasta su fuente. A lo largo del camino, se dice, fue iniciado en el Clan de la Serpiente por la Gran Serpiente misma. Ver *The Spirit World* (Alexandria, Va.: Time-Life, 1992), p. 50.

46. En la creencia tántrica tanto del hinduismo como del budismo, *Kundalini* es una serpiente de energía que yace adormecida en la base de la columna vertebral, y que se puede despertar mediante el yoga y otras prácticas. (Carmen Blacker recomienda el libro *Kundalini* de Gopi Krishman para una descripción vívida y horripilante acerca del resurgimiento que tiene el "poder de la serpiente").

47. Frank Waters, *The Book of the Hopi* (New York: Penguin, 1977), pp. 218-230. Nota: Muchos indios hopis creen firmemente que los antecesores de su Clan de la Serpiente edificaron el famoso Serpent Mound cerca de Louden, Ohio, para honrar a Tókchi'i, la serpiente guardiana del Oriente. Una construcción de cinco pies de alto (1.5 m), veinte pies de ancho (6.0 m) y casi un cuarto de milla (400 m) de longitud, representa a una serpiente cuyo cuerpo se extiende en siete curvas profundas. Dentro de sus mandíbulas abiertas hay un gran promontorio oval que comúnmente se equipara con un huevo que la serpiente va a devorar.

48. Los ofitas formaron una secta gnóstica que floreció en el siglo segundo de esta era por todo el Imperio Romano. De acuerdo con su teología esotérica, la serpiente no sólo era un conducto para la revelación espiritual, sino que era la revelación misma.

49. Huxley, *Dragon,* pp. 91-94.

50. Ptolemy Tompkins, *This Tree Grows Out of Hell* (San Francisco: Harper San Francisco, 1990), p. 65.

51. Russell, Prince, p. 11; Huxley, *Dragón,* pp. 66, 6.

52. Otras referencias a Leviatán incluyen Job 41:1, Salmo 74:14 y Salmo 104:26. Nota: Rahab, un término del caos que significa "tumulto", "violencia" o "desafío", con frecuencia se usa en la Escritura como un nombre simbólico para Egipto (Salmo 87:4; 89:10; Isaías 51:9).

53. Huxley, *Dragon,* p. 6.

54. Russell, *Prince,* p. 11.

55. William Shakespeare, *Macbeth,* Acto IV, Escena I, líneas 12, 16.

56. Bodrogi, "New Ireland Art", p. 16.

57. Patrick Tierney, *The Highest Altar* (New York: Viking, 1989), p. 187. En el lado luminoso, por lo menos este hombre no vivió en la antigua Mesoamérica. Allí los aztecas esculpieron en piedra aretes en forma de serpientes de cascabel cuyas mandíbulas encerraban toda la cabeza del hombre.

58. Huxley, *Dragon*, p. 42.

59. Ronald Siegel, *Fire on the Brain* (New York: Plume, 1992), p. 141.

60. Estas clases de espíritus se piensa que viven en las profundidades de las hondonadas y en el interior de las cuevas, y se conocen como *Kel es Souf*. Ver Gersi, *Faces*, pp. 26-27.

61. Cavendish, *Powers,* p. 230.

62. Véase Russell, *Prince*, p. 17.

63. La locura divina es una condición de la pseudoiluminación que se alcanza por medio de una especie de chamanismo postmoderno que se conoce como Magia del Caos. De acuerdo con el escritor Siobhán Houston, esta "forma de ocultismo atrae considerable atención en el momento dentro de las comunidades mágicas americanas y europeas". Muchos practicantes la llevan a cabo en los papeles de juegos como Calabozos y Dragones. El caos se enfatiza repetidamente como el prerrequisito principal para el poder y la iluminación. Los valores y las órdenes personales quedan aplastados al sumirse en el vacío oscuro o al crearse o revelarse en una anarquía psicológica. Los demonios son indispensables para este proceso. Como dice Crowley: "Sólo tiene uno que pararse a su nivel y fraternizar con ellos". Véanse Aleister Crowley, *Magick*, J. Symonds y K. Grants, eds. (London: Routledge & Kegan Paul [1929] 1973), pp. 264n, 297; Siobhán Houston, "Magic: A Peek into the Irreverent and Anarchic Recasting of the Magical Tradition", *Gnosis Magazine*, No. 36, verano 1995, pp. 55-59; Luhrman, *Persuasions*, pp. 92-99.

64. El mismo nombre se le dio a Cernunnos el dios celta con cuernos.

65. Cavendish, *Powers,* pp. 171-174.

66. A veces se deletrea Hadad.

67. 1 Reyes 15:18 y Zacarías 12:11. Ver Saggs, *Greatness*, pp. 282-283, 288.

68. Información adicional sobre las manipulaciones del diablo a los elementos de la naturaleza se encuentra en el capítulo 7, en la subsección "Los gobernadores del mundo de las tinieblas..."

69. De una entrevista en la red Fox "Sightings" programa emitido en noviembre 18, 1994.

70. El término griego, Tartarus (Tártaro) es esencialmente una reduplicación de Tar, el nombre egipcio para el dios del submundo.

71. La dimensión que se menciona en Efesios 3:10 y 6:12 es: *en tois epouranois* (âv-ôôéó-å'oôñávoéó), —frase griega que Edgardo Silvoso señala que significa "en el plano del espíritu" o también "en el ámbito espiritual". Además, se puede ver Michael Green, *Exposing*, pp. 83-84.

72. Russell, *Prince,* p. 274-276.

73. Greeley, "The Devil", p. 13.

74. Ver Thompson, *Evil,* p. 84.

75. Russell, *Prince,* p. 275.

76. Ibid., pp. 274-276.

77. Peter Kreeft, *Angels and Demons* (San Francisco: Ignatius, 1995), pp. 112-113.

78. Green, *Exposing,* p. 46.

Nota: En *Exposing the Prince of Darkness*, Green agrega este punto importante: "...A pesar de la diversidad en nomenclatura, el cuadro general es el mismo a través de toda la Biblia; una variedad de fuerzas del mal bajo una cabeza unificada. Sería una necedad tratar de separar los principados y las potestades de las cartas paulinas como algo aparte de los demonios (espíritus) en los Evangelios" (p. 82).

Capítulo 4: Misterios antiguos

1. Como un estudioso lo ha dicho: "No tengo ninguna curiosidad por saber cuán lerdos y torpes han sido los hombres en la aurora de las artes o en su final". Citado por Colin Renfrew in *Archaeology and Language* (New York: Cambridge University Press, 1987), p. 287.

2. Citado por Daniel Boorstin en *The Discoverers* (New York: Vintage, 1983), p. 611 (Ver también p. 612).

3. La creencia sobre un jardín en el paraíso se comparte con otras tradiciones. La literatura hindú celebra los jardines gloriosos, que abrazan las montañas de Meru, en tanto que el Islam reconoce no solamente uno sino cuatro jardines paradisíacos. Véase David Adams Leeming, *The World of the Myth* (New York: Oxford University Press, 1990), p. 290; Cooper, *Traditional Symbols*, p. 72.

4. Al citar la profecía redentora que aparece en el Salmo 68:18, Pablo pregunta: "Y eso de que subió, ¿qué es, sino que también había descendido primero a las partes más bajas de la tierra?"

5. Compárese con Ezequiel 1:14.

6. Otras referencias incluyen el Salmo 48:2 donde al Monte Sion se le compara con "las máximas alturas de Zafón" (una eminencia sagrada en el "lejano norte"), e Isaías 2:2-3, donde durante el reinado milenial de Cristo, "el monte de la casa de Dios" viene a la tierra como la Nueva Jerusalén.

7. Que a Satanás se le permite participar indica no sólo su estado de altura ante Dios, sino el hecho que se trata de una corte abierta —un foro donde inclusive al archivillano celestial en el monte de la asamblea se le deja expresar sus pensamientos y lanzar sus acusaciones.

8. Kinnaman, *Angels*, pp. 126-127.

9. Creencias semejantes rodeaban a la deidad ugarítica El, que presidía una asamblea de los dioses en una montaña cósmica en el norte; y a los siete videntes divinos guiados por Vasishtha a quien el *Mahabharata* coloca sobre

el Monte Meru. A la luz de la frecuencia con que se comparten estas imágenes, no es difícil preguntarse si se basan en memorias verdaderas de contactos humanos con el monte de Dios. (Que, desde luego, no habrían sido recuerdos personales sino un recuerdo colectivo que pasó de generación a generación en las tradiciones orales). Ver Geoffrey Ashe, *Dawn Behind the Dawn* (New York: Henry Holt, 1992), p. 32. Ver también Mircea Eliade, *Shamanism: Archaic Techniques of Ecstasy* (Princeton: Princeton University Press, 1964), pp. 266-269.

10. Mientras no podamos decir con certeza qué habría sucedido si el pecado no hubiese hecho alterar las intenciones originales de Dios, hay algunas cosas sobre las que podemos especular razonablemente. Una de ellas es la probabilidad que la obediencia a la orden de multiplicarse habría llenado la tierra con rapidez mediante un aumento exponencial en la población o con la población de inmortales. En vista de este escenario, podríamos muy bien preguntarnos si el sometimiento del planeta a la humanidad no fue más sino el primer paso en un plan que al final habría comprendido las galaxias. Véase David Fetcho, "A Sum of Shipwrecked Stars: UFOS and the Logic of Discernment" SCP *Journal,* Vol. 1, No. 2, agosto 1977, pp. 25-30.

11. Andrew Murray, *The Spirit of Christ* (Fort Washington, Pa.: Christian Literature Crusade, 1964), pp. 227-228.

12. Agazapada detrás de este aspecto hay una pregunta más complicada: ¿El cerebro es la mente? Mientras muchos filósofos primitivos como René Descartes insistían en que la mente y el cerebro eran dos procesos distintos (aunque interactivos), varios pensadores más tarde han criticado esto como algo no científico. En la famosa crítica de Gilbert Ryle de 1947 acerca del dualismo, por ejemplo, la idea de un alma incorpórea separada del cerebro se ridiculiza poéticamente como un "fantasma en la máquina".

13. Richard Restak, *The Brain: The Last Frontier* (New York: Warner, 1979), pp. 18-20.
Nota: De acuerdo con el Dr. Restak, como el cerebro es un proceso, cualquier intento para entender la mente mediante el examen de células cerebrales bajo un microscopio es equivalente a tratar de experimentar la Novena Sinfonía de Beethoven mediante la lectura de un tratado sobre la hechura de violines. David Chalmers, filósofo de la Universidad de Washington, está de acuerdo, y señala que las teorías físicas pueden describir solamente funciones mentales específicas como la intención, la memoria, la atención, y la introspección (conciencia), lo que no pueden, insiste, es absolver la pregunta de porqué la ejecución de estas funciones se acompaña de experiencias subjetivas. Ver John Horgan, "Can Science Explain Consciousness?" *Scientific American*, julio 1994, pp. 88-94.

14. Ver *The Anthropic Cosmological Principle*, J.D. Barrow y F.J. Tipler, eds. (New York: Oxford University Press, 1968).

15. *Secrets of the Inner Mind*, Robert Somerville, et al., ed. (Alexandria, Va.: Time-Life, 1993), pp. 116-118.

16. Restak, *The Brain,* pp. 271-272. Ver también Siegel, Fire in the Brain, pp. 211-228.

17. Es digno de mención que hoy millones de personas están comprometidas en un propósito muy activo para recobrar estas mismas capacidades.

18. Mientras algunos comentaristas han sugerido que los "hijos de Dios" son en realidad ángeles caídos, esta explicación parece improbable. Es más verosímil que sean los descendientes piadosos de Set que contaminaron su linaje al unirse con las descarriadas, pero muy hermosas, hijas de Caín. El pesar de Dios por este enlace no se relaciona con alguna inexplicable relación (vínculo sexual) entre hombres y demonios, sino por la trayectoria moral dañina que iba a deteriorar a los setitas. A esta interpretación la apoya el hecho que a los Nefilim —es decir, los descendientes de esta unión— literalmente se les llama "los caídos".

19. La única posible excepción es la teoría que se ofrece en el capítulo 3 respecto de Lucifer que en el Edén tenía el papel de portador celestial de la luz.

20. Los riesgos físicos asociados con el acceso humano a la presencia divina se pueden ver en las precauciones tan serias que se tomaron con Moisés en el Monte Sinaí (Éxodo 33:19-23), y en el mantenimiento posterior del Arca del Pacto.

21. Citado en Gerald Schroeder, *Genesis and the Big Bang* (New York: Bantam, 190), p. 151.

22. La serpiente en el Edén, por ejemplo era "más astuta" que cualquier animal del campo (Génesis 3:1 y fue maldita "entre todas las bestias" (versículo 14). Si estas palabras se van a tomar por su significado estándar, es difícil evitar la confusión que la serpiente no sólo era moralmente capaz, sino que era también culpable. (Mientras el diablo fue ciertamente juzgado aquí, así también, lo fue la serpiente).

23. El lazo misterioso y poderoso entre las especies también se ve en la Terapia Animal Asistida. Como un exitoso programa en Tyler, Texas, lo ha demostrado, el contacto con los animales puede estimular en forma muy notable el restablecimiento en pacientes que convalecen de derrames, lesiones en la columna vertebral y de otras serias condiciones médicas.

24. Esta hipótesis puede encontrar apoyo en el hecho que tan pronto como un niño pequeño ha aprendido cómo llamar al mundo y contar historias para relacionar sus partes, una de las primeras cosas que hará es instruir al osito de felpa que lo acompaña en el dormitorio.

25. Colin Rose, *Accelerated Learning* (New York: Dell, 1985), p. 4.

26. Inclusive si adoptamos un recuento bajo de neuronas (quince mil millones) y suponemos que cada célula sólo puede tener dos estados (encendida y apagada), los cálculos sobre la capacidad del cerebro son tan grandes que

se necesitarían varios años para escribir esta cifra" ¡aun a la velocidad de un dígito por segundo durante doce horas al día! Al trabajar con una operación numérica de neuronas tan alta, el fallecido Dr. Pyotr Anokhin de la Universidad de Moscú declaró que la cifra de permutaciones neurales es tan grande que al escribirla se extendería a ¡más de seis millones de millas! Ver Restak, Brain, p. 186; Tony Buzan, Using Both Sides of Your Brain (New York: Plume, 1991), p. 20; Freedman, Brainmakers, p. 98.

27. Did You Know? p. 152.

28. Dr. Richard Cytowic, The Man Who Tasted Shapes (New York: Warner, 1993), p. 118.

29. Rose, Learning, pp. 66.67; Somerville, Inner Mind, p. 105.

30. Cytowic, Shapes, p. 166.

Nota: No es de sorprender, que un considerable número de grandes compositores donde se incluyen los nombres de Sergei Rachmaninoff, Franz Liszt y Olivier Messiaen, también fueran sinestésicos.

31. Varias otras universidades, a saber Howard, Duke y Tufts, están comprometidas en estudios que se relacionan con diversas formas de sanidad mediante el poder de la mente .

32. Somerville, Inner Mind, pp. 129-130.

33. Gersi, Faces, pp. 84-86.

Nota: En un documental PBS, sobre el potencial psíquico que salió al aire en mayo de 1994, el Dr. Stanley Krippner informó sobre el éxito de los experimentos hechos en el Maimonides Community Mental Health Center en Brooklyn durante las décadas de 1960 y 1970. Estas pruebas se diseñaron para decidir si el contenido de los sueños se podía controlar o influir por medio de telepatía. Al sujeto, un durmiente varón con un poco más de veinte años, lo despertaba un asistente cuando quiera que los patrones de las ondas cerebrales indicaban actividad de ensoñación y le pedía describir las imágenes mentales. En una oportunidad, el joven medio dormido describió a un hombre con un traje rojo —¿quizás un payaso o Santa Claus?— que daba alguna forma de entretenimiento público. El joven no sabía que otro sujeto, que estaba en una habitación contigua, había pasado precisamente la última hora dedicado a transmitir por telepatía una imagen que se tomaba de la foto en una revista. El cuadro era el de un hombre con el traje de Santa Claus que entretenía a unos niños en la playa.

34. Con base en la investigación que se adelanta en PEAR y en otras partes, el profesor Brian Josephson, de la Universidad de Cambridge, galardonado con el Premio Nobel de 1973, sugirió una teoría de campo unificado que se puede relacionar con las experiencias místicas y aun psíquicas. Ver Rogier van Bakel, "Mind Over Matter", WIRED, Vol. 3, No. 4, abril 1995; Somerville, Inner Mind, pp. 130-131.

35. Willis Harman y Howard Rheingold, Higher Creativity, citado por Gersi en Faces, p. 6.

36. El Dr. Robert Jahn cree que estos "aspectos intuitivos", todavía obran abiertamente en los animales. Como ejemplos cita "las capacidades migratorias de aves y peces, y la conciencia de grupo que es evidente en los insectos que enjambran".

Más evidencia para esta teoría se encuentra en una serie de experimentos que se efectuaron en la Swiss Foundation Marcel et Monique Odier de Psycho-Physique. Aquí un robot llamado Ticoscopio fue puesto dentro de un cuarto cerrado y se le programó para moverse al azar. Cuando una caja con pollos vivos se puso a un lado del cuarto, sin embargo, pareció que ellos repetidamente "querían" que el robot permaneciese cerca de la caja. Cuando se le pidió explicar por qué los sujetos humanos fallaban en duplicar este hecho, el Dr. Dean Radin, investigador en la Universidad de Nevada emitió la hipótesis que "a las aves no las obstaculizan los razonamientos... y cuando usted tiene sujetos que trabajan a un nivel de instintos, presumiblemente lleva a una motivación más alta y a resultados más notables". Véase "Animal Magnetism: Chick It Out", WIRED, Vol. 3 No. 4, abril 1995 p. 84.

37. Watchman Nee, *The Latent Power of the Soul* (New York: Christian Fellowship Publishers, 1972), pp. 44, 19-20.

38. Para obtener más dominio sobre la naturaleza y más cosechas agrícolas, la humanidad ha deforestado un área que es casi como el tamaño de los Estados Unidos continentales. También cada año gastamos más agua de la que contiene el Lago Hurón.

39. Los hallazgos del Proyecto de Tierra Transformada comprenden científicos de dieciséis países, según la cita de Robert Kates en "Sustaining Life on the Earth", *Scientific American*, octubre 1994, Vol. 271, No. 4, pp. 114-122.

40. Ibid., p. 115; Denis Hayes, "It?s Time for the Rich to Find New Ways to Measure Wealth", *Seattle Times*, mayo 15, 1994.

41. Apartados de Dios, de acuerdo con Romanos 1:21, el pensamiento del hombre es *fútil* (es decir, trivial o vacío), en tanto que su corazón y su voluntad, son víctimas de las *tinieblas* (incapaces de ver la realidad).

42. Los esfuerzos para obtener sabiduría aparte de Dios según nos enseña el autor del Eclesiastés, pueden ser profundamente frustrantes: "todas estas cosas probé con sabiduría diciendo: Seré sabio; pero la sabiduría se alejó de mí. Lejos está lo que fue; y lo muy profundo, ¿quién lo hallará?" (Eclesiastés 7:23-24, RV). Con un reconocimiento semejante Job notó que la sabiduría "...encubierta está a los ojos de todo viviente..." (Job 28:21), pero se apresuró a agregar: "Dios entiende el camino de ella..." (versículo 23). El salmista, al descubrir este oasis secreto se regocijó: "...tú amas la verdad en lo íntimo, y en lo secreto me has hecho comprender sabiduría" (Salmo 51:6).

43. De acuerdo con el fallecido mitógrafo Joseph Campbell, muchas culturas han sostenido la creencia que los animales fueron los primeros maestros de la humanidad. Al capitalizar esta noción equivocada, el diablo ha seguido

y adopta este disfraz cuando trata con los "buscadores de la sabiduría" que han suprimido la verdad.

44. Mientras los elementos estándar de la decepción o engaño —incluyen la carne, el mundo y el demonio (Apocalipsis 12:9)— estaban todos presentes en el Edén, los primeros dos elementos no se habían contaminado todavía. (Aunque las Escrituras con frecuencia definen al "mundo" como corrompido y corruptor de los sistemas humanos, el término también se usa para describir en general las influencias externas. De manera semejante, "la carne" se presenta tanto como habituada a los apetitos del pecado y como vida humana genérica. Aunque se puede alegar el caso que la carne y el mundo son intrínsecamente neutros, han venido a ser indignos de confianza y potencialmente peligrosos).

45. Es interesante anotar que el carácter chino o ideograma, para *comienzo* consta de tres elementos que se combinan: *¡Mujer, secreto y boca!* Ver C H.. Kang y Ethel Nelson, *The Discovery of Genesis* (St. Louis: Concordia, 1979), pp. 61.62, 64-65.

46. Schaeffer, *Genesis*, pp. 81-82.

47. Si poseer un amplio rango de conocimiento moral fuese intrínsecamente perverso, maligno o vil, entonces Dios mismo, sin duda de ninguna clase, sería malo (véase Génesis 3:22).

48. Los egipcios en la antigüedad tuvieron el privilegio de estar entre los primeros que se atrevieron a exponer la idea de la divinidad interior. Por ejemplo en el Libro Egipcio de los Muertos, el alma del fallecido se ufana y afirma: "Mi cabello es el cabello de Nut. Mi rostro es el rostro de Disk. Mis ojos son los ojos de Hathor... No hay miembro de mi cuerpo que no sea el miembro de algún dios... Soy el Ayer, el Hoy y el Mañana, y tengo la potestad para nacer por segunda vez. Soy el Alma Divina oculta que crea a los dioses".

49. En el momento actual, la doctora Gadon dedica su tiempo a dar conferencias en el Instituto de Estudios Integrales de California, una escuela no tradicional para graduados donde enseña a los terapeutas cómo integrar lo espiritual en todo lo que hagan. Los intereses de su instrucción se enfocan sobre estudios de la diosa y, en particular, sobre teorías de la prehistoria.

50. Uno de los más interesantes momentos de nuestra conversación tuvo lugar cuando me referí a un pasaje que ella había escrito como parte de un artículo titulado "Sacred Places of India: The Body of the Goddess". El pasaje específico dice: "El motivo del árbol-y-mujer es de larga data en la cultura hindú, pues alcanza hasta 5.000 años a la civilización hindú más temprana en el valle del Indo". Cuando mencioné que este simbolismo me recordaba los elementos primarios del Edén que figuran en el Libro del Génesis, la doctora Gadon se vio consternada. Parece que esa conexión no se le había ocurrido.

51. Una explicación más completa de la naturaleza y la influencia de la filosofía de la diosa, aparece en el capítulo siete.

52. Citado en *Gadon, Goddess*, p. 300.

53. Deena Metzger, "Revamping the World: On the Return of the Holy Prostitute", *Anima* 12/2, 1986.

54. Aunque es judía, Metzger ha cuestionado al Dios judío-cristiano a favor de la diosa Asera. Su icono personal es el motivo del árbol, que como señala Elinor Gadon "es la forma en que se manifiesta la diosa" (Gadon, *Goddess*, p. 301). Un cambio de este tema se ve en una pintura egipcia del siglo trece A.C., que ilustra a una diosa madre que distribuye el sustento a partir de las ramas de un árbol de vida.

55. Otros insisten que la vida eterna se obtiene al comer la fruta de la inmortalidad que se encuentra en el Paraíso Occidental (tradición taoísta) o por beber del líquido que se saca del árbol iraní de haoma (tradición de los seguidores de Zoroastro). En el mundo budista, el árbol pipal o bodhi se venera como un símbolo de gran avivamiento. Véase Eliade, *Shamanism,* p. 273; Cooper, *Traditional Symbols,* p. 176.

56. Como pretende indicar el sueño de Nabucodonosor en Daniel 4:4-37, el árbol también parece servir como símbolo de independencia.

57. Henry Halley, Halley's Bible Hand Book (Grand Rapids: Zondervan, 1965), p. 66; Cooper *Traditional Symbols*, p. 169.

Nota: Si la visión babilónica de un árbol central con ramas que llegan hasta el plano del cielo sugiere la puerta dimensional del Edén, lo mismo pasa con el Yggdrasil noruego, un árbol cósmico cuyas ramas se extienden a la región donde los dioses mantienen su corte, según informes. El poderoso roble, en las palabras de una hechicera irlandesa, "es la puerta de entrada entre los mundos". Véase Leeming, *Myth,* pp. 343-344; Ward Rutherford, *The Druids: Magicians of the West* (Wellingborough, England: Aquarian Press, 1983), pp. 68-69; y Cowan, *Fire,* p. 111. Por lo menos una de las características del sello siro-hitita ilustra cuatro ríos que corren desde un árbol sagrado central. Para más información sobre el tema de los centros cósmicos, véase Leeming, *Myth,* pp. 341.342.432-433; Joseph Campbell, *The Masks of God: Occidental Mythology* (New York: Viking, 1959), p. 12; y Eliade, *Shamanism,* pp. 269-274.

Aunque desde la perspectiva cristiana muchas de las nociones que se han venido a asociar con la centralidad cósmica están debilitadas y no son de confiar, la doctrina misma en sí tiene raíces bíblicas profundas. Esto se puede ver no solamente en los árboles centrales del Edén, sino en la cruz de Cristo. Como Meinrad Craighead señala en *The Sign of the Tree:* "Orígenes, Hipólito, Juan Crisóstomo y Agustín interpretaron la cruz como una 'planta inmortal', 'columna del universo', 'vínculo de todas las cosas', 'centro del cosmos'". En el curso de su sermón de Pascua en el siglo tercero de nuestra era, Hipólito, obispo de Roma declaró: "La cruz es el fulcro, es decir, el punto de apoyo de la palanca para todo y el lugar donde todas las cosas descansan". Véase Meinrad Craighead, *The Sign of the Tree:* Meditations in Images and Words (London: Mitchell Beazley, 1979), pp. 34, 38; y Roger Cook, *The Tree of Life* (London: Thames & Hudson, 1974), p. 20.

58. Moyra Caldicott, *Myths of the Sacred Tree* (Rochester, Vt.: Destiny, 1993), p. 98. Ver también Cooper, *Traditional Symbols,* p. 176.

Nota: en otro mito griego que se puede haber basado sobre los hechos que se establecieron en el Huerto del Edén, Perséfone, es tentada en los brazos de Hades, el Señor del Submundo, por el fruto de un granado encantado.

59. *Halley's,* p. 68.

60. Ibid., p. 76.

Nota: Muchas listas del Antiguo Testamento (por ejemplo, Génesis 10) se deberían leer como genealogías y no como cronologías. Según Francis Schaeffer señala en *Genesis in Space and Time,* estas listas genealógicas se relacionan con "pueblos que vienen de pueblos y no de individuos que vienen de individuos... La palabra *engendró* en Génesis 11 no requiere una relación directa padre-hijo de primera generación. Puede significar la *paternidad de alguien que condujo a*" (pp. 154-155). Por esta razón, las afirmaciones dogmáticas sobre el curso de la historia que se diseñan en este pasaje son arriesgadas. "No es que tengamos que aceptar el concepto de los largos períodos que la ciencia moderna postula, si no más bien que en realidad no hay términos definidos claramente sobre cuál en este tiempo se basa un debate final" (p. 156). John Whitcomb y Henry Morris en *The Genesis Flood* (Phillipsburg, N.J.: Presbyterian & Reformed Publishing. Co., 1961) están de acuerdo, y declaran que "la interpretación de la cronología estricta en Génesis 11 se ha demostrado que es innecesaria por varios motivos" (p. 483).

61. Para asegurar que estas narraciones no fueran cubiertas por mitos, Dios dispuso un puñado de reporteros como testigos oculares para atravesar intactos las aguas del golfo. Uno de estos viajeros de la época, Noé hijo (descendiente) de Sem, pudo suministrar una descripción de primera mano del mundo antediluviano por lo menos ¡cinco siglos después del diluvio!

62. Las referencias bíblicas para la vida antes del diluvio se encuentran en Génesis 6:4, Job 40:15-41:34 y Salmo 104:25-26. A éstas podemos agregar la evidencia contenida en las pinturas rupestres de cuevas bien preservadas en Francia cuya mayoría ilustra conductas rituales de los seres humanos y también aspectos antediluvianos de la vida animal en la antigua Europa. Véase el Discovery Channel, "A Cave Beneath the Sea", septiembre 12, 1994; también "Re-creating a Vanished World", *National Geographic,* marzo 1972.

63. A pesar de su reinado de tan larga duración, no todo fue bien entre el hombre y los animales. Una relación que se pretendía basada en un dominio justo y suave se deterioró de tal manera que los animales miraban al hombre con temor y espanto. Como en apariencia se perdió la capacidad para entrar en una comunicación entre las especies, el hombre vio las

emociones fraternales reemplazadas por la extrañeza. Al final las bestias del campo comenzaron a derramar sangre humana (Génesis 9:2,5).

64. Números 13:32-33 indica que los descendientes de Anac eran de "grande estatura" y que venían de los gigantes (Nephilim). Al escribir el libro *The Canopied Earth: World that Was* (Dallas: CFN, 1991), Volumen IV *The Creation Series,* Dennis Lindsay hace la interesante observación que "las criaturas gigantescas que una vez recorrieron la tierra no deberían haber parecido tan asombrosas e imponentes a los hombres antiguos, pues ellos también eran de proporciones enormes".

65. *Flavius Josephus' Complete Works,* trad. William Whitson (Grand Rapids: Kregel, 1976), Libro 1, capítulo 3.9.

66. De acuerdo con muchos científicos creacionistas esta longevidad de la edad dorada se puede haber debido a un dosel protector de vapor de agua que rodeaba a la tierra (encuentran apoyo escritural para esta idea a partir de pasajes como Génesis 1:6-8, Job 26:8 y 2 Pedro 3:5). Algunos abogados de esta teoría creen que el dosel de vapor era de cinco a seis millas de espesor (8.0 a 9.6 km) y de 20 ó 25 millas (32 a 40 km) por encima de la tierra. Si tal dosel existió, habría tenido varios efectos benéficos. Por ejemplo, al eliminar las variaciones de la temperatura originadas en el calentamiento irregular de la superficie de la tierra, el dosel daría un ambiente desprovisto de vientos. Esto, a su vez, produciría el rocío o vapor de Génesis 2:6 —importante aliado de vida en el mundo antediluviano desprovisto de lluvias.

También puede haber resultado una presión atmosférica mayor y protección de radiaciones dañinas —factores que habrían aumentado la biomasa (la masa total de materia viva dentro de una determinada área) y disminuido el proceso de envejecimiento. De hecho, algunos descubrimientos recientes han demostrado, de acuerdo con Lindsay, que "las burbujas de aire atrapadas en el ámbar antiguo contenían una concentración de oxígeno 50 % superior a la que se encuentra hoy". Ver Lindsay, *Canopied Earth,* pp. 210, 213; ver también pp. 68-71, 97, 107, 122-123, 132, 134, 137, 221, 250.

67. Howard Rheingold, *Virtual Reality* (New York: Touchstone, 1991), pp. 379-382; "Behold the Stone Age", Robert Hughes, Time, febrero 13, 1995. Ver también John Pfeiffer, *The Creative Explosion: An Inquiry into the Origins of Science and Religion* (Ithaca, N.Y.: Cornell University Press, 1982), y Julien Ries, *The Origins of Religions* (Grand Rapids: Eerdmans, 1994), pp.43, 50.

68. Las pinturas de arte rupestre, localizadas cerca del río Zuojiang en la Provincia Guangxi de China ilustran centenares de suplicantes humanos, con los brazos levantados en lo que parece ser un rito para honrar al sol (ver Ries, *Origins,* p. 72). Estos y otros murales de arte en las cuevas (como los que se encuentran en la Cueva de las Manos Pintadas en Argentina), son muy probablemente producciones postdiluvianas. En algunas oportunidades, la

inclusión de símbolos como el arco iris confirma virtualmente este análisis (ver Ries, *Origins*, p. 42).

69. Terence McKenna, *Food of the Gods: The Search for the Original Tree of Knowledge* (New York: Bantam, 1992), pp. 70-75, 78-79. Otros que llaman la atención al motivo del hongo en los frescos de Tassili, incluyen al etnomicólogo Jeff Gaines (Boulder, Colorado) y el erudito italiano Giorgio Samorini. Ver "Etnomicología Nell" arte Rupestre Sahariana (Período delle "Testa Rotonde"), *Boll. Camuno Notizie*, Volumen 6(2):18-22. Ver también Roger Lewin, "Stone Age Psychedelia", *New Scientist*, junio 8, 1991, pp. 30-34.

70. J. Ki-Zerbo, ed., *A General History of Africa: Methodology and African Prehistory* (Berkeley: University of California Press & UNESCO, 1981, 1990), pp. 247-249; Ries, Origins, pp. 34-35.

71. El famoso prehistoriador francés Jacques Cauvin declaró su creencia que los relatos del Génesis acerca de la salida del Edén y el asesinato de Abel no son simples mitos, sino más bien los relatos de una historia verdadera que se basa en la memoria del hombre del Cercano Oriente. Véase Jacques Cauvin, "Mémoire d'Orient: la sortie du jardin d'Eden et la néolithisation du Levant", *Cahiers del'Institut Catholique de Lyon*, No. 17, 1986, pp. 25-40. Para mención de posibles refugios de cuevas, véanse Robert Ingpen y Philip Wilkinson, Encyclopedia of Mysterious Places: T*he Life and Legends of Ancient Sites Around the World* (New York: Viking Studio, 1990), p. 84; Renfrew, *Archaeology*, pp. 157, 173; y McKenna, *Food*, pp. 79-81.

72. El abandono de las cuevas para pasar a las aldeas, y el abandono de la caza por la agricultura, fue un hito notable en la civilización natufiana. Desde más o menos el año 8.000 A.C., su área cultural se había extendido entre el Nilo y el Éufrates. Ver Ries, *Origins*, p. 63.

73. Se cree que Çatal Hüyük fue habitado entre 6250 y 5400 A.C., aunque algunos cálculos suponen que los orígenes del pueblo se pueden remontar como hacia el año 7200 A.C. De las 139 edificaciones que se excavaron en este sitio, casi una tercera parte parecen haber sido usadas para propósitos rituales. Véanse Gadon, *Goddess*, pp. 25-37; Ingpen y Wilkinson, *Mysterious Places*, pp. 83-87; Ries, *Origins*, pp. 54-71.

74. Los hongos alucinógenos una vez más se sugieren por sí mismos, debido al hecho que el culto del ganado local podría haber producido un gran suministro del estiércol necesario para que crecieran los hongos potentes.

75. Gadon, *Goddess*, pp. 25, 34, 43; Ingpen y Wilkinson *Mysterious Places*, pp. 86-87; McKenna, *Food*, pp. 83-85.

76. Ama o señora que al final se convertiría en la Artemisa (Diana) de los efesios (Véase Gadon, *Goddess*, p. 34).

77. Gadon, *Goddess*, pp. 52-53; Ries, *Origins*, pp. 66-67, 83-84.

78. Génesis 6:5, 11-12.

79. McKenna, *Food*, pp. 64-65, 88-89.

80. Gadon, *Goddess,* p. 11.

81. Génesis 4:17, y después, Génesis 11:4.

Nota: En contra de la creencia popular, Babel (o Babilonia), no fue la primera ciudad del mundo. Como la evidencia arqueológica lo confirma, impresionantes asentamientos humanos punteaban la tierra, pues por lo menos dos o tres mil años antes Nimrod estableció su famoso "boom" de construcciones entre los ríos Tigris y Éufrates. Además de las bien documentadas ciudades de Mesopotamia —Eridu, Erech, Susa, Ur, Sippar (Acadia), Larsa, Kish y Jemdet Nasr— comunidades sustanciales de cultivo y de pesca, se sabía que existieron en Turquía (Çatal Hüyük), Palestina (Jericó), Siria (Mureybet), Grecia (Nea Nikomedeia), Yugoslavia (Lepenski Vir) y Egipto —donde por lo menos algunos estudiosos modernos creen que la enigmática Esfinge ya existía mucho tiempo antes del Diluvio. Véase John Anthony West, "Civilization Rethought", *Condé Nast Traveler,* febrero 1993, p. 100.

82. Que los setitas cambiaron su monoteísmo por una idolatría perversa, se evidencia al comparar Génesis 4:26 con Génesis 6:1-6, 11-12. Asimismo, cuando el Dr. Stephen Langdon excavó Jemdet Nasr (una ciudad prediluviana 25 millas [40 km] al noroeste de Babilonia) en 1926, encontró inscripciones pictográficas que indicaban esta infortunada declinación. Se dice que Sir Flinders Petrie descubrió una evidencia semejante en Egipto. Ver *Halley's,* pp.49, 62.

83. En Génesis 7:11 leemos que el gran Diluvio comenzó cuando "...fueron rotas todas las fuentes del grande abismo, y las cataratas de los cielos fueron abiertas". Algo sucedió, en otras palabras, tanto *bajo* como *sobre* la tierra. En el primer caso, fuentes volcánicas profundas irrumpieron a través de la corteza terrestre y causaron la elevación de los mares del planeta. En el segundo caso, un dosel de vapor se rompió, como cataratas celestiales y dejaron caer un aguacero torrencial sobre un mundo que jamás había conocido la lluvia. (Para buscar pruebas o evidencias que un cometa o un asteroide al caer golpeó y rompió el dosel de vapor y precipitó la liberación de los mares, véanse Luis Alvarez, et al., "Extraterrestrial Cause for the Cretaceous-Tertiary Extinction", *Science* 208 [1980], p. 1095; y Emil Venere, "Lava Linked to End of Era", *Seattle Times,* agosto 14, 1993. Ver también Roger Larson, "The Mid-Cretaceous Superplume Episode", *Scientific American,* febrero 1995, Vol. 272, No. 2, pp. 82-86. Larson cree que, además, las explosiones masivas del piso del mar crearon "niveles de agua que al levantarse habrían ahogado mucho de lo que hoy es tierra firme".)

84. En este punto, las duraciones de la vida que habían sido cortadas a la mitad por los efectos inmediatos del Diluvio volvieron a surgir una vez más.

85. Comparar Génesis 8:20 con Génesis 11:3-4.

86. En un poema primitivo, se dice que el dios Enki creó todos los idiomas a partir de una sola lengua original, monolingüismo, mientras una tablilla

de piedra descubierta en la ciudad santa de Nippur registra que "el pueblo al unísono, en una sola lengua daba alabanza a Enlil". Véanse Jeremy Black y Anthony Green, *Gods, Demons and Symbols of Ancient Mesopotamia* (Austin: University of Texas Press, 1992, publicado en cooperación con British Museum Press), p. 179; y "Enmerkar and the Land of Aratta", fragmento de Nippur traducido por Samuel Noah Kramer, *From the Tablets of Sumer* (Indian Hills, Col.: Falcon Wing's Press, 1956), p. 259.

87. Merritt Ruhlen, *The Origin of Language: Tracing the Evolution of the Mother Tongue* (New York: John Wiley & Sons, 1994), p. 104.

88. Miqueas 5:6 se refiere a toda la región de Asiria como "la tierra de Nimrod", y la primitiva capital Asiria de Cala ahora se conoce como Nimrud (la forma árabe de *Nimrod*).

89. Una razón para explicar la curiosa falta de prensa de Nimrod consiste en que fue deificado póstumamente y le dieron el nombre de Merodac (véase Halley's, p. 82). Si esto es cierto, aclararía porqué muchos líderes de Asiria y de Babilonia adoptaron ese título y por qué la cacería se consideró como un deber religioso de los reyes (véase Saggs, *Greatness*, p. 290). Es también interesante anotar que Merodac es etimológicamente similar a mered la palabra hebrea y aramea para "rebelión". Jan Karnis, *The Nimrod Legacy* (manuscrito sin publicar), p. 64.

90. Os Guinness, *The Dust of Death* (Downers Grove, Ill.: InterVarsity, 1973), pp. 267-268.

91. Hebreos 2:15 habla de "...Todos los que por el temor de la muerte estaban durante toda la vida sujetos a servidumbre". Véase Green, *Exposing,* pp. 75-76.

92. Los zigurats, torres con escalones, que dominaban muchas ciudades del sur de Mesopotamia, inclusive a través del siglo quinto A.C., generalmente se hacían de ladrillo sólido. Los santuarios de la cima estaban cubiertos con tejas vidriadas de color azul y se llegaba a ellos por medio de una rampa espiral o escalera exterior triple. Aunque nadie sabe las dimensiones precisas de la Torre de Babel las indicaciones son que era impresionante. Las ruinas de un zigurat descubierto cerca de Babilonia revela una base de casi cien yardas (80 m2). Aquí el arqueólogo británico Sir Henry Rawlinson descubrió un cilindro que decía: "La Torre de Borsippa, que un rey anterior había erigido y completado hasta la altura de 42 codos, cuya cima no terminó, cayó en ruinas en tiempos antiguos". (Véase *Halley's*, p. 83).

93. Ashe, *Dawn*, p. 109. Ashe también llama la atención al hecho que la "Torre de Babel —como los zigurats— era un reparo visual, una marca en la tierra que se veía desde muy lejos sobre la región plana. Al mismo tiempo, era entrada dimensional que se extendía hasta los cielos y hasta el submundo. Para aplacar a las deidades de este último ámbito, se derramaban libaciones ocasionales que se vertían en conductos especialmente instalados. Ver también Mircea Eliad e, *The Sacred and the* Profane (Orlando:

Harcourt, Brace, 1987), pp. 37; Black y Green, *Ancient Mesopotamia*, p. 53. En lo que es posiblemente una referencia deteriorada a la puerta del Edén y al monte de la asamblea donde se dice que se reunían los *beneha elohim*, o "hijos de Dios", los mitos sumerios de la creación hablan de un tráfico primario entre la tierra y la montaña celestial habitada por los Anunnaki (un consejo donde siete dioses decretaban el destino). Esta mitología también habla con fuertes tonos bíblicos, de una vasta montaña que se levantaba de las aguas primordiales. Comenzó como un cuerpo sencillo y posteriormente se dividió en tierra hacia abajo y cielo hacia arriba. Pero la división no fue total. Una conexión crucial que permaneció, permitía el tráfico entre la tierra y la morada cósmica de los dioses.

Como montaña sagrada, el zigurat tenía siete pisos que representaban los siete cielos planetarios. Al subir a ellos, los reyes babilónicos, los sacerdotes y sus consortes alcanzaban la cima del universo. Un informe egipcio primitivo insistía en que la torre con sus escaleras "había sido construida por gigantes que querían subir hasta el cielo". (Además, para armonizar con la declaración bíblica que había gigantes sobre la tierra en aquellos días, el informe también sugirió que, como resultado de la locura impía de los constructores, muchos "fueron incapaces después de reconocerse entre sí".) Ver Boorstin, *Discoverers*, pp. 83-84.

94. Eliade, *Sacred*, pp. 40-41.

95. Saggs, *Greatness*, pp. 307-308. Ver también Black y Green, *Ancient Mesopotamia*, pp. 52, 179; y John Skinner, *Genesis: The International Critical Commentary* (Edinburgh: T & T Clark, 1930), p. 226. Para una discusión más amplia sobre el papel de la "escalera al cielo" en varias culturas internacionales, ver Eliade, *Shamanism*, pp. 487-494.

96. Algunos de estos ritos probablemente también tuvieron lugar en una cámara sagrada conocida como la *Egipar*.

97. Saggs, *Greatness*, pp. 330-332; Black and Green, *Ancient Mesopotamia*, pp. 157-158.

98. El ideograma sumerio para este título (esencialmente una prostituta divina) se puede interpretar como "la señora que es una divinidad" o bien como "la esposa del dios". En cualquier caso, la Entu era de una posición social muy alta. De hecho, varios reyes, incluso Sargón de Agade y Nabu'na'id, hicieron a sus hijas las Entu de dioses particulares.

El historiador griego Heródoto, que puede haber visitado a Babilonia en el siglo quinto A.C., informó que en la cima del zigurat "se levanta un gran templo equipado suntuosamente con un diván... Nadie pasa la noche ahí excepto una mujer asiria, elegida por el dios mismo; o así dicen los caldeos que son los sacerdotes de Bel. Estos caldeos dicen -no que yo les crea— que el dios mismo viene al templo y toma su descanso en el diván..." Ver Herodoto, *The History*, traducido por Aubrey de Sélincourt (New York: Penguin, 1972), libro 1, p. 114; ver también Saggs, *Greatness*, p. 305.

99. Aunque literalmente se levantaron centenares de zigurats a través de Mesopotamia en los primeros tres milenios A.C., la Torre original puede haber sido construida antes. Y a pesar de que las prácticas asociadas con estos templos evolucionaron con el tiempo, sin embargo, podemos reconstruir un cuadro general de las creencias y las conductas que muy posiblemente se pueden aplicar a Babel.

100. *The Zohar,* 75a, Vol 1, Harry Sperling y Maurice Simon, trad. (London: Soncino Press, 1976).

101. Una vez que se ha atraído a los demonios a una ciudad, el primer orden de sus negocios consiste en usar todas las asechanzas que tienen contra blancos espirituales adicionales dentro de la red urbana. Por este motivo a Babilonia se la llaman la "Madre de las Rameras" (Apocalipsis 17:5), en tanto que Nínive recibe el nombre de "Maestra en Hechizos" (Nahum 3:4).

102. Mientras pasajes como Ezequiel 38-39 emplea *tsaphon* simbólicamente acerca de otras naciones, todavía está en el contexto de poder concentrado y de perversidad. Ezequiel 8:3 también localiza al ídolo de los celos en la entrada de la puerta norte del templo interior, mientras el acceso principal a la cima del santuario en la mayoría de los zigurats (incluso la famosa estructura de Ur) era una gran escalera sobre el lado del norte. Valiosas enseñanzas sobre este tema se deben a Matthew Hand, investigador del Oriente Medio. Véase también Black & Green, *Ancient Mesopotamia,* p. 188.

103. ¿Pero qué vamos a hacer con el Salmo 48, donde el Monte Sion (es decir, la santa Jerusalén) se describe como situado en '*el lejano norte*' (versículo 2)? Con toda certeza el salmista no igualaba el santuario del Señor con ninguna "envoltura de tinieblas" generalizada ni se podía haber referido a Jebel al Aqra de Siria, que era la vivienda reconocida de Baal. ¿Entonces qué quiso decir? Una suposición natural consiste en que presentaba al Monte Sion como un sitio físico de poder en relación directa con el monte de la asamblea en el cielo. En este sentido era un remplazo para el Edén —el Santo de los Santos se sobreponía al árbol original del centro como una puerta de entrada a otra dimensión. Al contrario de la montaña cósmica de Babilonia en el norte, Sion se encuentra en el lejano norte, mucho más allá de la atmósfera contaminada de los dioses imaginarios o de los ángeles caídos. Solamente el Dios verdadero se podía encontrar en el Monte Sion.

104. Al mismo tiempo, el norte era la dirección de donde vinieron los antepasados de los aztecas, y la región donde se *hacía* contacto con deidades poderosas como Coatlicue. Véase Tompkins, *Tree,* p. 10; Rudolf Van Zantwijk, "The Great Temple of Tenochtitlán: Model of Aztec Cosmovision", publicado en *Mesoamerican Sites and World-Views* (Washington, D.C.: Dumbarton Oaks Research Library and Collections, 1981), pp. 75, 78.

105. Cooper, *Traditional Symbols,* pp. 39-40, 112.
    Nota: Una sociedad de la tribu canadiense Kwakiutl sostiene que su poder

se deriva de un espíritu caníbal que reside en el extremo norte del mundo. Véase Cushing, *Fetishes*, pp. 16, 30-31; *Spirit World*, pp. 38-39.

106. Dios también aclara que puede controlar (poner freno) a estos poderes destructivos para sus propios propósitos soberanos.

107. Véase Cavendish, *Powers*, p. 117.

108. Ibid., p. 93.

109. Por esta razón, Dositeo, el maestro de Simón el Mago que se menciona en Hechos 8:9-25, residía en Damasco y alegaba ser la estrella mesiánica anunciada en Números 24:17. Véanse Documento de Damasco 7, 14H. También F. M. Strickert, Damascus Document VII, 10-20; y Qumran Messianic Expectation in *Revue de Qumran* 12 (1986), pp. 327-349; y P.R. Davies, *The Damascus Covenant: An Interpretation of the 'Damascus Document'*, Sheffield 1983 (JSOT, Supplemental Series 25), y J. Daniélou, "L'Etoile de Jacob et la Mission Chretienne à Damas" in *Vigiliae Christianae* 11 (1957), pp. 121-138.

110. Mientras las limitaciones de espacio impiden dar una lista completa de esta evidencia, vale la pena revisar el siguiente resumen:

- Las Escrituras indican que tanto el Edén como Lucifer (quizá antes, y ciertamente después, de su caída) se localizaban en el norte. Como el Edén era un sitio de reunión importante entre Dios y el hombre, el enemigo conspiró para contaminar ese lugar.

- El total de la población postdiluviana durante un tiempo vivía en el norte y los campamentos demoníacos siempre se han puesto a la sombra de la civilización humana.

- La raíz bíblica para *norte* significa "una envoltura de tinieblas".

- Ezequiel 28 y otros pasajes describen a Lucifer como adornado con gemas. Los dioses en Mesopotamia y Canaán también vivían en las alturas del norte y estaban cubiertos de piedras preciosas.

- Babilonia, sinónimo de norte, también recibía el nombre de "Puerta de los Dioses" y "Madre de las Rameras". A la vecina Nínive se le llama "Maestra en Hechizos", mientras al príncipe de Persia se le presenta como un ser espiritual poderoso.

- Casi universalmente las mitologías culturales retratan al norte como la fuente de poder, revelación, y muerte.

- El chamanismo, la adoración a la Diosa, el reinado divino y la astrología todos tienen sus orígenes en el norte.

- La mayoría de los grupos de pueblos no evangelizados se localizan en el norte, donde también están los cuarteles generales de cada una de las principales religiones no cristianas.

111. *Halley's*, p. 84.

Capítulo 5: Fuera de Babel

1. En justicia para Agustín, se debe decir que rechazó firmemente la noción popular de las antípodas —una zona ecuatorial tórrida donde la lluvia caía hacia arriba y donde se aseguraba que los pies de los hombres se adherían de una forma opuesta a la de los seres humanos normales. Véase Boorstin, *Discoverers,* pp. 107, 110.

2. Mientras la fecha exacta de esta dispersión puede que jamás se sepa, muchos estudiosos están convencidos que este suceso tuvo lugar en algún tiempo entre 4000 y 2800 A.C. Las mejores claves bíblicas se refieren a la vida de Abram y nos ayudan sobre todo con el extremo frontal de este rango propuesto. Se cree ampliamente que Abram abandonó Ur de los caldeos alrededor de 2100 A.C., y encontró civilizaciones bien establecidas en Turquía, Canaán y Egipto. En el pacto con Abram, Dios dio al patriarca derechos sobre la tierra de diez naciones preexistentes (Génesis 15:19-21). Como los pueblos y las civilizaciones de la época de Abram estaban extensamente diseminadas y eran maduras, sólo podemos concluir que la división de las naciones tuvo lugar muchos siglos antes.

3. William Shakespeare, *The Tempest,* Acto 1, Escena 2, línea 49.

4. Collin Renfrew, *Archaeology and Language* (New York: Cambridge University Press, 1987), p. 2.

5. Stephen *Bertman, Doorways through Time* (Los Ángeles: Jeremy Tarcher, 1986), p. 2.

6. Los ciudadanos a través de toda Europa, fascinados por la perspectiva de mirar hacia atrás en medio de los tiempos se apegaron a esas nuevas instituciones como enjambres. Más o menos hacia la mitad del siglo dieciocho, esta comunidad robusta de espectadores transitorios se había dado origen una nueva palabra: *turista.*

7. Véase Michael Lemonick, "Ancient Odysseys", *Time,* febrero 13, 1995. Nota: Entre los más valiosos de estos ítems se encuentran las losas de piedra grabadas, que se conocen como estelas, y que se hallan con frecuencia cerca de los sitios sagrados. Durante una excavación del siglo diecinueve en la santa ciudad de Nippur en Mesopotamia, los arqueólogos desenterraron varias estelas junto con un tesoro compuesto por cincuenta mil tabletas de arcilla, cuya mayoría se remonta hasta el tercer milenio A.C. Poco después se descubrió el famoso prisma dinástico de Weld, unas pocas millas al norte de Ur. Esculpido en 2170 A.C. por un escriba llamado Nur-Ninsurbur, se cree que sea el primer esquema de la historia mundial. Algunos eruditos creen que el Prisma, encontrado en 1922 fue hecho más de un centenar de años antes de Abraham. Véase *Halley's,* pp. 43-51.

8. La incapacidad para recobrar un objeto determinado no significa necesariamente que no exista. En Europa Central, por ejemplo, el arado verdadero más primitivo es por lo menos mil años más joven que las imágenes de arados grabadas en piedra por los artistas de Edad del Cobre.

9. Descifrar estas claves a través del tiempo con frecuencia requiere trabajo detectivesco riguroso. Sin embargo, ocasionalmente, los investigadores tienen una pausa cuando condiciones especiales como la temperatura del aire o la composición del suelo conservan los cuerpos verdaderos de personas antiguas. Una de estas mudas viajeras a través del tiempo, la así llamada Señora de Oplontis (una mujer víctima de la erupción del Monte Vesubio en el año 79 de nuestra era), recientemente suministró un montón de secretos de dos mil años de antigüedad a los rayos X y a las escanografías (tomografía axial *computadorizada*, CTA) de la ciencia moderna. Otros ejemplos incluyen el "Iceman" (hombre de hielo) de la Edad del Cobre descubierto por alpinistas en 1991, y los ejemplares recuperados de los pantanos daneses e ingleses, los áridos desiertos de China occidental y en diversos picos montañosos altaicos y andinos.

10. No todas las lecciones son sublimes. Algunas revelaciones como este graffiti del primer siglo en Pompeya, sirve para recordarnos lo poco que hemos cambiado en el curso de los años: ¡Oh muro! *Me maravillo, que no hayas caído en ruinas por soportar la estupidez de todos aquellos que han escrito sobre ti.*

11. NOVA, "In Search of the First Language", emitido al aire en diciembre 27, 1994; Ruhlen, *Language,* p. 73.
    Nota: Aunque arqueólogos como Colin Renfrew son cautos contra el "uso simplista" de protolexicones (vocabularios prehistóricos) en el análisis histórico, están bien familiarizados con los beneficios de este enfoque. Véase Renfrew, *Archaeology,* pp. 77-86, 284-289.

12. Para varios ejemplos prácticos, véase Ashe, *Dawn,* pp. 31, 44-49.

13. El problema con este enfoque consiste en que el conocimiento completo de una lengua antigua depende de que haya sido escrita, cosa que en muchas ocasiones nunca sucedió. Aun en estas circunstancias, sin embargo, los fragmentos del idioma todavía se pueden encontrar a partir de nombres de ríos y de lugares (que con frecuencia reflejan formas originales, preliterarias) o a través de costumbres que haya sido registradas por vecinos que escribían.

14. Renfrew, *Archaeology,* p. 20.

15. Cuando se escribieron estos signos por primera vez, Renfrew anota que registraban "toda una literatura, y una forma completamente primitiva de lenguaje, que de otra manera se habría perdido por entero" (*Archaeology,* p. 21).

16. Durante el período normando, los bardos se adhirieron a la aristocracia, su alto estatus resultaba después de un curso de estudio de seis años. Véase Jill y León Uris, *Ireland: A Terrible Beauty* (New York: Doubleday, 1975), p. 95.

17. Para estos tradicionalistas genuinos, la verdad era panorámica. Cuando un especialista Dogon de la región de Pignari en Mali fue obligado a mentir para salvar la vida de una mujer atrapada que él había ocultado en su casa, posteriormente renunció a su oficio porque ya no llenaba más las condiciones requeridas para cumplir adecuadamente con sus deberes. En este sentido, los amos y dueños del conocimiento o difieren de los cuenteros

conocidos como griots cuya función primaria es entretener. El público no confunde a los dos, y tiene plena conciencia que a los *griots* "se les permite tener dos lenguas". Véase Ki-Zerbo, *General History,* pp. 62-72.

18. Ibid., p.3.

19. Mientras los pueblos marítimos existían (ver Génesis 10:4-5), sus viajes por el mar se limitaban a la seguridad relativa de las aguas costeras.

20. Algunas de estas referencias bíblicas, además de Jonás, para los barcos de Tarsis son: 1 Reyes 10:22; 2 Crónicas 9:21; Salmo 48:7; Isaías 2:16, 23:1 y 60:9 y Ezequiel 27:25.

21. Barry Fell, *America B.C.* (New York: Pocket, 1976, 1989), pp. 93-94, 108-110.

22. Además de evidencias frescas que se obtienen en ciencias difíciles (véase Curt Anderson, "Plant Find Links Continents", *Seattle Times,* abril 28, 1994), los historiadores señalan que un disco circular es la forma que se asocian más frecuentemente con los mapas de la tierra. Aunque en los tiempos de la Edad Media se hacía así para conservar el "círculo de la tierra" como se lee en Isaías 40:22, la forma puede también haber reflejado la geología primitiva del planeta. Para adicionar créditos a esta teoría se encentra el hecho que el mapa más viejo del mundo, una tableta babilónica atribuida al siglo sexto A.C., ilustra un continente plano y circular rodeado por el "océano de la tierra". Para los hebreos, la isla de la tierra recibía el nombre de *tebel,* mientras los romanos preferían el término *orbis terrarum,* "círculo de la tierra". Ver Erich Neumann, *The Origins and History of Consciousness* (Boston: Routledge & Kegan Paul, 1954), p. 10, illustration 3; Eckhard Unger, "Ancient Babylonian Maps and Plans", *Antiquity,* Vol. 9, septiembre 1935, pp. 311-322; y John Noble Wilford, *The Mapmakers* (New York, Vintage, 1981), p. 10. Los mitos antiguos tanto hindúes como navajos presentan un cuadro semejante con los del poeta griego Homero. Véanse Ashe, *Dawn,* p. 55; y *The Jain Cosmology* (New York: Harony, 1981), pp. 26-28.
La idea de una masa central de tierra rodeada con agua tiene también raíces en el relato bíblico de la creación. De acuerdo con Génesis 1:9-10: "...Júntense las aguas que están debajo de los cielos en un lugar, y descúbrase lo seco. Y fue así. Y llamó Dios a lo seco Tierra, y a la reunión de las aguas llamó Mares..." (énfasis del autor). Se puede suponer un supercontinente primario a partir de Génesis 2:10-14, que describe las aguas del Edén al dividirse en ríos que fluyen a través de Mesopotamia, África Oriental (Cus) y posiblemente la India. Como hoy esto sería imposible, debido a las montañas y a los mares que separan estas tierras, sólo podemos suponer que la tierra era entonces un lugar muy distinto.

23. Como la tierra fue presumiblemente perfecta en la creación, y la vida continuó con toda magnificencia y esplendor, inclusive después del juicio edénico, toda alteración geológica debe haber tenido lugar durante o después del Diluvio. En una posible referencia a la evacuación y secamiento de las

aguas que inundaron y cubrieron una vez la tierra, el Salmo 104:5-9 sugiere que esta clase de suceso puede haber incluido un levantamiento continental significativo.

24. Lejos de ser el escudo sólido, muchos suponen que la corteza de la tierra más seguramente recuerda las galletas que flotan en la parte superior de un tazón de sopa caliente. Estas "galletas" conocidas por los geólogos como placas tectónicas, están en constante formación. Cuando chocan o se deslizan entre sí, las consecuencias más notables son terremotos y erupciones volcánicas.

25. Evidencia posterior de una ruptura de los continentes se encuentra en los islotes conocidos como rocas de San Pedro y San Pablo en medio del Atlántico. En lugar de venir de material que surgió en elevaciones, como casi todas las islas oceánicas, estas viviendas estériles, pobladas por cangrejos, revelan características idénticas a las que se encuentran en el manto subcontinental. Esto significa que las rocas son pedazos ("migas o mendrugos") geológicos que quedaron después de la ruptura del pan que era el supercontinente *Pangaea*. Véase "Earth Before Pangea", Ian Dalziel, *Scientific American,* enero 1995, Vol. 272, No. 1, pp. 58-63. Para un artículo relacionado, ver "The Earth's Mantle Below the Oceans", Enrico Bonatti, *Scientific American,* marzo 1994, Vol. 270, No 3, pp. 44-51.

26. Michael Oard ofrece un caso probable para las migraciones por el puente de tierra en *An Ice Age Caused by the Genesis Flood* (El Cajón, Calif: Institute of Creation Research, 1990), pp. 84-86.

27. Una u otra de estas teorías es probable, aunque los científicos seculares insisten en que Pangaea se dividió mucho tiempo antes de la aparición en escena del hombre moderno. Por otra parte, los creacionistas discuten las suposiciones sobre las que se basan los métodos de fechas seculares. Como Whitcomb y Morris lo dicen: "...El método del radiocarbono no se puede aplicar a períodos del pasado remoto debido a que la doctrina bíblica de un diluvio universal sostiene una historia no uniformista de la atmósfera de la tierra y de la actividad de los rayos cósmicos y de las concentraciones de radiocarbono. Los supuestos de éste y de otros métodos de fechas semejantes... se contraindican claramente con el testimonio de 2 Pedro 3:3-7" (*The Genesis Flood,* pp. 43-44). Además, se ha visto que una buena cantidad de fechas con radiocarbono son o contradictorias o inaceptables arqueológicamente. En su libro *Prehistory and Earth Models* (London: Max Parrish, 1960), Melvin Cook, antiguo profesor de la Universidad de Utah, escribe: "en realidad no hay relojes de tiempo confiables a pesar de una abrumadora opinión contraria" (p. xi).

28. Mientras los científicos típicamente discuten que la ruptura continental de Pangaea fue un proceso imperceptible que ocurrió en el curso de eones, por lo menos una simulación a gran escala hecha en computador (con un supercomputador Cray en el Laboratorio Nacional de Los Álamos) dio

otro resultado. En esta prueba los datos demostraron que después de cuatro meses de separación, los continentes se movían ¡a una velocidad de casi 1.7 millas (2.7 km) por hora! A esta velocidad, España y Estados Unidos habrían alcanzado sus posiciones actuales en lados opuestos del Atlántico sólo en un año (en oposición a los centenares de millones de años propuestos por los científicos evolucionistas). Véase John Baumgardner, "Numerical Simulation of the Large Scale Tectonic Changes Accompanying the Flood", pp. 17-30, publicado en los "Proceedings of the First National Conference on Creationism", Vol. 2 (Pittsburgh, 1986).

29. El origen del mito de la tribu de los indios zuni también tiene fuertes asociaciones con el Edén. "En los tiempos antiguos —relata el cuentero—, todos los seres pertenecían a una familia. El padre de nuestras bandas sagradas, Póshai ank'ia, vivía con sus hijos (discípulos) en la Ciudad de las Nieblas, el lugar medio (centro) del mundo". Frank Cushing, *Fetishes*, p. 16; Waters, *Book of the Hopi*, pp. 25-26.

30. William Howells, *Mankind So Far* (New York: Doubleday, 1947), p. 295.

31. Michael Lemonick, "Ancient Odysseys", *Time*, febrero 13, 1995.

32. Ruhlen, *Language*, pp. 17, 3-4.
Nota: Uno de los más brillantes lingüistas de estos días, Joseph Greenberg ha hecho carrera a fin de levantar el status quo académico. Por ejemplo, al finalizar 1940, inició una investigación de una década sobre la clasificación de los idiomas africanos que revolucionó a los lingüistas africanos. Su obra también la han alabado los antropólogos, los genetistas y los lingüistas históricos. Aunque el libro más reciente de Greenberg, ha provocado críticas vocales por postular que los idiomas americanos nativos se han de clasificar apenas en tres familias, casi todas las censuras han venido de los eruditos que tienen sus ojos en teorías opuestas. (Infortunadamente para estos críticos, una monografía que Cavalli-Sforza publicó en 1994 revela que los americanos nativos caen dentro de tres familias genéticas distintas).

33. El proyecto de Cavalli Sforza ha producido la más grande base de datos a nivel del mundo sobre alelos, genes, e incluso rasgos como grupos sanguíneos, proteínas y enzimas.

34. Debido a que estos descubrimientos son nuevos, nunca se han superpuesto (hasta donde yo sé) con las claves etnogeográficas que aparecen en Génesis 10 —claves que indican que las divisiones primarias en la raza humana se iniciaron entre los descendientes de los tres hijos de Noé: Sem, Cam y Jafet.

35. Basado en Lamentaciones 4:21 y otras evidencias, casi todos los expertos están de acuerdo en que Uz se localizaba en una región al sur de Edom (Jordania) y al occidente de lo que es ahora el gran Desierto de Arabia. Si se da un límite norte liberal, la región puede haber contenido en alguna ocasión algo así como trescientas ciudades y haber sido escenario de las rutas principales de caravanas entre Babilonia y Egipto.

36. 1 Crónicas 1:42.

37. Renfrew, *Archaeology,* pp. 143, 173-174.

38. A pesar de la falta de sistemas y métodos modernos, el viaje se puede haber beneficiado del hecho que el alejamiento continental todavía estaba sin cumplirse, es decir, Arabia aún no se había separado del Cuerno de África.

39. No todos los pueblos de piel oscura son descendientes de Cam. Las poblaciones dravídicas del sur de la India, por ejemplo, se relacionan en forma más estrecha (tanto genética como lingüísticamente) con grupos de pueblos que se asocian por tradición con los jafetitas. Al mismo tiempo, pueblos semíticos de piel oscura han vivido por mucho tiempo en las tierras que hay entre el sur de Arabia y Etiopía (véase Ruhlen, *Language,* p. 142). Por esta razón se puede decir sin riesgo de equivocarse, que el color de la piel, no se relaciona de ninguna manera con la maldición de Cam pronunciada por Noé y que aparece en Génesis 9:25-27.

    Aunque la idolatría fue muy común entre los pueblos camitas primitivos, sobre todo en las ciudades de Nimrod y la tierra de Canaán; esto no tiene nada que ver, o muy poco, con la "maldición de Cam" que ha sido motivo de tantas discusiones. El objeto de esta maldición no fue un individuo o una raza, sino una nación (Canaán) que estaría sujeta políticamente a sus vecinos. Por último, quienes sugieren que los pueblos camitas están destinados a la esclavitud o a ciertas deficiencias genéticas, deberían recordar que el poderoso Nimrod era bisnieto de Cam.

40. *Methodology,* p. 305. Hasta el día de hoy el Cuerno de África representa la región lingüísticamente más fragmentada de todo el continente (véanse pp. 119-120).

41. *Methodology,* pp. 266-271.

42. Ibid; p. 271; Ruhlen, *Language,* pp. 170-177.

43. Aquí se incluyen el refugio Gargora en Etiopía y la Cueva del Puerco espín, así como la Cueva del río Njoro (cerca de Nakuru) y la Cueva Keringet (cerca de Molo) en Kenyia. Véase *Methodology,* pp. 207-208.

44. La prueba de la presencia de los jafetitas en esta región se demostró mucho más cuando, al finalizar la década de 1980, los estudios independientes de Colin Renfrew y un par de lingüistas rusos, Tomás Gamkrelidze y V. Ivanov, identificaron el oriente de Anatolia como el sitio donde se habló el primer idioma indo-europeo. (Las lenguas indo-europeas son la forma estándar de comunicación entre los pueblos jafetitas y ahora más o menos la mitad de la población del mundo las habla).

    Aunque los lingüistas rusos ubican a los proto-indo-europeos en Anatolia hacia el año 4.000 A.C., Renfrew fija la fecha entre 2.000 y 2.500 años antes. Si —y este es un si muy grande— la fecha de Renfrew es correcta, entonces es muy probable que estemos hablando acerca de una población antediluviana. En este escenario sólo podemos suponer que Noé y su familia llevaron el idioma a través del Diluvio y que simplemente representaba una de las alternativas lingüísticas después de Babel. Véase Renfrew, *Archaeology,* pp. 174, 266, 269.

45. Aunque los asentamientos agrícolas más primitivos en Europa se han situado hacia 6.500 A.C., posiblemente tienen rasgos antediluvianos. Los pueblos postdiluvianos habían ocupado casi toda Europa, excepto el extremo norte, hacia el año 3.000 A.C. Véase Renfrew, *Archaeology,* p. 30.

46. Renfrew, *Archaeology,* pp. 168, 159-161.

47. Si se depende en la confiabilidad de las fechas con el radiocarbono, la cultura Andronovo surgió en algún momento entre los años 3.000 y 1.800 A.C. (J. P. Mallory da la fecha más temprana). Es posible que fuera una derivación del llamado pueblo Afansievo, cuyos restos han sido descubiertos por los arqueólogos un poco más al noroeste. Una explicación alternativa sitúa al pueblo Afansievo en la era prediluviana.

48. J. P. Mallory, *In Search of the Indo-Europeans* (New York: Thames & Hudson, 1989), p. 229.

49. El contenido de esta biblioteca se registró sobre hojas de palma, papel chino y tabletas de madera.

50. Renfrew, *Archaeology,* pp. 63-67.

51. Otras inscripciones en Tocharian se han encontrado desde entonces pintadas en cuevas de las colinas al occidente de Urumchi. Al pie de las inscripciones hay pinturas de caballeros que blanden espadas largas. ¡Se ilustra a los caballeros con barbas rojas completas y con rostros europeos!

52. Esta evidencia incluye fragmentos de textiles semejantes a las muestras recobradas de aproximadamente el mismo período en diversos sitios germánicos de Europa, y pedazos de ruedas de carretas en madera virtualmente idénticas a las ruedas encontradas en Ucrania hacia el año 3.000 A.C. Equipo para montar a caballo tanto en cuero como en madera se encontró decorado con una imagen del sol parecida a los tatuajes hallados en algunas de las momias. Véase Evan Hadingham, "The Mummies of Xinjiang", *Discover,* abril 1994, pp. 68-77.

53. Por lo menos un erudito, W. B. Henning, ha alegado que los proto-tocharians no eran otros que los guti, un pueblo documentado en Babilonia hacia el fin del tercer milenio A.C. Si Henning tiene razón, significa que "sus parientes más cercanos entre los indo-europeos serían las naciones hititas de Asia Menor". Véase W. B. Henning, "The First Indo-Europeans in Hisory", *Society and Essays in Honour of Karl August Wittfogel,* G. L. Ulmen, ed. (The Hague: Mouton, 1978), pp. 215-230.

54. Mientras investigaba los orígenes de estos pueblos, Christy Turner, docente de la Universidad Estatal de Arizona, agregó hace poco otro indicio interesante: ¡Tienen dientes diferentes! Al notar que las diversas diferencias en las características dentales (de modo específico en caracteres de las coronas y de las raíces) pueden ayudar a distinguir entre las familias prehistóricas, Turner procedió a examinar muchos esqueletos antiguos de Asia.

Encontró que los dientes de los indo-europeos y de los asiáticos del sureste (más tarde llamados *sundadontes*) llevaban un patrón sorprendentemente distinto al de los asiáticos del norte y al de los americanos nativos (a quienes Turner bautizó *sinodontes*). Tan estable era esta diferencia que Turner concluyó que probablemente los *sundadontes* nada tenían que ver con el poblamiento de Asia nororiental o con el de las Américas. Véase Brian Fagan, *The Journey from Eden* (New York: Thames & Hudson, 1990), pp. 196-198, 232-233.

55. Ruhlen, *Language,* p. 164.

56. No sólo esto ayuda a explicar el aislamiento de los remanentes dene-caucásicos, sino también ofrece una razón para que otras familias de lenguajes presenten cognados más abundantes y más transparentes.

57. Otra explicación consiste en que algunos de los hablantes dene-caucásicos de hoy —sobre todo los tibetanos y diversos grupos nativos americanos (como los haida, los tlingit y los navajos)— fueron una vez pastores nómadas en las estepas del norte de China. En algún punto y por alguna razón desconocida, en apariencia se apartaron de sus parientes y abrazaron las lenguas de sus vecinos de habla dene-caucásica. Mientras los tibetanos recogieron un idioma chino-tibetano (quizá de los remanentes dene-caucásicos de Mongolia), las tribus de nativos americanos adaptaron la lengua na-dene (posiblemente del mismo grupo, o de los más norteños yeniséis). Que en la mezcla genética no absorbieron sus genes, se explica por el hecho que después los tibetanos se apartaron y se fueron a las tierras del sudoeste de China, mientras los americanos nativos que hablaban na-dene, migraron a través del Estrecho de Bering hacia Alaska. Véase Ruhlen. *Language,* pp. 166, 100, 169-170.

Es también posible que los tibetanos y los americanos nativos hayan derivado sus idiomas de una sola cultura (de la cual se apartaron posteriormente). Como Fagan observa en *The Journey from Eden*, "La tradición Afontovo Gora-Oshurkovo se pensó en alguna oportunidad que era una cultura siberiana puramente local, confinada al Valle del río Yeniséi, pero ahora parece haber florecido sobre una enorme área del norte de Asia, quizá desde el Altai hasta el río Amur" (p. 194).

58. Aquí Ruhlen cita el caso de los vascos: "A pesar de su lengua completamente distinta, que virtualmente no tiene semejanzas con ninguno otro de los idiomas europeos, en verdad, hay un flujo significativo de genes entre los vascos y la migración posterior de pueblos que se movieron dentro de Europa... para reemplazar todos los idiomas que se hablaban antes allí —excepto el vasco— con lenguas indo-europeas". (*Language,* pp. 165-166). Cavalli-Sforza agrega: "Dos poblaciones que se han separado comienzan un proceso de diferenciación tanto de genes como de lenguas". Y mientras "sucesos posteriores como un flujo de genes o el reemplazo del

idioma... pueden empañar el cuadro genético y lingüístico, nuestra conclusión es que no lo oscurecen por completo" (pp. 153-154).

59. Es necio decir, como algunos lo hacen, que la Biblia no pudo ser la inspirada Palabra de Dios, pues simplemente es el eco de relatos que se conocían y se discutían años antes. Como Otto Whittaker pregunta en forma correcta: "¿Qué más podríamos esperar?" Si las personas de Babel migraron a nuevos hogares porque de repente no podrían comprender el habla de sus vecinos ¿habrían olvidado informar tal cosa a sus descendientes? Mientras es cierto, según destaca Whittaker, que el hombre a menudo "aplica su imaginación a las cosas que dice una y otra vez", también es cierto que "Dios reveló a Moisés las verdades que habían deambulado según las 'tradiciones orales'. Y le dijo a Moisés que lo pusiera por escrito". Véase Otto Whittaker, "Didn't They Tell the Kids?", *World,* julio 18, 1992, Vol. 7, No. 11, p. 21.

60. Esta vaga reminiscencia de un Edén perdido se apoya en el hecho que casi todas las mitologías tradicionales conservan aspectos de una edad dorada. Aunque los recuerdos de esta edad difieren, el hecho de existir, y que estén tan ampliamente distribuidos, es una evidencia fuerte de algo verdadero. Ashe, al referirse a la edad de oro, nota que el término, no la idea la acuñó primero el poeta griego Hesiodo en el siglo octavo A.C. En el esquema del gran poeta hubo cinco épocas, cada una con sus propias especies humanas. La raza dorada floreció en la primera de estas edades, cuando Cronos era el principal de las deidades mayores conocidas como Titanes (gigantes). "El pueblo dorado llevaba vidas libres de cuidados, y se alimentaban con los dones de la naturaleza", escribió Ashe, "...sin enfermedades ni envejecimiento". En el relato hindú, la edad dorada se conoce como *Krita Yuga,* una era extremadamente antigua donde "todos los seres eran justos, sabios, prósperos, llenos de salud, y cumplían con las leyes de la naturaleza..." (*Ashe Dawn,* pp. 1-3; véanse también Cowan, *Fire,* p. 197; Eliade, *Shamanism,* p. 99; cf, pp. 171, 431, 486, 492-93, 508).

En *Liber Null and Psychonaut: An Introduction to Chaos Magic* (York Beach, Me.: Samuel Weiser, 1987, 1991), el ocultista británico Peter Carroll escribe: "el chamanismo una vez guió a todas las sociedades humanas y las mantuvo en equilibrio durante miles de años. Todo ocultismo es un intento para volver a ganar aquella sabiduría perdida" (p. 169).

61. Según Mircea Eliade, "la experiencia mística de los primitivos equivale a un viaje de retorno a los orígenes, una regresión dentro del tiempo mítico del Paraíso perdido... y la experiencia mística más representativa de las sociedades arcaicas, la del chamanismo, traiciona la nostalgia del Paraíso, el deseo de recobrar el estado de libertad y bienaventuranza antes de 'la Caída', la voluntad para restaurar la comunicación entre la Tierra y el cielo..." (*Myths,*

Dreams and Mysteries [New York: Harper & Row, 1960], p. 66; véase también Ashe, *Dawn,* pp. 28, 30, 144).

62. Ashe, *Dawn,* pp. 13, 16-17; y Fagan, *Journey,* pp. 192-194. Mientras el frío y remoto Altai puede parecer un lecho de simiente improbable para motivos culturales —que eventualmente se manifestarían en las grandes civilizaciones de Mesopotamia, India, Grecia y las Américas, la evidencia para tal información es considerable. (Véase sobre todo Geoffrey Ashe, *Dawn Behind the Dawn*). No sólo encontramos el material ideológico crudo que se utilizó en la construcción de los engaños basados en la naturaleza; también encontramos referencias históricas a pueblos del norte —como los kurus e hiperbóreos del norte— cuyas descripciones coinciden con la localización y las prácticas de los chamanes altaicos. Aunque los primeros, técnicamente son producto de leyendas hindúes y griegas, muchos estudiosos consideran que se basan en hechos. Este fue ciertamente el sentimiento del explorador griego Aristeas que en el siglo séptimo A.C., salió para localizar a los hiperbóreos. Aunque su éxito es tema de debate, parece que al fin, por lo menos, alcanzó las cadenas más bajas del sur de los montes Altai (quizá Kirgizstán cerca de la Puerta de Dzungaria). Aquí reclamó que había encontrado al "Pueblo de Más Allá del Viento Norte", que le enseñó el arte de volar en el espíritu). Véanse Rutherford, *The Druids,* p. 133; y Ashe, *Dawn,* pp. 169-183 (especialmente pp. 173-175).

63. En las palabras de A. C. Haddon, antiguo etnólogo de la Universidad de Cambridge: "Una migración inducida por un atractivo es rara, si se compara con la que produce una expulsión, pues hasta un pueblo que dirige y gobierna está poco dispuesto a abandonar la tierra de sus padres..." Véase *The Wanderings of Peoples* (Washington, D.C.: Cliveden, 1984), p. 2.

64. Como Michael Oard escribe en *An Ice Age Caused by the Genesis Flood,* "la tierra puede haber continuado tectónicamente inestable, con un nivel alto de vulcanismo, durante años después del Diluvio..." (p. 67). Por lo menos un geólogo francés lanzó la hipótesis que los pliegues rocosos exageradamente retorcidos en lo alto de los Alpes se formaron durante violentos terremotos en el mundo. Véase Steven Austin, *Catastrophes in Earth History,* ICR Technical Monograph 13 (El Cajón, Calif.: Institute for Creation Research, 1984), pp. 153-154.

65. Históricamente tales catástrofes se han atribuido a las deidades de las estrellas que decretan el destino. La misma palabra *desastre* se deriva del término latino *astrum,* o "estrella", y literalmente significa "mal estrellado".

66. W. C. Gussow, "Salt Diapirism: Importance of Temperature, and Energy Source of Emplacement", in *Diapirism and Diapirs,* J. Braunstein and G. D. O'Brien, eds. (Tulsa: American Association of Petroleum Geologists, Memoir 8), pp. 16-52. Véase también *Guinness Book of World Records,* P. McWhirter, ed. (New York: Bantam, 1995), 34a edición, p. 156.

67. Los rayos y relámpagos pueden caer cien veces cada segundo. Véase Kendrick Frazier, *The Violent Face of Nature: Severe Phenomena and Natural Disasters* (New York: Morrow, 1979).

68. Como Roger Larson anotó en "The Mid-Cretaceous Superplume Episode", la actividad volcánica precoz en la tierra "alteró dramáticamente el clima terrestre y las estructuras de la superficie..."

69. De acuerdo con Suzuki, la desecación circundante es la única explicación para el crecimiento de las poblaciones en estos cuatro valles. Muchos otros valles de grandes ríos en el mundo al mismo tiempo, no vieron un desarrollo correspondiente.

70. Suzuki también notó que casi todas estas civilizaciones antiguas se colapsaron alrededor de hace 3.500 años —al mismo tiempo las latitudes primarias experimentaron una caída repentina en la temperatura (tres grados centígrados) y el clima. Si se agregaban a las sequías predominantes, estas temperaturas más bajas tuvieron un impacto adverso sobre los cultivos; casi todas las migraciones registradas durante este período, fueron hacia el sur. ¿Qué hizo que la temperatura cayera? Los científicos opinan en sus especulaciones que puede haberse debido a la erupción del volcán Thera en la Isla de Santorini en el mar Egeo. Véanse Hideo Suzuki, *The Transcendent and Environments* (Yokohama, Japan: Addis Abeba Sha, 1981), pp. 53-54, 116-117, 127; Robert Kates, "Sustaining Life", pp. 115-116.

71. Los trematodos sanguíneos y los gusanos parásitos eran problemas muy importantes en China y Egipto antiguos, y probablemente en Mesopotamia, lo mismo que en el valle del río Indo. Véase William McNeill, *Plagues and Peoples* (New York: Anchor, 1976), pp. 38-41. Basado en el hecho que las ciudades primitivas eran pocas y pequeñas, McNeill cree que las epidemias diseminadas por contacto persona a persona pudieron no haberse establecido mucho antes del año 3.000 A.C. (pp. 37, 55-56).

72. Abraham Udovitch, "Egypt: Crisis in a Muslim Land", reproducido en William L. Bowsky, *The Black Death: A Turning Point in History?* (New York: Holt, Rinehart & Winston, 1971), p. 124. Los esqueletos de la así llamada Edad de Piedra y el reino antiguo de Egipto también revelan pruebas de lesiones tuberculosas (el bacilo de la tuberculosis se encuentra entre los más antiguos del planeta). Véase McNeill, *Plagues,* p. 56.

73. McNeill, *Plagues,* pp. 103-104.

74. Citado por Beverley Raphael en *When Disaster Strikes: How Individuals and Communities Cope with Catastrophe* (New York: Basic, 1986), pp. 12-13. Otro trabajo que ilumina tanto los horrores internos como exteriores de la peste se encuentra en la novela clásica de Albert Camus *The Plague.*
Nota: Es aterrador, desde luego pensar que tal devastación se pueda deber a un microorganismo —una entidad tan pequeña que sólo es posible apreciar con un microscopio. Mientras los racionalistas miran condescendientemente la tendencia de los antiguos para vincular las plagas con las fuerzas

sobrenaturales, quizá nuestros antecesores no estaban tan apartados de la realidad. ¿No podría algo tan peligroso y tan poco natural tener su origen en otra cosa que en una obra satánica?

75. La comparación de dos cifras de censos chinos hechos en el año 2 y en el año 742, de nuestra era, revela que el número total de hogares (o viviendas) cayó durante este período de 12.3 millones a 8.9 millones. En el curso de la misma época, el budismo se diseminó por todo el imperio Han y ganó conversos en lugares altos. Véase McNeill, *Plagues,* pp. 119-121.

76. McNeill, *Plagues,* pp. 143-144, 168.

77. Una herramienta nueva para descubrir los desastres ambientales tempranos se llama paleolimnología (el estudio del sedimento de los lagos). Los sedimentos de ríos y corrientes que se colectan del fondo de los lagos suministran evidencias que pueden facilitar en el tiempo una historia ordenada de una zona. La desaparición de polen de los árboles, por ejemplo, es un potente indicador de la deforestación. Las cantidades grandes de cenizas que se obtienen a partir de edificios quemados son un marcador para catástrofes ambientales de guerra o también de erupciones volcánicas. De acuerdo con Patrick Kirch de la Universidad de California en Berkeley, este tipo de estudio ha "revolucionado nuestra comprensión del pasado". Véase Thomas Maugh II, "Plunder of the Earth Began with Man", *Los Ángeles Times,* junio 12, 1994.

78. Para sostener su afirmación, Raikes cita la falta de asentamientos en el área cerca de la boca del río, y también el hecho que los fósiles de las playas se encuentran a muchas millas tierra adentro de la costa actual. Si la ruta del río al mar se bloquea repentinamente por un levantamiento de tierra cerca de la desembocadura, su carga líquida necesariamente se habría devuelto dentro de un gran lago que pudo haber inundado el área de Harappa. Véase Robert Wenke, *Patterns in Prehistory* (New York: Oxford University Press, 1984), pp. 316-317.

79. Ibid.; Saggs, *Greatness,* pp. 60-61.

80. Ingpen y Wilkinson, *Mysterious Places,* p. 235.
    Nota: De acuerdo con John Barrat del Smithsonian Museum's Office of Public Affairs, los arqueólogos ambientales han concluido recientemente que el fracaso del pueblo Clovis —entre los habitantes más antiguos conocidos de Norteamérica— se produjo por una sequía muy severa.

81. Thomas Maugh II, "New Ideas About 'People with No Name'", *Los Ángeles Times,* junio 12, 1994.

82. Los mongoles no fueron los únicos que llenaron de terror los corazones de los hombres y mujeres primitivos. En otros tiempos y en otros sitios las madres silenciaban los malos manejos de sus hijos al invocar la fama de vecinos, a saber, asirios, filisteos, hunos, visigodos, escitas, celtas, vikingos y pawnees.

83. Kai Erikson, *A New Species of Trouble: The Human Experience of Modern Disasters* (New York: Norton, 1994), pp. 228-230. Erikson anota que

"en el uso médico clásico 'trauma' se refiere no a la *lesión* que se recibe sino al golpe que la causa, no al estado mental que produce sino al *suceso* que lo origina. El término 'desorden de estrés postraumático' es un acomodo a esa convención medica". Al mismo tiempo, Erikson cree: "Depende de *cómo las personas reaccionan, más que lo que son,* que da a cualquier suceso la cualidad traumática que se puede decir que tiene".

84. Ibid., pp. 230-231, 234, 237. Erikson habla de comunidades traumatizadas como distintas a los conjuntos de personas traumatizadas: "...Algo de la suerte que también puede suceder a toda una región, e inclusive a países enteros".

85. Esta evaluación la recibí de un consorcio de pastores y terapeutas cristianos acreditados en la costa oriental de los Estados Unidos.

86. Raphael anota que "las definiciones de desastre con frecuencia se relacionan con los conceptos de crisis. Tanto la crisis como el desastre se caracterizan por rápidas secuencias en el tiempo, desorganización en las respuestas habituales de enfrentamiento, percepciones de amenaza y de impotencia, cambios principales en la conducta, y el volverse a otros en búsqueda de ayuda" (*Disaster,* p. 6).

87. Los votos recíprocos con frecuencia implican hacer una peregrinación; ofrecer un sacrificio en un lugar santo como símbolo de sumisión; extensión de la misericordia; abstenerse de ciertas acciones o de algún alimento que se desea en forma especial; o construir o aportar para un edificio en nombre de la divinidad. Véase Surinder Bhardwaj, "Single Religion Shrines, Multireligion Pilgrimages", The National Geographic Journal of India, Vol. 33, Part 4, diciembre 1987, pp. 105-115.

88. Ki-Zerbo, *General History,* pp. 291, 293.
Nota: Los mitogramas pintados o en esbozo ofrecen algunos de los más precoces indicadores de cómo las comunidades bajo un pacto pagaron tributo en alguna ocasión a sus amos espirituales. Mientras estos antiguos registros marcan el paisaje de todos los continentes, hay pocas colecciones que sean tan impresionantes como las que se encuentran cerca de Val Camonica y Val d'Aosta, en el norte de Italia. En estos lugares se han descubierto más de tres mil imágenes; si las fechas arqueológicas son correctas, las versiones más primitivas casi ciertamente fueron hechas por tribus de idioma indo-europeo que viajaban hacia el occidente desde Anatolia. (De acuerdo con Julien Ries: "Es razonable suponer que los indo-europeos alcanzaron los valles alpinos alrededor del año 3.200 A.C." [*Origins,* p. 71]. Véase también la contribución de Emmanuel Anati "Valcamonica: A Center of Creativity" en *People of the Stone Age: Hunter-Gatherers and Early Farmers,* Göran Burenhult, ed. [New York: HarperSanFrancisco, 1993], pp. 120-121). Las pinturas mismas ofrecen dos elementos recurrentes: El disco de un sol radiante (que con frecuencia se muestra como la cabeza de un ser cosmológico) y figuras humanas que oran. Estas últimas aparecen

con sus brazos elevados hacia el firmamento o unidas con otras figuras para formar una danza circular. Si se considera junto con las marcas de copas excavadas de manera notoria en la roca adyacente, estas imágenes sugieren con mucha fuerza ritos de ofrenda a una deidad astral primitiva.

89. Ibid., p. 261.

90. Heliópolis, un nombre griego que significa "Ciudad del Sol", fue conocida para los egipcios mismos como Onou. En Génesis 41:45 y 46:20 recibe el nombre de On.

91. Varios años en el curso de su reinado, Amunhotep IV cambió su nombre a Aknatón ("Bien-Agradable a Atón"). Véase Finegan, *Myth*, p. 57; *Larousse Encyclopedia of Mythology*, Félix Guirand, ed. (New York: Barnes & Noble, 1994), p. 29.

92. *Larousse Encyclopedia*, p. 43.

93. Nótese la apreciable semejanza en lenguaje entre este texto y el pasaje en Isaías 14:13-14.

94. Los Textos de la Pirámide ∞ 1652-54 (citados en *Finegan, Myth and Mystery*, p. 52). Otra adulación de la divinidad solar —contenida en el ensalmo # 15 del *Book of Going Forth by Day*— quita toda duda en lo que respecta a su lugar en el esquema universal (Finegan, *Myth and Mystery*, p. 59): "Alabanzas a ti, Ra en su amanecer, Atum en su puesta... Eres señor del firmamento y de la tierra, que hiciste arriba a las estrellas y a la humanidad abajo, único Dios que viniste a ser en el comienzo del tiempo..."

95. Iconográficamente con frecuencia se representa a Mata como una mujer amarilla que se sienta sobre un *menúfar*, vestida de rojo y que da de mamar a un infante. Sus santuarios por lo general se encuentran fuera de las aldeas, bajo árboles, o en bosquecillos. El cólera, otra enfermedad que por mucho tiempo ha atacado a la India, se representa por varias diosas, las más notables son Hulka Devi (la personificación del vómito), y la temida Mari Mai, o "Madre Muerte", de quien se dice que es la hermana de Sítala.

96. E. Osborn Martin, *The Gods of India: Their History,* Character and Worship (Delhi: Indological Book House, 1988), pp. 252-256; Bhardwaj, "Single Religion Shrines", pp. 105-115.

97. Lars Skrefsrud de Noruega y su colega danés Hans Børreson fueron los pioneros de lo que más tarde vendría a ser la Misión Noruega de Santal.

98. Don Richardson, *Eternity in Their Hearts* (Ventura, Calif.: Regal, 1981), pp. 34-40. Las migraciones siguientes los llevaron aún más al este, donde vinieron a ser el moderno pueblo Santal. Aquí, en la vecindad de la Calcuta de hoy, progresaron en hechicería, e inclusive en la adoración al sol. Felizmente, la liberación espiritual alcanzó a este pueblo al finalizar el siglo veinte sobre todo como consecuencia de los iluminados sermones de Lars Skrefsrud.

99. Lilly de Jongh Osborne, "Pilgrims' Progress in Guatemala", *Bulletin of the Pan American Union,* marzo 1948. P. 135.

100. Tierney, *Altar*, pp. 165-166.

101. Ibid., pp. 105-106.

102. De acuerdo con el asistente de Machi Juana, Felipe Painén, esto se hizo "porque la serpiente Cai Cai Filu tiene hambre de sangre en un sacrificio humano. Sale del océano para buscar alimento. Sólo después de encontrar sangre regresará a las profundidades y dejará al mundo solo" (Tierney, *Altar*, p. 133).

La creencia de los mapuches en que un espíritu hambriento en el agua fue responsable de su desesperada conducta, invita a compararla con una erupción en agosto de 1986 del Lago Nyos en Camerún (cuando una mortífera nube de bióxido de carbono se levantó de las profundidades para asfixiar a más de mil setecientas personas). De acuerdo con el investigados Curt Stager, "en las mesetas circularon numerosas explicaciones del desastre. Una de ellas comprometió a 'Mammy Agua', un espíritu femenino que habita lagos y ríos. Algunos cameruneses sospechan que había una Mammy airada detrás de la explosión del Lago Nyos". En la vanguardia de quienes buscaban una cercanía con Mammy y otros espíritus del lago hubo sociedades de ritos secretos como los Ndengo. Después de remar en lo más profundo de las aguas, pusieron sus botes sobre puntos místicos poderosos. Allí, mientras entonaban cánticos en un idioma secreto, procedieron a verter libaciones consistentes en sangre sacrificial de aves mezclada con medicinas de hierbas. Los mitos locales hablan de explosiones de ira en los espíritus del lago, lo que da claves para desastres más antiguos. Véase Curt Stager, "Silent Death from Cameroon's Killer Lake", *National Geographic,* Vol. 172, No. 3, septiembre 1987, pp. 404-420.

Los pactos con otros espíritus de la naturaleza, especialmente los espíritus de las montañas, a menudo se firman con sangre humana. El capítulo dieciocho del libro de Patrick Tierney *The Highest Altar* ofrece el escalofriante relato de un *yatiri* (chamán) peruano de nombre Máximo Coa que sacrifica seres humanos a fin de sellar pactos provisionales con una potestad demoníaca el Tío Lucífugo Rofocal. En Ecuador, los espíritus de montes como Cerro Puntas y Cerro Guacamayas se cree que mantienen la sangre de las víctimas sacrificiales en pozos. La responsabilidad de llenar esos pozos pertenece al *compactado* —familias y comunidades que entran en relaciones especiales con estos espíritus.

103. En este punto de la ceremonia, Machi Juana anunció: "Aquí están mis dos ovejas negras". De repente dos hombres desnudos saltaron desde detrás de un arbusto y comenzaron a danzar con lanzas. De acuerdo con Tierney, "el uso de las lanzas antiguas, la desnudez de los danzantes, y su identificación con la víctima animal más común —la oveja negra— indicó el origen primitivo del rito" (*Altar*, pp. 173-175).

104. Tierney, *Altar*, pp. 104, 108-109, 173-178. Véase también p. 184 donde hay una descripción de las conexiones del espíritu de Machi Juana.

105. La interferencia electrónica vino a ser parte de la rutina en mis diversas visitas a varios templos y monasterios. Aunque en todos los demás lugares mi grabadora funcionó normalmente, las conversaciones se cortaban como cosa de magia en la mitad de una frase cada vez que ingresaba a uno de esos complejos sagrados. Y cuando cruzaba el umbral de salida, la grabadora volvía a funcionar bien.

106. La última fecha corresponde a la información de Françoise Pommaret, estudioso del Tibet, quien afirma que el complejo Chang Ganka Lhakhang lo construyó en el siglo quince un descendiente de Lama Phajo Dugom Shigpo, ampliamente considerado como el padre de la actual fe del Bután. Véase *Françoise Pommaret, Bhutan* (Hong Kong: Odyssey, 1994), p. 162. Kunzang Delek, por otra parte, sugiere que el templo se edificó más temprano, hacia el siglo trece. En cualquier caso, Chang Ganka es uno de los templos más antiguos en el valle de Thimphu.

107. Los conflictos humanos en esa época eran entre principados independientes que se asociaban con grupos mayoritarios etno-religiosos que se habían instalado en los valles centrales del país, en su tránsito desde el norte.

108. Las deidades locales poderosas e invisibles, *mi-ma-yin* pueden proteger, pero no dan iluminación.

109. Las deidades territoriales, según Delek, pueden ser o *protectoras locales* que llegaron al país desde alguna otra parte (en este caso del Tibet) o *deidades naturales* sometidas en las montañas o de las selvas vecinas por lamas y a las que esencialmente se les ha dado importancia.

110. Cuando pregunté cuántos años de preparación necesitan estos lamas para discernir físicamente a las deidades, Delek contestó: "Como regla, aproximadamente gastan veinte años antes de poder oir a los *mi-ma-yin*, y otra década para verlos verdaderamente".

111. Lo que no quiere decir que Dios *no* castiga —pues de otra manera el universo estaría bajo el poder de la ilegalidad. Pero la paciencia divina además de ser infinita, posee una asombrosa elasticidad.

112. Como Michael Green lo ha anotado, Milton trata mucho sobre el mismo tema en *Paradise Lost*.

Capítulo 6: Encantando a la mentira

1. Nigel Dennis, *Cards of Identity* (New York: Vanguard, 1955).

2. Walter Truett Anderson, *Reality Isn't What it Used to Be* (San Francisco: HarperSanFrancisco, 1990), p. 105.

3. Como Atanasio observó una vez: "Para el diablo es muy fácil crear apariciones y apariencias de tal carácter que parecerán objetos reales y verdaderos". Citado por Richard Cavendish, *Man, Myth and Magic*, Vol. 1 (London: Purnell, 1970-72), p. 95; véase también *Powers*, p. 198.

4. Citado por Everett Ferguson, *Demonology of the Early Christian World,* Symposium Series, Vol. 12 (New York: Edwin Mellon, 1984), p. 116.

5. C. S. Lewis, *The Lion, the Witch and the Wardrobe* (New York: Macmillan, 1950), pp. 84, 38.

6. Green, Exposing, pp. 63-64.

7. Pablo en 1 Corintios 10:13 presenta la tentación como una influencia contrapuesta a la justicia. De nosotros depende decidir cuál influencia ha de prevalecer.

8. Véase Michael Heim, *The Metaphysics of Virtual Reality* (New York, Oxford University Press, 1993), p. 134.

9. Richard Cytowic, Shapes, p. 133.

10. Para una perspectiva sobria y comprensiva sobre las técnicas de visualización empleadas por los budistas tibetanos, véase Stephen Beyer, *Magic and the Ritual in Tibet —The Cult of Tara* (Delhi, India: Motilal Banarsidass, 1988), pp. 66-92.

11. Concebido por el Dr. John Lilly en 1954, este método suspende a los sujetos en un tanque de flotación lleno de agua que se mantiene precisamente a 93° F, (33.89° C), temperatura en la que el cuerpo no siente ni frío ni calor. Privados de todo estímulo externo, los sujetos pronto entran en estados similares a los de un trance, con frecuencia con alucinaciones, mientras conservan completamente la conciencia.

12. *Harper's Encyclopedia of Mystical and Paranormal Experience* (Edison, N.J.: Castle, 1991), pp. 208-209.

13. Richard Smoley, "Man as God and Creator", *Gnosis,* verano, 1993, p. 60.

14. Cavendish, *Powers,* p. 256.

15. Gersi, *Faces,* p. 4.

16. Véanse Job 32:8, Proverbios 20:27; Ezequiel 36:26; Juan 3:6; 4:23-24.

17. Nee, *Latent Power,* pp. 20, 45.

18. *Sounds True* catalog, Vol. 8, No. 2, otoño-invierno 1996.

19. Michael Winkelman, "Shamans and Other 'Magico-Religious' Healers: A CrossCultural Study of Their *Origins,* Nature, and Social Transformations", *Ethos,* Vol. 18, No. 3, septiembre 1990, p. 324.

20. DHEA (Dihidroepiandrotestosterona) es una hormona esteroide producida naturalmente por las glándulas suprarrenales. Casi todas las personas producen cantidades suficientes de DHEA hasta cuando llegan a los 30 años de edad, en cuyo punto los niveles de producción comienzan a declinar. Estudios recientes han demostrado que los individuos con enfermedades crónicas y degenerativas tienen niveles más bajos de DHEA en la sangre. Uno de tales estudios citado en la edición mayo-junio de 1996 de Consumer's Digest, estuvo a cargo de Samuel Yen, endocrinólogo de la Facultad de Medicina en la Universidad de California, San Diego. En el estudio, Yen encontró correlación entre los niveles bajos de DHEA y la muerte por enfermedades cardiovasculares. También concluyó que la restauración de la

DHEA se asociaba con un "notorio aumento en el bienestar tanto físico como psicológico", definido como "la capacidad para enfrentarse al aumento en la movilidad, menos dolores articulares y un sueño más profundo". Véase Ruth Winter, "The Truth about Anti-Aging Products", *Consumer's Digest,* Vol. 35, No. 3, pp. 20-24, mayo-junio 1996.

21. Fox Network "Sightings", noviembre 18, 1994.

22. Una de las personalidades más famosas que ha estudiado los poderes de la mente humana en los últimos años es el investigador John Eccles, ganador del Premio Nobel. Mientras dirigía una serie de experimentos en la Universidad Nacional de Canberra, Australia, durante la década de 1970, el Dr. Eccles hizo un descubrimiento interesante: Milisegundos *antes* que una persona cumpla una acción (obra) voluntaria, ciertas neuronas en la corteza cerebral descargan una señal eléctrica que prepara otras partes del cerebro para responder adecuadamente. En una serie posterior de experimentos, con resultados semejantes, el Dr. Benjamin Libet de la Universidad de California en San Francisco, unió sujetos sanos a un electroencefalógrafo (EEG) que monitorea las ondas cerebrales y a quienes instruyó para doblar un dedo en el momento de su elección. Una tras otra, las lecturas del EEG indicaron que los cerebros de los sujetos desplegaban actividad neural un tercio de segundo *antes* que decidieran actuar (o que vinieran a ser conscientes de la decisión).

Estos experimentos no resolvieron la cuestión de qué estimula a la señal de estar listo. (Mientras casi todos los neurocientíficos están convencidos que la conciencia reside de alguna forma en el tráfico de señales electroquímicas dentro de las neuronas del cerebro, no pueden explicar cómo de otra manera las células no comprometidas pueden "saber" qué representan las señales que transmiten). Eccles sostiene la hipótesis que los *psicones,* o "influencias de la voluntad" de alguna manera ganan acceso al cerebro físico mediante un área especializada de unión en la corteza —una proposición que sorprendentemente recuerda la idea anterior de Andrew Murray del alma como sitio de reunión, o punto de unión, entre el cuerpo y el espíritu. Aunque los psicones del Dr. Eccles hasta el momento han eludido la observación científica, si tiene razón, significa que toda acción humana es de manera literal una obra de la mente sobre la materia (la materia en este caso es el cerebro mismo). Véase John Horgan, "Can *Science* Explain Consciousness?" *Scientific American,* Vol. 271, No. 1, julio 1994, pp. 88-94.

23. Las neuronas (células cerebrales) aisladas, como los bombillos en un tablero de puntuaciones, pueden participar en muchos patrones o pensamientos distintos. Véanse Restak, *Brain,* pp. 252-253; George Johnson, *In the Palaces of Memory* (New York: Vintage, 1992), p. 73.

24. Johnson, *Palaces,* pp. 20-22.

25. Citado en *Secrets of the Inner Mind,* p. 118.

26. Como los estudios del Dr. Matsumoto y otros han demostrado, nuestros recuerdos más potentes nunca se borran (véase Freedman, *Brainmakers*, p. 113).

Nota: De acuerdo con Candace Pert, antigua farmacóloga de los Institutos Nacionales de Salud (Estados Unidos de Norteamérica), que ahora dirige su propia firma de investigación, "las emociones son neuropéptidos que se adhieren a los receptores y que estimulan una carga eléctrica sobre las neuronas". Véase Joel Swerdlow, "Quiet Miracles of the Brain", *National Geographic*, Vol. 187, No. 6, junio 1995, pp. 24-25.

27. Otros sucesos de carga emocional como saturarse de pornografía o ser traumatizados por maltrato sexual o verbal pueden producir el mismo efecto.

28. Las sinapsis son "puentes" electroquímicos que permiten a las señales de tráfico moverse entre las células del cerebro.

29. Estos hallazgos los confirmó más tarde William Greenough, psicólogo de la Universidad de Illinois en una reproducción (véase Johnson, *Palaces*, pp. 40, 57-58). Otro descubrimiento interesante demostró que la exposición repetida a ciertos estímulo sensibiliza o fortalece grandemente las vías neurales. Este cambio físico, conocido desde hace tiempos como "potenciación", permite evocar fácilmente recuerdos específicos por varios períodos. Aunque los científicos que examinan el efecto de la potenciación han sabido desde hace mucho que los tejidos estimulados contienen más receptores que los no estimulados, sólo principiaron a descubrir cómo trabaja este proceso hasta el comienzo de la década de 1980. Para más información sobre el tema véase Johnson, *Palaces*, pp. 36, 42, 44, 58.

30. En palabras de C. S. Lewis, "parece mucho más probable que los pensamientos humanos no sean de Dios, sino que Dios los haya encendido" (*Miracles*, p. 29).

31. Beyer, *Magic*, p. 85.

32. Michael Harner, ed., *Hallucinogens and Shamanism* (New York: Oxford University Press, 1973), p. xi.

33. Como Harner anota: "El uso de los alucinógenos para llegar a los estados de trance a fin de percibir y contactar al mundo sobrenatural, fue de modo indiscutible una práctica humana antigua y muy extendida". Infortunadamente, muchos descubrieron demasiado tarde que una vez que usted le da poder a un charlatán sobre usted, casi nunca lo recupera (*Hallucinogens*, p. xiv).

34. Harner, *Hallucinogens*, pp. xi, xiv.

35. Eliade, *Shamanism*, pp. 509-510.

36. Cowan, *Fire*, pp. 8-9. Os Guinness, al sostener este supuesto, insiste en que "todos los principios o experiencias generales se deben interpretar a la luz de la clase y la disposición del usuario, de su carácter y de las circunstancias en las que toma la droga" (*Dust*, pp. 236-237).

37. De acuerdo con el profesor Ronald Siegel, investigador de UCLA, "Estas imágenes se pueden evocar simplemente al recordarlas, o pueden surgir a

pesar de esfuerzos conscientes para evitarlas. Estas subidas son comunes en las alucinaciones, sobre todo en las que inducen las drogas. Forman un tipo de reminiscencia involuntaria, completa con muchos de los sentimientos y emociones que estaban presentes cuando la imagen se registró por primera vez" (Siegel, *Fire in the Brain,* pp. 30-31).

38. Véase Harner, *Hallucinogens,* pp. xii-xiv.
Nota: Aunque algunas pocas culturas contemporáneas o históricas recientes de Europa y del Mundo Antiguo muestran una preocupación religiosa central con las sustancias alucinógenas, Marlene Dobkin De Rios y Michael Winkelman señalan que "hay una evidencia de amplia extensión hacia... el uso antiguo de alucinógenos". El consumo ritual de agentes poderosos para alterar la mente se ha documentado en diversas culturas, por ejemplo, civilizaciones primitivas como los egipcios, persas, arios, escitas, griegos, y romanos; también se han encontrado objetos pequeños, con forma de hongos alucinógenos, en la antigua Yugoslavia y en numerosos sitios precolombinos por toda Mesoamérica. Esos lugares, de acuerdo con un estudioso, han suministrado centenares de hongos tallados en piedra, por lo general no más de 1 pie (30 cm) de alto. Un campo cerca de Uxmal en la península de Yucatán estaba lleno de estas piedras. Véase Marlene Dobkin De Rios y Michael Winkelman, "Shamanism and Altered States of Consciousness: An Introduction", *Journal of Psychoactive Drugs,* Vol. 21 (1), enero-marzo 1989, p. 4.

39. *Did You Know?* p. 91.

40. McKenna, *Food,* p. 100: véase también H. D. Griswold, *The Religion of the Rigveda* (London: Oxford University Press, 1923).

41. McKenna, *Food,* pp. 110, 98.

42. Ibid., pp. 101, 120.

43. Ibid., p. 120.

44. Wasson más adelante especuló que entre ciertas castas más inferiores *Stropharia cubensis* podría tener algo que ver con la inclusión de orina y estiércol de vaca en el sacrificio védico de pancagavya. Véase Gordon Wasson, *Persephone's Quest: Entheogens and the Origins of Religion* (New Haven: Yale University Press, 1986), p. 135.

45. En casi todos los sitios de incubación de sueños, se emplearon las ayudas sensoriales como incienso y artesanías religiosas para crear una "atmósfera narcótica". Véanse Gadon, *Goddess,* pp. 64-65; Robin Lane Fox, *Pagans and Christians* (New York: HarperCollins, 1986), pp. 152-153. Ver también Mara Lynn Keller, "Eleusinian Mysteries: Ancient Nature Religion of Demeter and Persephone", *The Journal of Feminist Studies in Religion,* No. 1, 1987.

46. Howard Bloom, *The Lucifer Principle* (New York: Atlantic Monthly Press, 1995), p. 101.

47. Ibid., p. 98.

48. Ibid., p. 101. Cada uno de estos memes es equivalente de las dinámicas metáforas "kernel"? de la Escritura —es decir, el "grano de trigo" y "la fe como semilla de mostaza".

49. Ibid., p. 99. En el poema de Marx titulado "El violinista", escribe: "Los vapores infernales se levantan y llenan el cerebro/ hasta que me enloquezca y mi corazón se cambie por entero/ ¿Ves esta espada? El príncipe de las tinieblas me la vendió". Richard Wurmbrand, *Was Marx a Satanist?* Citado por Green, *Exposing,* pp. 164-165.

50. Véase Otis, *Giants,* pp. 35.37.

51. Ibid., pp. 49-52.

52. Bloom, *Lucifer,* pp. 126, 131, 138.

53. Para información sobre el trauma como artesano de la tradición en la comunidad, véase Erikson, *Trouble,* pp. 231-232. Para más datos sobre los memes como instrumentos en la solución de problemas, véase Bloom, *Lucifer,* pp. 128-132.

54. Mientras estas "deidades" parecen dirigir vidas autónomas, sus caminos sanguinarios y perversos son cuidadosamente coreografiados por el príncipe de las tinieblas.

55. Green, *Exposing,* p. 45. Véase también Juan 8:44.

56. Tompkins, *Tree,* pp. 59-63.
Nota: Tezcatlipoca, uno de los más importantes dioses del antiguo México, se conocía como *La Sombra,* o "El que está en el hombro". Como muchas otras divinidades mesoamericanas, Tezcatlipoca necesitaba sangre (grandes cantidades) y corazones humanos. Su aspecto "rojo" se conocía como Xipe Totec, el dios de la agricultura y de la automutilación penitencial. Los aztecas razonaban que, tal como Tezcatlipoca daba a los seres humanos alimento para ser deshojado (en el sentido en que a la mazorca se le quita la envoltura), para celebrar su festival a los prisioneros se les debería desollar vivos. Véase Richard Carlyon, *A Guide to the Gods* (New York: Quill, 1981), pp. 51,54.

57. De acuerdo con el comediógrafo alemán Karl Zuckmayer, la ciudad de Viena experimentó espasmos comparables durante su anexión formal por los nazis en marzo de 1938: "Era como si el submundo hubiese abierto sus puertas y dejara libres sus espíritus más bajos, más rebeldes, más perversos, y más impuros. La ciudad se transformó en una pesadilla como en las pinturas de Hieronymous Bosch (Jerónimo el Bosco), el aire estaba lleno con los chillidos histéricos, incesantes, salvajes, de los triunfadores saturados de odio". Citado por Alan Bullock in *Hitler and Stalin: Parallel Lives* (New York: HarperCollins, 1991), p. 628.

58. Citado en Cavendish, *Powers*, p. 38.

59. Green, *Exposing*, p. 164.

60. Un terror que siguió bajo Milton Obote.

61. Barbara Rudolph, "Unspeakable Crimes", *Time*, enero 18, 1993, p. 35.

62. De una entrevista dirigida por John Shattuck, Secretario Asistente de Estado para los Derechos Humanos, de Estados Unidos de Norteamérica, en julio de 1995. "CIA: Photos Show Atrocities", *Seattle Times*, agosto 10, 1995.

63. "The Evil at the Dragon's Feet", *Time*, junio de 1995, p. 66; "Perspectives", *Newsweek*, abril 25, 1994, p. 19.

Capítulo 7: El arte de gobernar la sombra

1. *Wayang* en el lenguaje indonesio moderno se puede traducir "títere". Kulit significa cuero el material en que se hacen las figuras. Mientras que los javaneses sostienen que *wayang* se origina de la palabra *bayang*, que significa "sombra", sus vecinos de la isla de Bali creen que el término surgió de dos palabras primitivas en sánscrito que sugieren la entrada de espíritus familiares a un hogar. (Para los hindúes, la sombra de una persona mantiene una parte del espíritu. Al recrear la sombra se permite que una porción de ese espíritu aparezca allí).

2. *En Facing the Powers* (Monrovia, Calif: MARC, 1991). Thomas McAlpine ofrece un apéndice útil (pp. 87-89) donde se definen y se nombran en una lista las apariciones de las palabras para potestades espirituales en el Nuevo Testamento. Véase también Clinton E. Arnold, *Powers of Darkness: Principalities and Powers in Paul's Letters* (Downers Grove, Ill.: InterVarsity, 1992), p. 218.

3. El término *kosmokratores* (gobernadores del mundo), que Pablo emplea en Efesios 6:12, no se encuentra en ninguna otra parte de las Escrituras. Según Clinton Arnold, es probable que el apóstol lo haya tomado de la tradición predominante mágica/astrológica y lo reinterpretó para sus lectores cristianos. Parece que, en el contexto de su comunicación a los efesios, Pablo vio a los *kosmokratores* como demonios poderosos pero subordinados que animaban a las deidades que se asociaban con las fuerzas de la naturaleza, particularmente los cuerpos celestiales. Véase Clinton E. Arnold, *Ephesians: Power and Magic* (Grand Rapids: Baker, 1992), pp. 65-68.

4. Los escritores de los Upanishads expresaron el concepto de "yo", o "ego" por medio del empleo de la palabra *atman*.

5. Los pueblos selváticos fueron, cosa que no es de sorprender, las primeras culturas en adoptar un punto de vista cíclico de la historia. (La literatura hindú registra sequías en los siglos quinto y tercero A.C., que pueden haber tenido un papel en transformar los bosques de la India en las sabanas que hoy son). Como equilibrio, sus experiencias en el ambiente diferían mucho de las culturas monoteístas del Oriente Medio y África del Norte —culturas que emergieron en las vecindades del desierto, donde los

huesos secos blanqueados por el sol dieron a la muerte un sentido de finalidad terrenal. Véase Suzuki, *Transcendent,* pp. 64-67.

6. Stuart Piggot, *The Druids* (London: Thames & Hudson, 1961), p. 115. Piggot registra un relato interesante del encuentro de los romanos con un bosque sagrado para los celtas en el sur de Francia (p. 79).

7. Tierney, *Altar,* p. 222.

8. Ibid., pp. 62-63, 96-97.

9. Para más datos sobre la práctica andina de "alimentar la tierra", véanse Tierney, Altar (varios capítulos), y Joseph Bastien, *Mountain of the Condor* (Prospect Heights, Ill.: Waveland Press, 1985), pp. 37-50. Para más informes sobre el vínculo metafórico del hinduismo entre el cuerpo humano y la naturaleza, véase Amita Sinha, "Nature in Hindu Mythology, Art, and Architecture", *National Geographic Journal of India,* Vol. 39, Nos. 1-2 (edición especial), 1993.

10. Este poder universal es semejante al *tao* del oriente, al *brahman* de la India y al mana de la Polinesia. Véanse Cowan, Fire, pp. 46-47; Joan Halifax, *Shaman: The Wounded Healer* (New York: Crossroad, 1982), p. 11.

11. Raffi, "Our Dear, Dear Mother", *Evergreen Everblue,* Troubadour Records, Ltd., 1990.

12 Marcia Starck, "The Dark Goddess: Inanna, Lilith, Hecate, Pele, Kali", *Proceedings of the Seventh International Conference on the Study of Shamanism and Allternate Modes of Healing,* Ruth-Inge Heinze, ed. (Berkeley: Independent Scholars of Asia, 1990), p. 298.

13. McKenna, *Food,* pp. 40-41.

14. Hace pocos años una nueva disciplina científica nos ha capacitado para aprender mucho más sobre cómo y qué observaban los pueblos antiguos en los cielos, y de qué manera integraban este conocimiento astronómico en su religión y mitología. Esta disciplina conocida como arqueoastronomía, combina las especialidades de arqueología, astronomía, e historia del arte. Véase John Carlson, "American's Ancient Skywatchers", *National Geographic,* Vol. 177, No. 3, marzo 1990, pp. 84-86.

15. Como anotamos en el capítulo 4, muchos pueblos antiguos intentaban conectarse a esta entrada cósmica mediante un "puesto de unión" —que en diferentes sitios y épocas tomó la forma de árboles, postes, montañas y torres. Véanse Ashe, *Dawn,* p. 34; Eliade, *Shamanism,* pp. 260-263; Henry Michael, ed., *Studies in Siberian Shamanism* (Toronto: University of Toronto Press, 1972), pp. 50-51.

16. Ashe, *Dawn,* pp. 46-48, 51. Esta adoración fue también fuerte entre los mongoles. Véase Walter Hessig, *The Religions of Mongolia,* trad., Geoffrey Samuel (Boston: Routledge y Kegan Paul, 1980), pp. 46, 81-84.

17. Los druidas también adoraban la luna y las estrellas, pero como los puntos de destino de las almas que partían. Creían que el alma progresaba de un cuerpo celestial a otro en su camino para aumentar los estados de existencia

exaltada. Tan convencidos estaban de "la existencia de una vida futura en las estrellas", según el experto en astrología Christopher McIntosh, "que se prestaban dinero entre sí basados en el entendimiento que se lo devolverían en el otro mundo". *A Short History of Astrology* (New York: Barnes & Noble, 1969), p. 3.

18. Carlson, "Skywatchers", p. 86.

19. En el Libro II de su *Tetrabiblos*, Ptolomeo se refirió a esta categoría de pronósticos como astrología "general" o "universal" (McIntosh, *Astrology*, p. 23).

20. Para decidir cómo estas fuerzas modificadas podrían afectar la vida diaria, la astrología primitiva dividió la bóveda del cielo en doce "casas" (o sectores) de treinta grados que se asociaban con temas como apariencia física, dinero, amistades, viajes, penas, trabajo, ideales, sexo, salud y muerte. Al examinar la posición relativa de los planetas, los signos y las casas (cada signo se mueve a una casa nueva aproximadamente cada dos horas), los astrólogos podrían "predecir" los sucesos diarios o los destinos en el tiempo de una vida. El horóscopo más primitivo que se conoce se hizo para un niño que nació en Babilonia en al año 410 A.C. véanse McIntosh, *Astrology*, pp. 27, 133; Saggs, *Greatness*, p. 445.

21. *Stoicheia* se usa en Colosenses 2:8, 20 y Gálatas 4:3, 9. Los eruditos se dividen sobre si el término se debería interpretar como "seres espirituales" o como "principios elementales". Arnold se inclina hacia la primera interpretación como "el punto de vista más obligante". En apoyo de esta posición cita su amplio uso como un término para denominar espíritus astrales en los siglos segundo y tercero de nuestra era. Véanse *Powers of Darkness*, p. 48.

22. Arnold, *Powers of Darkness*, p. 48.

23. McIntosh, *Astrology*, p. 22.

24. Citado en McIntosh, *Astrology*, p. 63.

25. Arnold, *Powers of Darkness*, p.59.

26. La adoración de la Reina del Cielo se vio en las calles de Jerusalén, en los pueblos de Judá y del Alto y Bajo Egipto.

27. Véase Sofonías 1:4-5. En Hechos 7:42, otra referencia a la temprana idolatría de Israel, leemos que al fin Dios se apartó y "los entregó a que rindiesen culto al ejército del cielo".

28. Cavendish, *Powers*, p. 80.

29. El problema del sincretismo, se debe admitir, se extendió mucho más allá de las influencias astrológicas y las iglesias gentiles. En un estudio de 1925 sobre los antecedentes religiosos del cristianismo primitivo, Samuel Angus llamó a las sinagogas judías de la época "semillero fructífero de sincretismo". Al mismo tiempo, anotó que "cuando los paganos comenzaron a llegar a la iglesia cristiana... trajeron consigo conceptos mágicos o casi mágicos que infectaron la teología y la adoración cristianas". Para ilustrar los efectos de esta tendencia, Robin Lane Fox informa que, hacia el siglo cuarto, los hombres de letras cristianos buscaban sueños y consejo en los santuarios

del lado de las colinas que estaban paralelos a los centros paganos de los oráculos. Véanse Samuel Angus, *The Mystery Religions and Christianity* (New York: Citadel, 1966), pp. 193, 252; Fox, *Pagans,* pp. 678, 676.

30. Tomás de Aquino sostuvo que las estrellas gobernaban los apetitos y deseos corporales de los seres humanos, mientras Dante admitió en su *Purgatorio* (a través del espíritu de Marco Lombardo) que "los cielos ponen tus impulsos en movimiento". En el Paraíso Dante describió una ascensión a través de nueve cielos gobernados por los planetas (o dioses romanos). Véase McIntosh, *Astrology,* pp. 59-61, 66-68.

31. Los antiguos egipcios encontraron esta imaginería tan obligante que su panteón quedó dominado por una "menagerie" de chacales, gatos, cocodrilos, aves, hipopótamos, ganado y serpientes. Como un reconocimiento al estado divino de estas criaturas, momificaron muchas de ellas y las enterraron en cementerios especiales (Finegan, *Myth and Mystery,* pp. 43-44).

32. Joan Halifax, *Shamanic Voices: A Survey of Visionary Narratives* (New York: Dutton, 1979), p. 5, véase también *The Spirit World, The American Indians Series* (Alexandria, Va.: Time-Life, 1992), pp. 19, 49-83.
Nota: De modo semejante, y como reminiscencia de los antiguos templos para incubación de sueños, la cultura de los indios del Castor en Norteamérica desde hace mucho tiempo está influida por *nachene yine,* o cánticos de soñadores —así llamados porque se traen desde el mundo espiritual mediante un chamán soñador en estado de trance. Los cánticos que son también mensajes de revelación, se cree que emanan de animales en el cielo y de sabios ancestrales. Véanse Robin Ridington, "Beaver Dreaming and Singing", in Sam Gill, *Native American Traditions* (Belmont, Calif.: Wadsworth, 1983), pp. 25-26. Stanley Krippner, "The Use of Dreams by Tribal Shamans", *Proceedings of the Fifth International Conference on the Study of Shamanism and Alternate Modes of Healing,* Ruth-Inge Heinze, ed. (Berkeley: Independent Scholars of Asia, 1989), p. 299.

33. Cowan, *Fire,* p. 118. Una imagen semejante del chamán y la serpiente con cuernos aparece en una pintura sobre la roca que tiene tres mil años de antigüedad en el sur de Utah (*Spirit World,* p. 26).

34. David Freidel, Linda Schele y Joy Parker, *Maya Cosmos: Three Thousand Years on the Shaman's Path* (New York: Quill, 1993), pp. 140, 51.

35. Krippner, "Use of Dreams", pp. 297-298.

36. Debra Carroll, "Power Animals and Allies", *Proceedings of the Fifth International Conference on the Study of Shamanism,* pp. 346-347.

37. Karl Jung, *Archetypes and the Collective Unconscious, Part I, Vol. 9 of Collected Works* (Boston: Routledge and Kegan Paul, 1959), pp. 195-196.

38. En vista del contexto, podríamos agregar el sufijo *como dioses.*

39. Ashe, *Dawn,* pp. 167, 158. En los Libros Sibilinos se habla de Cibeles como la Gran Madre. Se la representaba en su templo romano con un meteorito

negro y se la honraba en un festival todos los años, la Megalensia, donde los sacerdotes eunucos conocidos como *Galli* o coribantes, marchaban por todas las calles mientras hacían sonar tambores huecos y címbalos. En otra ceremonia llamada *taurobolium,* un sacerdote permanecía de pie en una brecha y era lavado con la sangre de un toro que se sacrificaba en honor de Cibeles. Véase Finegan, *Myth and Mystery,* pp. 193-196.

40. Ibid., p. 13.

41. Gaia recientemente se asoció con la hipótesis expuesta en el comienzo de la década de 1970 por el biólogo británico James Lovelock, que la tierra y sus habitantes son un solo organismo viviente. (Mientras Lovelock ha insistido en que Gaia no es sensitiva, sus lectores de la mal llamada Nueva Era continúan con el uso de su obra para apoyar sus propias teorías).

La diosa tiene también otros nombres. Las tribus eslavas antiguas rendían homenaje a Mati-Syra-Zemlya ("Madre Tierra Húmeda"), en tanto que los indios algonquinos adoraban a la diosa como Nokomis. En América del Sur es todavía conocida como Pachamama, y los Sherpas del Nepal veneran al Monte Chomolungma como "la Diosa Madre del Mundo".

42. Gadon, *Goddess,* panel 8.

43. En su gran mayoría, esta diosa se centraba en la tierra —y no en el cielo-; era inmanente (o desde dentro) más que transcendente (o desde arriba). Las figuritas femeninas primitivas encontradas en Europa, África y Asia típicamente tienen una punta dirigida hacia abajo, lo que indica que se introducían en la tierra como símbolos de fertilidad. Véanse Gadon, *Goddess,* pp. xii-xiv; Suzuki, *Transcendent,* p. 52.

44. Aidan Kelly, "Why a Craft Ritual Works", *Gnostica,* Vol. 4, No. 7, marzo-mayo 1975, p. 33.

45. Mientras el sincretismo de la diosa ha invadido muchas culturas católicas (especialmente las de América Latina, el sur de Europa, Polonia y las Filipinas), mi mención de este hecho no se debería considerar como una acusación general contra el catolicismo romano. Muchos católicos han rechazado las trampas culturales paganas y conservan una perspectiva bíblica con respecto a la Persona de Cristo. Algunos han adoptado creencias que son más cuidadosamente evangélicas que las que profesan ciertos protestantes. Considerar a estos católicos evangélicos como algo menos que miembros completos del cuerpo de Cristo es deshonrar y contristar al Espíritu Santo.

46. Gadon, *Goddess,* pp. 57-68, 87-107.

47. Apocalipsis 2:15 (véase también versículo 6); E. O. James, *The Cult of the Mother-Goddess* (New York: Barnes & Noble, 1994), pp. 192, 194, 201.

48. El gran general bizantino Heraclio partió con su flota bajo la protección de una imagen de la Madre de Dios, que (se decía) "no había sido hecha por manos humanas" (Esmond Wright, ed., *History of the World: Prehistory to the Renaissance* [Feltham, England: Bonanza, 1985], p. 358). Véase también James, *Mother-Goddess,* pp. 209-213, y Gadon, *Goddess,* pp. 194-218.

49. Diane Knippers and Jane McDermott, "Woodstock for Women: Sixteen Days in the Land of Goddesses", *United Voice,* noviembre 1995, pp. 7-9.

50. Citado en Margot, Adler, *Drawing Down the Moon* (Boston: Beacon, 1979), p. 174.

51. Cowan, *Fire,* pp. 117-118, 59. De acuerdo con Cowan las relaciones de homosexualidad eran muy comunes entre los varones celtas. Para apoyar esta afirmación, cita al historiador romano Diodorus Siculus, que escribió en el siglo primero A.C.: "Aunque los varones celtas tienen mujeres atractivas, no les prestan casi atención, pues en realidad se enloquecen por tener relaciones sexuales con otros hombres. Están acostumbrados a dormir [sic] sobre el suelo y sobre pieles de animales y se rodean con compañeros de cama varones a ambos lados".

52. Ashe, *Dawn,* p. 28; Eliade, p. 125 (véase también pp. 257-258, 351-352, 461).

53. Cowan, *Fire,* pp. 58.

54. Los enares, que servían como jueces y adivinos entre los escitas de la clase alta representaban otro grupo en esta categoría. Tanto Heródoto como Hipócrates los describieron como hombres biológicos que se vestían como mujeres. Saggs, *Greatness,* pp. 303-304, 371-373; Ashe, Dawn, p. 162; "Diana" in Cavendish, *Man, Myth,* p. 632.

55. Popularizado primero entre los exploradores franceses, el término *berdeche* se refiere a los americanos nativos que toman el papel y el estado del sexo opuesto.

56. Al citar de *Visionary Love* de Mitch Walker, siguió con la explicación: "Que se puede abrir una puerta cuando usted tiene conocimiento psíquico de hombre y mujer unidos dentro de usted. Entonces forma una unidad que le conecta a usted con la sexualidad de la creación en la naturaleza". Véase Alder, *Moon,* pp. 344-345, 348.

57. Mientras casi todas las actividades sobrenaturales parecen ocurrir como una respuesta directa a la conducta humana (como orar, ayunar o maldecir), otros fenómenos en apariencia se producen como manipulaciones demoníacas con el propósito de llamar la atención. Los incidentes de este tipo a menudo caen en categorías como sitios de aparecidos, fenómenos de luz, OVNIs y círculos en las cosechas.

    No debemos olvidar, a medida que investigamos tales cosas, que Dios también usa a la naturaleza para hablar. Además del hecho que los cielos de rutina declaran su gloria (Salmo 19), también se ha comunicado por medio de una zarza ardiente (a Moisés en Éxodo 3:2 ss), un asna (a Balaam en Números 22:28 ss), un torbellino (a Job en Job 38-41), un viento tempestuoso del norte (a Ezequiel en Ezequiel 1:4 ss) y una estrella (a los magos en Mateo 2:1-2, 9-10).

58. Al citar la obra perdida del historiador Ctesias, que vivió en la corte persa en el siglo cuarto A.C., el apologista cristiano Arnobio de Sicca se refirió a

una antigua "guerra de magos" entre los asirios y los bactrianos —conflicto en que se peleó "no solamente con espada y con músculo, sino inclusive con las artes esotéricas de los magos y los caldeos..." véase *Arnobious of Sicca, The Case Against the Pagans,* 1.5, George McCracken, trad. (New York: Newman, 1949).

59. Tierney, *Altar,* p. 153.

60. "Más que crear todo directamente —Pratney dice—, Dios ordenó la tierra y las aguas, ellas mismas sus creaciones, para participar en la creación de formas estructurales aun más altas" *(Healing the Land, p. 22).* Como los científicos ahora lo saben, los sistemas naturales permiten el caos dentro de un ambiente determinista. Así, mientras la naturaleza sigue reglas estructurales generales, no hay manera de decir si una molécula de agua en lo alto de una catarata terminará arriba. (Los cambios climáticos que fastidian a los meteorólogos son otro ejemplo de esto).

61. Lewis, *Miracles,* p. 66 (también pp. 67-68). Francis Schaeffer en *Genesis in Space and Time* agrega, "el universo no es una extensión de la esencia de Dios, pero todas sus partes hablan de Él" (p. 61).

62. Efesios 2:2 y Juan 14:30 (el término operativo en este último pasaje es la palabra griega *kosmos*). Véase también Ezequiel 31:11 pasaje interesante en el que Egipto se entrega al "poderoso de las naciones" para destrucción.

63. Green, *Exposing,* p. 84.

64. Las Escrituras emplean términos como *principados, potestades y tronos* para describir tanto a los gobernadores humanos (Lucas 12:11; Hechos 4:26) y a las fuerzas espirituales que yacen detrás de ellos (Romanos 8:38; Efesios 6:12; Colosenses 1:16; 2:15). Véanse Green, *Exposing,* pp. 84-85; Ferguson, *Demonology,* pp. 151-152.

65. Daniel 10; Apocalipsis 18:2; Ezequiel 28; Apocalipsis 2:10, 13; Hechos 19:23-28; Juan 8:44; Apocalipsis 2:9. Al hablar de la dinámica político-religiosa que llevó a la crucifixión de Cristo, Green escribe: "La religión organizada y la política estaban en la cruz: pero detrás de Herodes y Pilato, gobernantes terrenales *(arcontes),* yacían las potestades invisibles *(arcontes)* y ellas crucificaron al Señor de gloria (1 Corintios 2:8)". Véase *Exposing,* p. 93. Otro pasaje importante es Deuteronomio 32:8, aunque su significado verdadero parece que lo oscureció un error rabínico tardío. Mientras las traducciones que se basan en el texto masorético sugieren que Dios "fijó las fronteras para los pueblos de acuerdo con el número de los hijos de Israel *(bene elohim*", los Rollos del Mar Muerto, la Septuaginta griega, la Vulgata Latina, y fuentes siriacas primitivas parecen contradecir esta porción. De acuerdo con estudiosos como F. F. Bruce, C. Peter Wagner, Rick Moore y Michael Green, la traducción más apropiada de esta última frase *es de acuerdo con el número de los hijos (o ángeles) de* Dios. Véanse C. Peter Wagner, Warfare Prayer (Ventura, Calif.: Regal, 1992), pp. 90-91; y Green, *Exposing,* p. 79.

66. Otros términos bíblicos para estos demonios gobernantes incluyen la palabra hebrea *sar* (que se usa en Daniel para describir el príncipe de Persia) y las voces griegas *archontes* (gobernadores), *exousiai* (autoridades o potestades) y *archai* (principados gobernantes). Gary Greig, profesor asociado de Antiguo Testamento en la Facultad de Teología, Universidad Regent, arguye que esta continuidad entre los dioses y sus representantes terrenales es un principio espiritual establecido. Para apoyar esta afirmación cita a Herbert Niehr "3 Götter oder Menschen —Eine Falsche Alternative: Bemerkungen zu Psalm 82:2", *Zeitschrift für die Altestamentliche Wissenschaft 99* (1987), pp.94-98. Véanse también E. T. Mullen, "The Divine Council in Canaanite and Early Hebrew Literature", *Harvard Semitic Monographs* 24 (Cambridge: Harvard University Press, 1980), p. 228, nota 195, y p. 236; H. J. Kraus, *Psalms 60-150: A Continental Commentary* (Minneapolis: Fortress, 1993), p. 156; D. F. Payne, "King", *The International Standard Bible Encyclopedia,* Vol. 3, G. W. Bromiley, ed. (Grand Rapids: Eerdmans, 1986), p. 23.

67. Véase también Éxodo 12:12.

68. Green anota (*Exposing,* p. 81) que "se aceptaba muy ampliamente en la antigüedad que detrás de los gobernadores del estado estaban sus *daimones...*"

69. Estos detalles los recibí durante una entrevista en alexandria, Virginia, en 1988.

70. Otis, *Giants,* p. 89.

71. Mientras la megalomanía real estaba demasiado en evidencia en los antiguos Egipto y Babilonia, el culto quizás alcanzó su mayor altura durante el reinado de Nerón, cuando este inestable líder ordenó a su cuerpo de militares hacer una estatua de mil libras para representarlo a él. Véanse Saggs, *Greatness,* pp. 312, 59, 128, 311, 314-319; Finegan, *Myth and Mystery,* pp. 44-45, 49, 212-214.

72. Véase Black and Green, *Ancient Mesopotamia,* pp. 170-171.

73. También reminiscencia de las criaturas angelicales de Ezequiel es el dragón rey chino. Un consorte sobrenatural de los emperadores, daba sus órdenes al moverse simultáneamente en todas las cuatro direcciones.

74. *Halley,* pp. 46-47.

75. Entre los tibetanos a estas nagas se les conocía como *klu* (capítulo 3). De acuerdo con el antropólogo Stan Mumford, "hay una antigua relación entre las sociedades budistas y las serpientes divinas del submundo". Tan importante era esta alianza que, en los tiempos antiguos, la ordenación del rey se hacía en el mismo santuario donde las serpientes recibían ofrendas. Véase *Himalayan Dialogue: Tibetan Lamas and Gurong Shamans in Nepal* (Madison, Wis.: University of Wisconsin, 1991), p. 95.

76. Huxley, Dragon, p. 61; *Larousse Encyclopedia,* p. 47; Freidel, Schele and Parker, *Maya Cosmos,* pp. 185, 190-191.

77. Thorn EMI video, "Amin, The Rise and Fall", 1982 Producciones Intermedia en Asociación con The Film Corporation of Kenya; Hassanain Hirji-Walji, *Bittersweet Freedom* (Monticello, Minn.: Building Bridges, 1981, 1993), pp. 24-25, 28-29.

78. De una entrevista en Minneapolis, el 17 de marzo de 1995.

79. Octubre 8, 1995, correspondencia con un líder de oración indonesio en Jakarta; Loveard, "Journey", pp. 37-39.

80. Véase Ruth-Inge Heinze, *Trance and Healing in Southeast Asia Today* (Bangkok: White Lotus, 1988), pp. 183-206.

81. Este rito sintoísta que se conoce como Daijosai, se llevó a cabo en los terrenos del palacio imperial. Para compararlo con la ceremonia del matrimonio sagrado en Babilonia véase Otis, *Giants,* p. 93.

82. Tom Sawicki, "Inside the World of the Mystic Healers", *The Jerusalem Report,* enero 27, 1994, p. 11.

83. El rey Fahd mismo, después que un adivino le advirtió que encontraría su fin en la capital, Riyadh, ha pasado una cantidad creciente de su tiempo en Jeddah y las provincias. A Fahd también se le dijo que moriría si no veía la cara de su hijo, el príncipe Abdul Aziz, por lo menos una vez a la semana. En consecuencia, se ha informado que el rey legó toda su fortuna (calculada en cuarenta mil millones de dólares) para Aziz y que ha puesto a sus tres medios hermanos bajo vigilancia durante las veinticuatro horas para asegurarse que ningún peligro provocado por los celos haga daño. Véase Shyam Bhatia, "Occult Power Behind the Saudi Throne", Observer News Service, marzo 7, 1995.

84. El expresidente colombiano Cesar Gaviria ha admitido que tanto él como varios miembros de su gabinete ministerial recibían consejo de un astrólogo.

85. Andres Oppenheimer, "Many Latin American Leaders Follow Advice of Fortunetellers", *The State* (Columbia, S. C.), junio 27, 1993.

86. Curiosamente, el traidor de Noriega, coronel Roberto Díaz Herrera, se movió contra su anterior jefe según los avisos que recibió de un psíquico cuya base es California, así como del gurú hindú, Satya Sai Baba.

87. Antes de convertirse en canciller de Inglaterra, por ejemplo, Sir Francis Bacon se inició en una sociedad que adoraba a la diosa griega Palas Atenea. En la vecina Francia, el aliado en la revolución de los Estados Unidos, Marqués de Lafayette, era miembro activo de la Logia Masónica Nueve Hermanas —logia que también se ufanaba de contar entre sus miembros a Benjamín Franklin.

88. Michael Howard, *The Occult Conspiracy: Secret Societies: Their Influence and Power in World History* (Rochester, Vt.: Destiny, 1989), pp. 74, 78-79, 105, 108-119, 123; Trevor Ravenscroft, *The Spear of Destiny* (York Beach,

Me.: Samuel Weiser, 1973, 1982), p. 117.

Nota: El confidente espiritual del Kaiser Guillermo era el brillante pero demonizado Houston Steward Chamberlain. Según el autor William Shirer (*The Rise and Fall of the Third Reich*), "Chamberlain era dado a ver demonios" que se le aparecían en sueños, delirios febriles y visiones. Después de observar esta conducta, Ravenscroft informa (Spear, p. 119), como jefe de personal en el ejército del General Helmuth von Moltke "sin duda alguna Chamberlain estaba en las manos de inteligencias satánicas que buscaban influir y alterar el curso de la historia europea". Por otra parte, el Zar Nicolás, se sometía a los ensalmos del monje místico Grigori Rasputín. Además de tener poderes de sanidad (que empleaba a favor del hijo hemofílico del Zar), a Rasputín se le atribuía dominio hipnótico sobre las mujeres —incluso, y quizá especialmente sobre la Zarina Alexandra.

89. Ken Anderson, *Hitler and the Occult* (Amherst, N. Y.: Prometheus, 1995), p. 13-14, 150, 208-209, 212; Ravenscroft, Spear, pp. 244, 246.

90. Anderson, *Hitler,* pp. 132-137; Howard, *Conspiracy,* pp. 131-132.

91. Howard, *Conspiracy,* pp. 78, 82 90.

92. Mientras tales cosas difícilmente son nuevas —en la práctica toda corte real inglesa desde 1066 ha tenido un astrólogo— esa es una evidencia adicional de cuánto la influencia de los poderes invasores de las tinieblas, buscan dominar toda situación.

93. Casi inmediatamente después que esta historia se supo, los médicos de la administración se afiliaron a las corrientes principales de las técnicas de Jane Houston con el supuesto objeto de disminuir su influencia sobre la primera dama del país, Hillary Clinton. A pesar de sus esfuerzos, sin embargo, se han filtrado muchas revelaciones serias. Entre ellas está el hecho que Jane Houston —que dirige la Fundación para Investigación Mental en Pomona, New York, y la Escuela de los Misterios en Port Jervis, New York— con frecuencia entra en trances largos y profundos en los que usa a la diosa Atenea como la imagen para enfocarse. De acuerdo con una investigación de la cadena NBC, la familiaridad de Houston con los Clinton comenzó cuando la invitaron a una convocatoria íntima de gurúes en Camp David en 1994. A partir de entonces, se convirtió en huésped regular de la Casa Blanca, donde con frecuencia permanece hasta por una semana. Los efectos de ella sobre la primera dama han sido aparentemente significativos. En una ocasión, cuando la señora Clinton estaba muy irritable, a su jefa de personal, Maggie Williams, se le oyó decir "es el timbre de Hillary hoy; ha tenido su encontronazo con Jean". Véanse NBC "Dateline", junio 26, 1996; Lawrence Goodman y Helen Kennedy, "Jean Houston: I'm Really Boring", *Seattle Times,* junio 24, 1996.

94. Véase Arnold, Clinton E., *Powers of Darkness,* p. 204.

95. 2 Corintios 4:4.

96. Arnold, Clinton E., *Powers of Darkness,* p. 204.

97. La Babilonia de Nabucodonosor, como la Babel de Nimrod, ha venido a ser sinónimo de independencia, soberbia y arrogancia —reflejo de las ambiciones y del carácter de su patrón principal. (En 1 Pedro 5:13, la referencia del apóstol a Babilonia no se hace con respecto de la ciudad física sobre el Éufrates, sino sobre Roma, su sucesora metafórica). Para más datos sobre Babilonia como arquetipo de ciudades idólatras, véase James Charlesworth, The Old Testament Pseudepigrapha (New York: Doubleday, 1985), Vol. 2, p. 931 (index).

98. Saggs, (*Greatness,* p. 318) describe cómo las piedras (o ladrillos) para los cimientos del templo de Babilonia fueron dedicados y bendecidos por los dioses. Llenos con este poder sobrenatural, los bloques sagrados y el proceso a que ellos dieron lugar se consideraron como una confirmación para el propio bienestar de la ciudad.

99. La influencia de las potestades de las tinieblas sobre negocios y tecnología modernos son tan fuertes como en el campo de la política. Esto se ha visto no sólo en las perspectivas ocultas de muchos personajes directivos en los campos de la ciencia (física, ingenierías, computación), sino también en las prácticas corporativas de grandes empresas multinacionales. Para asegurar el éxito y con el objeto de guardarse del infortunio, algunas firmas de construcción incluyen ídolos dentro de los muros de sus edificios y hoteles de gran altura. Otras compañías, como Coca-Cola, emplean espiritistas y chamanes con el mismo objeto. (En realidad un etnógrafo cristiano vivió con uno de estos chamanes en Indonesia). En el Japón uno de los subcontratistas directivos de la compañía Boeing inauguró su línea de producción con complejas ceremonias sintoístas donde participaron los directivos y ejecutivos de Seattle. Inclusive las compañías aéreas internacionales han entrado en el acto. A partir del día en que los astrólogos diseñaron su vuelo inaugural en una carta, Aerolíneas Thai se vinculó con fuerzas espirituales. La compra de cada nuevo avión, se acompaña de ritos ceremoniales en los que el "Patriarca Supremo", es decir, la cabeza de la comunidad budista de Tailandia, personalmente unge "el cono de la nariz, la cabina, las entradas y las salidas con agua lustral" ("The History of Thai", *Sawasdee,* mayo 1992, p. 72).

100. La Escritura no es clara sobre la cuestión de si la bestia de Apocalipsis 13 representa un sistema, un individuo o ambos. Una hipótesis sobre lo primero aparece en el capítulo 9 de *Giants* de Otis.

101. Apocalipsis 12:9 y 20:2 identifican al dragón como el diablo, la serpiente antigua. Su relación con el anticristo representa la co-conspiración final contra los propósitos y el pueblo de Dios.

102. Schaeffer, *Genesis,* p. 80.

103. La palabra para ídolo tanto en hebreo como en griego indica "fantasma" o "simple apariencia" (véase 1 Corintios 8:4).

104. En un comentario sobre la observación de Pablo que "...lo que los gentiles sacrifican, a los demonios lo sacrifican..." (1 Corintios 10:20), Atenágoras, apologista del siglo segundo escribió: "Los demonios que revolotean sobre

la materia codician los olores de los sacrificios y la sangre de las víctimas, y siempre listos para llevar a los hombres al error, se aprovechan de estos momentos del alma; y al tomar posesión de sus pensamientos hacen que fluyan en la mente visiones vacías como si vinieran de los ídolos" (citado en Ferguson, *Demonology,* p. 115).

De hecho, la versión griega del Salmo 96:5 declara que "todos los dioses de los gentiles son demonios" (véanse también Levítico 17:7, Deuteronomio 32:17 y Salmo 106:37). Acerca del comentario de Arnold sobre el tema, véanse Ephesians: *Power and Magic,* pp. 67-68, y *Powers of Darkness,* p. 93.

105. "Sostenemos —dijo Orígenes—, que la adoración que se supone que los griegos dan a los dioses en los altares, imágenes y templos, en realidad se ofrece a los demonios" (*Against Celsus* VII. 69; cf. VII. 65). Véase también Margaret Schatkin, "Culture Wars: How Chrysostom Battled Heresy, Superstition, and Paganism", *Christian History,* Vol. XIII, No. 4, p. 35; Ferguson, *Demonology,* pp. 111-113.

106. Saggs, *Greatness,* p. 309.

107. Pratney, *Healing,* pp. 149-150.

108. Rabi Maharaj, converso hindú, describe cómo durante las sesiones de meditación diaria "comenzó a tener visiones de colores psicodélicos, a oír música que no era terrenal y a visitar planetas exóticos donde los dioses conversaban con él, y le estimulaban para alcanzar siempre estados de conciencia más altos". En este aspecto de trance, recuerda que encontró "las mismas criaturas satánicas horribles que se ilustran en las imágenes de los templos religiosos hindúes, budistas, sintoístas, y otros". Rabi Maharaj, *Death of a Guru* (Eugene, Ore.: Harvest House, 1984), p. 57.

109. Cavendish, *Powers,* pp. 234-235.

110. Citado en Wagner, *Warfare Prayer,* pp. 90-91. Véanse también Daniel 10:13, 20 ss.; 12:1 ss.; Ezequiel 28; Marcos 5:10.

111. Michael Cheilik, *Ancient History* (New York: HarperCollins, 1969), p. 14; *Larousse Encyclopedia,* p. 10.
Nota: Las divinidades regionales también eran comunes entre los asirios deportados a Samaria. En efecto, 2 Reyes 17:29 revela que cada grupo nacional adoraba a sus propios dioses en los diversos pueblos y localidades adonde llegaron.

112. Al definir los matices de este título semítico, Williams Robertson Smith escribe: "Cuando a un dios se le llama simplemente 'el Baal', el significado no es que sea 'el señor del adorador' sino que posee algún sitio o distrito, y cada uno de los muchísimos Baalim locales se distingue al agregar el nombre de su propio lugar". Así Melcarth es el Baal de Tiro, mientras Astarté es la Ba'alat (femenino) de Biblos. Véanse William Robertson Smith, The Religions of the Semites: *The Fundamental Institutions* (New York: Schocken, 1972), pp. 92, 94-96; Cavendish, *Powers,* p. 237. Ver también Helmer

Ringgren, *Religions of the Ancient Near East* (Philadelphia: Westminster, 1973), pp. 131-132.

113. Rudolf van Zantwijk, "The Great Temple of Tenochtitlán: Model of Aztec Cosmovision", *Mesoamerican Sites and World-Views*, p. 81.

114. Aunque estos lugares sagrados típicamente toman la forma de templos y santuarios, las instalaciones naturales no eran raras. Algunas deidades de Minos, por ejemplo, parecían preferir cuevas, mientras los dioses de los sirios se ubicaban en lo más alto de grandes montañas. Por su parte, los celtas antiguos rendían homenaje a sus espíritus locales en una variedad de pozos, árboles y pantanos.

115. Durante una entrevista en agosto de 1992 con el Dr. Tokutaro Sakurai y con Yoshimasa Ikegami, supe que toda aldea de un clan o un pueblo en el Japón tiene su propio juego de deidades conocidas como *ugigami*. Adheridos más a las personas que a la geografía, los *ugigami* son distintos a los *ubusuna* que son divinidades locales asociadas con el sitio de nacimiento del individuo.

116. De acuerdo con Diane Coccari, *dih* es un término genérico para una divinidad guardiana de las aldeas. En la mayoría de los casos, un *dih* (como un Baal) tendrá también un nombre propio. Derivado del persa *deh,* el término en su contexto hindú lleva un amplio rango de significados que incluyen "localización, el sitio o ruinas de una aldea desierta, la morada de los antepasados, un montículo de tierra, el sitio donde la adoración a los dioses de la aldea tiene lugar, y simplemente dioses de la aldea". Como cabeza de una aldea, el *dih* cumple funciones semejantes a las de un funcionario humano, excepto en que su plano de autoridad se extiende a los espíritus y a las energías mágicas. Véase "Protection and Identity: Banaras's Bir Babas as Neighborhood Guardian Deities", *Culture and Power in Banaras*, Sandria Freitag, ed. (Berkeley: University of California Press, 1989).

De acuerdo con textos hindúes antiguos conocidos como *Silpasastras,* la planeación para las comunidades nuevas se basaba en un vínculo explícito "entre los dioses, los hombres y los ritos religiosos". Véase Rana Singh, Where Cultural Symbols Meet: *Literary Images of Varanasi* (Varanasi, India: Tara Book Agency, 1989), p. 157. Ver también Kevin Lynch, *A Theory of Good City Form* (Cambridge, Mass: MIT Press, 1981).

117. Coccari, "Protection and Identity", pp. 137-142; Mumford, *Himalayan Dialogue,* p. 118.

118. En una forma que recuerda a la diosa árabe Al-'Uzza —de quien los primitivos miembros de la tribu Qurayash creían que se encarnaba en un grupo de tres árboles de acacia en la vía de La Meca a Medina— los *ali jano* se cree que patrullan vías específicas y que viven en árboles de donde se sacan cortezas masticables. Véase Ralph Faulkingham, "The Spirits and Their Cousins: Some Aspects of Belief, Ritual, and Social Organization in a Rural Hausa Village in Niger", Research Report No. 15, Departament of Anthropology,

University of Massachusetts, octubre 1975, pp. 13-18; *The Encyclopedia of Religion,* Vol. 1, Mircea Eliade, ed. (New York: Mcmillan, 1987), p. 364.

119. Medicine Grizzlybear Lake, *Native Healer: Initiation into an Ancient Art* (Wheaton, Ill.: Quest, 1991), pp. 135-136.

120. De acuerdo con Williams estos síntomas (comienzo y terminación), tuvieron lugar en tres ocasiones distintas.

121. Adaptado de una entrevista en junio de 1994.

122. Beyer, *Magic,* pp. 299-300.

123. Max Beauvoir, citado por Wade Davis in *The Serpent and the Rainbow,* p. 93.

124. Algunos desacuerdos se pueden obviar por medio de un simple ajuste en nuestras perspectivas o en nuestra semántica. Un buen ejemplo de esto es la distinción entre *espíritus territoriales y territorialidad espiritual.* Mientras algunos cristianos se sienten incómodos con la idea que las potestades demoníacas ejercen una influencia de control sobre localidades específicas, casi ninguno cuestiona el hecho que las estrategias engañadoras del enemigo sean de rutina y únicamente diseñadas para las culturas a las que se destinan. (Testigos son los medios divergentes empleados por el enemigo en las ciudades de La Meca y Hollywood). Mientras podemos discutir sobre el énfasis, la última línea es la misma en ambos ejemplos: Estrategias de engaño administradas por demonios en localizaciones territorialmente distintas.

125. Bel (también conocido como Marduk) era el dios patrón de Babilonia a partir de la Tercera Dinastía de Ur —y posiblemente antes. El culto de este dios se relacionaba estrechamente con el paso de Babilonia de ser una ciudad estado importante a convertirse en la capital de un imperio. Véase también Jeremías 51:44, 52; 50:38.

126. 1 Reyes 20 ofrece una vívida ilustración de cómo la creencia en espíritus (o dioses) territoriales influyó en toda una campaña militar —en este caso, entre Israel y el rey de Aram, Ben-Hadad.

127. Smith agrega, "puesto que los dioses paganos nunca se conciben como ubicuos, y pueden actuar sólo donde ellos o sus ministros están presentes, la esfera de su autoridad estable y su influencia común se consideran en forma natural como su domicilio" (*Semites,* pp. 92, 95).

128. *In Taoist Ritual and Popular Cults of South-East China* (Princeton: Princeton University Press, 1994), el autor Kenneth Dean presenta un patrón de evidencia sobre el pasado milenio que las deidades y templos en la provincia china de Fujian se adhieren a grupos territoriales que se basan en linajes comunes.

Capítulo 8: Dinastías territoriales

1. Las personas que exhiben estos síntomas sufren el síndrome conocido como Desorden Afectivo Estacional (SAD, por las siglas en inglés). En las comunidades ubicadas en latitudes extremas o bajo brumas y sombras crónicas, este síndrome puede afectar a más de 25% de los habitantes. Véase

Angela Smyth, Seasonal Affective Disorder (New York: Thorsens, 1990), pp. 2-3, 9-30, 54-55, 58-61.

2. Un factor investigativo que se utiliza tanto en la cartografía física como en la espiritual, es la densidad de población. Según anotábamos antes, los demonios están donde la gente está.

3. Como muchos de los pactos más antiguos entre los pueblos y las potestades demoníacas se efectuaron en Asia y puesto que Asia hospeda ahora los mayores centros de población del planeta, no es de sorprendernos que este continente en la actualidad domine la mayor frontera no alcanzada por el Evangelio, que se conoce como la Ventana 10/40. La longevidad de la población y de los pactos tienen mucho que ver con el atrincheramiento territorial de las tinieblas espirituales.

4. "From Child-Killing to Mysticism", Christian History, Vol. XIV, No. 3, p. 25.

5. En una entrevista sostenida en agosto 6, 1992, con el Dr. Yoshihiro Tanaka, presidente de la Sociedad Matsuri (Festival) del Japón en Nagoya; Yoshihiro Tanaka, "Festivals and Folk Art", Matsuri News 186, edición especial, verano 1976, Matsuri Society, Nagoya, Japan, p. 19; Cooper, Traditional Symbols, p. xiii.

6. Nowruz es un antiguo festival del año nuevo persa con vínculos en la religión de Zoroastro. Véase Alex Tizon, "Area Persians Greet New Year with Old Ways", Seattle Times, marzo 21, 1996.

7. "Hindus Defy Guerrillas to Make Trek", Seattle Times, septiembre 3, 1995.

8. Citado en J. C. Cooper, The Dictionary of Festivals (London: Thorsons, 1995), p. xiii.

9. Citado en Abd al-Masih, The Occult in Islam (Villach, Austria: Light of Life, n.d.), p. 40.

10. La ceremonia, también conocida como Bahatara Turun Kabeh, siempre tiene lugar durante la luna llena. Mientras casi todas las festividades se centran alrededor del Templo de la Madre Hindú, los sacrificios de animales se echan en la caldera de vapor del vecino Monte Agung.

11. Esta diversión general tiene lugar en el último domingo del mes de julio y pretende celebrar la larga historia de la hechicería en la comunidad.

12. En su libro The Sacred and the Profane: The Nature of Religion (Orlando: Harcourt, Brace, [1959], 1987), Mircea Eliade anota que muchos de los festivales religiosos son percibidos como la reactualización de actos creativos por seres divinos. En consecuencia, mientras el festival se realiza, los participantes creen que viven en otro tiempo, y a veces vienen a ser contemporáneos de los dioses (véanse pp. 80-91).

13. El Maha (o mega) Kumbh Mela, situado cerca de la ciudad de Allahabad, tiene lugar cada doce años y se cree que es la reunión periódica más grande de gente en cualquier parte de la tierra. El festival dura de seis a ocho semanas. Véanse D. P. Dubey, "Kumbh Mela: Origin and Historicity of India's Greatest Pilgrimage Fair", National Geographic Journal of India,

Vol. 33, Part 4, diciembre 1987, pp. 117-136. Tony Heidere, "India's Maha Kumbh Mela: Sacred Space, Sacred Time", National Geographic, Vol. 167, No. 5, mayo 1990, pp. 106-116.

14. Carmen Blacker, conferencista en Cambridge, que observó esta despedida desde la orilla del Lago Matsue en 1972, recuerda haber visto miles de luces parpadeantes que flotaban hacia el pasado, "como una gran hueste de espíritus". Gradualmente los pequeños botes de los espíritus se perdieron en las sombras del otro lado del lago, donde "uno a uno se apagaron y se fueron a las tinieblas". Véanse Blacker, *Catalpa Bow*, pp. 46-47. Tokutaro Sakurai, "Japanese Festivals: Annual Rites and Observances", *Understanding Japan 60* (Tokyo: The International Society for Educational Information, 1991), pp. 57-61.

Nota: Por todas partes en el mundo se celebra a los espíritus que regresan en el "Día de los muertos", posiblemente el período religioso del año más importante en México; y en "Los días de las almas liberadas", que observan los seguidores de Zoroastro en el curso de los últimos diez días del año. Esta última festividad, como la estación japonesa O-bon, es una época en que los espíritus que han partido y sus guardianes (*frawashis*) se acercan a este mundo y se les invita a morar temporalmente en "jardines" (o arreglos de flores).

15. Los celtas consideraban a Samhain como el Señor de la Muerte y le ofrecían cada año festivales para guardarse de su mal.

16. Al suponer que Halloween era un tiempo en que los espíritus regresaban para recorrer la tierra, los celtas se cubrían con disfraces y utilizaban máscaras grotescas hechas de calabazas para cuidarse y protegerse de los espíritus del mal. (Las máscaras también se ofrecían como sacrificios en cambio de una cosecha abundante y como cuidado para el invierno que venía). De manera semejante, los antiguos romanos se resguardaban de los espíritus del mal al tallar las calabazas y ponerles velas encendidas en el interior. Otros dejaban suministros de pan y agua o de diversos alimentos para agradar y nutrir a los espíritus visitantes (véase Cowan, *Fire*, pp. 55).

17. Freidel, Schele y Parker, *Maya Cosmos*, pp. 257-269.

18. Una vez al año, por ejemplo, los indios Huichol del norte de México practican el Wirikuta, una peregrinación solemne al sitio mítico del origen de esta tribu. Durante este viaje ritual, las horas del día se dedican a colectar peyote, que consideran sagrado, y reservan las noches para citas místicas con los dioses y sus antepasados. La peregrinación la conduce un *mara'akáme*, o chamán cuya primera tarea es instruir a los participantes en un vocabulario codificado y en ciertos protocolos que se deben observar y seguir durante el Wirikuta. Estos complejos términos, que se reciben durante sueños espirituales, producen un mundo extraño y reversible donde los ojos se convierten en tomates, al tabaco se le refiere como excrementos de hormigas y los hombres sacuden los pies en lugar de usar las manos. "Así es como es", explica un bikuritámete (peregrino del peyote). "Debe ser como

se decía que era en el comienzo de los tiempos antiguos". Véase Ramón Medina Silva, "How the Names Are Changed on the Peyote Journey", apéndice para el trabajo de Barbara Myerhoff, "Return to Wirikuta: Ritual Reversal and Symbolic Continuity on the Peyote Hunt of the Huichol Indians", in *The Reversible World: Symbolic Inversion in Art and Society*, Barbara Babcock, ed. (Ithaca, N. Y.: Cornell University Press, 1978), pp. 236-239.

19. El polen de maíz es un símbolo sagrado que los navajos tradicionales a menudo esparcen durante las oraciones.

20. Bill Donovan, "News of Navajo Deities' Visit Draws Thousands to Site", *The Arizona Republic*, mayo 28, 1996; Michelle Boorstein, "Sacred Site Draws Navajos Despite Skeptics", *Los Ángeles Times*, junio 30, 1996; julio 1996 entrevista telefónica con Kay Courtney en la oficina de campo de la Misión del Evangelio Navajo, en Hard Rock, Arizona.
Nota: Aunque continúa la discusión sobre la autenticidad de la visita en Big Mountain, no se ha descubierto ninguna evidencia de fraude, incluso al finalizar 1996. Muchos creyentes navajos y obreros de la misión local están convencidos que los visitantes tenían un origen demoniaco —una conclusión razonable a la luz del impacto del suceso y sus largos alcances.

21. Akemi Nakamura, "Town Makes Pact with Devils, Demons in Bid to Revitalize", *Japan Times*, diciembre 20, 1994.

22. Estos antiguos ritos tuvieron lugar cada mes de mayo e incluían ofrendas y procesiones especiales a los santuarios de Shimogamo y Kamigamo.

23. Julia Wilkinson, "Spirit Island", *Sawasdee*, mayo 1992, pp. 15-18.
Nota: Un rito similar e igualmente antiguo se encuentra en la población de Toracari, Bolivia. Este rito conocido como *tinku* se desarrolla en grupos de aldeanos que pelean entre sí con puñetazos y pedradas. En un intento para explicar esta práctica, que una vez se extendió ampliamente por todos los Andes, un residente de Toracari declaró: "La sangre que se derrama y las vidas que se pierden son ofrendas para Pachamama (la Madre Tierra) y para los dioses de la montaña. Entre más sea lo que se sacrifica, mucho mejores serán las cosechas". Véase Johan Reinhard, "Sacred Peaks of the Andes", *National Geographic*, marzo 1992, pp. 95-98.

24. Mientras las comunidades pueden y con frecuencia hacen peregrinaciones, por lo general se unen a los festivales que se enfocan en una necesidad colectiva.

25. Jere Van Dyke, "Long Journey of the Brahmaputra"; *National Geographic*, noviembre 1988, pp. 680-681.

26. El Corán, XXII: 27-28.

27. Ni'mah Nawwab, "Hajj: The Journey of a Lifetime", *Aramco World*, Vol. 43, No. 4, julio-agosto 1992, pp. 24-35; Heidi Tawfik, *Saudi Arabia: A Personal Experience* (San Jose: Windmill Publishing, 1991), pp. 69-79; Gai Eaton, "The Hajj", *Parábola*, Vol. IX, No. 3, agosto 1984, pp. 18-25.

28. Gran parte de esta información se obtuvo a partir de una entrevista en mayo de 1992 con el Dr. Rana Singh en Varanasi, India. Véanse también Rana P. B. Singh, "The Pilgrimage Mandala of Varanasi: A Study in Sacred Geography", *The National Geographic Journal of India*, Vol. 33, No. 4, diciembre 1987, pp. 493-524; Rana P. B. Singh, "Peregrinology and Geographic Quest", in *Trends in the Geography of Pilgrimages*, R. L. Singh and Rana P. B. Singh, eds., The National Geographic Society of India, Research Publication Series #35, Banaras Hindu University, 1987, pp. 173-177; Robert Stoddard, "Pilgrimages along Sacred Paths", *National Geographic Journal of India*, Vol. 33, Pt. 4, diciembre 1987, pp. 96-102; Santha Rama Rau, "Banares: India's City of Light", *National Geographic*, Vol. 169, No. 2, febrero 1986, pp. 241-243.

29. Paul Hensley, "Thaipusam in Malaysia", informe de asignación para Phenomenology and Institutions of Folk Religions, Fuller Theological Seminary, noviembre 15, 1984, pp. 1-4.

30. Percival Lowell, *Occult Japan: Shinto, Shamanism and the Way of the Gods* (Rochester, Vt.: Inner Traditions, 1990 [orig. 1894, Houghton-Mifflin]), pp. 223-229.
Nota: Al contrario de la cima del Fuji, la cima del Monte Ontake es achatada y plana, pues perdió su forma de un cono simétrico debido a una serie de explosiones volcánicas. En la actualidad corona su borde un cinturón circular de cráteres, cada uno lleno con las aguas verdes de un lago. (Muchos creen que aquí vive el dios dragón Hakuryusan). Cada una de las tres rutas a la cima se divide en diez etapas. La más baja, pasa a través de exquisitos bosques de pinos y criptomerias, mientras las latitudes medianas (que comienzan alrededor de la sexta etapa) están dominadas por unos arbustos que se conocen con el nombre de *haimatsu*. De la octava etapa en adelante, toda la vegetación se desvanece y el peregrino queda envuelto en una niebla espesa saturada con vapores sulfurosos y picantes (el aliento, se ha sugerido, de lo que duerme debajo). La vía a lo largo del paisaje lunar de la cima está punteado con los contornos fantasmagóricos y grisáceos de ídolos budistas furiosos. Por lo menos hay tres santuarios principales, todos de uso frecuente durante los trances en los ritos de la mitad del verano. El Ontake ko tiene aquí sesiones para que sus miembros sean poseídos por espíritus, y obtener información a partir de los Ontake Okami, trinidad de dioses que comprenden: 1) el creador mitológico de la nación; 2) las diosas que se asocian con la familia imperial; 3) la divinidad que gobierna el mundo de los muertos.

31. Gran parte del espacio del muro dentro del alojamiento exhibía fotos del Gojinkasai, una fiesta anual de la localidad cuya característica es una hoguera mágica que se alimenta con pequeños bastones para solicitudes de oración conocidos como *gomagi*. El Festival Gojinkasai tiene lugar del seis al siete de agosto y es el más grande que se asocia con el Monte Ontake. Otras fotografías ilustraban sesiones de grupos en la cima.

32. Don Belt, "Israel's Galilee: Living in the Shadow of Peace", *National Geographic*, Vol. 187, No. 6, junio 1995, pp. 62-87. Para más datos sobre el *baraka* y la veneración de santos dentro del mundo del folclor en el Islam, ver Bill Musk, *The Unseen Face of Islam* (Eastbourne, England: MARC/Monarch, 1989), pp. 45-59.

33. Davis, *Serpent*, p. 209. Nota: Las tradiciones irracionales o sin fundamento que modifican la conducta de las gentes con frecuencia se llaman supersticiones. Los antiguos babilonios, por ejemplo, creían que comer ajos en el primer día del mes Tashrit hacía que los picara un escorpión, mientras participar de una comida con carne de cerdo en el quinto día, con seguridad llevaba a un pleito. Inclusive en el día de hoy, los pueblos Tonga, saturados de tabúes, insisten en que las jaquecas se pueden deber al estrés o que las causan los antecesores cuyos huesos son perturbados por las raíces de las casuarinas.

34. Edward Albert Shils, *Tradition* (Chicago: University of Chicago Press, 1981), pp. 50-52.

35. Bern Williams, citado en *Reader's Digest*, "Quotable Quotes" (Citas citables), mayo 1996.

36. En la isla melanesia de Nueva Irlanda hombres cubiertos con máscaras, que representan a ciertos antecesores fallecidos, regresan a los muchachos recluidos (y ritualmente muertos) a la aldea. Véase Bodrogi, "New Ireland Art", p. 24.

37. Eliade, *Myths, Dreams*, pp. 192-195.

38. Ibid., p. 199. De manera similar, a las muchachas de las tribus de los indios omagua en el Perú, tradicionalmente las cosen dentro de hamacas que se suspenden en los techos de las chozas. Allí deben permanecer inmóviles durante ocho días. Véase *Did You Know?*, p. 240.

39. La patria de los Dagara se disemina a través de naciones de África Occidental de Burkina Faso, Ghana y Côte D'Ivoire.

40. Somé revela que una atadura espiritual se le suministró durante sus años en el seminario, en la forma de visiones con la apariencia de su abuelo chamán. "Siempre estaba allí en las mayores y más importantes encrucijadas de mi vida —recuerda Somé—. Me mantuvo en contacto con mis antecesores".

41. El lenguaje primario es una manera de hablar que los ancianos, chamanes y hechiceros tradicionales aprenden para cumplir con sus deberes. Se cree que era un "lenguaje de la creación", y tiene el poder en determinadas circunstancias, de manifestar lo que se dice. Puede ser extremadamente peligroso. Somé recuerda la primera vez que oyó a su abuelo hablarlo: "Lo utilizó como un arma de venganza contra un gallinazo que defecó sobre su cabeza calva. Se puso frente al árbol donde el ave se había posado, pronunció unas pocas frases y el pobre animal se precipitó y se estrelló en el suelo. Cuando corrí para levantarlo, se había vuelto cenizas".

42. "La educación tradicional" —según Somé—, consta de tres partes: Aumentar la capacidad de uno para ver, desestabilizar el hábito del cuerpo de estar unido a un plano del ser y la capacidad para viajar transdimensionalmente de ida y regreso".

43. Véase en el capítulo 4, el segmento sobre "La puerta dimensional".

44. Poco tiempo después de este calamitoso incidente, se registró el segundo de proporción aun mayor, cuando los ancianos fracasaron en forma absoluta al no encontrar al iniciado.

45. Aquí Malidoma se convenció que alguien respiraba tanto para él como para sí mismo. "Tuve la sensación —dice—, de quedar atrapado en medio de una enorme inteligencia. Algo que sabía que yo estaba allí y que quiso hacerme algo".

46. Malidoma Patrice Somé, *Of Water and Spirit: Ritual, Magic, and Initiation in the Life of an African Shaman* (New York: Jeremy Tarcher/Putnam, 1994), pp. 162-169, 174-180, 192-205, 213, 226-248, 295-298; Somé, "Rites of Passage", *Utne Reader*, julio-agosto 1994, pp. 67-68. Véanse también Frederick Butt-Thompson, *West African Secret Societies: Their Organizations, Officials, and Teachings (Westport, Ct.: Negro Universities Press [1970], reprint of 1929 ed.),* e *Isaiah Oke, Blood Secrets: The True Story of Demon Worship and Ceremonial Murder* (Buffalo, N. Y.: Prometheus, 1989).
Nota: Iniciaciones similares tienen lugar por todo el continente africano. Entre la tribu Diola de la región de Casamance, en el Senegal, el rito recibe el nombre de Bakut que sólo se puede efectuar una vez cada década o dos. Otras iniciaciones tribales se hacen anualmente o en períodos que van desde tres años hasta siete. La duración de estos ejercicios oscila de tres semanas a seis meses.

47. Durante siglos los mayas también plantaban en la tierra pequeñas columnas de piedra delante de las pirámides sagradas y de las colinas donde creían que moraban los antepasados protectores. Aquí se ofrecían sacrificios por lo menos cada 260 días (véase Freidel, Schele y Parker, *Maya Cosmos*, p. 188). En el sudoeste de Estado Unidos, los miembros del clan Hopi hacen peregrinaciones a ruinas específicas a fin de comunicarse con los espíritus de sus antepasados, mientras los indios del Altiplano consideran que la petrificación de ciertas rocas corresponde a antecesores míticos.

48. Faulkingham, "The Spirits", pp. 17, 36; Harry McArthur, "The Role of the Ancestors in the Daily Life of the Aguacatec (Maya)", XLIII International Congress of Americanists, University of British Columbia, Vancouver, Canada, agosto 10-17, 1979, pp. 7-13.

49. Edward Whitley, "Trains, Tortoises, and Turning the Bones", *Seattle Times,* febrero 21, 1993.

50. Linda Stone, "Illness Beliefs and Feeding the Dead in Hindu Nepal"; *Studies in Asian Thought and Religion,* Vol. 10 (Lewiston/Queenston, Canada: Edwin Mellen Press, 1988), pp. 116-123, 133-148.

51. Ki-Zerbo, *General History*, pp. 17-18. Entre varios pueblos africanos (notablemente los Bafulero de Zaire, los Banyoro de Uganda y los Mossi de Burkina Faso), el jefe de la tribu es el principal mandatario del tiempo colectivo. Su muerte constituye un quebrantamiento tanto en el tiempo como en los tabúes. En 1992 el Dr. Tokutaru Sakurai me informó que como casi todos los japoneses no pueden rastrear su linaje más allá de diez generaciones, con frecuencia se crean antepasados corporativos (que se imaginan idealmente como miembros de la realeza antigua) para llenar el vacío y ofrecer por lo menos raíces mitológicas.

52. Inclusive la Biblia nos informa que "la fe viene por el oír" (Romanos 10:17, RV).

53. Un lama alto o encarnado típicamente posee múltiples iniciaciones. Éstos vienen de sus maestros, de los maestros a quienes visita en peregrinación y de los lamas viajeros que pasan por su monasterio. El proceso básico de la iniciación comprende tres fases: 1) el *wang* o etapa de dinamización, en la que al iniciado se le presentan el dios y sus características; 2) la etapa de autorización o *lung*, donde al estudiante se le leen textos de importancia que se asocian con la divinidad; 3) el *tri* o etapa de explicación en la que al iniciado se le enseñan procedimientos rituales secretos, que incluyen técnicas de visualización necesarias para invocar la divinidad. Este período de trabajo grandemente solitario dura tres años, tres meses y tres días. Antes que el monje pueda dirigir el poder de la divinidad a cualquier fin, debe recitar su mantra algo así como diez millones de veces y aprender a visualizarse vívidamente como si fuera el dios.

54. Los linajes budistas tibetanos se basan más en los maestros que en los parientes. Véanse Beyer, *Magic*, pp. 20-27, 36-38; y entrevista en mayo de 1992 como Mina Tulku en el Museo Nacional de Bután en Paro, Bután.

55. Citado en Freidel Schele y Parker, *Maya Cosmos*, pp. 208-209.

56. En esta última instancia, las tradiciones del conquistador se imprimen típicamente en sus nuevos súbditos no por la espada, sino mediante la fuerza carismática que se asocia con el poder ascendente. Véase Edward Albert Shils, *Tradition* (Chicago: University of Chicago Press, 1981), pp. 250-251.

57. Informe no publicado de Bernard y Elisabeth Piaget, abril 1996.

58. Ries, *Origins*, p. 70.

59. Jill y Leon Uris, *Ireland*, p. 30.

60. Hasta el año 664, de nuestra era, el centro de esta religión mística y sincretista era la escuela del monasterio de Lindisfarne en Holy Island. Ver Thompson, *Evil*, pp. 8-9.

61. Aunque el nombre original de la diosa se tradujo "*Mujer Serpiente*", el historiador colonial Fray Bernardino de Sahagún (católico) nos informa que los aztecas más tarde la llamaron *Tonantzin*, que significa "Nuestra Madre". Cuando la Iglesia de Nuestra Señora de Guadalupe se construyó en la colina de Tepeyac, Fray Bernardino afirma que la imagen mariana vino a ser sinónimo de Tonantzin. Ver *A General History of the Things of New*

Spain, Florentine Codex (Santa Fe, N. M.: School of American Research, 1950), Libro 1, capítulo 6 y Libro 11, apéndice 7.

Nota: Un culto similar se ha levantado alrededor del Cristo Negro de Esquipulas en Guatemala, imagen de madera de color negro, cuyos orígenes se remontan hasta una fortaleza precolombina idólatra. Véase Lilly de Jongh Osborne, "Pilgrims: Progress in Guatemala", *Bulletin of the Pan American Union,* marzo 1948, p. 136.

62. William Cormier, "Halloween Haunts Mexican Holiday", *Seattle Times*, noviembre 1, 1992.

63. Robert Randall, "Return of the Pleiades", *Natural History*, Vol. 96, No. 6, junio 1987, pp. 42-52.

64. Joseph Murphy, *Santería: An African Religion in America* (Boston: Beacon, 1988), pp. 28-34.

    Nota: Ejemplos similares de sincretismo cristiano-pagano se pueden encontrar en las fiestas públicas de las calles en Filipinas, donde rutinariamente se convierten los dioses paganos en santos patrones de la iglesia; en el movimiento Ratana, que floreció entre los maoríes de Nueva Zelanda en la década de 1920 y en la Iglesia Celestial de Cristo cuya base estaba en África. Esta última afirma tener quince mil parroquias en África, Europa y las Américas y efectúa servicios en los que las oraciones se ofrecen en poses tradicionales del islamismo y la adoración con frecuencia se acompaña de un toque pulsátil de tambores. "Nuestras raíces están en las tradiciones cristianas", dice el evangelista David Harrison-Adeove, "pero también tomamos lo mejor de todas las religiones". Véase Cecilia Farrell, "Church Rooted in Africa Mixes `Best of All Religions' into One", *The Washington Post*, agosto 24, 1991.

65. En *Myth and Mystery* (p. 44), Finegan anota que tanto la pirámide como el obelisco tienen sus orígenes en los correspondientes jeroglíficos para la colina primitiva y para la piedra Benben.

66. De acuerdo con el erudito tibetano Tashi Tsering, cuando el budismo se introdujo en los Himalayas entre los siglos séptimo y noveno de nuestra era, el pueblo en el Tibet aceptó la filosofía del budismo pero retuvo las prácticas rituales del Bön. Véase Per Kvaerne, "Tibet Bön Religion", *Iconography of Religions XII*, 13, Institute of Religious Iconography, State University Groningen (Leiden), 1985, pp. 3-5.

67. Tierney, *Altar*, pp. 38-39.

68. Además de adorar a Hubal, los locales veneraban tres deidades femeninas: al-Lat, al-`Uzza y Manat (que algunos han sugerido que fueron las tres hijas de Alá). Hubo muchos otras divinidades. La piedra negra aún incrustada en uno de los muros de La Ka'bah (o cubo) que ahora está establecida como la pieza central de la Gran Mezquita, es un objeto de culto extremadamente antiguo.

69. Nabih Amin Faris, ed., *The Arab Heritage* (Princeton, N. J.: Princeton University Press, 1946), pp. 52-53.
Nota: Mientras que el Islam oficial condena la idolatría, los remanentes paganos aún se encuentran infiltrados como símbolos y prácticas (como lo han hecho los del cristianismo tradicional).

70. E. O. James, *Mother-Goddess*, pp. 182-183.

71. El cálculo oscila entre setenta y ochenta por ciento.

72. Los períodos que se asocian con las prácticas tradicionales y folclóricas son arbitrarios.

73. En muchas áreas de África del Norte la ortodoxia del Islam surgió lentamente a medida que iba contra una fuerte marea animista. (Un estudio de 1922 en el Sudán caracterizó en verdad a los sanadores islámicos como capaces de estar al mismo tiempo en dos sitios distintos o volar con el alma). Con el tiempo pueblos como los Fulani, Hausa, Tuareg, sintetizaron las tradiciones islámicas y las indígenas con la pérdida de las primeras en pureza y con las últimas que adquirieron muchos aspectos islámicos. Véase Michael Winkelman, "Shamans and Other `Magico-Religious' Healers", *Journal of the Society for Psychological Anthropology*, Vol. 18, No. 3, septiembre de 1990, p. 343. Para más datos sobre el folclor islámico, véanse Bill Musk, *The Unseen Face of Islam*; George Braswell Jr., *Islam: Its Prophets, People, Politics and Power* (Nashville: Broadman & Holman, 1996), pp. 74-77; y *Muslims and Christians on the Emmaus Road*, J. Dodley, Woodberry, ed. (Monrovia, Calif.: MARC,1989), pp. 45-61.

74. Las "Nuevas Religiones" en el Japón se refieren a una amalgama de sectas sincretistas que se han formado en el siglo veinte. Las así llamadas *Nuevas*, Nuevas Religiones han surgido a partir de la década de 1980.

75. Estos movimientos nuevos también han aparecido porque en el Japón no hay un sistema autorizado de pensamiento. (La Segunda Guerra Mundial puso fin al sintoísmo como religión del estado). Al mismo tiempo, los norteamericanos introdujeron el individualismo democrático a la sociedad, desarrollo que demostró ser una espada de dos filos. Aunque capacitó al pueblo para escapar de los chalecos de fuerza tradicionales, pavimentó la vía para que fuera víctima de nuevos peligros.

76. De entrevistas con Ryu Oyama y con Yoshi Kaneko, investigadores asociados del Instituto Académico de Investigación Chuo, y con Tadashi Takatani, funcionario asistente en el programa de la Fundación Paz Niwano, Tokio, agosto 1 de 1992. Muchos jóvenes se han movido hacia el pensamiento de la mal llamada Nueva Era, porque ven al budismo como demasiado rígido. Al contrario, las Nuevas Religiones y la Nueva Era, son mucho más elásticas y se asocian más con el mundo actual. Las diferencias principales entre las dos son: La Nueva Era se orienta hacia el individuo en tanto que las nuevas religiones lo hacen hacia el grupo. En el Japón ha surgido una tercera corriente filosófica que se llama "Pensamiento de la Moral Nueva".

La raíz no es nueva en absoluto —en realidad se basa en las doctrinas de Confucio— pero el emblema de la ideología, oficialmente conocido como Moralología es: "Ideas Antiguas, Nuevo Empaque". Véase también Christal Whelan, "Japan's `New Religion'", *Seattle Times*, mayo 13, 1995, "A New Religion in Japan", *The Church Around the World*, Vol. 22, No. 4, 1992; entrevista con Moriya Okano, editor principal de Shunjusha Publishing Company, Tokio, julio 31, 1992.

77. Fercho, "Shipwrecked Stars", pp. 25-30. Véase también el *SCP Journal* edición doble de 1992 con el título "Alien Encounters: UFOS and the Realm of Shadows", (Vols. 17:1 y 2).

78. En el verano de 1690 los ejércitos del rey protestante William of Orange derrotaron al rey católico James II en la famosa Batalla del Boyne —una victoria que aseguró a los protestantes firmeza política en la Isla Esmeralda.

79. Como indicativo de su legado violento, el escudo provincial de Ulster lleva el emblema de una mano herida sangrante.

80. Jill & Leon Uris, *Ireland*, pp. 179-185.

81. La última ofensa se calcula que pudo haber costado a veinte millones de jóvenes su libertad, pues fueron vendidos como esclavos para el Nuevo Mundo. Más millones murieron durante el viaje. En marzo de 1996, en el curso de un debate en el parlamento inglés sobre las reparaciones de Gran Bretaña al África, por la esclavitud, Lord Gifford afirmó que esta acción era "sin ninguna duda, en el más completo sentido del término, un crimen contra la humanidad". Y la consecuencia, como en el caso de casi todos los crímenes, afectará a las víctimas, a los ofensores y a su descendencia por generaciones hasta cuando se haga lo correcto.

82. Braswell, *Islam*, p. 257.

83. Samuel Zwemer, *Raymond Lull: First Missionary to the Moslems* (New York: Funk & Wagnalls, 1902), pp. 52-53.

84. Braswell, *Islam*, pp. 258, 261.

85. Otros pasajes que refieren la "voz" de la opresión o la injusticia incluyen Éxodo 2:23-24; 3:7; Salmo 9:12; 72:14 ; y Santiago 5:4.

86. Entre los centenares de ejemplos hay sitios que se asocian con asesinatos, incendios fatales, desastres de minas y campos de batalla (como los que se encuentran en las tierras altas de Escocia y en Gettysburg).

87. En resumen, la hipótesis de la resonancia mórfica sugiere que la forma de una estructura o sistema físicos, aparece en los sistemas subsecuentes con formas semejantes. El líder de esta teoría es el científico británico Rupert Sheldrake, cuyo libro *A New Science of Life* ha sido llamado "un interrogante científico de importancia en la naturaleza de la realidad biológica y física". Aunque Sheldrake tiene tendencias hacia la Nueva Era, sus credenciales científicas son impresionantes: Harvard y Cambridge. Para más datos acerca de la resonancia mórfica, véase *A New Science of Life* (Rochester, Vt.: Park Street Press, [1981] 1995), pp. 71-74, 76-77, 93-102, 132.

Nota: Si las formas producidas por acciones antiguas se *pueden* reconstituir, Sheldrake quizá alude a la física empleada (o manipulada) por demonios —una física que, en el momento actual, permanece bajo el encabezamiento de *sucesos sobrenaturales.*

88. Gadon, "Sacred Places of India: The Body of the Goddess", in Swan James, ed. *The Power of Place and Human Environments* (Wheaton, Ill.: Quest, 1991), pp. 82-83.

89. Vasudeva Sharana Agrawala, Ancient Indian Folk Cults (Varanasi, India: Prithivi Prakashan, 1970), p. 185.

90. El comunismo estalinista, introducido por Enver Hoxha, vino a ser la ideología dominante del país en 1994.

91. Dusko Doder, "Albania Opens the Door", *National Geographic*, Vol. 182, No. 1, julio 1992, pp. 74-93; Catherine Field, "Vendetta: Gruesome Custom Re-emerging in Albania", *Seattle Times*, abril 13, 1992; Larry Luxner, "Albania's Islamic Rebirth", *Aramco World*, Vol. 42, No. 4, julio-agosto 1992, pp. 38-47; James Pandeli, *Oh Albania, My Poor Albania*, manuscrito autopublicado en 1988, p. ii.

92. Ann y James Tyson, "Villagers Put Gods Before Marx", *Christian Science Monitor*, agosto 12, 1992.
Nota: Otra de las fuerzas primarias o primitivas de China se ve en los clanes o linajes que mantienen regularmente amplias celebraciones para adorar a sus antecesores. Véase Ann y James Tyson, "Family Clans Reemerge as Loyalties Go Local", *Christian Science Monitor*, agosto 12, 1992.

93. Tierney, *Altar*, pp. 222, 279, 356-357, y otros segmentos numerosos.

94. Otis, *Giants*, pp. 109-112. En lo que respecta a especulaciones sobre la naturaleza y el papel del Gog bíblico, véanse pp. 212-213.

95. Niwat Kongpien, "A Trip to the Great City", *Thai Accent*, octubre 1993, p. 75.
Nota: Durante una jornada de oración de marzo de 1995 que les llevó a Angkor Wat y al sitio del antiguo pacto en Ba Phnom, los veteranos líderes de oración John Robb y el fallecido Kjell Sjöberg hicieron progresos significativos al penetrar en este misterio.

96. Lawrence Harrison, "Voodoo Politics", *The Atlantic Monthly*, junio 1993, pp. 101-107.

Capítulo 9: Levantamiento de las estacas

1. En la vanguardia de estas tecnologías se encuentran los videos (la película *Jesús*), la radio de onda corta y la televisión por satélite. Otras tecnologías recientes (como internet, los computadores personales y los aviones movidos por turbinas) han afectado todos los medios evangelísticos desde la traducción de la Biblia hasta la movilización de los misioneros y las redes de trabajo globales.

2. La estadística de Justin Long (que se ajusta por defecto) se deriva de una conversación telefónica en junio de 1996 con Brian Kooiman de Global

Harvest Ministres; véase también "Worldscene", *Christianity Today*, noviembre 9, 1992, p. 64.

3. Lance Morrow, "Evil", *Time*, junio 10, 1991, pp. 52-53.

4. Green, *Exposing*, p. 97. Una situación semejante se manifestó en algunas pocas últimas décadas antes de la conquista española de Mesoamérica. Los sacerdotes mayas y aztecas, al sentir que se acercaba el fin de sus culturas, exigían aumentos en los sacrificios humanos, en tanto que los símbolos de muerte empezaban a predominar en el arte. Véase *The Seasons of Humankind*, P. Van Dongen, ed. (Den Haag: Rijksmuseaum Voor Volkenkunde, 1987), p. 101.

5. La Iglesia Católica por ejemplo, ha registrado un aumento dramático recientemente en el número de peticiones para exorcismos.

6. Notables excepciones a esta regla incluyen a Corea del Sur donde la obra de Dios se ha visto obstaculizada sobre todo por medio de la desunión entre diversas iglesias y sus líderes; Argentina, donde el avivamiento se ha visto enfriado por el fracaso moral de un pastor; y Alemania, donde muchas almas se perdieron por un caso de maltrato sexual muy publicitado que implicó a un equipo pastoral en Nürnberg (el juicio de esta piadosa pareja se basó en acusaciones inventadas para engañar).

7. Durante esta estación especial de gracia, la Iglesia Saudita gozó de una seguridad interna muy laxa, un flujo sin precedentes de literatura cristiana y una onda de visiones y sanidades sobrenaturales.

8. Elisabeth Farrell, "Saudi Arabian National Is Beheaded", *News Network International*, noviembre 25, 1992, pp. 23-25; Barbara Baker, "Court Hearing Still Pending for Four Filipino Christians", *News Network International*, noviembre 22, 1994, pp. 8-10.

9. David Stravers, vicepresidente ejecutivo de la Liga Bíblica. Véase Kim Lawton, "The Suffering Church", *Christianity Today*, julio 15, 1996, pp. 58.

10. Lawton, "Suffering", pp. 57-58.

11. "Religion in China", *Wall Street Journal*, septiembre 19, 1996. Véase también William Kazer, "Rise in Religion Seen as Threat", *Seattle Times*, agosto 12, 1996.

12. Hacia la mitad de la década de 1990, decenas de miles de nacionales argelinos murieron en la lucha político religiosa de la nación. Véanse "Priest, Nun Killed by Islamic Radicals", *Christian Century*, Vol. III, No. 20, junio 29-julio 6, 1994, p. 638; Barbara Baker, "Security of Christians Deteriorates after Murder of Priests", *News Network International*, enero 16, 1995, pp. 6-8; Willy Fautre, "Two More Catholic Nuns Assassinated", *News Network International*, septiembre 22, 1995, pp. 11-12.

13. Para más datos sobre la vigilancia islámica, véase Otis, *Giants*, pp. 78-79. De acuerdo con un misionero veterano en el sur de Asia, las incursiones cristianas al mundo del budismo tibetano las monitorea una agencia que se llama Red Internacional del Tibet.

14. Lawton, "Suffering", p. 60. Michael Horowitz en la actualidad es un becario principal en el Instituto Hudson, un tanque conservador de pensamiento político.

15. Estos hechos se compilaron por medio de una serie de entrevistas con varios misioneros y traductores de la Biblia entre octubre de 1993 y octubre de 1996. Las conversaciones tuvieron lugar en Mussorie, India; Kathmandú, Nepal; Lynnwood, Washington; y Arlington, Texas. Por razones de seguridad se han omitido ciertos nombres.

16. Detalles verificados en correspondencia con Hallett Hullinger, Director de ULS, en febrero 23 de 1994.

17. Este hermano quedó libre milagrosamente después de dos semanas debido a un sueño que aterrorizó a sus captores.

18. Francis Frangipane, *The Three Battlegrounds* (Marion, Iowa: Advancing Church Publications, 1989), p. 7.

19. Ambos apóstoles (Santiago 4:6 y 1 Pedro 5:5) citan de Proverbios 3:34.

20. Jesús dijo a los fariseos, "Vosotros sois de vuestro padre el diablo..." (Juan 8:44, RV). Para los individuos que se enorgullecen de su devoción a la ortodoxia religiosa dominante, es difícil imaginar una frase más punzante. Como Lucifer, los fariseos se habían vuelto infatuados consigo mismos —su ciencia, su pompa, su posición, sus conocimientos. Al valorar en exceso estas cosas, ellos (como muchos intelectuales religiosos) han venido a ignorar la justicia de Dios (Romanos 10:3). Este celo no es conforme a ciencia (Romanos 10:2). Han perdido y descuidado el punto —que las creencias piadosas se deberían traducir en carácter piadoso.
El mundo cristiano está todavía lleno de legalistas religiosos que no pueden resistir a hacer desfilar sus interpretaciones como ortodoxia bíblica. Para ellos la verdad se valida por los patrones de edad (la tradición es sagrada) y de popularidad (que con frecuencia se disfraza como consenso), y convenientemente pasan por alto el hecho que el mensaje de Jesús claramente falló tales patrones. Lo que les importa es conformidad con las *prácticas y doctrinas del núcleo*. En el proceso de defender esta ortodoxia, sin embargo se instala un burdo y grande engaño. Estos legalistas religiosos se ven a sí mismos como una especie de "guardas del palacio", pues sus mentalidades se vuelven con mucha frecuencia adversarias. Quienes sean las personas —el motivo del gran afecto de Dios— vienen a ser menos importantes que lo que ellos creen. La edificación de puentes relacionales se reemplaza con pruebas y contraseñas teológicas. Finalmente, tales legalistas, como los gálatas antes de ellos (Gálatas 5:15) se convierten en perros cristianos de ataque, "que muerden y devoran" a aquellos que se levantan para oponerse a la "verdad".

21. C. Peter Wagner, "Territorial Spirits and World Missions", *Evangelical Missions Quarterly*, Vol. 25, No. 3, julio 1989, p. 286.

22. Jaki Parlier, "Dabbling with the Enemy", *In Other Words*, Vol. 18, No. 6, septiembre-octubre 1992, pp. 1-2.

23. Y también la indecisión. Véase Santiago 4:17.

24. Aunque Dios con frecuencia limita las flechas del diablo, como lo hizo con Job y con Daniel, hay evidencias que en casos especiales de martirio, suministra a sus siervos gracia sobrenatural (Hechos 7:55-60).

25. En el otoño de 1993, tuve el privilegio de confirmar este relato por medio de entrevistas de primera mano tanto con la madre como con la hija; ésta es ahora una hermosa joven.

26. Aunque mi conversación original con el pastor Sandrup tuvo lugar en Thimphu, Bután, hay informes que desde entonces lo deportaron del país debido a su etnicidad nepalesa. Por favor orar por él y por la iglesia que ha pastoreado.

27. Chöd, o el "Banquete Místico", lo ven quienes lo practican como un atajo para la iluminación (estado que típicamente necesita miles de vidas). Después de dominar técnicas avanzadas de visualización (proceso que en sí mismo puede tomar varios años), el discípulo se dispone a vaciarse del ego mediante el "dar de comer o alimentar" con las parte desmembradas de su cuerpo a los demonios. Este rito que casi siempre se efectúa en privado, se lleva a cabo en lugares como cuevas y los terrenos de cremación donde se cree que se congregan los demonios.

Al llegar a este punto el individuo entra en un trance profundo. Un demonio o espíritu *Daikini* que se conjuró por medio de la visualización, toma una cimitarra y corta tajadas de la parte superior de la cabeza. La bóveda del cráneo entonces se ensancha sobrenaturalmente para usarla como un recipiente contenedor. En el curso de las varias horas que siguen, otros órganos y otras partes del cuerpo de la persona son desmembradas de la misma manera y puestas en la bóveda del cráneo. Por último, cuando ya no queda nada de la entidad corporal, el individuo invoca demonios rugientes a la fiesta sobre las partes heridas mediante el soplar un fémur humano real, excavado. Este es el momento más peligroso de todo el rito. Quienes no se hayan preparado suficientemente para estas manifestaciones espantosas pueden morir de terror. Muchos otros sucumben a una entidad que se conoce como "locura religiosa". (Tuve ocasión de conocer a una de estas víctimas el día después de mi visita al monasterio privado del maestro de Chöd en 1992).

28. De una entrevista con Pete Beyer en enero de 1997 (ahora recuperado y más sabio), y dos conversaciones con Phil y Bev Westbay, sus huéspedes en Singapur.

29. Linda Williams, "The Curse of the Devil Worshiper", *Physician*, mayo-junio 1994, pp. 18-20.

30. Pero también, como Francis Frangipane ha dicho: "Debemos quitarnos el pecado antes de poder ponernos la armadura para protegernos".

31. Carol Shields, citado en *Reader's Digest*, "Quotable Quotes", marzo 1996.

32. Kraft, *Christianity*, pp. 32-33.

33. Siegel, *Fire in the Brain*, pp. 126-127, 122.

34. Véase también Hebreos 13:17.

35. En medio de esta experiencia Lisa y yo encontramos gran consuelo en las palabras del Salmo 57:1-3. "...en la sombra de tus alas me ampararé hasta que pasen los quebrantos. Clamaré al Dios Altísimo al Dios que me favorece... enviará su misericordia y su verdad". (RV).

36. Ver Otis, *Giants*, pp. 260-265.

37. Otros cristianos asisten a la iglesia no porque quieran estrechar su relación con Cristo, sino porque temen perder su salvación. Al final, sin embargo, los rechazará Aquel a quien pensaban que servían (véase Mateo 7:21-23).

38. Otis, *Giants*, p. 263.

39. Kraft, *Christianity*, p. 135.

40. Jamie Buckingham, "The Risk Factor", *Charisma & Christian Life*, enero 1989, p. 106.

41. Jack Deere, "Why Does God Do Miracles?" *Charisma*, septiembre 1992, pp. 36.

42. "Terra X" The Discovery Channel, julio 30, 1996.

43. Ed MxGaa, *Mother Earth Sprituality: Native American Paths to Healing Ourselves and Our World* (San Francisco: Harper San Francisco, 1990), p. 90.

44. Howard Brant, "Toward an SIM Position on Power Encounter", SIM Position Paper, p. 7.
    Nota: El misionero tibetano Stephen Hishey, que está de acuerdo con la posición de Brant, agregó el siguiente comentario sobre el ministerio dentro de su propia cultura: "Tratamos con un grupo de pueblos que anda con los rosarios de oración en sus manos. Inclusive los llevan al inodoro. En el mercado tienen las cuentas del rosario que pasan en la mano izquierda mientras con la derecha hacen negocios. Es una cultura de oración y si procuramos entrar allí sin estar preparados, si personalmente no hemos adquirido un estilo de vida de oración para abrir puertas, entonces simplemente nunca tendremos éxito".

45. Kayanja viajó a Soroti (localizado al nordeste del Lago Kyoga) con el Coro Eco de la Gracia de la Iglesia Avivamiento del Edén, pastoreada por Morris Bukenya y George Kyamuzugu.

46. Este relato se obtuvo mediante una entrevista en agosto de 1994 dirigida por Ed Delph, en el Diplomat Hotel de Kampala, Uganda.

Capítulo 10: Desatar los ensalmos

1. Lewis, *Lion*, p. 113.

2. Las embestidas espirituales dentro del territorio enemigo casi siempre son resultado de iniciativas piadosas más que de invitaciones paganas. Véase Otis, *Giants*, p. 264.

3. Aunque la perspectiva de espíritus que toman forma de animal puede parecer algo difícil de aceptar, Choeden no es la primera persona que dice haber visto un perro rojo. Patrick Tierney informa, por ejemplo, que en 1953 "una corte chilena exoneró a una mujer mapuche de 27 años de edad de nombre Juana Catrilaf, del asesinato de su abuela. La corte dictaminó que a Juana Catrilaf la controló una fuerza superior a la de su propia razón, porque creía que su abuela, una *machi* con una fuerte tendencia a la magia negra, era responsable de haber dado muerte a la niña de Juana de 21 días de nacida —gracias a la complicidad de un espíritu perverso que tenía la forma de un perro rojo" (*Altar*, p. 103).

4. Bután es el único país en el mundo además del Tibet, dedicado a la forma tántrica del budismo Mahayana.

5. Se cree que llevar puestos aretes de turquesa, le equipan mejor a uno para comprar agua después de la muerte, a fin de apagar la quemante sed del alma.

6. El Jowo, una de las estatuas (ídolos) más sagradas en Bután, recuerda una imagen que se encuentra en el Templo Jokhang en Lhasa, Tibet.

7. Jesús hizo una oración de compromiso semejante para Simón Pedro en Lucas 22:31.

8. Otis, *Giants*, p. 92.

9. Wink, "Demons and DMins", p. 505.

10. Bloom, *Lucifer*, p. 9.

11. Gordon Rupp, *Principalities and Powers*, citado en Green, *Exposing*, pp. 106-107.

12. Thigpen, "Power of the Spirit", p. 22.

13. Gerry Spence, *How to Argue and Win Every Time* (St. Martin's Press), citado en *Reader's Digest*, "Quotable Quotes", diciembre 1996.

14. Robert Priest, Thomas Campbell and Bradford Mullen, "Missiological Syncretism: The New Animistic Paradigm", *Spiritual Power and Missions: Raising the Issues*, Evangelical Missiological Society Series #3, pp. 70-75.

15. Los reclamos infundados y las prácticas sin base no son únicas para la generación actual. En el siglo tercero de nuestra época, por ejemplo, la Iglesia Católica de rutina conducía misas de Pascua, o "escrutinios" donde los catecúmenos que buscaban ser admitidos en la iglesia eran exorcizados. Los escrutinios incluían un rito conocido como "exsuflación", en el cual el sacerdote soplaba los rostros de los candidatos para expresar advertencia hacia los demonios y expulsarlos. Véase Russell, *Prince*, pp. 120-122.

16. Barry Chant, "Spiritual Warfare", texto universitario sin publicar, Tabor College, Sydney, Australia, p. 1.

17. Miranda Ewell, "An Unholy Row in San Francisco", *Seattle Times*, noviembre 1, 1990.

18. El Desfile del Orgullo Gay, suceso estrafalario sólo lo sobrepasa el notorio Desfile Rosa de Pasadena, el día de Año Nuevo.

19. Tom White, "A Model for Discerning, Penetrating and Overcoming Ruling Principalities and Powers", trabajo presentado en el Segundo Congreso Lausana sobre Evangelización al Mundo, Manila, julio 1989, pp. 3-4.

20. Cuando Pablo habló de derribar fortalezas, utilizó la palabra *dunamis* —término que significa no solamente poder, sino poder liderado para una acción exterior.

21. Véase también Mateo 12:29.

22. Mateo 18:18 con frecuencia se cita como prueba de autoridad no calificada para "atar y desatar", pero el pasaje no tiene nada que ver con la guerra espiritual. Y aquellos versículos que en apariencia se refieren a atar los espíritus del mal (Mateo 12:29; 16:19; Marcos 3:27) con frecuencia no prometen que esta acción resulte o produzca una liberación permanente. Para obtener un alivio a largo plazo de los encantos satánicos, los individuos y las comunidades se deben arrepentir de sus pecados, acción que se facilita al levantar temporalmente el engaño del diablo.

23. Ser guiado por el Espíritu implica más que reconocer el alcance general de la voluntad de Dios. También comprende reconocer que Él es el Señor de los detalles, y que sólo Él puede revelar el *cómo* y el *cuándo* de nuestra misión particular.

   Una vez dicho esto, es importante que tracemos una distinción entre las iniciativas estratégicas que se discuten en este capítulo y la liberación de los individuos demonizados. Esta última clase de guerra espiritual, que C. Peter Wagner llama "nivel del mundo o de tierra", es algo que *todos* los cristianos están autorizados para efectuar (Mateo 10:8; Marcos 16:17).

24. John Hutchinson, "Warfare Praying in the Psalms", trabajo investigativo especial, verano 1994.

   Nota: Hutchinson es bien consciente del hecho que algunos de estos salmos son imprecatorios.

25. Una excepción interesante es el Salmo 82, donde Dios habla por medio de Asaf contra los "dioses" (espíritus territoriales y presumiblemente, sus respectivos representantes terrenales). En tanto que el salmista se dirige al enemigo directamente en este caso, lo hace así como un oráculo de juicio, al hablar las palabras de Dios en el tiempo de Dios. Véase M. Tate, *Word Biblical Commentary: Psalms* 51-100 (Waco, Tex.: Word, 1990), p. 328 ss.

   Gary Greig, profesor asociado de Antiguo Testamento en la Facultad de Teología, Regent University, anota que mientras algunos evangélicos conservadores interpretan la palabra "dioses" en este salmo como jueces humanos (debido a la referencia de Jesús en Juan 10:34-35), la evidencia interna del salmo por sí misma aclara que trata con gobernadores demoníacos (véase la referencia a Deuteronomio 32:8 en la nota # 65, capítulo 7) y sus representantes terrenales.

26. Aunque la oración fervorosa o persistente se menciona con frecuencia en la Biblia (Génesis 32:26; 1 Crónicas 16:11; Daniel 6:10; Lucas 11:5-10; Hebreos

11:6; Santiago 5:16), esto no significa que debamos transformarnos en paganos ascéticos a fin de atraer la atención de Dios (Mateo 6:7-8). Si nuestros corazones son rectos ante el Señor, las pausas pueden venir con rapidez. Otros factores afectan el tiempo de la respuesta: El grado de compromiso y entrega espiritual, el número y calidad de las personas que oran y los puntos que se relacionan con la soberanía divina.

27. Morrow, "Evil", p. 49.

28. Entrevista con Emeka Nwankpa en febrero 14, 1987, en Colorado Springs.

29. Arnold, Clinton E., *Power of Darkness*, pp. 204.

30. Para saber cómo puede usted obtener estos calendarios, contacte a The Sentinel Group (Grupo Centinela), P. O. Box 6334. Lynnwood, WA 98036, U. S. A. También puede enviar un correo electrónico a la siguiente dirección: Sentinel Gp@aol.com.

31. Informe de Francisco Galli en la Conferencia Ibero-Americana sobre Guerra Espiritual en Antigua, Guatemala, noviembre 3, 1995.

32. "Church Seeks Forgiveness", *Seattle Times*, agosto 29, 1992.

33. John Dart, "Historic Step for Southern Baptists", *Seattle Times*, junio 21, 1995.

Capítulo 11: Luces en el laberinto

1. Véase capítulo 2.

2. Véase Mateo 13:58; Lucas 22:67; Juan 12:37; Hechos 14:2.

3. Henry Mirima, "International Tribunal on Hutus Is Hypocrisy", *The Exposure*, No. 59, agosto 1994, impreso en East Africa online en: http://library.ccsu.ctstateu.edu/-history/world_history/archives/africa055.html

4. Es común en África ver que las personas se entreguen a cualquier dios que hayan percibido como triunfador en un encuentro particular de poderes.

5. Ed Delph entrevistó a Robert Kayanja en agosto de 1994 en el Diplomat Hotel, Kampala, Uganda.

6. Las técnicas de adivinación de Mama Jane incluían el uso de cenizas, telas oscuras y hasta la Biblia, que ella pretendía imponer sobre las personas, para que recibieran "una palabra de Dios".

7. Esta "zona de muerte" se extendió aproximadamente por 500 metros (más de 1.500 pies) hasta una oficina de correos cercana.

8. Thomas me dijo también 1996: "Un blanco importante de nuestro esfuerzo de oración ha sido el ascendente alcoholismo en Kiambu. Cuando llegamos aquí primero, parecía que todos estuviesen atados a beber *changaa* (una cerveza local). Ahora esto ha cambiado. La oración ha hecho cerrar tres bares cerca de la iglesia. En uno de ellos, el Bar Bahamas, tocaban la música tan fuerte que no podíamos dormir. Menos de un mes después que llevamos este asunto a Dios en oración, se incendió. Otro, el Diplomat Bar, es ahora una iglesia. De hecho, el edificio de nuestra propia iglesia nueva se edifica en una hondonada que una vez fue un notorio centro de contrabando de licores".

9. Estos datos se basan en cálculos de la U. S. Drug Enforcement Administration (DEA). Colombia es también un productor importante de marihuana y heroína. Véase "Colombia Police Raid Farm, Seize 8 Tons of Pure Cocaine", *Seattle Times*, octubre 16, 1994.

10. Pollard, Peter, "Colombia", Britannica Online: Book of the Year: World Affairs, 1995. Online. Encyclopedia Britannica. Disponible en la Red de Nivel Mundial = World Wide Web: *http://www.eb.com:180/cgi-bin/g?DocF=boy/96/J03830.html*, marzo 11 de 1997.

11. Para mantener actualizadas sus operaciones, los fundadores del Cartel de Cali, Gilberto y Miguel Rodríguez Orejuela, instalaron no menos de 37 líneas telefónicas en su palaciega casa.

12. Las entrevistas se hicieron por correspondencia y teléfono, las últimas en noviembre 26, diciembre 13 y 31 de 1996.

13. La Asociación de Ministros Evangélicos Cristianos del Valle (ASMICEV. El Valle es la división política de Colombia cuya capital es la ciudad de Cali).

14. Para documentar las dimensiones de la violencia nacional en Colombia, *El Tiempo*, el periódico líder más importante de Bogotá, citó 15.000 asesinatos durante los primeros seis meses de 1993. Esto dio a Colombia, con una población de 32 millones de habitantes, la dudosa distinción de tener la tasa más alta de homicidios en el mundo (ocho veces la tasa de los Estados Unidos). Véase Tom Boswell, "Between Many Fires", *Christian Century*, Vol. III, No. 18, junio 1-8, 1994, p. 560.

15. Dos años antes, como "regalo" de Navidad, los hermanos Rodríguez obsequiaron a la policía de Cali 120 motocicletas y camionetas.

16. Este grupo único comprende miembros de la policía, del ejército y de los batallones contra guerrillas de Colombia.

17. La campaña de junio de 1995 también incluyó en Cali búsquedas sistemáticas del vecindario. Para asegurar al máximo la sorpresa, las redadas sin previo aviso usualmente se hacían a las cuatro de la mañana. "En conjunto —informó MacMillan—, el cartel de la droga poseía alrededor de 1200 propiedades en las ciudades. Aquí se incluían edificios de apartamentos que se construyeron con ganancias del comercio de drogas. Habitualmente los primeros dos pisos los ocupaban las familias de los guardaespaldas o de los sicarios, para dar una apariencia de normalidad, mientras las habitaciones de los pisos más altos tenían valiosos y raros artículos de oro y de arte. Algunos de los cuartos en los apartamentos superiores estaban llenos con recipientes donde había miles de billetes de cien dólares envueltos en bolsas plásticas y cubiertos con bolas de naftalina. Este dinero, como producto de ventas en las calles de los Estados Unidos, se esperaba contarlo, depositarlo o enviarlo fuera del país".

Las autoridades también encontraron "caletas" subterráneas en muchos campos detrás de las casas de haciendas o fincas. Al levantar las losas de concreto, descubrían escaleras que llevaban a cuartos secretos para esconder hasta nueve millones de dólares en efectivo. A esto se le llamó dinero "para dulces". Los fondos serios se lavaron a través de los bancos o se invirtieron en negocios "legítimos". Para facilitar las transferencias electrónicas, el cartel había comprado una cadena de instituciones en Colombia bautizada con el nombre de "Banco de los Trabajadores".

18. Dean Latimer, "Cali Cartel Crackdown?", High Times, agosto 8, 1995, online. Disponible en *http://www.hightimes.com/ht/mag/958/calicar.html.*, marzo 6, 1997.

19. Después de ser bien recibidos por el alcalde de Cali, los pastores de la ciudad dirigieron en oración a los intercesores que lograron ingresar; en cada sesión se enfocaban sobre fortalezas específicas municipales y nacionales.

20. Después de pagar seis meses de su sentencia, Santacruz avergonzó a los funcionarios al escapar por la puerta principal de la cárcel de máxima seguridad en un vehículo parecido al que utilizaban los fiscales.

21. A medida que las autoridades sondeaban la montaña de documentos confiscados durante las operaciones, descubrieron por lo menos dos "capos" adicionales del cartel de Cali. El más conocido, Helmer "Pacho" Herrera, se entregó a la policía al finalizar agosto de 1996. Al otro, Justo Perafán, las autoridades no lo vincularon a las operaciones de Cali sino hasta noviembre de 1996, debido a conexiones previas con el cartel del Valle.

22. Los medios den publicidad dieron a conocer esta campaña anticorrupción, bien publicitada, como el *"Proceso Ocho Mil"*.

23. Las contribuciones para la campaña de elección presidencial sumaron aproximadamente seis millones de dólares.

24. Juan Tamayo, "Colombian President Formally Charged", *Seattle Times*, febrero 15, 1996.
Nota: Muchos de esos políticos tenían miles de dólares que legalmente no podían amparar en sus cuentas. Aunque inicialmente negaron todo compromiso con los barones de la droga, al final se vieron implicados cuando las redadas de la policía a las propiedades del cartel encontraron copias de los cheques endosados.

25. En diciembre de 1996 los legisladores colombianos aprobaron una poderosa enmienda que permitía al gobierno confiscar propiedades adquiridas por medios ilícitos, sobre todo por el tráfico de narcóticos (una compañía de los "narcos" tenía más de 1,100 derechos sobre propiedades ubicadas en Cali, New York, París y otros lugares internacionales). La legislación, retroactiva a 1974, incluye un parágrafo que prohíbe las transferencias de las propiedades a los miembros de la familia.

26. Citado en Juanita Darling, "Cali Is a City for Sale Now that Drug Lords Are Gone", *Seattle Times*, septiembre 8, 1996.

27. "Gracias a Dios no explotó", *El País*, noviembre 6, 1996; "En Cali desactivan un `carrobomba'", *El País*, noviembre 6, 1996.

28. El número de días se deriva de multiplicar trece cifras y veinte nombres de días (estos últimos son en su mayoría nombres de animales).

29. Freidel, Schele y Parker, *Maya Cosmos*, p. 107.

30. En diciembre 29 de 1996, se firmó un acuerdo en la ciudad de Guatemala entre el Presidente Alvaro Arzu y los líderes rebeldes izquierdistas para poner fin a la guerra civil de 36 años en Guatemala.

31. Una referencia doble a las seis colinas divinas de la zona y al nombre maya clásico para el "árbol del mundo" central.

32. Lisbeth Hernández Sum, "Momostenango, in the Middle of the Hills", *El Regional Huehuetenango*, junio 15, 1995; Freidel, Schele y Parker, *Maya Cosmos*, pp. 169-172.

33. Freidel, Schele y Parker, *Maya Cosmos*, p. 51.

34. Oraciones rituales semejantes se ofrecerán en el amanecer del día del Año Nuevo. Véase Paul Townsend, "Ritual Rhetoric from Cotzal, Guatemala", Instituto Lingüístico de Verano, 1980.

35. Zunil está a 25 ó 30 minutos en carro desde Quetzaltenango sobre una de las carreteras principales que une a las tierras altas de Guatemala con la Costa del Pacífico.

36. En un artículo en la *Crónica Semanal* de Guatemala, Mario Roberto Morales sugiere que esta muy temida divinidad es también "una imagen material de Kukulkan, la Serpiente Emplumada" ("La Quiebra de Maximón", del 24 al 30 de junio 1994, p. 19). Véase también E. Michael Mendelson, "Maximon: An Iconographical Introduction", reimpreso de *Man*, No. 87, abril 1959.

37. Algunos estudiosos han supuesto que la práctica de poner productos de tabaco en la boca de Maximón es una referencia a los héroes del *Popol Vuh*, que fumaban en la Casa de las Tristezas. Muchos mayas tradicionalistas interpretan las lluvias de estrellas o cuando cae una estrella, como cabos o restos de los cigarros que fuman las divinidades agrícolas.

38. Literalmente *ajkun*. Véase Mendelson, "Maximon", p. 19.

39. Mientras retoza en la sala de baile, "el trono" de Maximón —en realidad una silla vieja de barbero, hecha de madera— se mantiene caliente gracias a una imagen más pequeña, del tamaño de un muñeco.

40. Juanita Darling, "New Faiths for Latin America", *Los Ángeles Times*, febrero 5, 1996.

41. Ibid.

42. El artículo de Morales (ver nota # 36) me fue enviado por C. Peter Wagner en octubre 17, 1994.

43. Morales, "La Quiebra", pp. 17, 19-20.

44. Otros esfuerzos de oración con nombre que he oído incluyen "Mañana de Gloria" y "Operación Tormenta de Oración". Al comenzar la década de 1990 un grupo de intercesores japoneses alquiló seis vagones de ferrocarril,

a los que bautizaron con el nombre de "Tren de la Gloria", y movilizaron esta plataforma rodante de oración por todas las prefecturas japonesas.

45. No quiero sugerir que la oración pueda alterar la naturaleza esencial de Dios o que las peticiones de los seres humanos sean siempre como el motor para los actos divinos. La naturaleza de Dios es inmutable y su voluntad es soberana. Sin embargo, sugiero que las oraciones carentes de egoísmo, que Dios mismo inspira, se guardan de manera rutinaria, y en alguna forma misteriosa el Altísimo las inhala o absorbe (Apocalipsis 8:4). Cuando esto sucede, Dios queda libre para ser "*imparcialmente parcial*" en las existencias de personas perdidas y necesitadas. A Él lo cambia, en el sentido que absorbe algo —una oración fragante— que originó, por lo menos en parte, fuera de sí mismo. Debido a que el Espíritu de Dios mora en nosotros, nuestras oraciones no son tangenciales a Él; por el contrario, se sincronizan con los propósitos y la voluntad de Dios. (Véase Mateo 6:9-10; Juan 15:7).

BIBLIOGRAFÍA SELECTA *

Religiones antiguas

*A*grawala, Vasudeva Sharana. *Ancient Indian Folk Cults,* Varanasi, India: Phithivi Prakashan, 1970.

*A*ngus, Samuel. *The Mystery-Religions and Christianity.* New York: Cita del, 1966.

*F*inegan, Jack. *Myth and Mystery.* Grand Rapids: Baker, 1989.

*F*ox, Robin Lane. *Pagans and Christians.* San Francisco: Harper San Francisco, 1986.

*G*riswold, H.D. *The Religion of the Rigvela.* London: Oxford University Press, 1923.

*J*acobsen, Thorkild. *The Treasures of Darkness: A History of Mesopotamian Religion.* New Haven: Yale University Press, 1976.

*J*ames, E. O *Prehistoric Religion,* New York: Harper & Row, 1988.

*M*eyer, Marvin, ed. *The Ancient Mysteries: A Sourcebook.* San Francisco: Harper & Row, 1987.

*R*ies, Julien. *The Origins of Religions.* Grand Rapids: Eerdmans, 1994.

*R*inggren, Helmer. *Religions of the Ancient Near East.* Philadelphia: Westminister, 1973.

---

* NOTA PARA LA EDICIÓN EN ESPAÑOL: Esta bibliografía se incluye para el uso de aquellos que pueden leer el inglés, idioma en que originalmente fue escrita esta obra, y para dar crédito a las fuentes de las cuales se valió el autor para información o apoyo. Se ha dejado sin traducir porque casi todas las obras citadas existen sólo en el idioma inglés.

*S*aggs, H.W.F. *The Greatness that was Babylon*. London: Sidgwick & Jackson, 1988.

*S*mith, William Robertson. *The Religions of the Semites: The Fundamental Institutions*. New York: Schocken, 1889, 1972.

Arqueología, lenguaje y prehistoria

*A*ncient Tibet (research materials from the Yeshe De Project). Berkeley: Dharma Publishing, 1986.

*A*she, Geoffrey. *Dawn behind the Dawn*. New York: Henry Holt, 1992.

*B*ertman, Stephen. *Doorways through Time*. Los Ángeles: Jeremy Tarcher, 1986.

*C*heilik, Michael, and Anthony Inguanzo. *Ancient History*. New York: HarperCollins, 1969.

*C*ook, Melvin. *Prehistory and Earth Models*. London: Max Parrish, 1966.

*F*agan, Brian. *The Journey from Eden: The Peopling of Our World*. New York: Thames & Hudson, 1990.

———. *World Prehistory: A Brief Introduction*. Boston: Little, Brown, 1979.

*F*ell, Barry. *America B.C.*. New York: Pocket, 1989.

*G*rayson, Donald. *The Establishment of Human Antiquity*. New York: Academic, 1983.

*G*öran, Burenhult, ed. *People of the Stone Age: Hunter-Gatherers and Early Farmers*. New York: HarperSanFrancisco, 1993.

*H*addon, A.C. *The Wanderings of Peoples*. Washington, D.C.: Cliveden, 1984.

*H*owells, William. *Mankind So Far*. New York: Doubleday, 1947.

*I*ngpen, Robert, and Philip Wilkinson. *Encyclopedia of Mysterious Places: The Life and Legends of Ancient Sites around the World*. New York: Viking Studio, 1990.

Kang, C.H., and Ether Nelson. *The Discovery of Genesis*. St. Louis: Concordia, 1979.

Ki-Zerbo, J., ed. *Methodology and African Prehistory*. Berkeley: University of California Press, 1990.

Mallery, J.P. *In Search of the Indo-Europeans*. New York: Thames & Hudson, 1989.

Oard, Michael. *An Ice Age Caused by the Genesis Flood*. El Cajon, Calif.: Institute for Creation Research, 1990.

Pfeiffer, John. *The Creative Explosion: An Inquiry into the Origins of Science and Religion*. Ithaca. N.Y.: Cornell University Press, 1982.

Rahtz, Philip. *Invitation to Archaeology*. Oxford: Basil Blackwell, 1985.

Renfrew, Colin. *Archaelogy and Language*. New York; Cambridge University Press, 1987.

Richardson, Don. *Eternity in Their Hearts*. Ventura, Calif.: Regal, 1981.

Rouse, Irving. *Migrations in Prehistory: Inferring Population Movement from Cultural Remains*. New Haven: Yale University Press, 1986.

Ruhlen, Merritt. *The Origin of Language: Tracing the Evolution of the Mother Tongue*. New York: John Wiley & Sons, 1994.

Saggs, H.W.F. *The Greatness that was Babylon*. London: Sidgwick & Jackson, 1988.

Van Dongen, P., ed. *The Seasons of Humankind*. Den Haag: Rijksmuseaum Voor Volkenkunde, 1987.

Wenke, Robert. *Patterns in Prehistory*. New York: Oxford University Press, 1984.

Whitcomb, John, and Henry Morris. *The Genesis Flood*. Phillipsburg, N.J.: Presbyterian & Reformed Publishing, 1961.

White, Randall. *Dark Caves, Bright Visions: Life in Ice Age Europe*. New York: American Museum of Natural History, 1986.

Conciencia y el cerebro humano

*B*andler, Richard. *Using Your Brain of a Change*. Moab, Utah: Real People Press, 1985.

*B*arrow, John, and Frank Tipler. *The Anthropic Cosmological Principle*. Oxford: Clarendon Press, 1986.

*C*ytowic, Richard. *The Man Who Tasted Shapes*. New York: Warner, 1993.

*J*ohnson, George. *In the Palaces of Memory*. New York: Vintage, 1992.

*M*cKellar, Peter. *Imagination and Thinking: A Psychological Analysis*. New York: Basic, 1957.

*M*oss, Thelma. *The Probability of the Impossible: Scientific Discoveries and Explorations of the Psychic World*. Los Ángeles: Jeremyt Tarcher, 1974.

*N*ee, Watchman. *The Latent Power of the Soul*. New York: Christian Fellowship Publishers, 1972.

*P*enrose, Roger. *The Emperor's New Mind: Concerning Computers, Minds and the Laws of Physics*. Oxford: Oxford University Press, 1989.

*R*estak, Richard. *The Brain: The Last Frontier*. New York: Warner, 1979.

*S*ecret of the Inner Mind. Alexandria, Va.: Time-Life, 1993.

*S*iegel, Ronald. *Fire in the Brain*. New York: Plume, 1992.

*W*atkins, Mary. *Invisible Guests: The Development of Imaginal Dialogues*. Hillsdale, N.J.: Analytic, 1986.

Demonios, dragones y el diablo

*C*avendish, Richard. *The Powers of Evil*. New York: Dorset, 1993.

*C*rapanzano, Vincent, and vivian Garrison. *Case Studies in Spirit Possession*. New York: Wiley, 1977.

*D*elbanco, Andrew. *The Death of Satan: How American Have Lost the Sense of Evil*. New York: Farrar, Straus and Giroux, 1995.

*D*e Plancy, Collin, and Jaques Albin Simon. *Dictionary of Demonology*. New York: Philosophical Library, 1965.

Ferguson, Everett. *Demonology of the Early Christian World*. New York: Edwin Mellen, 1984.

Gettings, Fred. *Dictionary of Demons: A Guide to Demons and Demonologists in Occult Lore*. North Pomfret, Vt.: Trafalgar Square, 1988.

Huxley, Francis. *The Dragon*. London: Thames & Hudson, 1979.

Kernot, Henry. *Bibliotheca Diabolica*. New York: Scribner, Welford & Armstrong, 1874.

Kinnaman, Gary. *Angels Dark and Light*. Ann Arbor, Mich.: Vine, 1994.

Kreeft, Peter. *Angels and Demons*. San Francisco: Ignatius, 1995.

Langton, Edward. *Essential of Demonology*. New York: AMS Press, 1981.

MacGowan, Kenneth, and Herman Rosse. *Masks and Demons*. New York: Harcourt, Brace, 1923.

Nebesky-Wojkowitz, Rene de. *Oracles and Demons of Tibet*. The Hague: Mouton & Co., 1956.

Robbins, Rossell Hope. *The Encyclopedia of Witchcraft and Demonology*. New York: Crown, 1959.

Russell, Jeffrey Burton. *The Prince of Darkness*. Ithaca, N.Y.: Cornell University Press, 1988.

Watson, Lyall. *The Dreams of Dragons*. Rochester, Vt.: Destiny, 1992.

Desastres y traumas

Austin, Steven. *Catastrophes in Earth History*. El Cajon, Calif.: Institute for Creation Research, 1984.

Bowsky, William L. *The Black Death: A Turning Point in History?* New York: Holt, Rinehart & Winston, 1971.

Erikson, Kai. *A New species of Trouble: The Human Experience of Modern Disasters*. New York: W.W. Norton, 1994.

Frazier, Kendrick. *The Violent Face of Nature: Severe Phenomena and Natural Disasters*. New York: William Morrow, 1979.

McNeill, William. *Plagues and Peoples*. New York: Anchor, 1977.

Preston, Richard. *The Hot Zone*. New York: Random House, 1994.

Prisco, Salvatore. *An Introduction to Psychohistory: Theories and Case Studies*. Lanham, Md.: University Press of America, 1980.

Raphael, Beverley. *When Disaster Strikes: How Individuals and Communities Cope with Catastrophe*. New York: Basic, 1986.

Simpson-Housley, Paul, and Anton Frans de Man. *The Psychology of Geographical Disasters*. North York, Ont.: Atkinson College, York University, 1987.

Spitz, Lewis William, and Richard Lyman, eds. *Major Crises in Western Civilization*. New York: Harcourt, Brace, 1965.

Suzuki, Hideo. *The Transcendent and Environments: A Historico-Geographical Study of World Religions*. Yokohama: Addis Abeba Sha, 1981.

VandenBos, Gary and Brenda Bryant, eds. *Cataclysm, Crises, and Catastrophes: Psychology in Action*. Washington, D.C.: American Psychological Association, 1987.

Adivinación y ocultismo

Anderson, Ken. *Hitler and the Occults*. Amherst, N.Y.: Prometheus, 1995.

Buckland, Raymond, and Kathleen Binger. *The Book of African Divination*. Rochester, Vt.: Inner Traditions, 1992.

Campion, Nicholas. *An Introduction to the History of Astrology*. London: ISCWA, 1982.

Crowley, Aleister. *Magick in Theory and Practice*. Paris: Lecram, 1929.

Fontenrose, Joseph. *The Delphic Oracle*. Berkeley: University of California Press, 1978.

Gasson, Raphael. *The Challenging Counterfeit*. Plainfield, N.J.: Logos, 1966.

Gilchrist, Cherry. *Divination: The Search for Meaning*. London: Dryad Press, 1987.

Godwin, Joscelyn. *The Theosophical Enlightenment*. Albany, N.Y.: State University of New York Press, 1994.

Howard, Michael. *The Occult Conspiracy*. Rochester, Vt.:Destiny, 1989.

Matthews, John, ed. *The World Atlas od Divination*. London: Headline, 1992.

McIntosh, Christopher. *A Short History of Astrology*. New York: Barnes & Noble, 1969.

Nebesky-Wojkowitz, Rene de. *Oracles and Demons of Tibet*. The Hague: Mouton & Co., 1956.

Pennick, Nigel. *Secret Games of the Gods*. York Beach, Me.: Samuel Weiser, 1992.

Wasserman, James. *Art and Symbols of the Occult: Images of Power and Wisdom*. Rochester, Vt.: Destiny, 1993.

Religiones Orientales

Albrecht, Mark. *Reincarnation*. Downers Grove, Ill.: InterVarsity, 1982.

Beyer, Stephan. *Magic and Ritual in Tibet: The Cult of Tara*. Delhi: Motilal Banarsidass, 1988.

Brooke, Tal. *Lord of the Air: Tales of a Modern Antichrist*. Eugene, Ore.: Harvest House, 1990.

Carmody, Denise, and John Carmody, *Eastern Ways to the Center: An Introduction to the Religions of Asia*. Rev. ed. Belmont, Calif.: Wadsworth, 1992.

Chang, Garma. *The Practice of Zen*. New York: Perennial, 1959.

Cozart, Daniel. *Highest Yoga Tantra*. N.Y.: Snow Lion Publications, 1988.

Daniélou, Alau. *Hindu Polytheism*. Boston: Routledge & Kegan Paul, 1964.

———. *The Myths and gods of India*. Rochester, Vt.: Inner Traditions, 1991.

*D*ean, Kenneth. *Taoist Ritual and Popular Cults of south-East China*. Princenton: Princenton University Press, 1994.

*E*arhart, H. Byron. *Japanese Religion: Unity and Diversity*. Belmont, Calif.: Wadsworth, 1982.

*E*vola, Julius. *The Yoga of Power: Tantra, Shakti, and the Secret Way*. Rochester, Vt.: Inner Traditions, 1992.

*H*artsuiker, Dolf. *Sadhus: India's Mystic Holy Men*. rochester, Vt. Inner Traditions, 1992.

*K*vaerne, Per. *Tibet Bön Religion*. Leiden, Germany: Institute of Religious Iconography, State University Groningen, 1985.

*L*owell, Percival. *Occult Japan: Shinto, Shamanism and The Way of the Gods*. Rochester, Vt.: Inner Traditions, 1990.

*M*artin, E. Osborn. *The Gods of India: Their History, Character and Worship*. Delhi: Indological Book House, 1988.

*N*eedleman, Jacob. *The New Religions*. New York: Pocket, 1970, 1972.

*N*ishitani, Keiji. *Religion and Nothingness*. Berkeley: University of California Press, 1982.

*R*aj, Sunder. *The Confusion Called Conversion*. New Delhi: Traci Publications, 1988.

*S*mith, Huston. *The Religions of Man*. New York: Perennial, 1958.

*S*nelling, John. *The Buddhist Handbook: A Complete Guide to Buddhist Schools, Teaching, Practice, and History*. Rochester, Vt.: Inner Traditions, 1992.

*W*addell, Austine. *Tibetan Buddhism*. New York: Dover, 1972.

Historia general

*B*oorstin, Daniel, *The Discoverers*. New York: Vintage, 1983.

*C*arey, John, ed. *Eyewitness to History*. New York: Avon, 1987.

*G*run, Bernard. *The Timetables of History*. New York: Simon & Schuster, 1979.

*H*erodotus: *The Histories*. London: Penguin, 1972.

*M*eltzer, Milton. *Slavery: A world History*. New York: DaCapo Press, 1993.

*M*umford, Lewis. *The City in History*. Orlando: Harcourt Brace, 1961.

*W*ilford, John. *the Mapmakers*. New York: Vintage, 1981.

*W*right, esmond, ed. *History of the World: Prehistory to the Renaissance*. Feltham, England: Bonanza, 1985.

Historia de los dioses y teología

*A*dler, Margot. *Drawing Down the Moon*. Boston: Beacon, 1979.

*B*eane, Wendell Charles. *Myth, Cult and Symbols in Sakta Hinduism: A Study of the Indian Mother Goddess*. Leiden: E.J. Brill, 1977.

*B*olen, Jean Shinoda. *Goddesses in Everywoman: A New Psychology of Women*. San Francisco: Harper & Row, 1984.

*B*onanno, Anthony, ed. *Archaeology and Fertility Cult in the Ancient Mediterranean*. Amsterdam: B.P. Gruner, 1985.

*B*udapest, Zsuzsanna Emese. *The Holy Book of Women's Mysteries*. Vol. 1. Oakland, Calif.: Susan B. Anthony Coven 1, 1986.

*D*owning, Christine. *The Goddess: Mythological Images of the Feminine*. New York: Crossroads, 1984.

*G*adon, Elinor. *The Once and Future Goddess*. San Francisco: Harper & Row, 1989.

————. *The Goddesses and Gods of Old Europe: Myths and cult Images*. Berkeley: University of California Press, 1982.

*G*imbutas, Marija. *The Language of the Goddess*. San Francisco: HarperSanFrancisco, 1991.

*G*riffen, Susan. *Women and Nature*. New York: Harper & Row, 1978.

*H*arding, M. Esther. *Women's Mysteries: Ancient and Modern*. New York: Harper & Row, 1971.

*I*glehart, Hallie. *Womanspirit: A Guide to Woman's Wistom*. San Francisco: Harper & Row, 1983.

James, E.O. *The Cult of the Mother-Goddess*. New York: Barnes & Noble, 1994.

Kjos, Berit. *Under the Spell of Mother Earth*. Wheaton, Ill.: Victor, 1992.

Luhrmann, T.M. *Persuasions of the Witch's Craft*. Cambridge, Mass.: Harvard University Press, 1991.

Moss, Leonard, and Stephen Cappannari. *Mother Worship*. Chapel Hill, N.C.: University of North Carolina Press, 1982.

Neumann, Erich. *The Great Mother*. Princeton: Princeton University Press, 1955, 1963.

Olsen, Carl. *The Book of the Goddess Past and Present: An Introduction to Her Religion*. New York: Crossroads, 1983.

Perera, Sylvia Brinton. *Descent to the Goddess*. Toronto: Inner City Books, 1981.

Sjöö, Monica, and Barbara Mor. *The Great Cosmic Mother*. New York: Harper & Row, 1987.

Spencer, Aída Besançon, Donna F.G. Hailson, Catherine Clark Kroeger and William David Spencer. *The Goddess Revival*. Grand Rapids: Baker, 1995.

Starhawk. *The Spiral Dance: A Rebirth of the Ancient Religion of the Great Goddess*. San Francisco: Harper & Row, 1979.

Stone, Merlin. *When God Was a Woman*. New York: Dial, 1976.

Streep, Peg. *Sanctuaries of Power: The Sacred Landscapes and Objects of the Goddess*. Boston: Little, Brown, 1994.

Von Cles-Reden, Sibylle. *The Realm of the Great Goddess: The Story of Megalith Builders*. Englewood Cliffs, N.J.: Prentice-Hall, 1962.

Walker, Barbara G. *The Women's Encyclopedia of Myths and Secrets*. Edison, N.J.: Castle, 1983, 1996.

Whitmont, Edward. *Return of the Goddess*. New York: Crossroads, 1982.

Fuerzas ocultas y otras dimensiones

Abbott, Edwin. *Flatland*. New York: HarperCollins, 1994.

Barrow, John, and Frank Tipler. *The Anthropic Cosmological Principle*. Oxford: Clarendon Press, 1986.

Barrow, John. *Theories of Everythings: The Quest for Ultimate Explanation*. Oxford: Oxford University Press, 1991.

Burger, Dionys. *Sphereland*. New York: HarperCollins, 1994.

Davies, Paul. *The Mind of God: The Scientific Basis for a Rational World*. New York: Touchstone, 1992.

Hawking, Stephen, *A Brief History of Time*. New York: Bantam, 1988.

Kaku, Michio. *Hyperspace*. New York: Oxford University Press, 1994.

Lewis, C.S. *The Lion, the Witch and the Wardrobe*. New York: Macmillan, 1950.

Russell, Robert John, William Stoeger and George Coyne, eds. *Physics, Philosophy and Theology: A Common Quest for Understanding*. Vatican City: Vatican Observatory, 1988.

Sheldrake, Rupert. *A New Science of Life: The Hypothesis of Morphic Resonance*. Rochester, Vt.: Park Street Press, 1995 (1981).

Wilbur, Ken, ed. *Quantum Questions*. Boulder, Colo: New Science Library, Shambhala, 1984.

Ídolos, dioses y símbolos

Black, Jeremy, and Anthony Green. *Gods, Demons and Symbols of Ancient Mesopotamia*. Austin, Tex.: University of Texas Press, 1992.

Carlyon, Richard. *A Guide to the Gods*. New York: Quill, 1981.

Cooper, J.C. *An Illustrated Encyclopaedia of Traditional Symbols*. New York: Thames & Hudson, 1987.

Lurker, Manfred. *Dictionary of Gods and Goddesses, Devils and Demons*. London: Routledge & Kegan Paul, 1988.

Martin, E. Osborn. *The Gods of India: Their History, Character and Worship*. Delhi: Indological Book House, 1988.

Wasserman, James. *Art and Symbols of the Occult: Images of Power and Wistom*. Rochester, Vt.: Destiny, 1993.

Magia, superstición y lo paranormal

Beyer, Stephan. *Magic and Ritual in Tibet: The Cult of Tara*. Delhi: Motilal Banarsidass, 1988.

Brooke, Tal. *Lord of the Air: Tales of a Modern Antichrist*. Eugene, Ore.: Harvest House, 1990.

Bryan, C.D.B. *Close Encounters of the Fourth Kind: Alien Abduction, UFOS, and the Conference at M.I.T.* New York: Alfred Knopf, 1995.

Cornwell, John. *The Hiding Places of God*. New York: Warner, 1991.

Dailey, Timothy J. *The Millennial Deception: Angels, Aliens and the Antichrist*. Grand Rapids: Chosen, 1995.

Evans, H. *Visions, apparitions, Alien Visitors*. Wellingborough, England: Aquarian Press, 1984.

Gersi, Douchan. *Faces in the Smoke*. Los Angeles: Jeremy Tarcher, 1991.

Guiley, Ellen Rosemary. *Harper's Encyclopedia of Mystical and Paranormal Experience*. Edison, N.J.: Castle, 1991.

Heinze, Ruth-Inge. *Trance and Healing in Southeast Asia Today*. Bangkok: White Lotus, 1988.

Hurwood, Bernhardt. *Supernatural Wonders from Around the World*. New York: Barnes & Noble, 1972.

Kiev, Ari, ed. *Magic, Faith, and Healing*. New York: The Free Press/Macmillan, 1974.

Moss, Thelma. *The Probability of the Impossible: Scientific Discoveries and Explorations of the Psychic World*. Los Angeles: Jeremy Tarcher, 1974.

Musk, Bill. *The Unseen Face of Islam*. Eastbourne, England: MARC/Monarch, 1989.

Somé, Patrice Malidoma. *Of Water and the Spirit*. New York: Jeremy Tarcher/G.P. Putnam's Sons, 1994.

Memes y los poderes de la historia

Anderson, Walter Truett. *Reality Isn't What It Used to Be*. San Francisco: HarperSanFrancisco, 1990.

Barber, Benjamin. *Jihad vs. McWorld*. New York: Times, 1995.

Bloom, Howard. *The Lucifer Principle: A Scientific Expedition into the Forces of History*. New York: Atlantic Monthly Press, 1995.

Bork, Robert. *Slouching towards Gomorrah: Modern Liberalism and American Decline*. New York: Regan Books, 1996.

Cavendish, Richard, ed. 7 vols. *Man, Myth and Magic*. London: B.P.C. Publishing, 1970-1972.

Delbanco, Andrew. *The Death of Satan: How Americans Have Lost the Sense of Evil*. New York: Farrar, Straus and Giroux, 1995.

Long, Zeb Bradford, and Douglas McMurry. *The Collapse of the Brass Heaven*. Grand Rapids: Chosen, 1994.

Thompson, William Irwin. *Evil and World Order*. New York: Harper Colophon, 1976.

Mitos y mitología

Ashe, Geoffrey, *Dawn Behind the Dawn,* New York: Henry Holt & Co., 1992.

Bierlein, J. F. *Parallel Myths,* New York: Ballantine, 1994.

Caldecott, Moyra. *Myths of the Sacred Tree*. Rochester, Vt.: Destiny, 1993.

Campbell, Joseph. *The Masks of God: Occidental Mythology*. New York; Viking, 1959.

——.*The Mythic Image*. Princeton: Princeton University Press, 1983.

——. *The Power of Myth*. New York: Doubleday, 1988.

Eliade, Mircea. *Myths, Dreams and Mysteries*. New York: Harper & Row, 1960.

————. *The Sacred and the Profane*. Orlando: Harcourt Brace, 1987.

*F*razer, James. *The Golden Bough*. New York: Macmillan [1922], 1974.

*G*uirad, Félix, ed. *The Larousse Encyclopedia of Mythology*. New York: Barnes & Noble, 1994.

*L*each, Maria, y Jerome Fried, ed. *Funk & Wagnalls Standard Dictionary of Folklore, Mythology, and Legend*. San Francisco: Harper & Row, 1984.

*L*eeming, David Adams. *The World of Myth*. New York: Oxford University Press, 1990.

*M*arkman, Roberta, y Peter Markman. *The Flayed God: The Mythology of Mesoameraica*. San Francisco: HarperSanFrancisco, 1992.

*R*eed, A.W. *Aboriginal Legends*. Chatswood, Australia: Reed, 1978.

*T*he Rider Encyclopedia of Mythology. London: Rider, 1989.

*T*he Epic of Gilgamesh, New York: Penguin, 1960.

*S*chwartz, Howard. *Lilith's Cave*. New York: Oxford University Press, 1988.

*W*alker, Barbara G. *The Women's Encyclopedia of Myths and Secrets*. Edison, N.J.: Castle, 1996 (1983).

Oración y guerra espiritual

*A*lves, Beth. *The Mighty Warrior*. Bulverde, Tex.: Canopy, 1987.

*A*nderson, Neil, y Charles Mylander. *Setting Your Church Free*. Ventura, Calif.: Regal, 1994. (Libertando a su Iglesia, Editorial Unilit, Miami, Fl.)

*A*rnold, Clinton. *Ephesians: Power and Magic*. Grand Rapids: Baker, 1992.

————. *Powers of Darkness*. Downers HGrove, Ill.: InterVarsity Press, 1992.

*B*ounds, E.M. *Power throught Prayer*. Grand Rapids: Zondervan, 1987.

*B*ryant, David. *Concerts of Prayer*. Rev. ed. Ventura, Calif.: Regal, 1988. (Concierto de Oración, Editorial Unilit, Miami, Fl.)

———. *The Hope at Hand*. Grand Rapids: Baker, 1995.

Dawson, John. *Taking Our Cities for God*. Lake Mary, Fl.: Creation House, 1989.

Duewel, Wesley. *Mighty Prevailing Prayer*. Grand Rapids.: Francis Asbury, 1990.

Eastman, Dick. *Love on Its Knees*. Tarrytown, N.Y.: Chosen, 1989.

Christenson, Evelyn. *What Happens When Women Pray*. Wheaton, Ill.: Victor, 1975.

Frangipane, Francis. *The Three Battlegrounds*. Marion, Iowa: Advancing Church Publications, 1989.

Green, Michael. *Exposing the Prince of Darkness*. Ann Arbor, Mich.: Vine, 1981.

Hawthorne, Steve, y Graham Kendrick. *Prayerwalking: Praying on Site with Insight*. Lake Mary, Fla.: Creation House, 1993.

Hayford, Jack. *Prayer Is Invading the Impossible*. New York: Ballantine, 1977, 1983.

Jacobs, Cindy. *Possessing the Gates of the Enemy*. Grand Rapids: Chosen, 1991.

Kinnaman, Gary. *Angels Dark and Light*. Ann Harbor, Mich.: Vine, 1994.

Kraft, Charles H. *Christianity with Power*. Ann Arbor, Mich.: Vine, 1989.

Lewis, C.S. *Letter to Malcolm: Chiefly on Prayer*. Glasgow, Scotland: Fontana, 1963, 1966.

———. *The Screwtape Letters*. New York: Macmillan, 1961.

Long, Bradford Zeb, y Douglas McMurry. *The Collapse of the Brass Heaven*. Grand Rapids: Chosen, 1994.

McAlpine, Thomas. *Facing the Powers*. Monrovia, Clif.: MARC, 1991.

Murphy, Ed. *The Handbook for Spiritual Warfare*. Nashville: Thomas Nelson, 1992.

Murray, Andrew. *The Ministry of Intercession*. Springdale, Pa.: Whitaker House, 1982.

Nee, Watchman. *The Latent Power of the Soul*. New York: Christian Fellowship Publishers, 1972.

Otis, George Jr. *Spiritual Mapping Field Guide*. Lynnwood, Wash.: the Sentinel Group, 1995.

——. ed. *Strongholds of the 10/40 Window*. Seattle: YWAM Publishing, 1995.

——. *The Last of the Giants*. Grand Rapids: Chosen, 1991.

Reidhead, Paris. *Beyond Petition*. Minneapolis: Dimension, 1974.

Sheets, Dutch. *Intercessory Prayer*. Ventura, Calif.: Regal, 1997. (Oracion Intercesora, Editorial Unilit, Miami, Fl.)

Sherman, Dean. *Spiritual Warfare for Every Christian*. Seattle: YWAM Publishing, 1990.

Strong, Gary. *Keys to Effective Prayer*. Basingstoke, England: Marshall Pickering, 1985.

Torres, Hector. *Desenmascaremos las tinieblas de este siglo*. Nashville: Betania, 1996.

Wagner, c. Peter, ed. *Breaking Strongholds in Your City*. Ventura, Calif.: Regal, 1993.

——. *Confronting the Powers*. Ventura, Calif.: Regal, 1996.

——. ed. *Engagind the Enemy*. Ventura, Calif.: Regal, 1991.

——. *Prayer Shield*. Ventura, Calif.: Regal, 1992.

——. *Warfare Prayer*. Ventura, Calif.: Regal, 1992.

——. y F. Douglas Pennoyer, eds. *Wrestling with Dark Angels*. Ventura, Calif.: Regal, 1990.

Warner, Timothy. *Spiritual Warfare*. Wheaton, Ill.: Crossway, 1991.

White, Tom. *The Believer's Guide to Spiritual Warfare*. Ann Arbor, Mich.: Servant Publications, 1990.

——. *Breaking Strongholds: How Spiritual Warfare Sets Captives Free*. Ann Arbor, Mich.: Vine, 1993.

Festivales religiosos y peregrinaciones

Agrawala, Vasudeva Sharana. *Ancient Indian Folk Cults*. Varanasi, India: Prithivi Prakashan, 1970.

Anderson, Mary. *The Festival of Nepal*. London: Allen & Unwin, 1971.

Bodde, Derk. *Festival in Classical China: New Year and Other Annual Observances During the Han Dynasty*. Princeton: Princeton University Press, 1975.

Brown, Alan, ed. *Festival in World Religions*. New York: Longman, 1986.

Casal, U.A. *The Five Sacred Festivals of Ancient Japan*. Rutland, Vt.: Charles Tuttle, 1967.

Cooper, J.C. *The Dictionary of Festivals*. London: Thorsons, 1995.

Crumrine, N. Ross, y Alan Morinis, eds. *Pilgrimage in Latin America*. New York: Greenwood, 1991.

Dunkling, Leslie. *A dictionary of Days*. New York: Facts On File, 1988.

Eickelman, Dale y James Piscatori, eds. *Muslim Travellers: Pilgrimage, Migration, and the Religious Imagination*. London: Routledge & Kegan Paul, 1990.

Festivals in Asia. Tokio: Kodansha, 1975.

Harrowven, Jean. *Origins of Festivals and Feasts*. London: Kaye & Ward, 1980.

Johnson, Russell, y Kerry Morgan. *The Sacred Mountain of Tibet: On Pilgrimage to Mount Kailas*. Rochester, Vt.: Park Street, 1989.

Lai, Kuan Fook. *The Hennessy Book of Chinese Festivals*. Kuala Lumpur: Heinemann Asia, 1984.

Lincoln, Louise, y tibor Bodrogi. *Assemblage of Spirits: Idea and Image in New Ireland*. New York: George Braziller, Minneapolis Institute of Arts, 1987.

MacNeill, Mary. *The Festival of Lughnasa: A Study of the Survival of the Celtic Festival of the Beginning of Harvest*. London: Oxford University Press, 1962.

McPhee, Colin. *A House in Bali*. New York: Oxford University Press, 1980.

Nag, Sunil Kumar, ed. *Popular Festivals of India*. Calcutta: Golden, 1983.

Pennick, Nigel. *The Pagan Books of Days: A Guide to the Festivals, Traditions, and Sacred Days of the Year*. Rochester, Vt.: Inner Traditions, 1992.

Shemanski, Francis. *A Guide to World Fairs and Festivals*. Westport, Conn.: Greenwood, 1985.

Singh, R. L., y Rana P.B. Singh, eds. *Trends in the Geography of Pilgrimages*. Varanasi, India: National Geographic Society of India, 1987.

Singh, S. B. *Fairs and Festivals in Rural India: A Geospacial Study of Belief Systems*. Varanasi, India; Tara Book Agency, 1989.

Snelling, John. *The Sacred Mountain*. London: East-West Publishers, 1983.

Welbon, Guy y Glenn Yocum, eds. *Religious Festivals in South India and Sri Lanka*. New Delhi: Manohar Publications, 1982.

Emplazamientos sagrados y lugares de poder

Ahlback, Tore, ed. Old Norse and Finnish Religions and Cultic Place Names.Stockholm: Donner Institute for Research in Religious and Cultural History, Almqvist & Wiksell, 1990.

Bernbaum, Edwin. *Sacred Mountains of the World*. San Francisco: Sierra Club, 1990.

Cowan, James. *Sacred Places in Australia*. Sydney: Simon & Schuster, 1991.

Devereux, Paul. *Earth Memory*. St. Paul: Llewellyn Publications, 1992.

——. *Places of Power*. London: Blandford, 1990.

Dowman, Keith. *The Power Places of Central Tibet: The Pilgrim's Guide*. London: Routledge & Kegan Paul, 1988.

Earth's Mysterious Places. Pleasantville, N.Y.: Reader's Digest, 1992.

Freitag, Sandria, ed. *Culture and Power in Banaras: Community, Performance, and Environment, 1800-1980*. Berkeley: University of California Press, 1989.

Harpur, James y Jennifer Westwood. *The Atlas of Legendary Places*. New York: Weidenfeld & Nicolson, 1989.

Harpur, James. *The Atlas of Sacred Places*. New York: Henry Holt, 1994.

Joseph, Frank, ed. *Sacred Sites: A Guidebook to Sacred Centers and Mysterious Places in the United States*. St. Paul: Llewellyn Publications, 1992.

Locke, Raymond Friday. *Sacred Sites of the Indians of the American Southwest*. Santa Monica, Calif.: Roundtable Publishers, 1991.

Lowell, Percival. *Occult Japan: Shinto, Shamanism and the Way of the Gods*. Rochester, Vt.: Inner Traditions, 1990.

McPherson, Robert. *Sacred Land, Sacred View: Navajo Perceptions of the Four Corners Region*. Provo, Utah: Brigham Young University, Signature, 1992.

Osmen, Sarah. *Sacred Places: A Journey into the Holiest Lands*. New York: St. Martin's Press, 1990.

Peterson, Natasha. *Sacred Sites: A Traveler's Guide to North America's Most Powerful, Mystical Landmarks*. Chicago: Contemporary, 1988.

Proudfoot, Peter. *The Secret Plan of Canberra*. Kensington, Australia: University of New South Wales Press, 1994.

Singh, R.L., y Rana P.B. Singh, eds. *Environmental Experience and Value of Place*. Varanasi, India: National Geographic Society of India, 1991.

——. *Trends in the Geography of Pilgrimages*. Varanasi, India: National Geographic Society of India, 1987.

Singh, Rana P.B. *Where Cultural Symbols Meet: Literary Images of Varanasi*. Varanasi, India: Tara Book Agency, 1989.

*S*ingh, S.B. *Fairs and Festivals in Rural India: A Geospacial Study of Belief Systems*. Varanasi, India: Tara Books Agency, 1989.

*S*nelling, John. *The Sacred Mountain*. London: East-West Publishers, 1983.

*S*opher, David. *The Geography of Religions*. Englewood Cliffs, N.J.: Prentice-Hall, 1967.

*S*treep. Peg. *Sanctuaries of Power: The Sacred Landscapes and Objects of the Goddess*. Boston: Little, Brown, 1994.

*S*wan, James, ed. *The Power of Place and Human Environments*. Wheaton, Ill.: Quest, 1991.

*V*ogt, Evon. *Zinacantan: A Maya Community in the Highlands of Chiapas*. Cambridge, Mass.: Belknap Press, Harvard University Press, 1969.

*W*alters, Derek. *Chinese Geomancy*. Shaftesbury, England: Element, 1991.

Chamanismo y religiones tradicionales

*B*astien, Joseph. *Mountain of the Condor*. Prospect Heights, Ill.: Waveland, 1985.

*B*lacker, Carmen. *The Catalpa Bow*. London: Unwin Hyman, 1989.

*B*utt-Thompson, Frederick. West African Secret Societies: Their Organizations, Officials, and Teachings. Westport, Conn.: Negro Universities Press, 1970 (1929).

*C*owan, Tom. *Fire in the Head: Shamanism and the Celtic Spirit*. San Francisco: HarperSanFrancisco, 1993.

*C*ushing, Frank Hamilton. *Zuni Fetishes*. Las Vegas: KC Publications, 1990.

*D*avis, Wade. *The Serpent and the Rainbow*. New York: Warner, 1985.

*E*liade, Mircea. *Shamanism: Archaic Techniques of Ecstacy*. Princeton: Princeton University Press, 1972.

*F*aris, James. *The Nightway*. Albuquerque: University of New Mexico Press, 1990.

BIBLIOGRAFÍA SELECTA

*F*razer, James. *The Golden Bough,* New York: Macmillian [1922], 1974.

*F*reidel, David, Linda Schele y Joy Parker. *Maya Cosmos: Three Thousand Years on the Shaman's Path.* New York: Quill, 1993.

*G*ersi, Douchan. *Faces in the Smoke.* Los Angeles: Jeremy Tarcher, 1991.

*H*alifax, Joan. *Shamanic Voices: A Survey of Visionary Narratives.* New York: E.P. Dutton, 1979.

———. *Shaman: The Wounded Healer.* New York: Crossroad, 1982.

*H*arner, Michael, ed. *Hallucinogens and Shamanism.* New York: Oxford Universiy Press, 1973.

———. *The Way of the Shaman.* New York: Bantam, 1980.

*H*art, Mickey. *Drumming at the Edge of Magic.* San Francisco: Harper SanFrancisco, 1990.

*H*einze, Ruth-Inge. *Trance and Healing in Southeast Asia Today.* Bangkok: White Lotus, 1988.

———. *Shamans of the 20th Century.* New York: Irvington Publishers, 1991.

*H*essig, Walter. *The Religions of Mongolia.* Geoffrey Samuel, trans. Boston: Routledge & Kegan Paul, 1980.

*K*alweit, Holger. *Dreamtime and Inner Space: The World of the Shaman.* Boston: Shambala, 1988.

*L*ake, Medicine Grizzlybear. *Native Healer.* Wheaton, Ill.: Quest, 1991.

*L*incoln, Louise, y Tibor Bodrogi. *Assemblage of Spirits: Idea and Image in New Ireland.* New York: George Braziller, Minneapolis Institute of Arts, 1987.

*L*owell, Percival. *Occult Japan: Shinto, Shamanism and the Way of the Gods.* Rochester, Vt.: Inner Traditions, 1990.

*M*cGaa, Ed. *Mother Earth Spirituality: Native American Paths to Healing Ourselves and Our World.* New York: HarperSanFrancisco, 1990.

McKenna, Terence. *Food of the Gods: The Search for the Original Tree of Knowledge*. New York: Bantan, 1992.

——. *True Hallucinations*. San Francisco: HarperSanFrancisco, 1993.

Mumford, Stan Royal. *Himalayan Dialogue: Tibetan Lamas and Gurung Shamans in Nepal*. Madison, Wis.: Universiy of Wisconsin Press, 1991.

Nicholson, Shirley. ed. *Shamanism*. Wheaton, Ill.: Theosophical Plublishing House, 1987.

Oke, Isaiah, *Bood Secrets: The True Story of Demon Worship and Ceremonial Murder*. Buffalo: Prometheus, 1989.

Piggot, Stuart. *The Druids*. London: Thames & Hudson, 1961.

Ray, Benjamín. *African Religions*. Englewood Cliffs, N.J.: Prentice-Hall, 1976.

Reichard, Gladys. *Navajo Religion. Princeton: Princeton University Press, 1977*.

Rutherford, Ward. *The Druids: Magicians of the West*. Wellingborough, England: Aquarian Press, 1983.

Shils, Edward Albert. *Tradition*. Chicago: University of Chicago Press, 1981.

Somé, Patrice Malidoma. *Of Water and the Spirit*. New York: Jeremy Tarcher/G. P. Putnam's Sons, 1994.

The Spiritu World. Alexandria, Va.: Time-Life, 1992.

Taylor, Rogan. *The Death and Resurrection Show*. London: Anthony Blond, 1985.

Tierney, Patrick. *The Highest Altar*. New York: Viking, 1989.

Tompkins, Ptolemy. *This Tree Grows Out of Hell*. San Francisco: HarperSanFrancisco, 1990.

Wasson, R. Gordon. *Persephone's Quest: Entheogens and the Origins of Religion*. New Haven: Yale University Press, 1986/

Señales, maravillas y evangelismo de poder

DeArteaga, William. *Quenching the Spirit*. Lake Mary, Fl.: Creation House, 1996 (1992).

Greig, Gary, y Kevin Springer, eds. *The Kingdom and the Power*. Ventura, Calif.: Regal, 1993.

Kinnaman, Gary. *And Signs Shall Follow*. Old Tappan, N.J.: Chosen, 1987.

Kraft, Charles H. *Christianity with Power*. Ann Arbor, Mich.: Vine, 1989.

Lewis, C.S. *Miracles*. New York: Macmillan, 1947.

Pytches, David. *Spiritual Gifts in the Local Church*. Minneapolis: Bethany, 1985.

Springer, Kevin, ed. *Power Encounters among Christian in the Western World*. San Francisco: HarperSanFrancisco, 1988.

Wagner, C. Peter y F. Douglas Pennoyers, eds. *Wrestling with Dark Angels*. Ventura, Calif.: Regal, 1990.

White, John. *When the Spirit Comes with Power: Signs and Wonders among God's People*. Downers Grove, Ill.: InterVarsity, 1988.

Williams, Don. *Signs, Wonders and the Kingdom of God*. Ann Arbor, Mich.: Vine, 1989.

Wimber, John, y Kevin Springer. *Power Evangelism*. Rev.ed. San Francisco: HarperSanFrancisco, 1992.

———. *Power Healing*. San Francisco: HarperSanFrancisco, 1987.

Woodberry, J. Dudley. *Muslims and Christians on the Emmaus Road*. Monrovia, Calif.: MARC, 1989.

Copiar de la página 393 del texto original.

ÍNDICE

ÍNDICE

ÍNDICE

ÍNDICE

ÍNDICE